Toute l'histoire illustre et merveilleuse du

CANADIEN

de Montréal

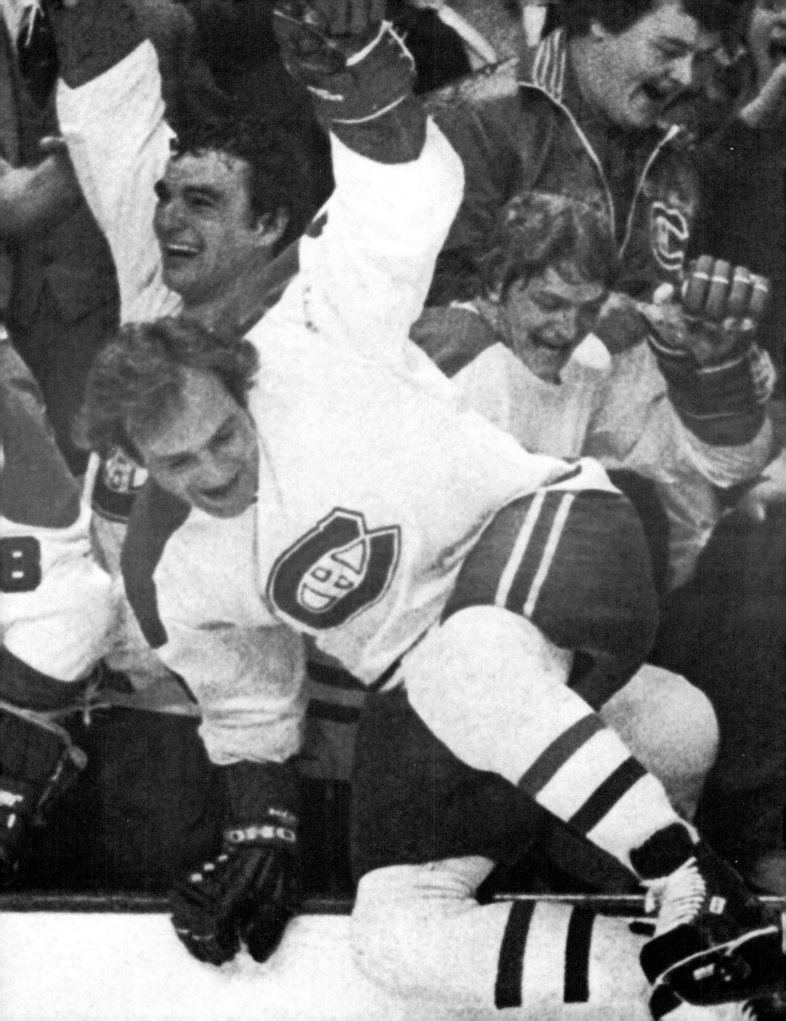

RICHARD, BÉLIVEAU, LAFLEUR...

Toute l'histoire illustre et merveilleuse du

CANADIEN

de Montréal

CLAUDE MOUTON

la presse

Éditeurs :
LES ÉDITIONS LA PRESSE, LTÉE
44, rue Saint-Antoine ouest
Montréal (Québec) H2Y 1J5

LES ÉDITIONS LA PRESSE, LTÉE
© Copyright, Ottawa, 1986

Dépôt légal :
BIBLIOTHÈQUE NATIONALE DU QUÉBEC
4e trimestre 1986
ISBN 2-89043-197-5

Consultation éditoriale :
Camil DesRoches et Glen Cole

Rédacteur :
Claude Mouton

Dessin :
Artplus Ltd/Brant Cowie

Photographies :
Couverture : Denis Brodeur
Dos de couverture : David Bier

Maquette :
Couverture : Jean Provencher
Pages intérieures : Michel Bérard

Composition :
S.T.ART

Impression :
Imprimerie Gagné Ltée,
Louiseville, Québec, Canada

Je dédie ce livre à tous les sportifs que je suis heureux de considérer comme des amis.

À ma famille que je remercie pour sa grande compréhension et son appui inconditionnel tout au long de ma carrière dans les sports.

Un match de hockey pour le championnat canadien, Montréal, 1905. (Les Victorias de Montréal, versus A.A.A. de Montréal.)

L'auteur

Claude Mouton

CLAUDE MOUTON est directeur des relations publiques du Club de Hockey Canadien de Montréal, position qu'il occupe depuis 1973. Depuis près de vingt-cinq ans, c'est un personnage bien connu dans les milieux sportifs de Montréal. Sa carrière présente des étapes multiples : il est depuis 12 ans annonceur au Forum de Montréal. Il fut aussi annonceur de baseball au Parc Jarry durant les cinq premières années d'existence des Expos, commentateur sportif pour la station de radio CKAC pendant onze ans et directeur des sports pour le réseau de radio Télémédia pendant trois ans. Il fut, également, président du Club de la Médaille d'Or, organisateur en chef du tournoi international de hockey Bantam à Montréal, fondateur et organisateur de la course cycliste le Tour de la Nouvelle-France.

Claude Mouton fait la connaissance de Valeri Karlomov la veille du premier match de la toute première confrontation Union Soviétique — Canada lors de la Série du Siècle, en septembre 1972. Les gérants de l'équipe canadienne, John Ferguson et Harry Sinden, assistent à la scène.

Les collaborateurs

Camil DesRoches

La carrière de Camil DesRoches ressemble à l'histoire des Canadiens. Le plus jeune de dix-neuf enfants, il a été élevé à Montréal. Après ses études, il travailla comme journaliste sportif pour un journal hebdomadaire, Le Petit Journal. En 1938, il travaillait pour un journal quotidien, Le Canada, et dès lors son nom s'associe à celui de l'équipe. Bien qu'il travaillait toujours pour Le Canada, T.P. Gorman l'engagea pour traduire de l'anglais au français tous les communiqués de presse de l'équipe tous les jours. Quand, en 1946, Gorman quitta l'équipe dont il avait été le directeur général et fut remplacé par Frank Selke, DesRoches fut chargé à plein temps de la publicité et des relations publiques. Il fait partie de l'organisation des Canadiens depuis lors. Aujourd'hui, il occupe le poste de directeur des Événements Spéciaux du Forum. Sa connaissance du hockey est immense en ce qui concerne l'histoire des Canadiens de Montréal et son opinion prévaut. Nous lui devons, suite à la publication de ce deuxième volume, une reconnaissance énorme, car il a été d'une très grande utilité grâce à sa mémoire photographique et sa grande expérience.

Glenn Cole

Glenn Cole est un ancien journaliste au journal La Gazette de Montréal, maintenant avec la station de radio CJAD de Montréal, après avoir été plusieurs années à l'emploi de la station de radio CFCF. Nous le remercions pour la compilation et la vérification de toutes les statistiques que contient ce volume. Glenn Cole a été pour nous d'une aide inestimable.

Remerciements

Une reconnaissance toute particulière à un grand mordu de notre sport national, Monsieur Bill Galloway, qui a été un atout indispensable dans nos recherches grâce aux innombrables fichiers qu'il possède et qu'il a bien voulu nous laisser utiliser.

À Camil DesRoches, un ami de toujours qui, grâce à ses connaissances et à sa mémoire photographique, a été un collaborateur des plus précieux.

À Glenn Cole de CJAD qui, par son amour des statistiques, nous a rendu des services inestimables.

À mon adjointe depuis dix ans, Normande Herget.

Table des matières

Préface

Le Club de Hockey Canadien fait désormais partie de notre patrimoine national et de plus, il est connu de millions de fanatiques à travers le monde. Et pourtant, il n'existait pas, il y a à peine cinq ans, d'album illustré qui raconte son histoire triomphale.

Depuis mes vingt-trois dernières années dans le sport, je voyais bien que toutes les questions qui m'avaient été posées ne pouvaient se concrétiser que dans l'élaboration d'un tel livre.

Or, le succès remporté par la première publication intitulée *Les Canadiens de Montréal: une dynastie du hockey* ne pouvait que confirmer cet engouement et justifier la réédition de cet ouvrage qui fut le fruit de cinq années de travail.

J'ai ainsi apporté de nombreux changements afin de satisfaire mon public lecteur qui, par centaines, me faisait part de ses commentaires et suggestions. La section des Maroons de Montréal cède la place à un texte beaucoup plus élaboré sur l'histoire de l'équipe et les faits saillants de toutes les saisons jusqu'à la dernière conquête de la coupe Stanley en 1985-86; et la partie Records et Statistiques a été revue et augmentée.

Cet ouvrage, débordant de renseignements inédits, témoigne donc des traditions de la plus grande équipe de hockey, de ses joueurs de tête — passés et présents — et des moments qui l'ont rendue si illustre dans le monde du sport professionnel.

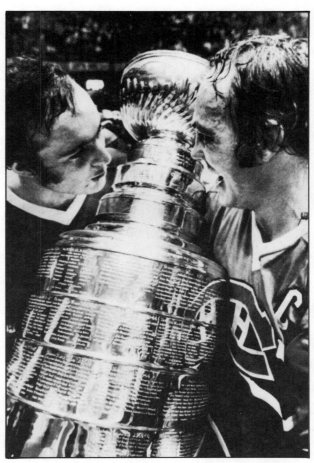

16 mai 1976 — Steve Shutt et Yvan Cournoyer avec la coupe Stanley après la défaite des Flyers de Philadelphie au Spectrum.

J'espère que les lecteurs et lectrices en tireront un grand plaisir et, qui sait, les aidera peut-être à régler un pari amical?

CLAUDE MOUTON

1

L'histoire illustre et merveilleuse du Canadien de Montréal

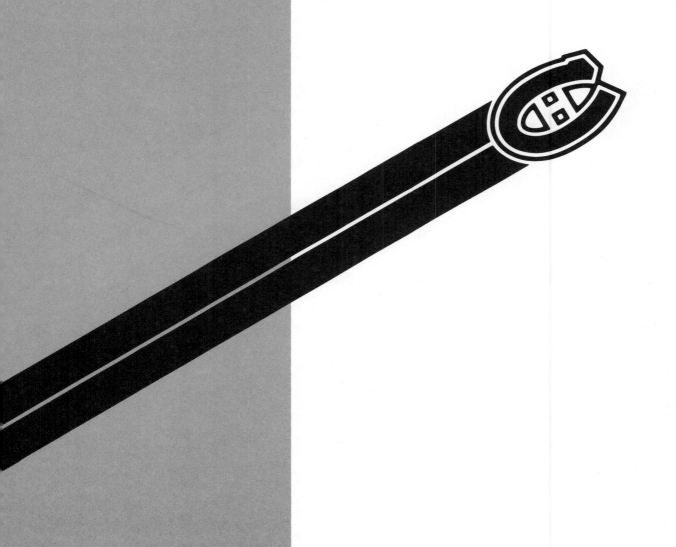

L'histoire illustre et merveilleuse du Canadien de Montréal

À la suite de la publication de mon premier livre sur le Club de Hockey Canadien en 1980, j'ai reçu plusieurs appels téléphoniques d'amateurs de hockey qui voulaient me fournir des renseignements additionnels que je ne possédais pas au moment de la publication.

Il faut comprendre que pendant cinq ans, je me suis consacré à un travail de pionnier en amassant, à gauche et à droite, le plus de détails possible concernant l'histoire du Canadien.

Au cours d'un voyage à Kingston (Ontario), j'ai rencontré un monsieur on ne peut plus sympathique du nom de Bill Galloway dont la passion était de compiler des statistiques, des fiches et des données sur le hockey professionnel depuis le tout début.

Son équipe favorite était certainement le Canadien, celle qui existait depuis le plus longtemps déjà. Après plusieurs rencontres, monsieur Galloway m'a livré des détails sur tout ce qui touche le Canadien depuis sa fondation.

J'ai donc décidé de retrancher de cette ré-édition l'histoire sur les Maroons de Montréal afin de donner aux lecteurs l'histoire complète de l'équipe depuis le début, telle que me l'a transmise monsieur Galloway.

Nous avons, dans cet ouvrage, des fiches des plus complètes sur l'équipe et ses joueurs et des statistiques jusqu'à la fin de la saison 1985-86.

J'espère que cette deuxième édition saura vous plaire et sans plus tarder, voici l'histoire du Canadien.

Le 5 janvier 1985, les « Canadiens de Montréal » célébraient leur soixante-quinzième année consécutive dans le hockey professionnel. Aucune équipe n'a autant contribué au progrès du jeu, développé autant de super-vedettes, gagné plus de trophées ou de coupes Stanley que cette prestigieuse organisation mondialement reconnue.

Deux grands capitaines du Canadien: Henri Richard et Jean Béliveau.

Partie une : les débuts
La naissance de l'équipe et son premier match

Dès l'instant où ils sautent sur la glace en cette soirée mémorable de janvier 1910, pour affronter les Silver Kings de Cobalt, ils savent capter l'imagination d'un public qui se passionne déjà pour cette nouveauté. Ils deviennent rapidement les favoris de tous les Canadiens d'un océan à l'autre et sont reconnus dans le monde du hockey.

Les Canadiens naissent à une époque effervescente, soit un an après la création de la première ligue professionnelle au Canada. En effet, la Ligue de hockey professionnelle de l'Ontario commence ses activités le 3 janvier 1908, avec quatre équipes de l'ouest de l'Ontario : Toronto, Guelph, Brantford et Berlin (rebaptisé Kitchener durant la Première Guerre mondiale). Les Maple Leafs de Toronto remportent le premier championnat de la LHPO mais s'inclinent 6 à 4 face aux Wanderers de Montréal le 14 mars 1908, lors de la rencontre de la coupe Stanley. Édouard « Newsy » Lalonde, maraudeur avec l'equipe torontoise, devient le premier champion compteur de la Ligue avec 29 buts en 9 parties. Ironiquement, il sera, deux ans plus tard, la première super-vedette des Canadiens de Montréal.

Vers la fin de 1909, une querelle surgit au sein de l'Association canadienne de hockey de l'Est, au sujet des droits des Wanderers de Montréal, vainqueurs de la coupe Stanley en 1906, 1907 et 1908. Ceux-ci tiennent à jouer leurs joutes locales à l'aréna Jubilee, située à l'angle des rues Moreau et Ste-Catherine, dans l'est de Montréal. Les propriétaires des autres équipes, Ottawa, Québec et les Sham-rocks de Montréal, optent plutôt pour un amphithéâtre, de plus grande dimension, celui de Westmount, reconnu comme étant l'aréna de Montréal sur l'avenue Wood, au coin de Ste-Catherine ouest, près de l'actuel Forum. Aux deux endroits, le propriétaire de l'aréna perçoit 60% des recettes d'entrées et l'équipe 40%. L'aréna de Westmount, avec sa capacité de 6 000 sièges, a largement la préférence des autres propriétaires d'équipes, puisque l'aréna Jubilee ne peut contenir plus de 3 500 spectateurs. En outre, Westmount s'engage à fournir aux équipes différents services, tels que : vestiaires chauffés, service de placiers, sans oublier un temps de glace équivalent à deux heures d'exercices par semaine.

M. P.J. Doran, propriétaire à la fois de l'aréna Jubilee et de la concession des Wanderers, refuse, évidemment, de jouer ailleurs que chez lui. C'est l'impasse.

À l'assemblée annuelle de l'Association canadienne de hockey de l'Est, le 13 novembre 1909, le problème reste insoluble. Le président du circuit, W.P. Lunny, procède à l'ajournement et convoque une autre réunion le 25 novembre suivant.

Une nouvelle ligue est fondée

Au début de novembre 1909, J. Ambrose O'Brien, fils du richissime M.J. O'Brien (plus tard devenu sénateur) de Renfrew, se trouve au Lac-Saint-Jean, dans le but d'acheter des approvisionnements pour un contrat de chemin de fer, lorsqu'il reçoit un appel de James et George Barnet, propriétaires des Creame-

ry Kings de Renfrew, l'informant qu'une nouvelle ligue sera fondée à Montréal le 25 novembre. Ils lui suggèrent d'arrêter à Montréal sur le chemin du retour et de faire une demande pour obtenir une concession.

Le soir du 25 novembre, Ambrose O'Brien entre à l'hôtel Windsor où l'Association canadienne de hockey de l'Est tient une assemblée afin de discuter du cas des Wanderers. O'Brien fait sa demande mais on lui refuse carrément. «On a ri de moi», a-t-il avoué des années plus tard.

Quand il devient évident que les Wanderers ne veulent pas se plier au souhait de la majorité qui tient toujours à les voir jouer à l'aréna de Westmount, les trois autres équipes (Ottawa, Québec et les Shamrocks de Montréal) adoptent une proposition de dissoudre l'Association canadienne de hockey de l'Est et de fonder une nouvelle ligue : l'Association canadienne de hockey (ACH). Ils repoussent la candidature des Wanderers tout en acceptant deux nouvelles formations : le All-Montreal et le National de Montréal. Chacune des équipes de l'ACH se voit imposer des frais d'inscription de 30 $ ainsi qu'une cotisation annuelle de 25 $.

Les Wanderers de Montréal, qui avaient quitté les rangs de la Ligue fédérale de hockey amateur en 1906 pour devenir membres fondateurs de l'Association canadienne de hockey de l'Est, sont donc laissés à l'écart. Les fiers Wanderers, champions de quatre coupes Stanley, se retrouvent seuls, sans adversaire.

Une rencontre fortuite

Assis dans le hall d'entrée de l'hôtel Windsor, espérant toujours que l'Association canadienne de hockey reconsidère sa demande d'opérer une concession, O'Brien voit s'amener Jimmy Gardner, l'un des dirigeants des Wanderers et membre de l'équipe gagnante de la coupe Stanley de 1902. Gardner rage encore contre ceux qui viennent de l'écarter de l'ACH.

«Pourquoi ne formerions-nous pas une nouvelle ligue?» propose-t-il à O'Brien. «Vous possédez Cobalt et Haileybury et représentez Renfrew. Nous, nous avons les Wanderers. Peut-être que nous pourrions aussi former une équipe de Canadiens français et créer une rivalité quelconque. Jack Laviolette est propriétaire d'un établissement sur la rue Notre-Dame, le *Jack's Cage,* où se rassemblent la plupart des joueurs de hockey francophones de Montréal. Il possède une bonne équipe amateur qui dispute des joutes hors-concours dans la région de Montréal.»

Gardner connaît bien Laviolette pour l'avoir affronté en 1905 et 1906 dans la rude Ligue Professionnelle Internationale. Gardner jouait pour Calumet, Michigan, tandis que Laviolette, membre de l'équipe d'Étoiles en 1906, évoluait avec le club de Sault Sainte-Marie, Michigan.

Ambrose O'Brien aime bien l'idée d'un deuxième circuit. Il suggère à Gardner de rencontrer Laviolette afin de connaître le nombre de joueurs canadiens-français disponibles. Entretemps, O'Brien retourne à Renfrew dans le but de recruter les meilleurs joueurs disponibles. Jimmy Gardner rencontre la direction des Wanderers et une réunion secrète est fixée pour le jeudi 2 décembre 1909 entre les représentants d'équipes intéressés à acquérir une concession.

Fondation de l'Association Nationale de Hockey

La réunion a lieu le jour prévu à l'hôtel St. Lawrence, sur la rue St-Jacques. Sont pré-

sents: P.J. Doran, Dickie Boon et Jimmy Gardner, des Wanderers; Ambrose O'Brien, James Barnet et George Martel, de Renfrew; Tom Hare, de Cobalt; et Noah Timmens représentant Haileybury. Fred Strachan, l'un des quatre frères membres de l'équipe championne des Wanderers, de 1906 à 1908, préside. Il déclare que des concessions sont accordées à quatre équipes: les Wanderers de Montréal (rouge et blanc), les Silver Kings de Cobalt (rouge, gris et bleu), Haileybury (marron et blanc) et les Creamery Kings de Renfrew (rouge et blanc).

C'est la naissance d'une nouvelle ligue qui a pour nom l'Association Nationale de Hockey (ANH). Sachant que plusieurs équipes étaient intéressées à joindre les rangs du nouveau circuit, Strachan fixe une réunion qui se déroulera à l'hôtel Windsor, à Montréal, le samedi 4 décembre 1909.

Les Canadiens sont là

La réunion de l'Association Nationale de Hockey se tient dans la chambre 129 de l'hôtel Windsor, rue Peel, toujours sous la présidence de Fred Strachan, accompagné du secrétaire Eddy McCaffery, le soir du 4 décembre.

Au même moment, sur le même étage, dans la chambre 135, une autre assemblée commence, celle de l'Association canadienne de hockey, présidée par W.P. Lunny. Dans le corridor, le bruit court que l'équipe d'Ottawa et deux autres de Montréal, le National et les Shamrocks, pourraient se voir accorder une concession dans l'ANH. Mais les allées et venues entre les deux chambres, attendues par les journalistes, ne se matérialisent pas.

À l'ajournement de la réunion de l'ANH, le nouveau président élu, M. Doheney, annonce qu'une concession a été octroyée à une nouvelle équipe de Montréal appelée « les Canadiens ». C'est à Jack Laviolette, figure bien connue dans les milieux francophones du hockey, qu'est confiée la tâche d'organiser cette nouvelle formation avec l'aide d'Eddy McCaffery, secrétaire et assistant-gérant.

De son vrai nom Jean-Baptiste, Laviolette est né à Belleville, Ontario, en 1879. Il joue avec le club de Montréal en 1904 et passe au Sault Sainte-Marie, Michigan, de la Ligue Professionnelle Internationale, en 1905-06, avant de revenir à Montréal en 1908 avec les Shamrocks.

Les Canadiens de Montréal adoptent le bleu et le blanc comme couleurs officielles et partagent avec les Wanderers l'aréna Jubilee pour y tenir leurs joutes locales.

Lorsque James et George Barnet, propriétaires de la concession de Renfrew, s'opposent au contrat de trois ans que les Canadiens ont signé avec l'aréna Jubilee, en se refusant à tout compromis, J. Ambrose O'Brien décide de prendre la suite des opérations du club de Renfrew, devenant ainsi propriétaire de quatre des cinq clubs de la Ligue: Cobalt, Haileybury, Renfrew et les Canadiens. Tommy Hare est nommé gérant de l'équipe de Cobalt et Noah Timmins dirige le club de Haileybury.

L'investissement total des O'Brien dans l'entreprise des Canadiens de Montréal se chiffre à seulement 5 000 $. Exemptés des frais d'inscription, leurs seules dépenses se limitent aux salaires des joueurs, à l'achat d'équipements et aux frais d'opérations courantes. Tous s'entendent pour que l'administration des Canadiens soit remise entre les mains d'intérêts canadiens-français aussitôt que des arrangements appropriés seront possibles.

M. Doheney dévoile un calendrier de 12 matches et les Canadiens auront l'honneur de participer à la joute inaugurale à l'aréna Jubilee le mercredi 5 janvier 1910 avec les Silver Kings de Cobalt.

La lutte du pouvoir

Le président de l'Association canadienne de hockey, W.P. Lunny, annonce au sortir de la chambre 135 que son circuit s'est fixé un calendrier de 12 matches débutant le 30 décembre 1909. Il nie les allégations voulant que les Wanderers aient été expulsés de l'ACH, soutenant que leur demande avait été rejetée à la suite de leur refus de jouer leurs parties locales à l'aréna de Westmount. M. Lunny explique que l'équipe d'Ottawa refuse de jouer ailleurs qu'à Westmount et ajoute que les deux nouvelles formations, le All-Montreal et le National, ont accepté les conditions de la Ligue.

Commence alors une lutte à finir pour le contrôle du hockey professionnel. Quand la poussière se sera dissipée, une seule organisation survivra.

Henri Richard tente de déjouer Ed Chadwick des Leafs.
TEMPLE DE LA RENOMMÉE, TORONTO.

Une enchère sur les joueurs

Pendant que Laviolette poursuit son dépistage des meilleurs Canadiens français, Ambrose O'Brien tente de mettre sur pied à Renfrew une équipe compétitive. Il assigne au poste de dépisteur-chef George Martel avec le mandat d'embaucher les meilleurs joueurs disponibles.

John Michael O'Brien, le père de J. Ambrose, accepte, malgré un intérêt mitigé pour le hockey, d'assurer le financement des équipes de Renfrew, Haileybury, Cobalt et les Canadiens.

Vers la mi-décembre, les journaux d'Ottawa rapportent que des joueurs de la région se voient offrir par l'ANH le double du salaire qu'ils gagnent dans l'ACH.

« Mon père n'a jamais regardé à la dépense », de nous confier J. Ambrose en 1960, alors que nous étions à effectuer des recherches pour un documentaire sur le hockey de l'Office national du film. « Il n'était pas un amateur de hockey, dit Ambrose. Je ne me souviens pas de l'avoir vu assister à un match, pourtant il avançait l'argent nécessaire à la sécurité financière de nos équipes.

« Oui, nous avons courtisé certains joueurs d'Ottawa, non pas parce qu'ils avaient voté contre nous lors de notre demande d'une concession dans l'ACH, mais bien parce que nous voulions une équipe représentative à Renfrew. Les journaux d'Ottawa prétendaient que nous faisions des offres de 3 000 $ à 5 000 $ pour leurs meilleurs joueurs mais cela est faux. Cette situation n'a pas aidé l'ACH, ses joueurs cherchant à obtenir le meilleur salaire possible. Mais nous avons mis la main sur Cyclone Taylor pour moins de 2 000 $. »

Informé des offres salariales exorbitantes de l'ANH, le cercle des propriétaires d'équipes de l'ACH s'agite et appréhende le début de la saison, le 30 décembre, fort conscient qu'il ne pourra survivre si les salaires, tels que mentionnés dans les journaux d'Ottawa et de Renfrew, s'avèrent justes.

La saison de l'ACH s'ouvre vendredi le 30 décembre 1909 devant une poignée de spectateurs qui assiste à la défaite du National contre le All-Montreal à l'aréna de Westmount. Une foule d'un peu moins de 800 personnes voit les Shamrocks infliger un revers de 17 à 8 au National le 11 janvier 1910. Deux jours plus tard, seulement 1 000 spectateurs sont témoins de la cuisante défaite, par le pointage de 15 à 5, du All-Montreal devant les champions de la coupe Stanley, les Senators d'Ottawa. L'Association canadienne de hockey réalise alors qu'elle est en péril.

Les Canadiens font les manchettes

Les Canadiens de Montréal font les manchettes avant même de jouer leur premier match. Le titre du *Montreal Star,* le matin du 5 janvier se lit comme suit : « Une amende de 2 000 $ et 60 jours de prison pour Pitre s'il joue ». Ce qui contribue au climat d'anxiété qui prévaut déjà à l'approche de la première partie des Canadiens.

Premier joueur approché par Laviolette, premier hockeyeur à signer un contrat avec les Canadiens, Didier Pitre était un coéquipier de Laviolette à Sault Sainte-Marie, dans la Ligue Internationale, de 1905 à 1907. Les deux hommes s'étaient liés d'amitié. Afin de l'empêcher de jouer avec les Canadiens, le National de Montréal loge une injonction interlocutoire en Cour supérieure. À 11 h 30, le matin du 6 janvier, M. Justice Lavergne

donne à Pitre le droit d'aller en appel et fixe une audience au 17 janvier. Pitre peut jouer pour Montréal jusqu'à ce que sa cause soit entendue et il est en uniforme quand les « Canadiens » sautent sur la glace pour leur premier match dans l'ANH.

Pitre raconte à la presse que le National lui promet un montant de 1 100 $ mais que les Canadiens lui garantissent une somme de 1 700 $, et ce, même s'il est forcé par les tribunaux de retourner à son ancienne équipe. En dépit d'une rumeur selon laquelle d'autres joueurs pourraient être touchés par l'injonction, Pitre est le seul concerné à ce moment.

Dans son édition du 6 janvier, le *Montreal Gazette* fait paraître en page 5 l'entrefilet suivant : « Les salaires du National : 4 530 $ — Ce que coûterait une équipe de hockey avec Pitre et Lalonde. »

D'après les chiffres cités dans le cas de Pitre, les joueurs du National seraient payés de la façon suivante : Ménard 550 $; Lalonde (Newsy) 800 $; Décarie 330 $; Jetté 250 $; Pitre 1 100 $; Millaire 250 $; Rattan 350 $; Paré 350 $; Dubeau 550 $.

Le *Montreal Gazette* du 5 janvier 1910 écrit sous le titre « Inquiétude d'une équipe » *(Doubt About Team)* que « le jugement accordant une injonction contre Pitre doit être suivi de procédures similaires dans le cas de plusieurs autres joueurs. Le National, qui a déjà engagé des procédures en ce sens, veut empêcher Lalonde (Newsy) et Décarie (Ed) de s'aligner avec les Canadiens. Le All-Montreal intentera une poursuite similaire contre Poulin (Skinner), lui aussi avec l'équipe francophone de l'Association Nationale. Le jugement a suscité un immense intérêt dans les cercles du hockey local hier. »

Les « Canadiens » de Montréal n'ont pas encore joué leur premier match que déjà les rédacteurs sportifs leur accordent plus d'importance qu'aux quatre autres clubs montréalais réunis. Le propriétaire J. Ambrose O'Brien et son joueur-entraîneur Jack Laviolette en sont ravis. Une salle comble s'annonce pour l'ouverture de la saison des « Canadiens ».

Le début des Canadiens

Le mercredi 5 janvier 1910, le club de hockey « les Canadiens de Montréal » inaugure la première saison de l'Association Nationale de Hockey en se mesurant aux Silver Kings de Cobalt à l'aréna Jubilee. Plus de 3 000 partisans sont témoins d'un des plus excitants matches d'ouverture de l'histoire du hockey.

Jack Laviolette réalise tout un exploit en mettant les Canadiens sur pied en moins d'un mois. Pour le premier match, il place Joe Cattarinich devant le filet, lui-même à la pointe avec Didier Pitre, Édouard « Newsy » Lalonde comme maraudeur, Ed Décarie au centre avec Arthur Bernier et George « Skinner » Poulin comme ailiers. Le Montréalais Ed Chapleau est le seul réserviste. Il sera rejoint plus tard par trois autres substituts : Ed Millaire, Noss Chartrand et Richard Duckett.

Depuis 8 heures, l'orchestre du Jubilee accueille les spectateurs au son d'une musique militaire. À 8 h 30, l'arbitre Riley Hern et le juge du jeu Réginald Percival présentent les équipes. Dès son entrée sur la patinoire, la nouvelle formation canadienne-française est applaudie chaleureusement, suivie de l'équipe de Cobalt qui reçoit aussi des encouragements.

Le match comprend deux périodes de trente minutes avec une pause entre les deux

de dix minutes au cours de laquelle l'orchestre du Jubilee est invité à divertir la foule. Les gradins sont presque remplis à pleine capacité lorsque l'arbitre dépose la rondelle au centre pour commencer le match.

Le centre Ed Décarie gagne la mise en jeu et les premiers coups de patins retentissent.

Après dix-sept minutes de jeu, les Canadiens marquent le premier but de l'histoire de l'ANH. L'honneur de lancer « les Canadiens » en avant revient à nul autre que Newsy Lalonde. Les Montréalais prennent l'avance 3 à 0 sur des buts de Skinner Poulin, à 19 : 06, et du deuxième de Lalonde à 25 : 00.

« Lalonde a déjoué toute l'équipe de Cobalt avant de réussir un but de toute beauté », écrit le *Montreal Gazette* le lendemain. Une minute plus tard, « les Canadiens » jouent à court de deux joueurs (Laviolette et Poulin sont au banc des punitions) et Clarke compte le premier but de Cobalt.

C'est avec une priorité de 3 à 1 sur les Silver Kings que « les Canadiens » se retirent au vestiaire pour une période de repos de dix minutes à la mi-temps. Le reporter de la *Gazette* note : « Une brume épaisse, occasionnée par les nombreux fumeurs, envahit la surface glacée au cours de la deuxième moitié, empêchant parfois de distinguer les joueurs. »

Steve Vair, habile joueur de centre de Cobalt, réplique avec deux buts consécutifs pour niveler la marque ; son premier à 2 : 35 et son second à 11 : 25 en désavantage numérique. Grâce à des buts de McNamara, Clarke et Smail, les Silver Kings mènent 6 à 4 en fin de partie. Avec 1 minute 20 secondes à écouler, Arthur Bernier trouve le fond du filet à partir de la mise en jeu, réduisant la marge à un seul but.

« Un peu plus tard, reprend la *Gazette*, Laviolette a ébloui la foule avec une descente spectaculaire à l'aile et il a porté le pointage à 6 à 6. Les Canadiens avaient l'avantage d'un homme. »

Alors que l'orchestre entonne le *God Save The King* et que les équipes quittent la patinoire, l'arbitre Riley Hern informe les spectateurs qu'il y aura prolongation. La décision de Hern est basée sur un vieux règlement de l'Association de hockey amateur de l'Est, repris et adopté par l'ANH. Les amateurs regagnent rapidement leurs sièges et les deux équipes changent de côté.

Les chances de l'emporter sont minces pour « les Canadiens » qui doivent poursuivre sans les services de Newsy Lalonde, frappé à la cheville par une rondelle peu après son deuxième but.

Le retrait de Lalonde oblige Cobalt à retirer le joueur Kennedy de son alignement, permettant aux deux équipes de finir le match à force égale, six hommes de chaque côté.

Les Canadiens n'ont besoin que de 5 minutes et 35 secondes pour mériter la première victoire de leur histoire. George « Skinner » Poulin parvient en effet à pousser une rondelle libre derrière le gardien Jack « Chief » Jones, concrétisant une glorieuse victoire de 7 à 6 en prolongation.

Dans son édition du jeudi 6 janvier 1910, le *Montreal Gazette* fait état en ces termes du triomphe des Canadiens : « Cette victoire a donné lieu à une vibrante démonstration qui rappelait les anciennes luttes pour la conquête de la coupe Stanley. L'aréna a été le théâtre d'un rassemblement propre à garantir aux Canadiens un appui aussi loyal que celui réservé dans le passé aux autres équipes de Montréal. »

Il ne fait aucun doute que « les Canadiens » connaissent un succès instantané. Leur belle remontée de dernière minute et leur point vainqueur obtenu en prolongation allaient dessiner un moule à partir duquel sera formé le caractère dominant des futures équipes des Canadiens.

À la sortie de l'aréna Jubilee, une foule nombreuse et enthousiaste parle abondam-ment de cette nouvelle équipe montréalaise, qui semble tomber du ciel. On parle surtout de la vitesse des Canadiens français et de leur habileté à rendre le hockey excitant.

Les Canadiens, en une seule partie, ont su conquérir les coeurs des francophones comme des anglophones, prélude à une histoire d'amour qui dure encore, 76 ans plus tard.

WILLIE DAGENAIS

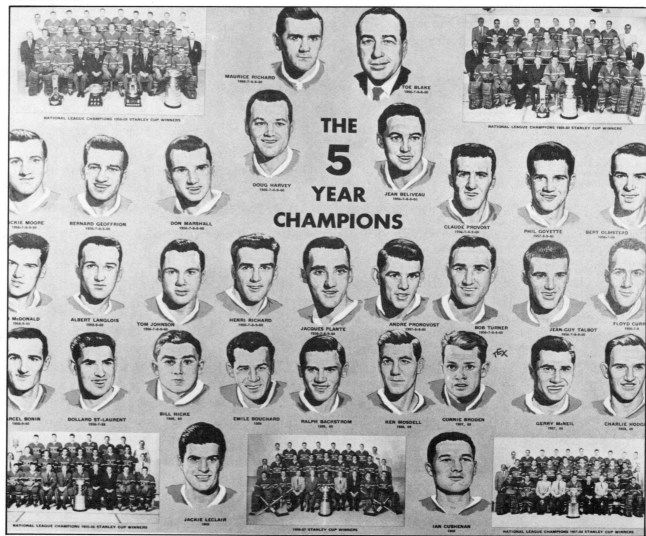

Les Canadiens de Montréal changent leurs couleurs, deviennent les « Flying Frenchmen » et gagnent leur première coupe Stanley

Les Canadiens de Montréal

À la mi-janvier 1910, l'Association canadienne de hockey connut des problèmes. Partout dans la Ligue, les foules diminuaient. Des 8 matches disputés jusqu'au 15 janvier, aucun n'attira plus de 1 500 spectateurs. À cette époque, on comptait cinq équipes professionnelles à Montréal, soit les Shamrocks, le National et les All-Montreal, de l'ACH, et les Wanderers et les Canadiens, de l'Association Nationale de Hockey, mais les spectateurs manifestaient tous une préférence marquée pour le style de hockey de l'ANH. Au début du mois de janvier, il y eut une rumeur selon laquelle les ligues fusionneraient. La rumeur prit plus de poids quand l'ANH convoqua une réunion le 15 janvier à l'hôtel Windsor à Montréal.

L'ACH tombe

Pour conclure la réunion, J. Ambrose O'Brien, qui servait de président en l'absence de M. Doheney, président de l'ANH, annonça que l'Association prenait de l'expansion. Des concessions furent accordées aux équipes d'Ottawa et aux Shamrocks, toutes les deux membres fondateurs de l'Association de hockey amateur de l'est du Canada en 1906. (devenue l'Association canadienne de hockey en 1909). Malgré l'offre d'une concession des Canadiens au National, ceux-ci déclinèrent. L'équipe s'était engagée à jouer à l'aréna de Westmount tandis que les Canadiens avaient conclu une entente de trois ans avec la pati-

noire Jubilee, un contrat inacceptable aux yeux du National. Ni l'équipe de Québec, ni celle de All-Montreal n'avaient été consultées et elles prirent connaissance de l'expansion seulement la journée suivante.

Le départ soudain des équipes d'Ottawa et des Shamrocks laissa celles des All-Montreal, du National et de Québec dépourvues. Le dimanche 16 janvier 1910, W.P. Lunny, président de l'ACH, annonçait que sa ligue disparaissait. Le lundi 17 janvier, l'équipe All-Montreal se dissocia et envoya Art Ross, Jack Marks et le gardien Paddy Moran à Haileybury. L'équipe avait perdu plus de 1 800 $ dans les trois matches qu'elle avait disputés, même si deux d'entre eux avaient été joués sur sa propre patinoire.

La guerre pour le contrôle du hockey professionnel dans l'est du Canada avait cessé, du moins temporairement.

L'ANH dressa un nouveau calendrier révisé de 12 matches. Les Canadiens jouèrent leurs deux premiers matches à l'extérieur contre Renfrew et Ottawa. La deuxième partie de la saison fut disputée le 26 janvier à la patinoire Jubilee de Montréal et opposait les Canadiens à l'équipe d'Ottawa. Les Senators battirent les Canadiens à plate couture par un compte de 8 à 4.

La fin de la première saison

Les Canadiens terminèrent leur première saison au sein de l'ANH en dernière place, avec seulement deux parties gagnées, une par

9 à 5 contre Haileybury le 7 février et l'autre en temps supplémentaire par 5 à 4 contre les Shamrocks, le 11 mars. Quand il devint évident que les Canadiens n'accéderaient pas aux éliminatoires, Ambrose O'Brien, propriétaire des Canadiens et de l'équipe de Renfrew, envoya Newsy Lalonde aux Creamery Kings de Renfrew qui tentaient désespérément de battre les Wanderers, classés premiers. Malgré les six buts de Newsy marqués le 8 mars quand Renfrew défit Ottawa 17 à 2, les Creamery Kings terminèrent la saison en troisième place. Newsy Lalonde fut le premier champion marqueur de l'ANH, avec 38 buts en 11 parties.

En tant que champions de la Ligue, les Wanderers enlevèrent la coupe Stanley d'Ottawa et relevèrent ensuite un défi hors-saison proposé par l'équipe de Berlin de la Ligue professionnelle de l'Ontario. Les Wanderers défirent facilement Berlin 7 à 3 à l'aréna Westmount le 12 mars, devenant ainsi les premiers gagnants de la coupe Stanley de l'ANH. L'Association Nationale de Hockey mit fin à la saison 1909-10 avec un succès financier. Les chroniqueurs sportifs prédirent un avenir rose et prospère à la Ligue.

Saison 1910-11 de l'ANH

L'ANH se réunit à Montréal le 12 novembre 1910 pour discuter de la prochaine saison. Le jour suivant, les Canadiens de Montréal firent les manchettes. M. George Kennedy, de son vrai nom Kendall et propriétaire du Club Athlétique Canadien, un club canadien-français situé dans l'est de Montréal, déclara qu'il désirait se procurer une concession de l'ANH. En cas de refus, il menaça de s'adresser aux tribunaux afin d'empêcher l'ANH de se servir du nom des CANADIENS. Le Club Athlétique Canadien obtint la franchise du club de hockey Haileybury, tandis que les Bulldogs de Québec prirent possession des Silver Kings de Cobalt. Haileybury et Cobalt estimèrent qu'il était trop dispendieux d'exploiter des équipes professionnelles et acceptèrent de vendre leurs concessions.

L'ANH annonça des modifications aux règlements pour la saison 1910-11. Les équipes joueraient trois périodes de vingt minutes au lieu de deux périodes de trente minutes. La rondelle standard de Spalding fut approuvée et adoptée. Aucune équipe ne pouvait allouer plus de 5 000 $ en salaire, en une année, pour les joueurs. Ce règlement ne fut pas accueilli favorablement par ces derniers. On songea à la formation d'un syndicat des joueurs, et même à une grève, mais rien ne se concrétisa et la Ligue commença la saison comme prévu.

Les Canadiens ouvrirent la saison sur leur propre territoire contre Ottawa le 31 décembre 1910 et s'inclinèrent 5 à 4 devant les Senators. Le nouveau propriétaire, George Kennedy, sortit de ses gonds lorsque les Canadiens perdirent 5 à 4 contre les Wanderers, le 18 janvier, à l'aréna de Westmount. M. Kennedy indiqua qu'il exigerait qu'un arbitre francophone « patine aux côtés d'un arbitre anglophone aux parties des Canadiens parce qu'il y avait tricherie ». Il continua de fournir beaucoup de publicité à la Ligue quand il annonça, le 27 janvier, qu'il poursuivait la compagnie ferroviaire Canadien Pacifique parce que les bagages des Canadiens n'étaient pas arrivés à Renfrew à temps pour le match du même soir. Les Canadiens défirent les Creamery Kings 6 à 5 avec de l'équipement emprunté à une équipe industrielle de Renfrew.

Les Canadiens revêtent de nouvelles couleurs

Au début de la saison 1910-11, les Canadiens remplacèrent les chandails tout bleus

Gilet porté pendant la saison
1915-16. Une bande blanche,
étroite, séparait les bandes rouge
et bleu qui étaient plus larges.
Les lettres étaient rouges.
▽

Pendant la saison 1924-25,
l'équipe porta un gilet présentant
une mappemonde pour montrer
qu'ils venaient de gagner leur
deuxième coupe Stanley
▽   en 1923-24.

Gilet conçu par Dandurand,
Catterinich et Létourneau.
Les deux bandes larges du haut
et du bas étaient séparées du
fond bleu par deux bandes étroites
et blanches.

Quelques modifications furent
apportées au gilet rouge qui apparut
dans les années 20. Ce gilet a une
bande bleue plus étroite en travers
de la poitrine. L'écusson était aussi
porté sur les manches.
▽

Le gilet blanc a été porté
une première fois en 1945.
Le « C » est rouge. Il y a
quinze ans, la bande bleue
sur les manches a fait
place à une large bande
rouge sur les épaules.

Le Bleu, Blanc et Rouge
tel qu'on le connaît
aujourd'hui.

qu'ils avaient portés la première année par des chandails tout rouges avec un gros C en lettre gothique sur une feuille d'érable. Georges Vézina, un jeune gardien de vingt ans, fit ses débuts avec les Canadiens le 31 décembre 1910 contre Ottawa. Il ne manqua jamais une partie régulière ou une partie éliminatoire jusqu'au 28 novembre 1925, lorsqu'il se retira après la première période de jeu contre Pittsburg à Montréal. Il ne pratiqua jamais plus le hockey et mourut le 26 mars 1926 de tuberculose.

L'équipe des Canadiens jouissait de beaucoup de popularité dans la Ligue; on pouvait compter sur elle pour attirer nombre de spectateurs. Un nombre record de partisans se rendirent à Ottawa le 21 janvier 1911 pour voir les Senators remporter une victoire de 5 à 4 contre les Montréalais à la patinoire Rideau. Didier Pitre et Jack Laviolette volaient littéralement sur la glace. Les chroniqueurs sportifs les surnommaient souvent les *Flying Frenchmen*, nom qui leur resta.

Violence et rudesse

Au moment d'entamer la deuxième saison de jeu dans l'ANH, la violence posa des problèmes. Plusieurs joueurs furent grièvement blessés par des bâtons ou des mises en échec illégales. Jack Marshall, le meilleur joueur de centre des Wanderers, dut abandonner le hockey pendant un an après qu'il fut frappé à l'oeil par Fred Lake, d'Ottawa, lors d'un match disputé le 28 janvier à Montréal. Le 7 février, Newsy Lalonde, des Canadiens, frappa Jimmy Gardner, des Wanderers, avec son bâton; celui-ci perdit connaissance et fut complètement sans défense. Newsy Lalonde écopa d'une pénalité de dix minutes pour cette infraction, ce qui causa presque une émeute. Toutefois, c'est le 25 février, à la patinoire de Westmount, qu'une véritable

émeute se produisit lorsque Eddi Oatman, de Québec, fut frappé à la tête par le bâton d'Art Ross, des Wanderers; Eddi perdit immédiatement connaissance. Les spectateurs se mêlèrent à la bagarre et on dut faire appel aux policiers qui prirent beaucoup de temps pour rétablir l'ordre.

Sam Rosenthal, secrétaire des Senators d'Ottawa, fut le premier à tenter d'inscrire les assistances pour les buts à la fin février. M. Rosenthal déclara alors: « Puisqu'il n'y a que le marqueur qui inscrit un but à son dossier, le jeu d'équipe est éliminé à cause de joueurs qui monopolisent la rondelle. »

Une deuxième place pour les Canadiens

Les Canadiens terminèrent la saison de 1911 en deuxième place, au même rang que l'équipe de Renfrew. Georges Vézina fut nommé meilleur gardien de la Ligue avec une moyenne de 3,9 buts. Percy Lesueur, d'Ottawa, fut le seul gardien de la Ligue à inscrire une partie parfaite à son dossier quand son équipe des Senators défit les Canadiens 5 à 0 dans la dernière partie de la saison disputée le 10 mars à la patinoire Rideau. Ottawa remporta le championnat de la Ligue et vola la Coupe des Wanderers. L'équipe accepta des défis de Galt, puis de Port Arthur, et n'eut aucune difficulté à remporter sa quatrième coupe Stanley.

Nouveaux règlements en 1912

À l'assemblée annuelle de l'ANH tenue à Montréal le 11 octobre 1911, J. Ambrose O'Brien annonça qu'il se retirait du hockey et qu'il désirait vendre sa concession originale des Canadiens. Deux équipes de Toronto s'intéressèrent à l'offre, mais devaient attendre la construction de l'aréna de Toronto. La

position de joueur sans position fut éliminée ; les équipes jouaient maintenant à six joueurs, et ceux-ci pouvaient se remplacer en tout temps. Chaque joueur devait obligatoirement porter un numéro sur un brassard. Des mesures disciplinaires furent prises pour réduire la violence. Des amendes de 5 $ furent imposées pour les bâtons lancés, les assauts par derrière, les accrochages intentionnels, les double-échecs, les coups portés à un joueur de l'équipe adverse ou lorsqu'on faisait trébucher un joueur. Les Canadiens n'avaient pas le droit de recruter des hockeyeurs anglophones, et les autres équipes ne pouvaient pas inscrire des Canadiens français. Le règlement ne fut pas très populaire et, de ce fait, fut abandonné peu de temps après. Percy Lesueur, d'Ottawa, conçut des filets qui furent adoptés par la Ligue et utilisés par toutes les équipes.

Nouvelle ligue dans l'ouest du pays

Le 7 décembre 1911, Frank et Lester Patrick annoncèrent la formation d'une nouvelle ligue qui se nommerait l'Association de Hockey de la Côte du Pacifique et débuterait la saison avec trois équipes, soit les Millionaires de Vancouver, les Royals de New Westminster et les Aristocrats de Victoria. Au commencement de la saison, le 2 janvier 1912, la Ligue ne comptait pas moins de 16 joueurs de l'est du pays. Newsy Lalonde des Canadiens fut l'un des premiers joueurs à déménager dans l'Ouest et à se joindre à l'équipe de Vancouver. Il était la vedette de la Ligue, remportant le titre de champion des buts marqués avec 27 buts en 15 parties. Les Canadiens, sans Newsy Lalonde, ne purent percer et terminèrent au bas de l'échelle, avec 8 victoires et 10 défaites. Les Bulldogs de Québec, menés par le joueur de centre Joe Malone, se classèrent premiers et prirent la

coupe Stanley à Ottawa. Moncton lança un défi à l'équipe de Québec pour la coupe et s'inclina 9 à 3, le 11 mars et 8 à 0, le 13 mars. Louis Berlinguette jouait pour l'équipe de Moncton grâce à des dispositions spéciales prises avec les Canadiens ; il était le meilleur joueur de Moncton. Au milieu de la saison de 1911-12, les Canadiens changèrent de chandail une autre fois. Ils optèrent pour un chandail semblable à des enseignes de coiffeurs, avec des rayures bleu, blanc et rouge, comparable au chandail que portaient les Senators d'Ottawa en 1911. Les lettres CAC (Club Athlétique Canadien) figuraient en bleu sur une feuille d'érable blanche. Chaque joueur était tenu de porter un numéro sur son chandail, ce qui permettait aux spectateurs de reconnaître plus facilement les joueurs.

La saison de 1912-13

Lors de la réunion annuelle tenue le 9 novembre 1912, les équipes de l'ANH manifestèrent leur préoccupation vis-à-vis de la nouvelle ligue du Pacifique qui s'emparait de tous les joueurs. Les Canadiens annoncèrent qu'ils avaient conclu des ententes pour que Newsy Lalonde quitte Vancouver et se joigne de nouveau à eux. Deux équipes de Toronto, les Técumsehs et les Blueshirts, se virent accorder des concessions de la Ligue.

Le nouvel aréna de Toronto devait ouvrir ses portes le 22 décembre 1912. Les Canadiens et les Wanderers furent invités à disputer une partie hors-concours afin de baptiser officiellement la nouvelle patinoire. Au cours de la partie, Newsy Lalonde des Canadiens poussa violemment Odie Gleghorn des Wanderers dans la bande. Son frère Sprague quitta le banc des joueurs, patina calmement jusqu'à Newsy et le frappa au visage avec son bâton, occasionnant une coupure longue de trois pouces au-dessus de son oeil gauche.

Sprague Cleghorn fut arrêté par la police et conduit en prison. Il comparut devant le juge Morgan le 23 décembre et dut payer une amende de 50 $ pour assaut. Newsy Lalonde, qui dut avoir 12 points de suture pour refermer la plaie à l'oeil, comparut devant le tribunal pour l'affaire Cleghorn. Newsy termina à la cinquième place des marqueurs, loin derrière le champion Joe Malone qui avait marqué 43 buts en 20 parties.

Québec remporte une deuxième fois la Coupe

Les Bulldogs de Québec terminèrent en tête du classement de l'ANH pour une deuxième fois en deux ans et s'emparèrent encore une fois de la coupe Stanley. Les Miners de Sydney, membres de la Ligue Professionnelle des Maritimes, lancèrent un défi aux Bulldogs. Les équipes se rencontrèrent à Québec le 8 mars 1913. Joe Malone marqua neuf buts pour l'équipe du Québec qui battit l'équipe de l'Est à plate couture, 14 à 3. Le Québec laissa Joe Malone se reposer pendant la deuxième partie, disputée le 10 mars, et gagna 6 à 2. L'équipe de Québec se rendit dans l'Ouest afin de mesurer la force de la Ligue du Pacifique et fut étonnée de perdre deux ou trois matchs. Les équipes ne se disputèrent pas la coupe Stanley dans cette série hors-concours, ce qui prouva que les équipes de l'Ouest n'étaient pas des proies faciles et qu'elles seraient bientôt en quête du trophée de Lord Stanley.

Ouverture de la saison de 1913-14

Les Canadiens commencèrent la saison le 27 décembre 1913 à Toronto où ils perdirent contre les Blueshirts 3 à 0. De nouveaux règlements furent élaborés : dorénavant, l'arbitre devait laisser tomber la rondelle sur la glace plutôt que de la déposer lors des mises en jeu et les gardiens étaient passibles d'une pénalité et d'une amende s'ils se laissaient tomber sur la glace pour geler la rondelle. Par ailleurs, les joueurs étaient passibles d'une amende de 2 $ pour une punition majeure, d'une amende de 3 $ et d'une pénalité de cinq minutes pour une première infraction, d'une amende de 5 $ et d'une pénalité de dix minutes pour une deuxième infraction et enfin, d'une amende de 10 $ et d'une pénalité de match pour une troisième infraction. Une ligne fut peinte sur la surface de la glace entre les poteaux des buts et un groupe d'arbitres fut embauché pour les matches de ligue et les éliminatoires. Pour la première fois dans les annales de l'ANH, le contrôleur allait tenir compte des assistances pour les buts.

Les Canadiens eurent de la difficulté à conclure une entente avec Didier Pitre qui poursuivait un quotidien de Montréal à cause d'un article qui critiquait « ses activités nocturnes et son mode de vie ». Quand Newsy Lalonde revint de Vancouver pour jouer de nouveau avec les Canadiens, Didier Pitre fut envoyé à l'équipe des Millionaires de la Côte du Pacifique comme compensation. La rivalité entre les Canadiens et les Wanderers se poursuivit. Après une rude partie à l'aréna de Montréal le 28 février, remportée par les Canadiens 6 à 5 en temps supplémentaire, l'arbitre Léo Dandurand fut attaqué et « secoué comme une guenille » par le propriétaire des Canadiens, George Kennedy. M. Dandurand protesta par écrit, en ayant soin de bien décrire l'incident, mais le président de l'ANH, Emmett Quinn, ignora toute l'affaire.

À la fin de la saison, les Canadiens et les Blueshirts de Toronto étaient tous deux en première place. Afin de proclamer l'équipe championne, les deux équipes s'opposèrent lors d'une série de deux matches où le total

des points devait décider du vainqueur. Ils jouèrent d'abord le 7 mars à Montréal, devant 7 000 spectateurs. Grâce aux buts marqués par Don Smith et Harry Scott, les Canadiens blanchirent l'équipe de Toronto 2 à 0 sur une patinoire recouverte d'eau. Les équipes retournèrent à Toronto pour disputer la deuxième partie à la seule aréna de la Ligue dotée d'une surface de glace artificielle. L'équipe de Toronto blanchit les *Flying Frenchmen* 6 à 0 et attendit de se mesurer aux champions du Pacifique, les Aristocrats de Victoria. Avant la première partie prévue pour le 14 mars, l'équipe de Victoria fut informée par les fiduciaires de la coupe Stanley, William Foran et Philip Rosse, qu'ils n'avaient pas lancé le défi conformément aux règlements et que de ce fait, «ils n'étaient pas considérés comme une équipe qualifiée». Toutefois, le défi incorrect n'eut aucun effet sur les résultats. Les Blueshirts remportèrent les trois matches de la série trois de cinq, 5 à 2, le 14 mars, 6 à 5 en temps supplémentaire, le 7 mars et 2 à 1, le 19 mars. Alan Davidson, un joueur de centre des Blueshirts joua sa dernière partie le 19 mars quand son équipe rem-

Le premier Club Canadien en 1909. Leurs gilets étaient bleus à cette époque.
WILLIE DAGENAIS

33

porta la coupe Stanley pour la première fois. Il alla rejoindre l'armée canadienne à l'automne de 1914 et fut tué sur le champ de bataille, le 6 juin 1915. Il était le premier membre de l'ANH à perdre la vie à la Première Guerre mondiale.

Mauvaise année pour les Canadiens

Juste avant l'ouverture de la saison 1914-15, Art Ross des Wanderers fut suspendu et reconnu coupable d'avoir fraudé des joueurs des Wanderers et des Canadiens. Les rumeurs supposaient qu'une deuxième ligue de hockey professionnel serait mise en place sous la direction de M. Ross. Après beaucoup de discussions, M. Ross put réintégrer le hockey et conclut une entente avec l'équipe d'Ottawa. Il joua un rôle important dans le championnat remporté par Ottawa au printemps de 1915. Newsy Lalonde avait des problèmes avec les Canadiens. Il accepta les conditions de son contrat, mais n'était pas content des dispositions ; il se retira pour la saison après n'avoir disputé que six matches. Les Canadiens terminèrent en dernière place. Les Wanderers et l'équipe d'Ottawa se classèrent tous les deux au premier rang, mais les Wanderers perdirent contre les Senators dans la ronde éliminatoire. Les Senators d'Ottawa, champions de l'ANH, partirent pour Vancouver afin d'affronter les puissants Millionaires à la première série de la coupe Stanley disputée à l'ouest de Winnipeg. Mené par le grand Fred « Cyclone » Taylor, Vancouver battit l'équipe d'Ottawa en trois parties consécutives par des comptes de 6 à 2, le 22 mars, 8 à 3, le 24 mars et 12 à 3, le 26 mars 1915.

Les Millionaires de Vancouver devinrent les premiers membres de l'Association de Hockey du Pacifique à remporter la coupe Stanley.

Les Canadiens remontent la pente en 1915-16

Les Canadiens commencèrent la saison 1915-16 avec une victoire de 2 à 1 contre les Blueshirts de Toronto. Newsy Lalonde avait conclu une entente qui lui plaisait, était en forme et connut une année formidable. Il formait un trio avec Jack Laviolette et Didier Pitre et tous les trois volaient littéralement sur la glace. Goldie Prodgers et Howard McNamara servaient de défenseurs devant Georges Vézina, le meilleur gardien de la Ligue, tandis que les « remplaçants » Amos Arbour, Louis Berlinguette et Skinner Poulin auraient été des membres réguliers s'ils avaient joué pour une autre équipe.

Les Canadiens terminèrent la saison le 18 mars en battant Toronto 6 à 4 et décrochèrent la première place au classement de la Ligue. Newsy Lalonde fut nommé meilleur marqueur avec 31 buts en 24 parties. Joe Malone, de Québec, et Cy Denneny, d'Ottawa, étaient tous les deux arrivés deuxièmes en lice pour ce titre, ayant marqué 26 buts chacun.

Les Rosebuds de Portland remportèrent le titre de la Côte du Pacifique et vinrent dans l'Est pour se mesurer aux Canadiens. C'était la première fois qu'une équipe de l'extérieur du Canada participait à une compétition pour la coupe Stanley. Le fiduciaire de la Coupe, William A. Foran, déclara : « La Coupe est emblématique du championnat du monde » et c'est ainsi que la Coupe est devenue un symbole mondial plutôt qu'un symbole de la suprématie du Canada au hockey.

Les Canadiens à leur première finale de la Coupe

L'équipe de Portland arriva à Montréal le 18 mars 1916 et s'entraîna brièvement à l'aré-

na de Westmount. Les membres de cette équipe n'avaient pas joué de partie régulière depuis le 25 février, date à laquelle le calendrier des matches de l'Association du Pacifique avait pris fin. Les joueurs étaient fatigués de leur voyage de cinq jours en train et semblaient fournir peu d'efforts lors de la séance d'entraînement.

Les deux joueurs clés des Canadiens étaient malades alors que cette équipe se préparait à sa première finale de la coupe Stanley. Jack Laviolette avait de la difficulté à respirer en raison d'un nez fracturé, le 11 mars à Ottawa. Newsy Lalonde essayait de combattre une grippe intestinale. Les deux joueurs étaient toutefois présents quand les *Flying Frenchmen* jouèrent leur premier match, le 20 mars, à l'aréna de Westmount.

Le prix des billets d'entrée était plus élevé pour la série éliminatoire ; de ce fait, seulement une poignée de spectateurs assistèrent à la première partie, disputée conformément aux règlements de l'Est, avec six joueurs. Les Rosebuds étonnèrent les Canadiens en les blanchissant 2 à 0 grâce aux excellents efforts du gardien, Tommy Murray. Georges Vézina fut remarquable dans les filets des Canadiens. S'il n'avait pas été aussi bon, la différence de buts aurait sûrement été beaucoup plus importante.

La deuxième partie fut disputée le 22 mars mais cette fois-ci les joueurs respectèrent les règlements de l'Ouest, avec sept joueurs. Newsy Lalonde était au lit en raison de sa grippe intestinale et Jack Laviolette ne put jouer à cause de son nez fracturé. Les Canadiens n'avaient pas trop de chance! Deux « remplaçants », Amos Arbour et Skinner Poulin, marquèrent des buts pour permettre aux Canadiens de battre les Rosebuds 2 à 1 et égaler la série.

Une difficile troisième partie

Newsy Lalonde et Jack Laviolette furent de retour pour la troisième partie disputée le 25 mars ; les Canadiens gagnèrent 6 à 3. Didier Pitre volait sur la glace et marqua trois buts, tandis que Newsy Lalonde en marqua un. Jack Laviolette ne marqua aucun but, mais suivait les joueurs des Rosebuds de près pendant que ses coéquipiers lançaient la rondelle dans les filets. Une bataille survint lorsque Ernie « Moose » Johnson se précipita sur Newsy Lalonde. Les policiers durent intervenir pour régler la situation ; deux joueurs furent expulsés de la partie. Ernie Johnson fut membre des Wanderers de 1906 à 1912 et se joignit ensuite aux Royals de New Westminster de l'Association de Hockey de la Côte du Pacifique. Sam Lichtenhein, propriétaire des Wanderers, obtint une ordonnance de la Cour, empêchant ainsi M. Johnson de recevoir sa part des recettes de la série, en compensation pour son bris de contrat en 1912.

M. Johnson, qui mesurait 1 m 80 et avait l'air méchant, n'était pas d'humeur à taquiner. Avant la partie, il déclara qu'il ne jouerait jamais plus de parties à Montréal et qu'il ne mettrait jamais plus les pieds au Québec. Il était l'un des meilleurs joueurs de Portland avec la portée des bras la plus longue de tous les joueurs de son époque. Newsy Lalonde disait de sa portée qu'elle était tellement longue qu'il pouvait facilement se gratter les chevilles alors qu'il se tenait au garde à vous.

Portland sur un pied d'égalité

Lors de la quatrième partie disputée le 28 mars, conformément aux règlements avec sept joueurs, Portland gagna 6 à 5. Smokey Harris marqua trois buts pour les Rosebuds et Newsy Lalonde, un but pour les Canadiens alors qu'il ne restait qu'une minute de jeu.

Les frères Richard — numéro 9, le «Rocket» et numéro 16, Henri, Lorne Davis, numéro 24.

Toutefois, les Canadiens ne purent marquer le but manquant pour égaler le compte et la série en était donc à deux victoires pour chaque équipe. « Moose » Johnson se faisait rabrouer par les spectateurs chaque fois qu'il arrivait sur la glace. La direction de l'équipe de Portland déclara que le jugement de 2 000 $ contre lui avait assurément affecté sa performance.

Les Canadiens sont là

L'aréna de Westmount était remplie à pleine capacité pour la cinquième et dernière partie disputée le 30 mars 1916. Tommy Dunderdale permit à l'équipe de Portland de prendre les devants, mais Skene Ronan, de Montréal, redoubla ses efforts pour marquer sans aide le but qui égala le compte. Les gardiens Tommy Murray et Georges Vézina furent exceptionnels et leurs équipes s'affrontèrent pendant la majeure partie du temps sur un pied d'égalité. Vers la fin de la troisième période, le grand Goldie Prodgers des Canadiens marqua avec un tir de 30 pieds, ce qui permit à l'équipe de Montréal de prendre les devants 2 à 1. Les Canadiens tinrent bon et remportèrent le match, la série et la première des nombreuses coupes Stanley qu'ils devaient se mériter dans les années à venir. Les membres de l'équipe gagnante reçurent 238 $ chacun et les perdants, 207 $ chacun, soit leur part des recettes. Au cours de l'été, les Canadiens retinrent les services de Billy Couture, qui préférait être appelé Coutu, du grand Harry Mummery et de Tommy Smith, mais perdirent Amos Arbour, Goldie Prodgers et Howard McNamara qui rejoignirent les forces armées canadiennes. Skene Ronan prit sa retraite et Skinner Poulin fut échangé aux Wanderers.

Les joueurs s'enrôlent

Au cours de l'été 1916, plus de 20 joueurs de l'ANH s'enrôlèrent dans l'armée canadienne. Les propriétaires des différentes équipes avaient peur d'être obligés de suspendre le jeu pendant la durée de la guerre. Toutefois, la Ligue décida de continuer, peu importe ce qui se passerait, et les propriétaires consacrèrent l'été 1916 à planifier la prochaine saison.

Le lieutenant Frank McGee, qui marqua 14 buts à une partie de la coupe Stanley, le 16 janvier 1905, quand les Silver Seven d'Ottawa battirent les Klondikers de Dawson City, 23 à 2, fut tué le matin du 16 septembre 1916 à Courcelette (France). Il s'agissait du deuxième joueur de l'ANH à commettre le sacrifice suprême. Le propriétaire des Wanderers, Sam Lichtenhein, annonça que seuls les hommes mariés et les employés à la fabrication de munitions auraient le droit de jouer pour son équipe jusqu'à la fin de la guerre. Un nombre surprenant de joueurs de hockey furent recrutés par les Northern Fusiliers, soit le 228ᵉ bataillon. Au fur et à mesure que la saison de 1917 approcha, les propriétaires se préoccupèrent du nombre de joueurs qui quittaient la Ligue pour s'engager dans l'armée. Le président de l'ANH, Emmett Quinn, convoqua une réunion le 30 septembre afin de traiter de la situation, mais celle-ci ne réussit pas à supprimer les préoccupations des propriétaires. Le 228ᵉ bataillon demanda une concession à l'Association Nationale de Hockey qui fut acceptée.

L'équipe de l'armée, tout un groupe

Puisque la plupart des meilleurs joueurs de hockey s'étaient engagés dans l'armée, le 228ᵉ bataillon eut peu de difficulté à battre ses adversaires. Les hockeyeurs de l'armée disputèrent leur première partie le 27 décembre 1916, à Ottawa et battirent facilement les puissants Senators 10 à 7. Plusieurs propriétaires estimèrent que l'équipe militaire tirait profit malencontreusement des joueurs en les recrutant pour ensuite les diriger vers le 228ᵉ bataillon. L'équipe de l'Armée battit chaque équipe de la Ligue sauf les Canadiens. Au moment où on crut que l'équipe gagnerait tout, le bataillon fut envoyé à l'étranger et se retira de la Ligue, le 10 février 1917.

L'ANH convoqua une assemblée spéciale le 11 février afin de discuter du retrait de l'équipe militaire. Les cadres en vinrent à la conclusion que la Ligue serait débalancée avec cinq équipes et supprimèrent rapidement l'équipe d'Eddie Livingstone de Toronto. Les joueurs de cette équipe furent partagés entre les quatre équipes restantes de la Ligue, soit Ottawa, Québec, les Canadiens et les Wanderers.

Eddie Livingstone n'était pas un propriétaire très populaire. Il se plaignait constamment des règlements et ne s'entendait pas avec les autres propriétaires et les cadres de la Ligue. Il était furieux devant la suspension de son équipe et menaçait de poursuivre la Ligue, les autres propriétaires et même certains de ses joueurs avec qui il avait passé un contrat.

La deuxième partie du calendrier révisé de la saison de 1917 se termina avec Ottawa en première place. Les membres d'Ottawa devaient s'opposer aux Canadiens, qui s'étaient classés premiers à la première partie du calendrier, pour décider des champions de la Ligue et de l'équipe qui irait dans l'Ouest pour se mesurer aux champions de l'Association du Pacifique. Les deux équipes se mesurèrent dans une série de deux matches où le plus grand nombre de buts marqués décidait du

vainqueur. Les Canadiens gagnèrent la première partie 5 à 2, le 7 mars, et bien qu'ils aient perdu la deuxième à Ottawa, le 10 mars, 4 à 2, ils remportèrent la série par sept buts contre six. Les Canadiens montèrent à bord d'un train pour se rendre à Seattle et se mesurer aux Metropolitans, champions de la Côte du Pacifique, pour décider des vainqueurs de la coupe Stanley.

Canadiens opposés à Seattle en 1917

À la première partie d'une série trois de cinq, tenue le 17 mars, les Canadiens battirent les Metropolitans de Seattle 8 à 4. Didier Pitre mena les Canadiens avec quatre buts. L'équipe de Seattle remporta la deuxième partie, tenue le 20 mars, 6 à 1 et Newsy Lalonde perdit complètement le contrôle et se mérita cinq punitions, y compris une suspension de match pour mauvaise conduite et une amende de 25 $ pour avoir donné du bâton à l'arbitre Jock Irvine pendant une bataille. Le 23 mars, Bernie Morris marqua trois buts en faveur de Seattle et son équipe battit Montréal 4 à 1. Bernie Morris et les membres des Metros redoublèrent d'efforts lors de la cinquième et dernière partie, tenue le 25 mars, pour battre à plate couture les Habitants 9 à 1. Bernie réussit 6 buts dans le match et remporta la palme des marqueurs avec 14 buts en 4 parties.

Quand les Metropolitans de Seattle remportèrent la série, il s'agissait de la première fois qu'une équipe de l'extérieur du Canada remportait la coupe Stanley qui, dorénavant, n'était plus un trophée décerné pour des défis gagnés, mais la propriété exclusive des professionnels.

Les Canadiens de Montréal remontèrent à bord du train pour le long voyage qui les ra-

menait à la maison, sans se douter qu'ils venaient de disputer le dernier match de l'Association Nationale de Hockey. Dans quelques mois, une nouvelle ligue serait formée et deviendrait la ligue de hockey la plus puissante et la plus prestigieuse de tous les temps.

1917-18

La Ligue Nationale de Hockey a vu le jour le 26 novembre 1917. Frank Calder, alors secrétaire de l'Association Nationale de Hockey, en fut nommé président, poste qu'il remplit avec grande distinction jusqu'à sa mort, en 1943. Les clubs participants, lors de la fondation, furent le Canadien de Montréal, les Wanderers de Montréal, les Senators d'Ottawa et les Arenas de Toronto. Le premier match de la LNH fut disputé à Ottawa le 19 décembre 1917 quand le Canadien, conduit par Joe Malone qui compta cinq buts, l'emporta sur les Senators, 7 à 4. Le 2 juin 1918, un incendie détruisit l'aréna Montréal et les Wanderers perdirent la totalité de leur équipement tandis que le Canadien qui jouait aussi ses matches locaux à cet endroit, en perdit seulement une partie. Les Wanderers, qui connaissaient déjà des difficultés financières, cessèrent leurs opérations et se retirèrent du circuit. Cette première saison prit fin le 6 mars 1918 alors que le Toronto occupait le premier rang, Ottawa le second et le Canadien était bon dernier. Le Toronto enleva, finalement, la coupe Stanley en l'emportant sur les Millionaires de Vancouver par 3 matches à 2, le match décisif étant joué dans la Ville Reine.

1918-19

Cette fois le Canadien termina au second rang et battit Ottawa par 3 matches à 2, se méritant le droit d'aller dans l'ouest du pays

pour disputer la coupe Stanley aux Metropolitans de Seattle, champions de la Ligue de la Côte du Pacifique. Dans le premier match, Seattle blanchit les Montréalais, 7 à 0, le 9 mars 1919. Mais le Canadien revint à la charge, le 22 mars, pour vaincre à son tour, 4 à 2, et égaliser ainsi les chances de remporter la victoire finale. Seattle enleva le troisième match, 7 à 2, le 24 mars et le quatrième, disputé le 26 mars se termina par un résultat nul, 0 à 0. Quatre jours plus tard, le 30, le Canadien l'emporta 4 à 3 après 15 minutes de prolongation. Joe Hall, du Canadien, quitta le jeu au cours de la troisième période, à cause d'une très forte fièvre et on le conduisit à l'hôpital. Le dernier match, le plus décisif, devait être joué le 1er avril 1919, mais il n'eut jamais lieu. Joe Hall, Kennedy, le gérant du Canadien, Billy Coutu, Jack McDonald et Newsy Lalonde, du Canadien, tous étaient hospitalisés, atteints de la grippe espagnole. De fait, Joe Hall mourut à Seattle quatre jours plus tard, soit le 5 avril 1919 et les séries de la Coupe furent annulées.

1919-20

Joe Malone établit un nouveau record, le 31 janvier 1920, quand il fit allumer la lumière rouge derrière le gardien du Toronto, Howard Lockart, pas moins de sept fois au cours d'un match que le Québec remporta, 10 à 6, à Québec. Le Canadien termina la saison au troisième rang, derrière Toronto. Ottawa finissant premier. Le Seattle se rendit dans la capitale canadienne pour disputer la coupe aux Senators mais perdit lors d'une série trois de cinq. Le président Calder présenta donc la coupe Stanley au club d'Ottawa le 1er avril 1920.

1920-21

En novembre, la franchise des Bulldogs de Québec fut transférée à Hamilton. Billy Coutu, du Canadien, fut prêté au Hamilton, mais il revint au Tricolore plus tard dans la saison qui vit Newsy Lalonde, du Canadien, finir en troisième place chez les compteurs, Babe Dye, du Toronto étant en tête. Le Canadien ne put participer aux Séries et c'est Ottawa qui, finalement, vainquit les Millionaires de Vancouver, à Vancouver, pour se mériter la Coupe cette année-là.

1921-22

Au début de la saison, George Kennedy vendit le Canadien à Léo Dandurand et Jos Cattarinich. Billy Boucher vint au Canadien quand Newsy Lalonde quitta l'équipe après une dispute avec les nouveaux propriétaires. Toutefois, Newsy revint au bercail après quatre matches. Les Canadiens, avec les durs à cuire Sprague et Odie Cleghorn à la défense, n'étaient pas des anges et le 1er février 1922, lors d'un match très dur disputé à Ottawa, ils firent preuve de tant de rudesse que l'arbitre du match, Lou Marsh, qualifia les frères de « disgrâce pour le noble sport du hockey » dans son rapport officiel du match au président de la LNH. Newsy Lalonde fut hué pour la première fois par des amateurs de Montréal. Il compta son dernier but avec le Bleu Blanc Rouge le 11 février 1922, dans un match où le Canadien l'emporta, 3 à 1 et il joua pour la dernière fois dans l'uniforme du Canadien le 8 mars 1922 alors que le Tricolore battit Toronto, 8 à 7, à Toronto. De nouveau, le Canadien ne put être des Séries et les St-Pats de Toronto vainquirent Vancouver et remportèrent la Coupe.

Howie Morenz

Tout comme les pionniers du monde des affaires, les plus grandes organisations sportives nécessitent des fondements à la fois solides et productifs. Dans l'histoire de la Ligue Nationale de Hockey, on note que les meilleures équipes ont toujours su s'assurer de telles bases, notamment grâce à la présence d'une super-vedette dans leur alignement. Non seulement un athlète de cet acabit s'illustre-t-il par sa grande production, mais également par sa capacité d'injecter le feu sacré de l'effort et de la victoire à ses coéquipiers. En remontant dans l'histoire, on constate que la super-vedette de la première décennie d'activités de la Ligue Nationale de Hockey fut, sans contredit, Howie Morenz.

Quoique sa carrière fut abruptement interrompue lors de sa douzième saison à la suite d'un accident mortel au Forum, il a néanmoins participé à 444 points mérités par son équipe, soit à titre de marqueur ou d'aide, tant en saisons régulières qu'en séries éliminatoires. Le plus exceptionnel fut la qualité de son jeu. Il a charmé tant d'Américains qu'on a trouvé par la suite de plus en plus d'équipes de ce pays dans la ligue. Aujourd'hui, plus personne n'en doute : le nom d'Howie Morenz mérite d'être associé à ceux de Maurice Richard, Gordie Howe, Jean Béliveau et Bobby Orr, entre autres, dans les annales de la grande histoire de la ligue.

Comme jeune écolier qui vendait des programmes-souvenir au Forum, j'ai eu l'occasion de remarquer chez Howie Morenz une vitesse d'exécution exceptionnelle, alliée à un comportement qui écartait toute crainte d'explorer de nouvelles facettes du jeu de hockey. À une époque où le jeu des défenseurs variait beaucoup de celui que l'on connaît aujourd'hui, Morenz n'hésitait jamais à se glisser parmi eux, défiant les terribles mises en échec. Malgré ses 5 pi et 10 po et ses 165 lb, Morenz fonçait tel un météorite vers le filet même s'il avait subi les foudres des défenseurs adverses lors du jeu précédent. Les moins jeunes se souviendront que fort souvent, Morenz se faisait coincer entre deux défenseurs après avoir pris soin de pousser la rondelle devant lui afin d'en reprendre possession après le choc. Il forçait ainsi le gardien à quitter son filet et on assistait à des duels épiques. Même lorsque sa tentative échouait, Morenz soulevait la foule par le spectacle qu'il donnait. Son charisme ressemblait à celui de Babe Ruth, qui réussissait à émerveiller des milliers d'amateurs même avec un élan raté !

Howie Morenz : La première Super étoile des Canadiens.

Par son habileté magique, Morenz a participé au développement de la Ligue Nationale de Hockey. Si 14 des 21 équipes actuelles de la Ligue Nationale sont américaines, c'est sans doute grâce à Howie Morenz.

En 1924, il n'y avait qu'une équipe américaine chez les cadres de la Ligue Nationale et les magnats de la ligue croyaient qu'il devenait impérieux d'exploiter le marché de New York, car Manhattan se voulait alors le centre nerveux du sport professionnel en Amérique. Cependant, Tex Rickard n'était pas emballé par le hockey, loin de là. Propriétaire du Madison Square Garden, il refusa l'aménagement d'une patinoire dans le vieux Garden ou alors, dans le nouveau en construction. Mais voilà qu'à l'occasion d'une visite spéciale à Montréal, Rickard commença à voir les choses différemment. Le hockey allait bientôt passer du statut de sport mineur à celui de sport majeur.

En fait c'est Tom Duggan, un propriétaire de pistes de courses à Montréal, qui, réalisant que son ami intime Tex Rickard de New York en avait assez de la diplomatie un peu «spéciale» que nécessitait son type de commerce durant la période de prohibition, l'invita à passer quelques jours de vacances à Montréal. Il faut souligner que Duggan était aussi propriétaire de trois franchises de la Ligue Nationale de Hockey qu'il avait payées 7 000 $ chacune.

Duggan profita de ces quelques jours de vacances pour amener son ami Tex à un match des Canadiens au Forum, en vue d'amorcer les discussions durant la partie. Mais le tout faillit avorter, Tex Rickard ne pouvant s'empêcher de suivre le jeu de Howie Morenz. Ce n'est qu'après le match et une longue nuit de discussion que Rickard accepta enfin de considérer l'offre de Duggan.

Dès son retour à New York, Tex Rickard ordonna qu'on modifie les plans du nouveau Madison Square Garden et qu'on y ajoute une patinoire. Après avoir vérifié les dates de certains matches déjà prévus au calendrier de la saison suivante, il exigea une équipe déjà représentative car, disait-il, «les gens de New York n'accepteront pas de payer pour une équipe en construction, surtout qu'il s'agit d'un nouveau sport à Manhattan».

C'est là que Tom Duggan intervint.

Les Tigers de Hamilton étaient dans un bien piteux état. Ils avaient remporté le championnat de la saison régulière mais avaient concédé la victoire aux Canadiens de Montréal en séries éliminatoires en raison d'une grève au sein de leur équipe. Les propriétaires de Hamilton avaient, il y a cinq ans, acquis la concession de Québec pour 5 000 $. Par la suite, Duggan se présenta assisté d'un partenaire de renom, Bill Dwyer, et une offre de... 75 000 $! «Je veux la concession, les joueurs, les équipements, je veux tout».

Les hommes d'affaires de Hamilton se sont presque étouffés en signant! Non seulement Duggan paya les 75 000 $ mais il accepta également d'opérer la concession prometteuse des Americans de New York. Bien que sa chaise fût haute et confortable, Tex Rickard en tomba lorsqu'il apprit qu'il aurait une franchise dans la Ligue Nationale pour... absolument rien. Quant à Howie Morenz, il refusa toujours de croire qu'il avait pu être à l'origine de tels événements.

Rickard demanda aussitôt que le premier match des Americans se joue à New York, contre ceux qu'il appelait les *Flying Frenchmen,* les Canadiens de Montréal. Voulant démontrer sa bonne volonté, il promit qu'un pourcentage des recettes de ce soir-là serait remis à des oeuvres de charité. Il ne transigea qu'avec l'élite de la métropole américaine pour mousser son nouveau produit et imposa une tenue vestimentaire très stricte aux spectateurs des loges afin de démontrer à tous ce qu'était la «classe de la Ligue Nationale de Hockey». Il engagea des orchestres militaires d'Ottawa et de Washington et fit l'acquisition d'un trophée emblématique qui lui fut envoyé par le Prince de Galles en Angleterre, ultérieurement Duc de Windsor. Selon le voeu de Tex Rickard, on ne négligea rien pour que l'organisation du hockey à New York soit l'une des meilleures!

En 1925, on qualifia d'événement sportif de l'année ce transfert des Tigers de Hamilton à New York qui devinrent les Americans. Le lendemain de cet historique match d'ouverture au Madison Square Garden, le New York Times, dans un éditorial de huit colonnes, décrivit la présentation de la veille de la façon suivante: «Une formidable organisation qui a réuni 17 000 personnes au Garden. Du pays de la glace et de la neige nous est venu hier soir, au Madison Square Garden, un tout nouveau sport qui a inauguré le nouvel amphithéâtre. Dans les loges d'honneur du Garden, se trouvait un nombre impressionnant de personnages de la haute société de New York, un précédent dans le monde du sport de cette ville. Aucun sport n'avait jamais bénéficié d'un si bel accueil de la part du public, dans aucune ville. Ce sport qui nous vient du

Canada a constitué un événement tout à fait particulier et s'est classé parmi les moments inoubliables du sport à New York. Beaucoup d'eau coulera sous le pont de Brooklyn avant que les témoins du match d'hier soir au Madison Square Garden soient en mesure de revoir une organisation aussi bien rodée et ayant autant de classe que celle qui a lancé le hockey professionnel à Gotham. Dans le hall d'entrée, on se croyait à l'opéra : manteaux de fourrure, bijoux, émeraudes... »

Avant le début du match, les deux équipes ont défilé derrière les couleurs de leur pays respectif, paradant autour de la patinoire, avant l'interprétation des hymnes nationaux.

Les Canadiens ont joué comme de véritables démons, patinant à une allure incroyable, avant de se mériter, évidemment, une victoire de 3 à 1. Cependant, malgré la défaite de ses favoris, la foule a clairement démontré que le hockey est une manifestation sportive qui peut s'apprendre et s'apprécier presque instantanément. Surtout avec un dénommé Howie Morenz dans l'alignement... même s'il est un adversaire !

Dès lors, le nom de Howie Morenz allait se transmettre de bouche à oreille, tout comme au moment de ses premiers balbutiements avec le Canadien...

Alors qu'il jouait encore au niveau junior, sa famille déménagea à Stratford en Ontario. À l'âge de quatorze ans, ils surclassait déjà les meilleures performances individuelles du hockey senior et les foules se bousculaient aux portes des patinoires pour le voir à l'oeuvre. Dans une rencontre, dont les enjeux étaient cruciaux, contre le Junior de Kitchener de l'Association Ontarienne de Hockey, il a brillé en marquant neuf buts ! Après le match, l'officiel Ernie Sauvé ne tarda pas à contacter son bon ami Léo Dandurand, alors grand manitou du Canadien de Montréal, afin qu'il aille constater, par lui-même, à quel point le jeune Morenz pouvait être tout à fait extraordinaire.

Dandurand acquiesça et envoya en « mission » d'éclaireur, Lou Marsh alors arbitre de renom à Toronto. Marsh fut convaincu dès les premiers instants que Morenz possédait toute l'étoffe nécessaire pour réussir. Dandurand remit un contrat de 2 500 $ à Cecil Hart et 850 $ pour ses dépenses, afin qu'il aille convaincre Morenz de se joindre à l'organisation du Canadien. Le jeune Morenz, envoûté par l'odeur de l'argent mais impuissant en raison de son jeune âge à signer un contrat professionnel, obtint finalement la signature tant désirée de son père, au grand regret de sa mère. Elle voulait que son fils Howie devienne violoniste...

La nouvelle que l'on qualifia de rapt dans l'entourage des St-Pats de Toronto se répandit comme une traînée de poudre dans la ville de Stratford. On reprochait avec véhémence à Howie Morenz d'être un traître qui osait quitter la région sous influence torontoise pour se ranger derrière la banderole des « ennemis » francophones. Tous le condamnaient, mais Morenz s'amena tout de même à Montréal et il fut reçu tel un jeune prince. La direction du Canadien organisa une fête en son honneur au réputé restaurant *Drury* de Montréal. Désormais, les jeux étaient faits. Howie Morenz allait jouer dans la LNH et il allait le faire à Montréal.

Le hasard faisant bien les choses, Morenz disputa sa première recontre à Toronto, où le Canadien fut défait 7 à 2. Il marqua les deux seuls buts de son équipe et coupa le souffle aux spectateurs en maintes occasions avec ses charges à l'emporte-pièce. Comme par enchantement, les dures critiques dirigées vers lui allaient désormais être orientées ailleurs; le public se mit plutôt à blâmer les dirigeants des Maple Leafs d'avoir laissé filer l'un de leurs produits locaux les plus prometteurs. Morenz ayant l'esprit en paix, sa carrière allait désormais prendre l'envol escompté.

Il s'accapara du trophée Hart, remis au joueur le plus utile à son équipe, en trois occasions. Il vit son nom inscrit sur le trophée Art Ross (meilleur compteur) à deux reprises mais, plus que tout, il aida les Canadiens à remporter en trois occasions la précieuse et convoitée coupe Stanley. Lorsque la Ligue Nationale forma sa première équipe d'Étoiles en 1930-31, on trouva le nom d'Howie Morenz, aux côtés de ceux d'Eddie Shore, King Clancy, Charlie Gardiner, Bill Cook et Aurèle Joliat.

Sa passion pour le jeu était à la fois frappante et communicative. Sa personnalité charmante et ses yeux rieurs lui gagnèrent plusieurs amitiés. Pendant les voyages de l'équipe, il chantait et jouait du ukelele. Lors d'un voyage à Victoria pendant les séries éliminatoires, quelques vétérans décidèrent d'enseigner le poker au jeune Howie, dans l'espoir à peine voilé de lui soutirer quelques billets... Lorsqu'il revint à Montréal, Howie Morenz était plus riche de 500 $.

Mais il fallut que ce 8 mars 1937 soit fatidique. Six semaines plus tôt, soit le 27 janvier, lors d'une partie disputée aux Black Hawks de Chicago au Forum, il

trébucha et heurta violemment la bande, du côté du mur longeant la rue Ste-Catherine. On ne put, sur le coup, que constater une fracture de la jambe et lors d'un long séjour à l'hôpital St-Luc, une embolie s'en-suivit et l'intrépide coeur de Howie Morenz a capitulé. En ce 8 mars, Howie Morenz mourut.

Son corps fut exposé au centre de la patinoire du Forum, là où le public avait été témoin de tant de buts spectaculaires marqués par Morenz. Alors que ses co-équipiers formaient la garde d'honneur, plus de

200 000 amateurs, par un temps horrible, lui rendirent un dernier hommage.

L'hommage ultime fut rendu à Howie Morenz, plus tard, lorsqu'on lança un programme spécial dont les profits iraient à la famille du disparu. Dans ce programme, on lisait un témoignage d'un auteur encore inconnu de nos jours:
« Une habileté superbe, un courage sublime et une modestie sincère habitaient cet homme et partout et toujours, le souvenir que laissera Howie Morenz sera celui du beau sabreur du hockey, sans peur, sans reproche. »

1922-23

Newsy Lalonde fut vendu au Saskatoon par Léo Dandurand qui négligea d'en informer les autres clubs et le 3 novembre 1922, malgré les plaintes provenant des autres propriétaires, le président Frank Calder déclara que le marché était valable et qu'il y aurait échange. Alors le jeune Aurèle Joliat qui devait s'ali-gner avec les Sheiks de Saskatoon, devenait la propriété du Canadien. Joliat joua son premier match avec le Canadien le 16 décembre 1922 et il enregistra alors les deux seuls buts du Canadien défait, 7 à 2, par les St-Pats de Toronto. Le Canadien fut éliminé des Séries par Ottawa qui vainquit ensuite, tour à tour, le Vancouver de la Ligue de la Côte du Paci-fique et l'Edmonton de la Ligue de l'Ouest, se méritant ainsi la coupe Stanley.

1923-24

L'auditorium d'Ottawa fut inauguré le 15 décembre 1923 quand les Senators l'emportè-rent sur les Tigers de Hamilton, 3 à 2. Howie Morenz, nouveau venu du Canadien joua au centre entre Aurèle Joliat et Billy Boucher. Howie compta son premier but dans la LNH à Ottawa, le 26 décembre 1923, le Canadien étant alors défait 3 à 2. Joe Malone, du Cana-dien, joua son dernier match dans la LNH le 23 janvier 1924 quand le Tricolore fut défait 4

à 1 par les Tigers, à Hamilton. Lors d'une as-semblée de la LNH tenue à Montréal le 9 fé-vrier 1924, on accorda une franchise aux Bruins de Boston. Le Canadien termina la saison en deuxième place, derrière Ottawa, mais il élimina les Senators en deux matches consécutifs, dans les Séries, pour se mériter le droit de rencontrer successivement les cham-pions de la Ligue de la Côte du Pacifique (Vancouver) et les champions de la Ligue de l'Ouest (Calgary). Tous les matches furent disputés à Montréal et le Canadien vainquit ses deux rivaux pour remporter la seconde coupe Stanley de son histoire.

1924-25

La saison s'ouvrit avec deux nouveaux clubs, les Maroons de Montréal et les Bruins de Boston. Le Canadien jouait ses matches locaux à l'aréna Mont-Royal mais attendait avec impatience le moment de déménager ses pénates au nouveau Forum qui s'édifiait rue Ste-Catherine. Le Canadien inaugura le Fo-rum, le 29 novembre 1924 en défaisant les St-Pats de Toronto, 7 à 1, devant plus de 8 000 spectateurs. Dix jours plus tard, soit le 10 dé-cembre, Aurèle Joliat compta quatre buts contre les Maroons, les grands rivaux du Ca-nadien, à l'aréna Mont-Royal. Les Tigers de Hamilton terminèrent au premier rang mais leurs joueurs firent la grève pour avoir plus

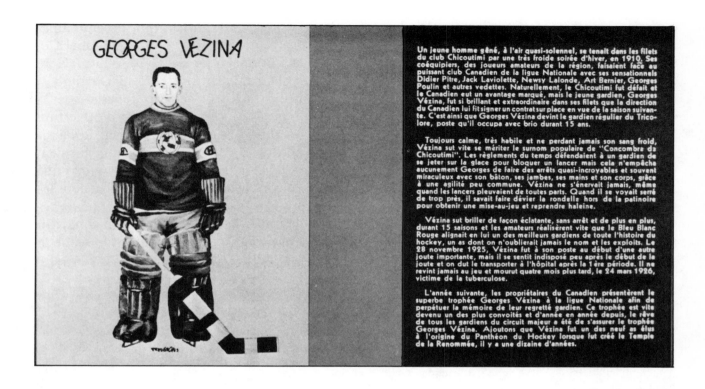

GEORGES VÉZINA

Un jeune homme gêné, à l'air quasi-solennel, se tenait dans les filets du club Chicoutimi par une très froide soirée d'hiver, en 1910. Ses coéquipiers, des joueurs amateurs de la région, faisaient face au puissant club Canadien de la ligue Nationale avec ses sensationnels Didier Pitre, Jack Laviolette, Newsy Lalonde, Art Bernier, Georges Poulin et autres vedettes. Naturellement, le Chicoutimi fut défait et le Canadien eut un avantage marqué, mais le jeune gardien, Georges Vézina, fut si brillant et extraordinaire dans ses filets que la direction du Canadien lui fit signer un contrat sur place en vue de la saison suivante. C'est ainsi que Georges Vézina devint le gardien régulier du Tricolore, poste qu'il occupa avec brio durant 15 ans.

Toujours calme, très habile et ne perdant jamais son sang froid, Vézina sut vite se mériter le surnom populaire de "Concombre de Chicoutimi". Les règlements du temps défendaient à un gardien de se jeter sur la glace pour bloquer un lancer mais cela n'empêcha aucunement Georges de faire des arrêts quasi-incroyables et souvent miraculeux avec son bâton, ses jambes, ses mains et son corps, grâce à une agilité peu commune. Vézina ne s'énervait jamais, même quand les lancers pleuvaient de toutes parts. Quand il se voyait serré de trop près, il savait faire dévier la rondelle hors de la patinoire pour obtenir une mise-au-jeu et reprendre haleine.

Vézina sut briller de façon éclatante, sans arrêt et de plus en plus, durant 15 saisons et les amateurs réalisèrent vite que le Bleu Blanc Rouge alignait en lui un des meilleurs gardiens de toute l'histoire du hockey, un as dont on n'oublierait jamais le nom et les exploits. Le 28 novembre 1925, Vézina fut à son poste au début d'une autre joute importante, mais il se sentit indisposé peu après le début de la joute et on dut le transporter à l'hôpital après la 1ère période. Il ne revint jamais au jeu et mourut quatre mois plus tard, le 24 mars 1926, victime de la tuberculose.

L'année suivante, les propriétaires du Canadien présentèrent le superbe trophée Georges Vézina à la ligue Nationale afin de perpétuer la mémoire de leur regretté gardien. Ce trophée est vite devenu un des plus convoités et d'année en année depuis, le rêve de tous les gardiens du circuit majeur a été de s'assurer le trophée Georges Vézina. Ajoutons que Vézina fut un des neuf as élus à l'origine du Panthéon du Hockey lorsque fut créé le Temple de la Renommée, il y a une dizaine d'années.

Marcel Stanley Vézina, fils du gardien de buts Georges Vézina, dans la coupe Stanley en mars 1916.
ARCHIVES MUNICIPALES DE MONTRÉAL

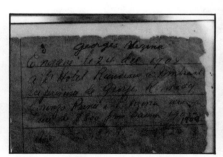

Le contrat de Georges Vézina, signé en 1908-09, lui accordant 800 $ par année.
FORUM DE MONTRÉAL

d'argent... et ils ne jouèrent jamais plus dans la Ligue Nationale ! Le Canadien l'emporta sur le Toronto, dans les Séries, et fut ensuite défait, dans l'Ouest, par les Cougars de Victoria qui enlevèrent la coupe Stanley, 3 matches à 2.

1925-26

Deux nouveaux clubs devinrent membres de la Ligue, soit les Americans de New York et les Pirates de Pittsburgh. Ces derniers alignaient pratiquement tous les hommes du Yellow Jackets de Pittsburgh, un club amateur, entre autres, Roy Worters, Lionel Conacher, Bonner Larose, Tex White, Herb Drury, Harold Cotton, Harold Darragh et Hib Milks, leurs principaux joueurs. Le 28 novembre 1925, lors du match d'ouverture du Canadien à l'aréna Mont-Royal, le Canadien perdit 1 à 0 quand son fameux gardien, Georges Vézina, qui n'avait jamais manqué une seule joute en saison régulière ou dans les Séries, s'écroula sur la glace en deuxième période et quitta la partie. Il ne revint jamais au jeu et mourut le 27 mars 1926, victime de la

Jacques Lemaire enregistre un but contre les Red Wings.
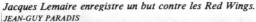
JEAN-GUY PARADIS

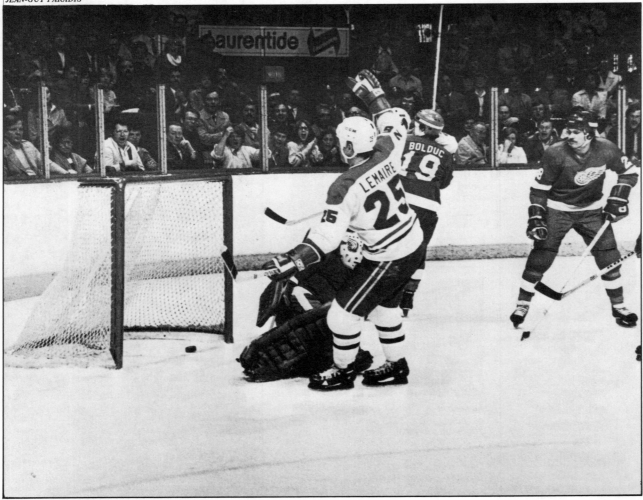

tuberculose. Le Canadien termina la saison en septième et dernière place et les Maroons de Montréal remportèrent la Coupe.

1926-27

Le 17 avril 1926, les Rangers de New York furent admis dans la Ligue Nationale, suivis des Black Hawks de Chicago et des Cougars de Detroit en septembre 1926. La Ligue se transforma et comporta dorénavant deux divisions, la canadienne et l'américaine. À ce moment-là le Canadien était dirigé par Cecil Hart. Billy Boucher fut échangé au Boston et on vit Newsy Lalonde revenir au hockey, cette fois comme pilote, avec les Americans de New York. Bill Cook remporta le championnat des compteurs. Le Canadien fut défait dans les Séries par les Maroons, au cours de deux matches, où le total des buts devait décider du vainqueur et le club Ottawa vainquit le Boston, en finale de la Coupe. Ce fut la dernière fois que ce club se mérita la coupe Stanley.

1927-28

Le 24 septembre 1927, le St-Pats de Toronto fut acquis par le Maple Leaf Hockey Club. Le club Ottawa, lui, connaissait des difficultés financières et la rumeur circulait à l'effet qu'il était à vendre. À Detroit, on inaugura l'Olympia, au centre-ville, le 22 novembre 1927 alors que Ottawa l'emporta sur les Cougars, 2 à 1. Le Canadien décrocha la première place de la division canadienne et fit face aux Maroons dans une série de deux matches, où le total des buts devait décider du vainqueur. Les Maroons remportèrent la victoire, 3 à 2. Les jeunes Rangers de New York, inspirés par leurs leaders Bill Cook et Frank Boucher, vainquirent les Maroons et donnèrent à New York sa première coupe Stanley.

1928-29

À la suite de déboires financiers, Ottawa et Pittsburgh durent vendre leurs meilleurs joueurs. Le gardien du Canadien, George Hainsworth établit un record de 22 blanchissages en 44 matches et il acheva la saison avec une étonnante moyenne de 0:98. Toutefois, le Boston élimina le Canadien en première ronde, dans les Séries, et les Bruins triomphèrent ensuite des puissants Rangers de New York, en finale, pour se mériter une première coupe Stanley.

1929-30

L'inoubliable « crash » de la Bourse ne sembla pas affecter la LNH puisque le nombre de spectateurs augmenta dans toutes les villes du circuit. Quelques joueurs menacèrent même de faire la grève et obtinrent des augmentations de salaire substantielles. Les Leafs de Toronto présentèrent deux juniors de leur club amateur, le Marlboro, Charlie Conacher et Harvey Jackson qui avec le centre Joe Primeau formèrent un trio qui devint l'un des meilleurs de l'histoire du hockey. Ottawa disputa quelques-uns de ses matches à Atlantic City, dans le New Jersey dont un attira même plus de 10 000 amateurs. Les Maroons se classèrent au premier rang de la division canadienne suivis du Canadien. Boston battit les Maroons tandis que le Canadien triompha du Chicago et des Rangers et décrocha la coupe Stanley.

1930-31

Le Canadien fit signer un contrat à Johnny Gagnon qui vint jouer aux côtés de Joliat et de Morenz. Ottawa vendit son as défenseur King Clancy aux Leafs de Conn Smythe pour

35 000 $ et deux joueurs, Art Smith et Eric Pettinger. Les Pirates de Pittsburg déménagèrent à Philadelphie et prirent le nom de Quakers. Le premier match de ces derniers dans la LNH se tint le 11 novembre 1930 alors que les Rangers blanchirent les Quakers, 3 à 0. Howie Morenz se révéla le champion compteur du circuit avec 28 buts et 23 assistances. Dans les Séries, le Canadien l'emporta successivement sur les Bruins (3 matches à 2) et les Black Hawks de Chicago (également par 3 matches à 2) et se mérita la coupe Stanley pour une deuxième année consécutive.

1931-32

Deux clubs, Ottawa et Pittsburg annoncèrent qu'ils suspendaient leurs opérations lors d'une réunion de la Ligue tenue à l'hôtel Windsor, à Montréal, le 26 septembre 1931. Les Senators (Ottawa), membres fondateurs de l'Association Nationale et de la Ligue Nationale, participaient à la conquête de la coupe Stanley depuis 1893 et l'avaient remportée neuf fois. Leurs joueurs furent dispersés parmi les autres clubs, sauf le Canadien. Le nouveau Maple Leaf Gardens ouvrit ses portes à Toronto le 12 novembre 1931 alors que les Black Hawks de Chicago défirent le Toronto, 2 à 1. Dick Irvin était l'entraîneur des Leafs et Mush Marsh compta le premier but dans le nouvel amphithéâtre à 2:30 de la première période. Le Canadien termina au premier rang de la division canadienne et les Rangers de New York firent de même dans l'américaine. Busher Jackson se vit attribuer le titre de champion compteur avec 28 buts et 25 assistances en 48 matches. Le Canadien fut éliminé par les Rangers tandis que le Toronto battit successivement Chicago, Maroons (Montréal) et Rangers ce qui lui permit de remporter sa première coupe Stanley.

1932-33

Newsy Lalonde fit la paix avec Léo Dandurand et fut nommé entraîneur du Canadien. Ottawa revint au circuit, mais ce devait être pour bien peu de temps. Les Senators jouèrent de nouveau à l'Auditorium le 12 novembre 1932 et l'aréna était presque remplie de spectateurs jusqu'au toit ! Newsy Lalonde brisa le trio Morenz-Joliat-Gagnon en remplaçant ce dernier par Pit Lépine. Le Canadien n'avait pas trop de succès et il put à peine se classer dans les Séries. De fait, il baissa pavillon devant les Rangers, 8 à 5 dans une série de deux matches, où le total des buts devait décider du vainqueur. Les Rangers se méritèrent la seconde coupe Stanley de leur histoire en battant les Maple Leafs.

1933-34

Les Falcons de Detroit déclarèrent faillite et devinrent la propriété de l'Olympia. Le nouveau club jouerait désormais sous le nom de Red Wings. Pittsburg suspendit ses opérations une fois de plus tandis que Ottawa réussit à aligner un club malgré des pertes financières importantes. Le 12 décembre 1933, Ace Bailey, du Toronto, fut blessé très grièvement lors d'une altercation avec Eddie Shore, à Boston, ce qui l'empêcha définitivement de retourner au jeu. Le 8 février 1934 se tint la soirée Aurèle Joliat au Forum de Montréal alors que Joliat joua son cinq centième match dans la LNH. La première partie d'Étoiles dans l'histoire de la Ligue Nationale fut présentée à Toronto au Maple Leaf Gardens, le 14 février 1934. Ce soir-là, on récolta 20 000 $ pour Ace Bailey. On retira son chandail, le numéro 6 qui fut, néanmoins, porté par Ron Ellis en 1965. Ottawa joua son dernier match dans la LNH le 15 mars 1934, les Americans

L'équipe de rêve du Canadien

De gauche à droite, Jacques Plante, Larry Robinson, l'entraîneur «Toe» Blake, Jean Béliveau, Dickie Moore, Doug Harvey,
Maurice Richard, auxquels s'ajoutent le capitaine actuel du Canadien, Bob Gainey et l'ex-vedette du club, Aurèle Joliat.

Le défenseur Serge Savard vient à l'aide de son gardien Ken Dryden lors de la finale de la coupe Stanley en 1979 à Boston.

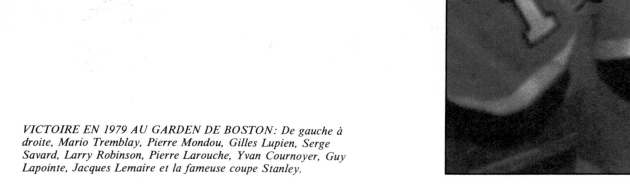

VICTOIRE EN 1979 AU GARDEN DE BOSTON: De gauche à droite, Mario Tremblay, Pierre Mondou, Gilles Lupien, Serge Savard, Larry Robinson, Pierre Larouche, Yvan Cournoyer, Guy Lapointe, Jacques Lemaire et la fameuse coupe Stanley.

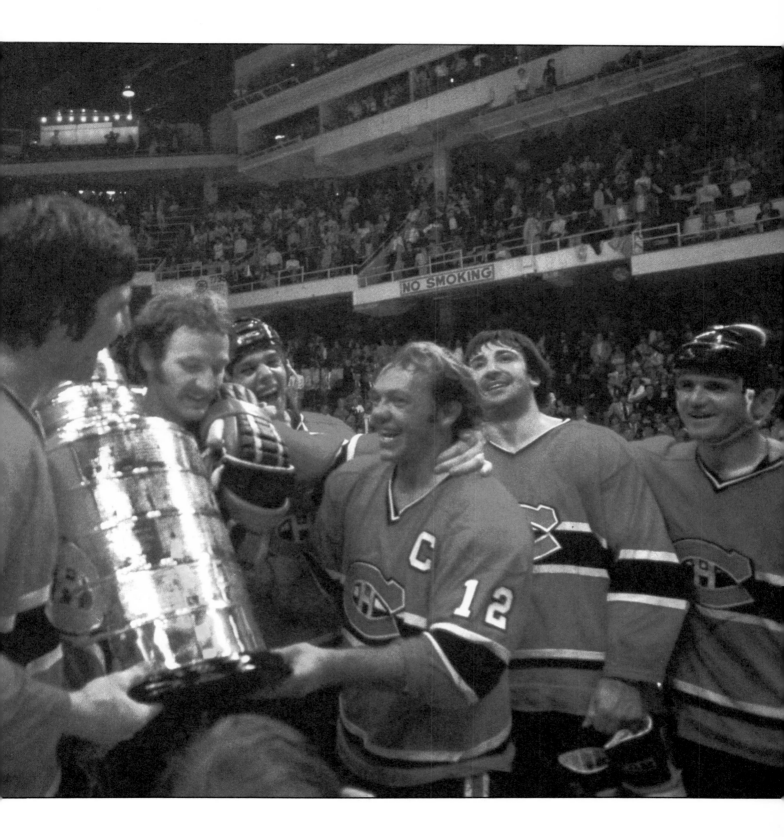

Ci-haut, Richard, Lach et Blake se sont rencontrés 40 ans après la célèbre ligne du Punch (1983) sur la glace du Forum lors d'une cérémonie spéciale. Ils furent la terreur des gardiens de buts de 1943 à 1948.

Ci-contre, l'auteur Claude Mouton très heureux d'être reçu à l'hôtel de ville par le maire Jean Drapeau qui a bien voulu autographier son premier volume; c'était le 23 février 1981. Claude est accompagné de son ami et collaborateur Camil DesRoches.

La pose caractéristique... de Ken Dryden.

En haut, Jim Roberts, un travailleur infatigable, devant Cheevers, Smith, et Don Awrey des Bruins de Boston.

En bas, Guy Lapointe met Jean Pronovost du Pittsburgh en échec devant le gardien Ken Dryden.

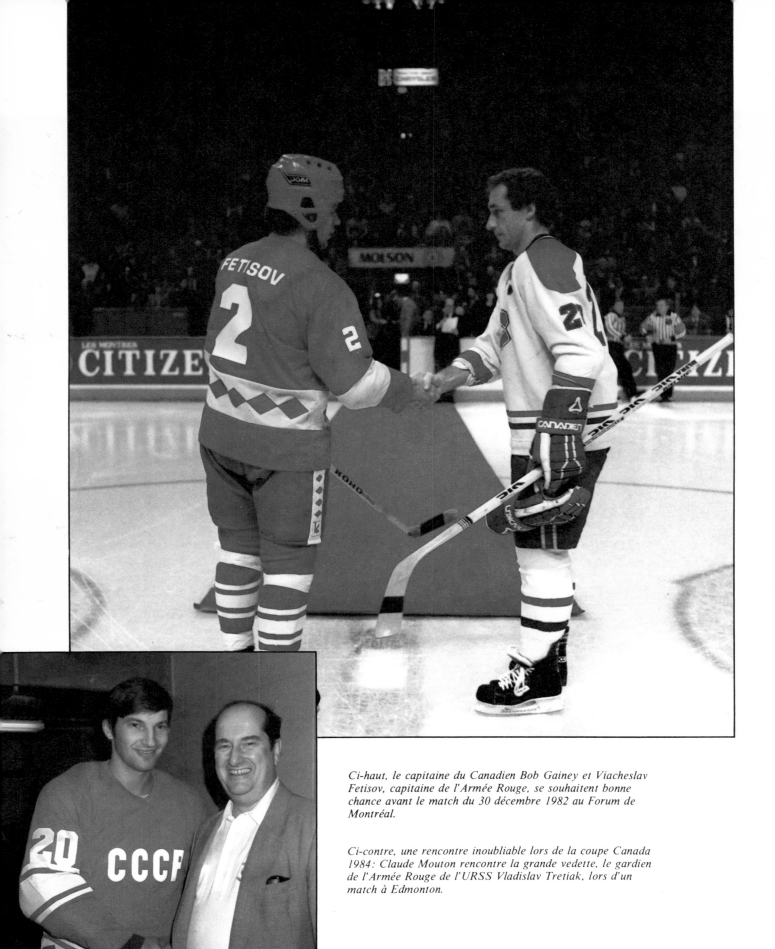

Ci-haut, le capitaine du Canadien Bob Gainey et Viacheslav Fetisov, capitaine de l'Armée Rouge, se souhaitent bonne chance avant le match du 30 décembre 1982 au Forum de Montréal.

Ci-contre, une rencontre inoubliable lors de la coupe Canada 1984: Claude Mouton rencontre la grande vedette, le gardien de l'Armée Rouge de l'URSS Vladislav Tretiak, lors d'un match à Edmonton.

Mark Hunter, après une passe de Guy Carbonneau, tente de déjouer le gardien Greg Stephan des Red Wings de Detroit.

Yvan Cournoyer compte un but contre un ancien de l'équipe du Canadien, Rogatien Vachon des Kings de Los Angeles.

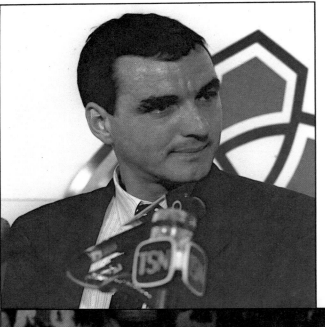

La retraite
de MARIO TREMBLAY :
le 22 septembre 1986

Ci-contre, Mario au bord des larmes annonce à la presse montréalaise qu'il prend sa retraite du hockey.

Présenté à la foule, Mario reçoit une ovation monstre qu'il n'est pas prêt d'oublier. Bob Gainey lui remet une rondelle devant son ex-coéquipier Doug Wickenheiser maintenant avec les Blues de St. Louis.

Si j'ai décidé d'accorder une page de ce volume à la retraite de MARIO TREMBLAY, c'est parce qu'au même titre que la retraite de GUY LAFLEUR, celle de MARIO m'a frappé, je savais depuis l'été dernier qu'à moins d'un miracle médical, MARIO ne pourrait plus jamais jouer au hockey.

MARIO et moi, nous nous sommes liés d'amitié dès le premier jour de son arrivée à Montréal alors que Sam Pollock m'avait demandé d'aller l'accueillir, ainsi que son père et sa mère, à Dorval afin de les conduire au Château Champlain.

Je n'oublierai jamais la veille de son premier contrat avec le Canadien, ni le visage de MARIO, dix-neuf ans, les yeux brillants, l'allure d'un gars prêt à défoncer les murs et qui était animé d'une confiance en lui-même inébranlable. Je n'oublierai pas non plus la fierté qui se lisait sur le visage de son père Gonzague et sa mère qui venait de subir son baptême de l'air et qui en était encore toute nerveuse.

MARIO est vite devenu un leader et il est aussi rapidement devenu une sorte d'idole pour les jeunes, lui qui, sans avoir toutes les qualités d'une super-étoile, a eu à piocher pour atteindre la Ligue Nationale de Hockey et travailler deux fois plus fort qu'un surdoué pour survivre dans la Ligue.

MARIO manquera à cette équipe et même si l'on dit souvent que tout homme est remplaçable, je pense que des gars de la trempe et du gabarit de MARIO, il n'en existe pas beaucoup.

SALUT MARIO et BONNE CHANCE!

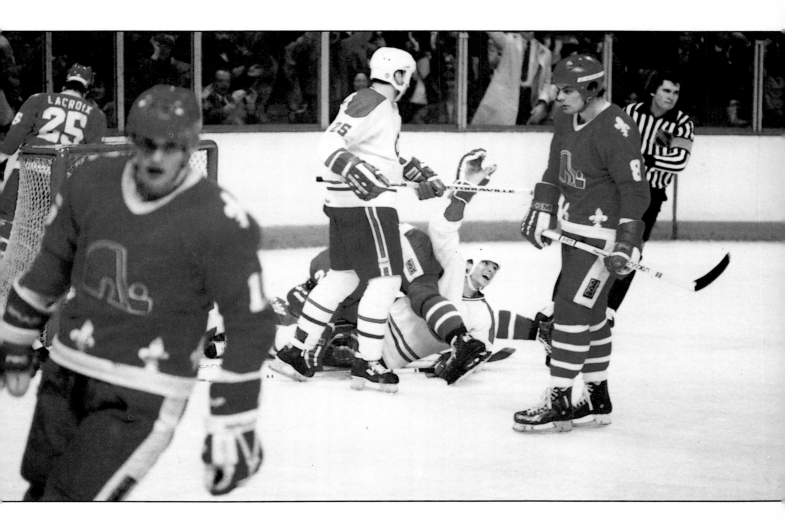

Dans le feu de l'action, Mario aimait bien se frotter aux Nordiques... et compter un but comme il le fait ici, devant Marc Tardif (un ancien de l'équipe du Canadien).

Ci-haut, Maurice Richard, capitaine du Canadien.

Ci-contre, Pierre Larouche et Guy Lafleur contre Hartford.

En haut, Bernard Geoffrion, un des grands de l'histoire du Canadien. En bas, le meilleur défenseur de l'histoire du Canadien Doug Harvey.

En haut, Jacques Plante... avant le masque.
En bas, le jeune Jean Béliveau.

La retraite de GUY LAFLEUR...
Une journée sombre dans
l'histoire du Canadien

Je me souviendrai toujours d'un soir au centre Paul-Sauvé, alors que je dirigeais le Junior de Rosemont et que nous avions ce soir-là la visite des Remparts de Québec, et qu'il fallait accorder une attention spéciale à leur jeune vedette qui s'appelait GUY LAFLEUR, pour vaincre nos visiteurs.

Nous avions préparé une tactique défensive, que l'on croyait à toute épreuve, et nous devions avoir deux couvreurs sur GUY en tout temps. Vous devinez bien ce qui est arrivé: une cuisante défaite de 8 à 1 devant une foule qui remplissait le centre Paul-Sauvé à pleine capacité et GUY LAFLEUR a compté cinq buts!

Le petit gars de Thurso a été le joueur qui m'a le plus fasciné depuis l'époque de Maurice Richard. J'ai vu jouer Richard à sa dernière année et je l'ai revu sur film, mais GUY je l'ai observé à ses tout débuts. C'est moi qui l'ai accueilli lorsque je commençais avec le Canadien au camp d'entraînement Kentville en Nouvelle-Écosse: nous étions deux recrues et j'ai vécu avec lui les hauts et les bas de sa carrière. Il fut le joueur le plus électrisant de l'ère moderne du Canadien. Que de sensations il a procurées aux partisans du Canadien ainsi qu'à tous les amateurs de

hockey en Amérique du Nord. Je suis certain que son nom restera gravé dans la mémoire des amateurs à tout jamais.

J'étais dans la chambre du Tricolore le soir où, après un match contre Detroit, il a décidé de décrocher. Seul avec lui pendant de longs moments, nous avons discuté et je l'ai vu pleurer... ses nerfs l'avaient lâché et l'énorme pression qu'il subissait l'avait abattu. Après un long silence, il s'est levé d'un trait et en empoignant son porte-vêtements m'a regardé et les yeux rougis m'a dit: «Je ne vais pas à Boston... c'est fini.»

J'avais imaginé une tout autre fin de carrière pour un si grand joueur, même si l'hommage que lui offrirent plus de 18 000 spectateurs fut un des plus grandioses jamais accordés à un athlète. La fin de carrière de GUY LAFLEUR... d'un si grand athlète... aurait dû être, selon moi, tout autre chose.

De gauche à droite, Serge Savard, Ronald Corey, Guy Lafleur et Claude Mouton.

Guy Lafleur est présenté à la foule sous un tonnerre d'applaudissements lors de la soirée d'adieu du 16 février 1985.

Le 26 mai 1986, l'entraîneur Jean Perron s'adresse au conseil municipal à l'hôtel de ville de Montréal en compagnie du président Ronald Corey et du capitaine Bob Gainey.

Deux grands disparus
en 1986

Ces photos furent prises le 12 janvier 1985 lors des inoubliables fêtes du soixante-quinzième anniversaire du Canadien, lorsqu'on présenta l'équipe de rêve.

Aurèle Joliat, l'un des plus fameux ailiers gauche de l'histoire du hockey et Jacques Plante ajustant ses jambières discute avec Claude Mouton.

Ces deux immortels du Canadien, sans le savoir, visitaient le Forum, lieu de leurs nombreuses prouesses, pour une dernière fois. Plante est décédé en Suisse le 27 février 1986 et Aurèle Joliat à Ottawa le 2 juin de la même année.

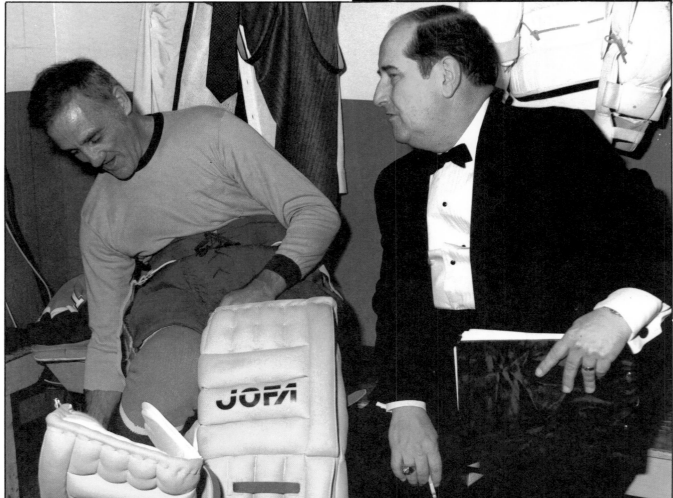

Larry Robinson, Bobby Smith, Mats Naslund, Kjell Dahlin se réjouissent du but gagnant de Bobby Smith. En finale lors de la série de la coupe Stanley 1986 contre les Flames de Calgary.

de New York l'emportant alors sur les Senators, 3 à 2. Aurèle Joliat se mérita le trophée Hart et le Canadien acheva la saison au second rang, derrière Toronto. Le Canadien perdit contre Chicago en première ronde et les Black Hawks filèrent jusqu'à la conquête de la Coupe.

1934-35

La franchise du club Ottawa fut transférée à St. Louis ce qui donna naissance aux Eagles. Au début de novembre 1934, Léo Dandurand échangea Howie Morenz, Marty Burke et Lorne Chabot aux Black Hawks de Chicago en retour de Lionel Conacher, Roger Jenkins et Leroy Goldsworthy et vendit Johnny Gagnon au Boston. Morenz, complètement désorienté à Chicago, compta seulement huit buts. Dandurand ramena Gagnon de Boston puis remplaça lui-même l'entraîneur Newsy Lalonde. Frank Boucher, des Rangers, qui avait enlevé le trophée Lady Byng sept fois au cours des huit années précédentes reçut ce trophée en permanence. Le Canadien perdit contre les Rangers, dans les Séries, tandis que les Maroons remportèrent la coupe Stanley.

1935-36

Sylvio Mantha, nommé entraîneur du Canadien, remplaça Léo Dandurand. Hector « Toe » Blake, après huit matches avec les Maroons en 1935 se joignit au Canadien. Chicago échangea Howie Morenz aux Rangers de New York. Le Canadien se retrouva bon dernier lors des éliminatoires et les Red Wings de Detroit se méritèrent la coupe Stanley.

1936-37

Cecil Hart se joignit de nouveau au Canadien et s'empressa de ramener Howie Morenz à Montréal qui avec Joliat et Gagnon firent les délices des amateurs de Montréal lors d'un match d'ouverture de saison, au Forum le 7 novembre 1931 contre les Bruins de Boston. Howie joua son dernier match avec le Canadien le 28 janvier 1937 au cours duquel il se fractura une jambe en entrant en collision avec Earl Seibert, du Chicago; il dut être transporté hors de la patinoire sur une civière. Il mourut six semaines plus tard, soit le 8 mars 1937, à l'hôpital St-Luc de Montréal. Le Canadien termina en première place de la division canadienne et Detroit fut le champion de la division américaine. Le Tricolore fut éliminé par le Detroit, 3 matches à 2 et les Red Wings vainquirent ensuite les Rangers pour finalement enlever la coupe Stanley.

1937-38

On joua un match-bénéfice pour Howie Morenz au Forum de Montréal le 2 novembre 1937. Plus de 8 000 personnes y assistèrent. Le chandail numéro 7 de Morenz fut officiellement retiré et remis à son fils Howie junior. L'entraîneur des Maroons de Montréal, King Clancy, fut congédié le 31 décembre 1937 et remplacé par Tommy Gorman, d'Ottawa. Les Maroons jouèrent leur dernier match dans la LNH le 17 mars 1938 alors qu'ils furent défaits par le Canadien, 6 à 3, au Forum. Ils avaient disputé leur première partie le 3 décembre 1924, au Forum, toujours, étant alors blanchis par les Tigers de Hamilton, 2 à 0. Le Canadien se classa au dernier rang, Gordon Drillon, des Leafs, remporta le championnat des compteurs tandis que les Black Hawks de Chicago se méritèrent la coupe Stanley.

1938-39

Aurèle Joliat annonça sa retraite à l'été 1939, mettant fin à une carrière de 16 saisons avec le Canadien. Frank Boucher, des Rangers, accrocha également ses patins après 17 saisons avec les Rangers. Le Canadien traversait une période noire et il se vit souvent dans l'obligation de jouer devant des foules de 3 000 amateurs ou moins. Joe Cattarinich, premier gardien du Tricolore, en 1910, mourut à l'âge de cinquante-sept ans, le 7 décembre 1938. Jules Dugal remplaça Cecil Hart comme pilote du Canadien le 28 janvier 1939. « Toe » Blake se révéla la grande vedette du Bleu Blanc Rouge qui termina au sixième et dernier rang, Blake remportant, néanmoins, le championnat des compteurs avec 47 points, ce qui lui valut le trophée Hart. Boston, cette année-là, enleva la coupe Stanley.

1939-40

La Seconde Grande Guerre fut déclarée le 3 septembre 1939. Pit Lépine fut nommé en-

Durant la Dernière Guerre mondiale, plus précisément en 1940, les joueurs du Canadien devaient faire de courts stages dans un camp militaire; on appelait ça «faire son service militaire».

Cette photo unique fut prise en 1940 au camp de l'Armée canadienne à Farnham:

1ère rangée - Charlie Sands/soldat/Toe Blake/Paul Bibeault/sergent de l'Armée
2e rangée - Lorne Duguid/Allan Davis/Moe White/Marcel Bessette
3e rangée - Earl Robinson/Armand Mondou/George Mantha/Clif Goupille
4e rangée - Roland Hébert/Jimmy Peters/Jim McCurry/Roland Rossignol/Tony Demers/Sibby Mundy

traîneur du Canadien à la suite du décès de Babe Siebert, son défenseur, qui se noya au cours de l'été. En janvier 1940, Johnny Gagnon, du Canadien, passa aux Americans de New York. Les partisans du Canadien ne se gênaient pas pour huer leur équipe et demander le congédiement de Lépine. Le Canadien se retrouva au septième et dernier rang à la fin de la saison. Milt Schmidt, du Boston, décrocha le championnat des compteurs tandis que ses coéquipiers de ligne, Woody Dumart et Bobby Bauer suivirent en deuxième et troisième place. Les Rangers de New York, dirigés par Frank Boucher, enlevèrent la coupe Stanley. Le 29 octobre 1939, le Canadien disputa un match en hommage à Albert « Babe » Seibert.

1940-41

Dick Irvin, qui avait quitté le Toronto après plusieurs années comme entraîneur-chef, devint l'entraîneur du Canadien. Il fit aussitôt signer un contrat à un junior d'Ottawa, John Quilty de même qu'à Murph Chamberlain et Elmer Lach. Plus de 12 000 personnes assistèrent au premier match du Canadien, le 3 novembre 1940 alors que Boston et le Tricolore annulèrent, 1 à 1, au Forum. Le Canadien dut se contenter de la sixième place, mais promettait beaucoup. Bill Cowley, du Boston, enleva le championnat des compteurs avec 62 points et Turk Broda remporta la palme comme meilleur gardien du circuit avec une moyenne de 2 : 06 buts alloués par match. Les Bruins de Boston obtinrent la coupe Stanley.

1941-42

Les Americans de New York, devenus les Americans de Brooklyn, vendirent leurs meilleurs joueurs pour de l'argent comptant.

Dick Irvin continua de reconstruire le Canadien et cherchait une super-vedette qui ressemblerait à Morenz ou à Lalonde. Elmer Lach et « Toe » Blake évoluaient en compagnie de Tony Demers. On nomma Frank Selke directeur-gérant des Leafs de Toronto en l'absence de Conn Smythe qui était à l'étranger. Le Canadien se classa avant-dernier ayant seulement quatre points de plus que les Americans de Brooklyn. Les Leafs, sous la direction de leur nouveau gérant, Frank Selke, et de leur entraîneur, Hap Day, se méritèrent la coupe Stanley.

1942-43

Lorsque commença la saison, 78 joueurs de la LNH étaient enrôlés dans les forces armées canadiennes. L'entraîneur du Canadien, Dick Irvin, continua sa reconstruction du Tricolore. Un jeune ailier droit, Maurice Richard, fit ses débuts professionnels au Forum le 31 octobre 1942. Il formait un trio avec Elmer Lach et Tony Demers et il sut impressionner lors du match d'ouverture de saison quand le Canadien battit Boston, 3 à 2. Aurèle Joliat retourna au Forum, cette fois comme juge de lignes et il se mérita les applaudissements de la foule. Vraisemblablement, le Canadien venait de trouver la vedette qu'il cherchait quand le jeune Richard fit une montée à l'emporte-pièce pour déjouer Steve Buzinski, des Rangers de New York, et compter un but des plus spectaculaires le 8 novembre, au Forum. Le 27 décembre, Richard se fractura une jambe lors d'une mise en échec de Jack Crawford. Il avait compté 5 buts à ses 16 premiers matchs et son accident l'empêcha de jouer pour le reste de la saison. Le Canadien dut se contenter de la quatrième position et perdit en demi-finale contre Boston, 4 matches à 1. On déclara Doug Bentley, du Chicago, champion comp-

teur et Johnny Mowers, le meilleur gardien de la saison. Ce dernier conduisit d'ailleurs son club, Detroit, à la conquête de la coupe Stanley.

1943-44

Les Americans de Brooklyn se retirèrent du circuit. La ligne rouge, une idée géniale de Frank Boucher, devint partie intégrante du jeu cette année-là. Dick Irvin obtint Bill Durnan comme gardien du Canadien et il créa la « Ligne du Punch », formée de Toe Blake, Elmer Lach et Maurice Richard. Tous les clubs perdirent des joueurs clés qui s'engagèrent dans les forces armées mais le Canadien, plus chanceux, vit seulement Johnny Quilty se joindre à l'aviation et Kenny Reardon, à l'armée. Le Bleu Blanc Rouge termina au premier rang et Bill Durnan décrocha facilement le titre de meilleur gardien avec une moyenne de saison de 2:18 buts alloués par match. Herbie Cain, du Boston, fut déclaré meilleur compteur et le Canadien remporta des victoires sur Toronto et Chicago dans les Séries, ce qui le conduisit à la cinquième coupe Stanley de son histoire.

La fameuse « Ligne du Punch »: Maurice Richard à l'aile droite, Elmer Lach au centre, Hector « Toe » Blake à l'aile gauche.

1944-45

Les Canadiens, conduits par Maurice Richard et Bill Durnan, continuèrent de dominer et de jouer à guichet fermé non seulement à Montréal mais aussi dans les cinq autres villes du circuit. Richard comptait un but par match et s'acheminait ainsi vers un autre record. Le 28 décembre 1944, le Rocket y alla de 5 buts alors que le Canadien écrasa Detroit, 9 à 1 et il réussit, finalement, à compter 50 buts en autant de matches durant la saison. Son coéquipier Elmer Lach se mérita le championnat des compteurs avec 80 points et Bill Durnan fut de nouveau le meilleur gardien avec une moyenne de 2:42. Le Toronto élimina le Tricolore en demi-finale des Séries et vainquit ensuite le Detroit, 4 matches à 3, pour remporter la coupe Stanley.

1945-46

Avec la fin de la Seconde Grande Guerre à l'été 1945, les joueurs enrôlés revinrent au jeu. Le Canadien fit signer un contrat à Ken Reardon et Jim Peters ainsi qu'à Billy Reay et Joe Benoit. Le Canadien se classa de nouveau au premier rang et le titre de meilleur gardien revint, encore une fois, à Bill Durnan. Toe Blake, lui, ne purgea qu'une seule punition mineure dans toute la saison et se mérita le trophée Byng. Le Canadien se débarrassa de Chicago, 4 matches à 0, en demi-finale et il triompha ensuite du Boston, 4 matches à 1 pour conquérir la coupe Stanley, une sixième fois.

Club de balle-molle du Canadien 1946.

1ère rangée
Mike McMahon, Glen Harmon, Buddy O'Connor, Toe Blake, Elmer Lach, Frank Eddolls, Léo Lamoureux.

2e rangée
Maurice Richard, Ken Reardon, Butch Bouchard, Wilf Cude, Ken Mosdell, Bill Durnan, Jimmy Peters.

1946-47

Le président de la Ligue Nationale, Red Dutton, démissionna et Clarence Campbell le remplaça, le 4 septembre 1946. Frank Selke, avec les Leafs de Toronto depuis leur arrivée à la LNH, devint directeur-gérant du Canadien. Un ex-gardien vedette du Tricolore, Lorne Chabot, mourut à Montréal le 10 octobre 1946. Le retour de tous les joueurs qui avaient participé à la guerre contribua à augmenter sensiblement le nombre de personnes qui assistaient aux matches dans les six villes du circuit. Le Canadien se classa encore en première place tandis que Bill Durnan conserva son titre de meilleur gardien. Maurice Richard fut choisi le joueur le plus utile à son club et reçut le trophée Hart alors que la jeune recrue du Toronto Howie Meeker remporta le trophée Calder. Le Canadien défit Boston, 4 matches à 1, en demi-finale pour ensuite perdre par 4 matches à 2 contre Toronto qui remporta ainsi la coupe Stanley.

1947-48

Le Canadien ouvrit sa saison ayant sensiblement le même alignement que l'année précédente. On congédia Léo Lamoureux qui fut remplacé par le jeune Doug Harvey du Royal de la Ligue Sénior du Québec. Howie Riopelle, d'Ottawa, Jacques Locas et Normand Dussault font également figure de nouveaux venus chez le Canadien. Le premier match annuel des Étoiles de la LNH fut disputé à Toronto le 13 octobre 1947 et les Étoiles l'emportèrent, 4 à 3, dans un match superbe. Le 10 janvier 1948, le capitaine du Canadien, Toe Blake subit une double fracture de la cheville lors d'une mise en échec de Bill Juzda, des Rangers. Le même soir, à Chicago, la carrière de Johnny Quilty, du Boston et anciennement du Canadien, prit fin lorsqu'il se frac-

tura la jambe. Ces incidents marquèrent la fin pour Quilty et Blake. Le départ de ce dernier signifiait la disparition de la célèbre « Ligne de Punch ». Le Toronto termina au dernier rang tandis que le Canadien désappointa beaucoup ses partisans, se contentant de la cinquième place et étant éliminé des Séries par le fait même. Elmer Lach se mérita, néanmoins, le championnat des compteurs alors que Turk Broda, des Leafs, décrocha le titre de meilleur gardien et conduisit d'ailleurs les siens à la seconde conquête consécutive de la coupe Stanley.

1948-49

Le second match annuel des Étoiles fut disputé à Chicago alors que les Étoiles l'emportèrent assez facilement sur Toronto, 3 à 1. Riopelle joua aux côtés de Maurice Richard et de Ken Mosdell. Le Canadien se classa au troisième rang alors que le Detroit s'assurait la première place. Bill Durnan réussit 10 blanchissages et gagna de nouveau le trophée Vézina. C'était son cinquième Vézina en six saisons avec le Bleu Blanc Rouge. Roy Conacher, du Chicago, enleva le championnat des compteurs avec 68 points, 2 de plus que son coéquipier Doug Bentley. Le Canadien fut éliminé par Detroit en demi-finale puis le Detroit ne résista pas longtemps à Toronto et perdit 4 matches à 0, les Leafs se méritant du coup la coupe Stanley, pour la troisième année consécutive.

1949-50

Le Canadien garda sensiblement le même alignement que la saison précédente, se contentant d'ajouter Gilles Dubé et Bert Hirschfeld pour le nouveau calendrier de 70 matches. Le 5 janvier 1950, le Bleu Blanc

Rouge célébra son quarantième anniversaire d'existence comme club, en défaisant le Boston, 5 à 3, au Forum. Bill Durnan enregistra 8 blanchissages et reçut le trophée Vézina pour une sixième fois. Les amateurs le huèrent plus souvent qu'autrement et il prit sa retraite à la fin de la saison. Alors que Lindsay, du Detroit, fut choisi champion compteur avec 78 points en 69 matches, Maurice Richard en compta 43 et décrocha le titre de meilleur compteur. Les Rangers de New York éliminèrent le Canadien en demi-finale des Séries, 4 matches à 1, mais ils furent ensuite défaits en finale, 4 matches à 3, par le Detroit à qui le gardien Harry Lumley, par sa tenue sensationnelle, assura la coupe Stanley.

1950-51

Le petit Gerry Mc Neil gradua du Royal de la Ligue Sénior du Québec pour remplacer Bill Durnan qui s'était retiré. Le 16 décembre 1950, le Canadien fit jouer deux juniors, Bernard Geoffrion et Jean Béliveau. Ce dernier participa à une partie seulement (il existait un règlement selon lequel un amateur pouvait jouer cinq matches sans perdre son statut d'amateur) et Geoffrion compta l'unique but du Canadien qui annula, 1 à 1, contre les Rangers devant une foule remplissant le Forum à pleine capacité. Les Montréalais mettaient ainsi fin à une série de cinq défaites consécutives. Le brillant Gordie Howe s'assura le ti-

Photo de M. Jacques Raymond, père de M. Paul-Marcel Raymond, anciennement du Canadien et de Radio-Canada, qui fut le dernier télégraphiste à travailler sur la Galerie de Presse dans les années 50.

La compagnie de télégraphe devait envoyer un homme assister aux matches afin que ce dernier puisse télégraphier les reportages des journalistes des clubs visiteurs.

tre des compteurs avec 86 points tandis que Maurice Richard se classa deuxième avec 66 points. Terry Sawchuck, du Detroit, inscrivit 11 blanchissages et remporta le trophée Vézina avec une moyenne de 1 : 98. Gordie Howe gagna le trophée Ross et Milt Schmidt, du Boston, le Hart. Le Lady Byng fut mérité par Red Kelly, le défenseur du Detroit. Le Canadien, qui termina la saison en troisième place, défit les Red Wings qui avaient terminé premiers, en 6 matches, en demi-finale mais perdit ensuite contre Toronto en finale, 4 matches à 1, et chacun des matches nécessita une prolongation. Pour Toronto, c'était la con-quête d'une quatrième coupe Stanley en cinq ans.

1951-52

Au cours de l'été, le Canadien fit signer un contrat à un jeune ailier gauche qui allait devenir le meilleur ailier gauche de l'équipe depuis Aurèle Joliat. Dickie Moore s'aligna une première fois avec le Canadien le 15 décembre 1951 et inscrivit une assistance lors d'une victoire du Canadien sur le Boston, 3 à 1, au Forum. Terry Sawchuck, le gardien du De-troit, totalisa 12 blanchissages durant la sai-

Dickie Moore compte contre Al Rollins de Toronto en 1952.
TEMPLE DE LA RENOMMÉE, TORONTO

son et gagna le trophée Vézina avec une éloquente moyenne de 1 : 90. Dickie Moore se retrouva en fin de saison avec 18 buts en 33 matches et le Canadien se classa deuxième derrière le Detroit. Dans les Séries de fin de saison, le Canadien élimina Boston en demi-finale, 4 matches à 3 mais il fut ensuite vaincu en finale, 4 matches à 0, par les puissants Red Wings qui enlevèrent la coupe Stanley grâce à l'énorme travail, entre autres, de Gordie Howe, Ted Lindsay et Terry Sawchuck.

1952-53

Selon son habitude le Canadien n'apporta pas beaucoup de changement à son aligne-

ment de la saison précédente. Le 1er novembre, on rappela le jeune gardien Jacques Plante, de Buffalo, pour remplacer Gerry Mc Neil, blessé. Plante impressionna beaucoup et démontra de façon certaine qu'il reviendrait. Il retourna à Buffalo après trois matches, soit l'essai permis pour amateurs. Le 18 décembre 1952, on fit monter, cette fois, pour un essai identique de trois matches, la jeune vedette des As de Québec de la Ligue Sénior du Québec, Jean Béliveau. Il compta cinq buts en trois matches dont trois (soit le Truc du Chapeau) lors de la victoire du Canadien sur les Rangers de New York, 6 à 3, au Forum. Le Canadien termina la saison en deuxième place derrière le Detroit qui semblait

Bob Pulford, Bud McPherson, Gerry McNeil, Paul Meagher et Dollard St-Laurent réveillent de vieilles rivalités entre Toronto et Montréal.
TEMPLE DE LA RENOMMÉE, TORONTO

invincible. Gordie Howe fut le champion compteur avec 95 points. Gerry Mc Neil mena pour les blanchissages avec 10, mais ce fut Terry Sawchuck, du Boston, qui enleva le trophée Vézina avec une moyenne de 1 : 90. Le Canadien élimina le Chicago en demi-finale lors d'une longue et dure série de sept matches puis il vainquit les Bruins de Boston (qu'avait éliminés le Detroit), 4 matches à 1 pour inscrire son nom et celui de tous ses joueurs sur la coupe Stanley une septième fois dans son histoire.

1953-54

Le directeur-gérant du Canadien, Frank Selke réussit à faire signer un contrat à Jean Béliveau le 3 octobre 1953. Quand on lui demanda comment il s'y était pris pour convaincre la super-vedette des As de Québec, M. Selke répondit : « Ce fut très facile. Nous avons tout simplement ouvert notre voute. » L'arrivée de Béliveau signifiait le début d'une ère nouvelle pour le Canadien de Montréal et ce fut tout à fait comme on s'y attendait quand il prit place entre Maurice Richard et Bert Olmstead, à son premier match régulier comme professionnel avec les Habitants. Gordie Howe remporta le championnat des compteurs suivi de Maurice Richard. Le Canadien termina la saison en seconde place, sept points derrière Detroit. Les Montréalais réussirent bien à vaincre les Bruins de Boston grâce à quatre victoires d'affilée, en demi-finale, mais en finale, le Tricolore fut

Jeu mouvementé des années 60 alors que Dickie Moore, Pierre Pilote, Glen Skov, Marcel Bonin et Jean Béliveau convergent vers Glenn Hall.
TEMPLE DE LA RENOMMÉE, TORONTO

finalement vaincu après une lutte épique et farouche, soit en sept matches, par les Red Wings de Detroit qui remportèrent la coupe Stanley.

Les années cinquante caractérisent certainement une époque qui restera marquée dans l'histoire des Canadiens. Afin d'en savoir davantage sur tous les détails et les moindres faits survenus pendant cette période, j'ai passé de longues soirées à discuter mais surtout à écouter mon bon ami Camil DesRoches, directeur des événements spéciaux au Forum de Montréal. Il a vécu cette époque glorieuse, et quand on connaît Camil, on sait qu'il peut être un raconteur fantastique ; il nous relate, ici, les faits dans leurs moindres détails.

L'ère Maurice Richard

Le Canadien connut, il va sans dire, quelques années creuses à la suite de la longue dépression économique qui sévissait alors, mais l'arrivée de l'incomparable Maurice Richard devait tout changer. La Seconde Grande guerre battait son plein quand le « Rocket » s'amena au Canadien en 1942-43. Il compta le premier but de sa scintillante carrière le 8 novembre 1942, au Forum et dès lors les choses ne furent plus jamais les mêmes. Les gens affluaient de partout pour voir ce jeune génie du hockey avec, à ses côtés, des as tels « Toe » Blake, Émile Bouchard, Bill Durnan, Elmer Lach, Ken Reardon et autres brillants athlètes. Le Canadien connut une période de gloire fantastique — il enleva 3 coupes Stanley en 10 ans (en 1944, 1946 et 1953) avec le rusé Dick Irvin comme pilote et il devint tout à fait impossible d'acheter un billet pour assister à un match du Canadien même si le nouveau directeur-gérant depuis 1946, Frank J. Selke, s'occupa d'ajouter 3 183 sièges pour en arriver à assurer au Forum, une capacité de plus de 12 500 sièges en 1949.

L'arbitre Frank Udvari lève la main, indiquant une punition alors que Bower, Baun et Brewer des Leafs luttent contre les frères Richard pour la possession de la rondelle, en 1959.
TEMPLE DE LA RENOMMÉE, TORONTO

Maurice Richard, qui allait prendre sa retraite cinq mois plus tard, est entouré des membres de la presse incluant Jim Coleman (au centre) et Bruce Walker (à droite), pendant les éliminatoires de 1960.
TEMPLE DE LA RENOMMÉE, TORONTO

... puis celle de Jean Béliveau

Puis vint ce que je considère, moi, comme l'ère ABSOLUMENT MERVEILLEUSE du Canadien et du Forum, soit de 1953 à aujourd'hui. En 1953, le Tricolore put enfin faire débuter le jeune prodige de Victoriaville et de Québec qui était déjà une légende, même s'il n'avait pas encore chaussé les patins chez les professionnels. Vous l'avez deviné, il s'agissait du Gros Bill, Jean Béliveau, ce gentleman extraordinaire qui eut une carrière absolumen formidable de 18 saisons avec le Canadien et qui est devenu un des administrateurs du club il y a 15 ans déjà ! On a bien eu raison de dire de Béliveau, tout comme on le disait si bien du Rocket, qu'il formait, pour ainsi dire, une équipe à lui seul. Il l'a d'ailleurs prouvé tant de fois et je n'oublierai jamais, pour ma part, les 3 buts qu'il enfila contre les Bruins, un certain soir au Forum, en exactement 44 secondes de jeu ! Quel maniement fantastique du bâton il nous montra alors ! C'est d'ailleurs à la suite de cet exploit que la Ligue Nationale — incitée surtout par les Red Wings

de Detroit notre ennemi numéro un du temps — institua le règlement qui permet à un joueur puni de revenir au jeu dès que le club rival compte un but.

Bien que Jean Béliveau dût se contenter de 13 buts et de 21 assistances pour cette première saison, il allait, plus tard, égaler et établir différents records et conduire le Canadien à 10 autres coupes Stanley. Quand le légendaire Maurice Richard accrocha ses patins à la fin de la saison 1959-60, le flambeau passa à Jean Béliveau.

Le 24 mars 1971, eut lieu une soirée Jean Béliveau au Forum de Montréal. À cette occasion, le premier ministre du Canada, Pierre Elliot Trudeau, une des nombreuses personnalités qui rendirent hommage à ce merveilleux athlète, résuma très bien le caractère de l'homme en ces termes :
« Le caractère d'un athlète a rarement été aussi exemplaire. Grâce à son courage, son sens de la discipline et son honnêteté, sa vive intelligence, sa finesse et son magnifique esprit d'équipe. . . Jean Béliveau a donné au hockey un nouveau prestige ! »

Le surhomme Hector « Toe » Blake

Avec dans ses rangs Maurice Richard, Jean Béliveau, Doug Harvey, Jacques Plante, Bernard Geoffrion, Emile Bouchard, Dickie Moore et Bert Olmstead, entre autres, le Canadien réussit un véritable coup de maître le 8 juin 1955, quand Frank Selke fit signer un contrat à « Toe », l'ami de tous, administrateurs et joueurs et qui, de surplus, avait été un des plus fameux joueurs dans l'histoire du club, devait faire connaître aux habitués du Forum 13 saisons tout simplement merveilleuses. Sans doute aucun, le meilleur pilote que la Ligue Nationale ait connu, Blake

jouissait d'une popularité fantastique comme joueur et il forma avec Maurice Richard et Elmer Lach la fameuse « Ligne du Punch » qui fut peut-être — nous en sommes sûrs pour notre part — le meilleur trio de toute l'histoire du hockey. « Toe » fit son apprentissage comme pilote à Houston, Buffalo et Valleyfield avant d'accepter les offres de Selke et du Canadien et comme il avait toujours fait preuve de rare courage et de combativité exemplaire, on s'attendait évidemment à ce qu'il fasse assez bien comme entraîneur avec le Bleu Blanc Rouge.

Bon sang ne peut mentir on le sait et Blake fit encore beaucoup mieux que ce qu'on était en droit d'attendre de lui. Il sut si bien soutirer, en tout temps, l'effort maximal chez chacun de ses joueurs tout en demeurant l'ami sincère de chacun d'eux, qu'on vit le Canadien conquérir cinq coupes Stanley consécutives avec « Toe » à la barre. Le Canadien fut toujours à la hauteur de la tâche avec Blake au poste et quand il décida d'abandonner, en mai 1968 après une treizième saison comme pilote des Habitants — son épouse était alors très malade et « Toe » tenait à être à ses côtés — il avait conduit son club à neuf champion-

Louis « Lou » Fontinato.
DAVID BIER

nats de Ligue et à huit conquêtes de la coupe Stanley. Ouvrons ici une parenthèse pour mentionner le travail absolument fantastique du Canadien en 1959-60. Selon Blake lui-même et nous l'endossons à cent pour cent, ce fut la plus fameuse édition de l'histoire illustre du Bleu Blanc Rouge, celle qui alignait pas moins de huit ou neuf super-vedettes et le club qui, dans les séries pour la Coupe, enleva huit victoires consécutives contre les puissants Black Hawks de Chicago et les Leafs de Toronto. Le Canadien compta alors 29 buts en 8 matches, en alloua seulement 11 à ses rivaux et le gardien Jacques Plante, lui, s'en tira avec 3 blanchissages en 8 joutes, soit 2 à Chicago et 1 autre à Toronto.

On voit ici Lorne (Gump) Worsley, admis au Temple de la Renommée en 1980, en action lors d'un match mettant en vedette les Anciens de la LNH en 1979.
JEAN-GUY PARADIS

L'étreinte de Maurice Richard et d'Elmer Lach après le but vainqueur à 1:22 en temps supplémentaire lors de la finale de la coupe Stanley de 1953. Milt Schmidt (assis) et Joe Klukay du Boston surveillent la scène.

LA PRESSE

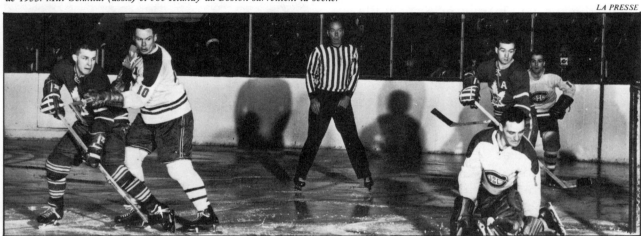

Jacques Plante recouvre la rondelle pendant que Tom Johnson empêche Carl Brewer de s'approcher. L'arbitre est Red Story.

TEMPLE DE LA RENOMMÉE, TORONTO

Une photo publicitaire du camp d'entraînement de 1950. De gauche à droite, Bonin, Geoffrion, Goyette, Henri Richard, Moore et Béliveau.

TEMPLE DE LA RENOMMÉE, TORONTO

Les bâtisseurs Selke et Pollock

Blake put toujours se sentir appuyé par la direction et ainsi, après le départ de Frank Selke, en 1964, il eut le non moins efficace et grand connaisseur Sam Pollock pour bâtir ses clubs. Si « Toe » a été tout simplement sensationnel au cours de ses 13 saisons comme pilote du club, Sam, lui, a carrément fait des merveilles comme directeur-gérant car depuis son arrivée en 1964-65, le Canadien avec successivement Blake, Claude Ruel, Al MacNeil et Scotty Bowman à la barre, a su doter les Montréalais de 9 coupes Stanley en 14 saisons.

Puis il y eut Scotty et Guy

En 1971, après une victoire exceptionnelle et mémorable sur les Bruins de Boston, grands favoris, en quarts de finale, le Canadien vainquit successivement Minnesota et Chicago pour une autre conquête de la Coupe. Ces séries furent le chant d'adieu de Jean Béliveau, mais la saison suivante, un jeune athlète, déjà devenu une légende à Québec tout comme lui, vint s'aligner avec le Canadien. Il s'appelait Guy Lafleur et il est, à son tour, devenu un des Grands de l'équipe, surtout durant six saisons au cours desquelles il a compté 327 buts et réussi 439 assistances pour un total quasi incroyable de 766 points ou 128 points de moyenne par saison ! Il a d'ailleurs vraiment pris les choses en mains durant cinq ans en conduisant le Canadien au championnat de la division Norris quatre fois et aussi à la conquête de la coupe Stanley, autant de fois.

De fait, le Canadien, durant les séries de fin de saison qui ont mené à ces quatre coupes Stanley consécutives en 1976, 1977, 1978 et 1979, a remporté 48 victoires et subi seulement 7 défaites pour alors maintenir une moyenne très éloquente de 0,873, soit une tenue tout simplement superbe. L'ami Guy m'en voudrait certes de ne mentionner que ses exploits à lui et nous nous hâtons donc de vous donner ici l'alignement complet de l'édition du Canadien qui nous a si dignement représentés pendant ces quatre années-là et que je dois, après mûre considération, comparer avantageusement à celle de 1959-60 que je jugeais être la meilleure équipe de toute l'histoire illustre du Club de Hockey Canadien. Les deux clubs se valent, tout simplement !

Nos hommages donc à tous ces as du Tricolore de 1977-78 et 1978-79 : Ken Dryden et Michel Larocque, gardiens : Serge Savard, Guy Lapointe, Bill Nyrop, Pierre Bouchard, Rick Chartraw, Gilles Lupien et Brian Engblom à la défense ; Guy Lafleur, Steve Shutt, Jacques Lemaire, Yvan Cournoyer, Bob Gainey, Réjean Houle, Doug Jarvis, Doug Risebrough, Yvon Lambert, Pierre Larouche, Mario Tremblay, Pierre Mondou, Murray Wilson, Cam Connor, Pat Hughes et Mark Napier à l'avant ; Eddy Palchak et Pierre Meilleur, soigneurs. Enfin, n'oublions pas Scotty Bowman, ce merveilleux entraîneur qui a conduit les siens à la conquête de la coupe Stanley pas moins de cinq fois en huit saisons. C'est un record qui est pratiquement l'égal de celui de « Toe » Blake et c'est vraiment tout dire.

Le départ de Bowman, en 1979, entraîna la nomination de Bernard « Boom Boom » Geoffrion comme entraîneur, le 4 septembre, soit tout juste une dizaine de jours avant l'ouverture du camp d'entraînement. L'ex-vedette du Canadien des années cinquante et soixante était fou de joie de se retrouver à Montréal et au Forum. Il se mit résolument à l'oeuvre mais le sympathique « Boomer » ne

put supporter la pression terrible qu'apporta la fin de novembre quand le Canadien connut une très mauvaise période et il démissionna après 30 matches, le 12 décembre plus exactement et fut remplacé par Claude Ruel qui avait déjà conduit le Tricolore à la coupe Stanley.

Avec l'appui du directeur-gérant Irving Grundman, Ruel réussit à faire ce qu'il fallait pour redonner un bel élan au club et le Canadien termina la saison au premier rang. Le premier rival des Séries, Hartford, fut une victime facile en ronde préliminaire quand le Canadien l'emporta en trois matches consécutifs. On s'attaqua ensuite au Minnesota et les North Stars surprirent tout le monde en venant triompher du Canadien dans les deux premiers matches d'un quatre de sept sur la glace même des Habitants, au Forum. Le Canadien riposta avec deux victoires à Bloomington et après avoir remporté chacun une autre victoire, les deux clubs se retrouvèrent au Forum pour un match décisif, le septième. Les North Stars éliminèrent alors le Canadien en l'emportant par 3 à 2 grâce au but de Al McAdam à 18 : 34 de la troisième période !

Trois mauvaises années

Les trois saisons suivantes furent de celles qu'on aimerait oublier à jamais. Le Canadien fit vraiment très bien en saison régulière, terminant en première place en 1981 et 1982 et en deuxième, en 1983. Dans les Séries pour la Coupe, toutefois, ce fut une tout autre affaire et les choses allèrent de mal en pis. En 1981, le Canadien fit face à l'Edmonton, en ronde préliminaire et fut éliminé en trois matches consécutifs, les jeunes Oilers venant nous vaincre deux fois dans les deux premiers matches de la Série, au Forum.

Le Tricolore fit un peu mieux en 1982, mais de nouveau il fut éliminé dès sa première série, cette fois par les Nordiques qui enlevèrent le trois de cinq dans le cinquième match quand Dale Hunter déjoua Wamsley après 22 secondes de prolongation.

Le Canadien croyait faire beaucoup mieux en 1983 et il joua assez bien en saison régulière, terminant avec 98 points, au deuxième rang et 12 points derrière Boston. Il faut noter, ici, l'échange bâclé par Irving Grundman le 9 septembre 1982 et qui envoya les joueurs Langway, Engblom, Jarvis et Laughlin au Washington pour Ryan Walter et Rick Green. Les opinions furent partagées chez les amateurs et il semble qu'il en fût de même chez les joueurs. Chose certaine, le Canadien parut fort ordinaire, en première Série 83 quand il fut une proie plus que facile pour les Sabres de Buffalo... et du même coup, la risée des amateurs ! Les Sabres eurent à disputer les deux premiers matches d'un trois de cinq, au Forum, mais ils ne firent qu'une bouchée du Canadien qu'ils blanchirent deux fois de suite, 1 à 0 et 3 à 0. Le Canadien joua un peu mieux dans le troisième match, mais il fut vaincu une troisième fois de suite et donc éliminé.

Le duo Corey-Savard

Le Canadien avait un nouveau président depuis cinq mois en la personne de Ronald Carey qui prit charge du club et du Forum le 12 novembre 1982. Homme plus que sympathique, fier et un « fan » enragé du Bleu Blanc Rouge, Ronald n'aima pas du tout cette défaite aux mains des Sabres et nous n'oublierons jamais ses premiers mots après ce cuisant revers quand il nous accosta, dans le hall d'entrée du Hilton. « C'est la dernière fois que nous nous faisons éliminer trois matches

de suite tant que je serai à la barre du Canadien » nous déclara-t-il, presque les larmes aux yeux.

Quatre jours plus tard, le 13 avril, il congédia Irving Grundman et aussi Ron Caron et le 28 avril, il conviait la presse parlée et écrite au Ritz Carlton pour leur présenter le nouveau directeur-gérant du Canadien, l'ex-défenseur vedette qui avait quitté deux ans plus tôt, Serge Savard.

Nos deux amis Corey et Savard ne firent aucune promesse quand les journalistes et les commentateurs leur demandèrent « où allait le Canadien ». Ils répondirent simplement : « S'il vous plaît, donnez-nous cinq ans. Nous tenterons de ramener le fameux trophée Stanley à Montréal vers 1988. »

Et ils se mirent résolument à l'oeuvre. Bob Berry qui avait succédé à Claude Ruel en 1982 était toujours en fonction à l'ouverture de la saison 1983-84. Il avait comme adjoint Jacques Lemaire depuis le 20 mai précédent. Le club commença assez bien la saison mais quand les choses se gâtèrent après les Fêtes et que les défaites s'accumulèrent, Berry quitta et fut remplacé par Lemaire. Le Canadien termina finalement la saison en quatrième place et pour la première fois en plus de 30 ans, il se contenta d'une piètre saison de 35 victoires contre 40 défaites pour une moyenne inférieure à 500.

Jacques Lemaire eut un éclair de génie quand il décida d'employer le jeune gardien inconnu alors, Steve Penney, dans les Séries

Gilles Lupien et Bob Gainey viennent en aide à Réjean Houle et Serge Savard, pour mettre Bryan Watson en échec et lui enlever la rondelle.

et Penney fut tout à fait sensationnel contre Boston (défait trois matches de suite, 2 à 1, 3 à 1 et 5 à 0) et Québec que le Canadien vainquit 4 matches à 2 pour atteindre la finale de Conference contre les Islanders de New York. Penney et les siens continuèrent leur travail remarquable et le Canadien mena 2 matches à 0 mais fut finalement vaincu par les puissants gars de Al Arbour, 4 matches à 2. C'était, néanmoins, très encourageant pour l'avenir.

En 1984-85, Jacques Lemaire fit du travail remarquable. C'est d'ailleurs ce à quoi on s'attendait. Le Canadien perdit son as offensif Guy Lafleur quand le Démon blond annonça sa retraite, le 26 novembre, mais le club fila, néanmoins, vers la première place, devançant les Nordiques par 3 points (94 à 91) au classement final. Cette fois encore, les

Bruins de Boston furent l'ennemi en première ronde des Séries et cette fois encore, le Canadien l'emporta, 3 matches à 2. Les Nordiques furent les rivaux suivants et on assista à une série de sept matches absolument sensationnels et excitants, les Nordiques l'emportant grâce au but de Peter Statsny compté à 2:22 en prolongation. Les Nordiques triomphèrent dans trois des quatre matches disputés à Montréal et trois des sept matches joués nécessitèrent du surtemps.

Jean Perron ramène la Coupe

Jacques Lemaire démissionna en juillet 1985 et son adjoint depuis un an, Jean Perron, lui succéda. À peu près inconnu de tous, du moins dans les milieux de la LNH, Perron

Réjean Houle, lors d'une de ses montées caractéristiques, s'apprête à déjouer le défenseur du club adverse.

dut y aller de tout son talent et de toutes ses ressources pour bâtir le club dont il rêvait. Il fut contesté de temps à autre mais sachant qu'il avait le support total de ses patrons Corey et Savard, il ne céda pas d'un seul pouce et sut si bien s'attirer la confiance de TOUS ses joueurs qu'on vit le Tricolore tout balayer sur son chemin en route vers la conquête de la vingt-troisième coupe Stanley de son illustre histoire.

Le Canadien mena le bal durant les quatre premiers mois de la saison, mais sembla perdre tous ses moyens, en mars, quand Québec s'installa au premier rang pour y demeurer. Perron et ses gars se contentèrent du deuxième rang mais Jean avait, néanmoins, moulé ses joueurs comme il l'entendait et le Cana-

dien était prêt pour les Séries. D'abord Boston éliminé en trois (trois matches consécutifs) puis ensuite, cette dure et inoubliable série de sept matches contre Hartford, la victoire venant grâce au but de la recrue Claude Lemieux, en prolongation, dans un match décisif, le septième, après 65 minutes 55 secondes de jeu plus que palpitant.

C'était le but et la victoire qu'il fallait au Canadien. Rien n'allait plus les arrêter ! Les Rangers et les Flames se présentèrent tour à tour mais New York et Calgary ne purent faire mieux que de concéder la victoire après chacun cinq matches. La coupe Stanley était de retour à Montréal, pour une vingt-troisième fois dans l'histoire glorieuse de l'équipe !

Tous les ans, les joueurs du Canadien forment une équipe de balle-molle qui se rend dans tous les coins de la province et du Canada afin de faire connaissance avec leurs millions de partisans et aussi pour amasser des milliers de dollars destinés à diverses organisations et fonds humanitaires. Ci-dessous, le tout premier club formé par Claude Mouton, il y a déjà 11 ans, soit en 1975. On reconnaîtra, debout, Serge Savard, l'arbitre le docteur Léopold Mathieu, Ken Dryden, Guy Lafleur, Yvon Lambert, Marcel «Le Patriarche» Desjardins, «Bunny» Larocque, Steve Shutt et Claude Mouton, qui gère toujours le club de balle-molle. À l'avant, Guy Lapointe, Pierre Bouchard, Claude Mailhot et la mascotte de l'équipe du temps.

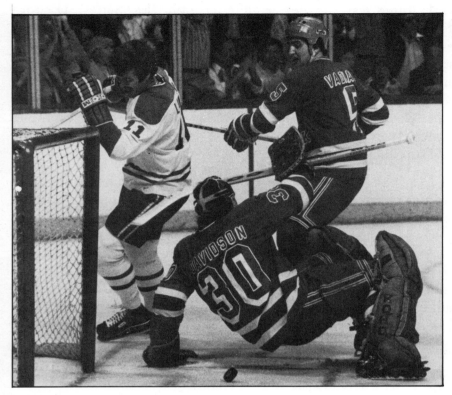

Les amateurs acclament Yvon Lambert alors que celui-ci compte contre les Rangers.
JEAN-GUY PARADIS

La chute gracieuse de Bob Gainey — suite d'un bâton bien placé.

Bernard Geoffrion, Jean Béliveau et Bert Olmstead.

Dates importantes dans l'histoire du Club de Hockey Canadien

4 décembre 1909   Fondation du Canadien par J. Ambrose O'Brien, un sportsman d'Ottawa avec Jack Laviolette comme conseiller et gérant.

5 janvier 1910   Le Canadien dispute le PREMIER match de son histoire à la patinoire Jubilee, rue Ste-Catherine est. Le Canadien triomphe alors du Cobalt 7 à 6 après 5 minutes 35 secondes de prolongation. Le Tricolore jouait alors dans la NHA (National Hockey Association) et son premier calendrier fut de 12 matches dont 6 à l'étranger.

12 novembre 1910   Le club passe à George Kennedy et devient le Club Athlétique Canadien.

30 mars 1916   Le Canadien remporte la première coupe Stanley de son histoire en battant le PORTLAND de la Ligue de la Côte du Pacifique par 2 à 1, enlevant la série de trois de cinq par 3 matches à 2. Matches disputés à l'aréna Montréal (Ste-Catherine à l'ouest d'Atwater). Chaque joueur reçoit 238 $ pour cette victoire.

26 novembre 1917   Le Canadien se joint à la Ligue Nationale de Hockey qui succède à la National Hockey Association. Les clubs en lice cette première saison: Ottawa, Wanderers de Montréal, Toronto et Canadien. Le propriétaire de cette équipe est maintenant monsieur George Kennedy.

19 décembre 1917   Premier match du Canadien dans la Ligue Nationale de Hockey. Disputé à Montréal à l'aréna Montréal. Le Canadien est vainqueur contre Ottawa 7 à 4. Le calendrier est maintenant de 22 matches pour la saison. Joe Malone marque cinq fois dans ce match.

21 décembre 1917   Première victoire sur la route: Canadien 11, Wanderers 2.

29 décembre 1917	Première défaite sur la route : Toronto 7, Canadien 5.
23 janvier 1918	Première défaite à domicile : Ottawa 4, Canadien 3.
18 février 1918	Premier blanchissage pour l'équipe et pour Georges Vézina dans la LNH : Canadien 9, Toronto 0.
2 mars 1918	Joe Malone du Canadien termine la saison avec 44 buts (en 20 matches) un record qui ne sera battu qu'en 1944-45 par Maurice Richard.
10 janvier 1920	Newsy Lalonde compte six fois et le Canadien remporte une victoire de 14 à 7 contre Toronto dans le premier match du club à l'aréna Mont-Royal.
3 mars 1920	Date à laquelle le Canadien compta le plus de buts en un match : Canadien 16, Québec 3.
3 novembre 1921	Les nouveaux propriétaires sont Léo Dandurand, Jos Catterinich et Louis-A. Létourneau.
16 décembre 1922	Aurèle Joliat joue son premier match dans la LNH et compte deux fois dans une défaite de 7 à 2 à Toronto.
26 décembre 1923	Howie Morenz compte son premier but dans la LNH à Ottawa, mais le Canadien perd 3 à 2.
22 mars 1924	Le Canadien remporte sa deuxième coupe Stanley. Il lui faut vaincre deux aspirants soit, dans l'ordre, Vancouver, champion de la Ligue de la Côte du Pacifique, puis ensuite Calgary, champion de la Ligue de Hockey de l'ouest du Canada. Le Bleu Blanc Rouge battit tout d'abord Vancouver par 3 à 2 et par 2 à 1, puis l'emporta ensuite sur Calgary par 6 à 1 et 3 à 0. Étant donné la température trop clémente à Montréal, ce

dernier match fut disputé à Ottawa où il y avait de la glace artificielle. À noter que le Canadien alignait alors un total de 11 joueurs.

29 novembre 1924 Le Canadien inaugure le Forum en battant les St-Pats de Toronto, 7 à 1. Billy Boucher fut l'étoile du match avec trois buts dont le premier compté dans la nouvelle patinoire.

10 décembre 1924 Le premier match entre le Canadien et les Maroons : Canadien 5, Maroons 0. Aurèle Joliat compte quatre des cinq buts des vainqueurs.

27 décembre 1924 Le Canadien visite les Maroons pour la première fois, au Forum. Le match se termine par un verdict nul de 1 à 1 après la prolongation réglementaire de vingt minutes.

28 novembre 1925 Georges Vézina joue sa dernière partie pour le Canadien. Il s'évanouit en première période et doit se retirer du match. Il meurt le 27 mars 1926, de la tuberculose.

18 novembre 1926 Le Canadien s'installe en permanence au Forum et y dispute son premier match comme club receveur. Il est alors défait 2 à 1 par Ottawa.

14 mai 1927 Le trophée Georges Vézina est donné par le Club de Hockey Canadien en mémoire de Georges Vézina. Le trophée était présenté, jusqu'à 1981, au gardien de l'équipe qui allouait le moins de buts. Depuis lors, le trophée est remis au gardien le plus efficace dans la LNH selon les directeurs-gérants.

avril 1928 Howie Morenz est le premier joueur du Canadien à remporter le trophée Hart remis au joueur le plus utile à son équipe.

14 mars 1929 George Hainsworth blanchit l'adversaire pour la vingt-deuxième fois de l'année, toujours un record dans la LNH. Il affiche une moyenne de 0,98.

3 avril 1930	Le Canadien remporte sa troisième coupe Stanley, sa PREMIÈRE AU FORUM.
14 avril 1931	Le Canadien remporte sa quatrième coupe Stanley, sa DEUXIÈME AU FORUM.
8 février 1934	Au Forum, on fête le cinq centième match d'Aurèle Joliat dans la LNH et avec le Canadien.
17 septembre 1935	Le Club de Hockey Canadien est vendu à MM. Ernest Savard, Maurice Forget et Louis Gélinas qui opèrent la franchise pour le compte de la Canadian Arena Company (le Forum) alors propriétaire des Maroons de Montréal.
février 1936	Hector « Toe » Blake est échangé au Canadien par les Maroons.
24 mars 1936	Le plus long match de l'histoire de la LNH. Detroit est opposé aux Maroons de Montréal. Detroit l'emporte 1 à 0 sur un but de Mud Bruneau. Le match prend fin à 2 h 25 le 25 mars!
28 janvier 1937	Howie Morenz se fracture la jambe. Ce sera le dernier match de sa carrière.
11 mars 1937	Funérailles de Howie Morenz au Forum où il a été exposé durant vingt-quatre heures. Howie mourut à l'hôpital St-Luc le 8 mars où il se remettait d'une fracture à la jambe subie le 28 janvier.
2 novembre 1937	Match des Étoiles à la mémoire de Howie Morenz au Forum de Montréal. Les Étoiles de la LNH l'emportent 6 à 5 sur un club formé de joueurs du Canadien et des Maroons.

17 mars 1938	Le Canadien remporte une victoire de 6 à 3 contre les Maroons dans le dernier match entre les deux formations. Les Maroons se retirent de la Ligue après la saison.
11 mai 1940	Le Canadien devient la propriété de la Canadian Arena Company avec, à la présidence, le sénateur Donat Raymond et, à la vice-présidence, William Northey.
3 novembre 1940	Dick Irvin est derrière le banc du Canadien pour la première fois : Boston 1, Montréal 1.
31 octobre 1942	Maurice Richard joue son premier match pour le Canadien.
8 novembre 1942	Premier but de Maurice Richard dans la Ligue Nationale de Hockey : Canadien 10, New York 2. Steve Buzinski jouait comme gardien pour New York et le match eut lieu au Forum.
30 octobre 1943	Le gardien Bill Durnan débute dans l'uniforme du Canadien.
23 mars 1944	Maurice « Rocket » Richard compte cinq buts et Toe Blake inscrit cinq assistances dans une victoire de 5 à 1 contre Toronto en demi-finale des Séries de la coupe Stanley.
30 mars 1944	Le Canadien l'emporte 11 à 0 contre les Maple Leafs. C'est un record : la plus grande quantité de buts comptés durant un match des Séries.
13 avril 1944	Le Canadien remporte sa cinquième coupe Stanley, sa TROISIÈME AU FORUM.

13 mars 1945	Maurice Richard devient le premier joueur de la Ligue Nationale à compter 50 buts en 50 matches. Il réussit l'exploit à Boston lors du dernier match de la saison régulière.
avril 1946	Hector « Toe » Blake devient le premier joueur du Canadien à remporter le trophée Lady Byng. Il a purgé une seule mineure de deux minutes au cours de la saison entière !
9 avril 1946	Le Canadien remporte sa sixième coupe Stanley, sa QUATRIÈME AU FORUM.
1er août 1946	Frank J. Selke devient directeur-gérant du Canadien.
16 octobre 1947	Doug Harvey joue son premier match pour le Canadien.
10 janvier 1948	Hector « Toe » Blake se fracture la jambe. Ce sera son DERNIER match comme joueur actif.
2 avril 1950	Bill Durnan joue son dernier match dans l'uniforme du Canadien.
16 décembre 1950	Jean Béliveau et Bernard Geoffrion disputent leur premier match dans la LNH. Béliveau ce soir-là portait le numéro 17. Geoffrion marqua le seul but du Canadien qui fit match nul 1 à 1, avec les Rangers de New York. Béliveau put jouer ce seul match selon le règlement prêt-amateur.
27 janvier 1951	Jean Béliveau à l'essai pour un autre match avec le Canadien marque son premier but dans la LNH contre Harry Lumley du Chicago : Canadien 4, Chicago 2.
17 février 1951	LA SOIRÉE MAURICE RICHARD. Le « Rocket » est inondé de cadeaux.

29 octobre 1951	La princesse Élisabeth et le prince Philippe assistent au match Rangers de New York opposés au Canadien, au Forum. Le Tricolore gagne 6 à 1 alors que Floyd Curry compte trois buts et Maurice Richard deux.
15 décembre 1951	Dickie Moore fait ses débuts dans l'uniforme du Canadien.
1er novembre 1952	Le gardien de but Jacques Plante remplace Gerry McNeil et gagne son premier match dans la LNH contre les Rangers de New York.
16 avril 1953	Le Canadien remporte sa septième coupe Stanley, sa CINQUIÈME AU FORUM.
3 octobre 1953	Jean Béliveau signe son premier contrat avec le Canadien et débute le même soir dans le match annuel des Étoiles de la Ligue Nationale de Hockey, le premier officiellement présenté à Montréal et au Forum.
16 mars 1955	Maurice Richard est suspendu par Clarence Campbell, président de la LNH, pour avoir frappé un juge de ligne à Boston. La suspension est valable pour le reste de la saison et pour les éliminoires.
17 mars 1955	Émeute MAURICE RICHARD au Forum, à la suite de la suspension imposée à Maurice Richard par le président Clarence Campbell, la veille.
14 avril 1955	Dernier match de Dick Irvin comme entraîneur du Canadien. Il a été au poste durant 15 saisons.
8 juin 1955	Hector « Toe » Blake devient l'entraîneur du Canadien.
6 octobre 1955	Premier match de Toe Blake derrière le banc du Canadien au Forum : Montréal 2, Toronto 0.

13 octobre 1955	Henri Richard signe un contrat de deux ans avec le Canadien. Il fait ses débuts deux soirs plus tard et compte son premier but contre les Rangers de New York.
5 novembre 1955	Jean Béliveau compte 3 buts en 44 secondes, contre les Bruins de Boston.
10 avril 1956	Le Canadien remporte sa huitième coupe Stanley, sa SIXIÈME AU FORUM.
16 avril 1957	Le Canadien remporte sa neuvième coupe Stanley, sa SEPTIÈME AU FORUM.
24 septembre 1957	Le Club de Hockey Canadien et la Canadian Arena Company sont vendus au sénateur Hartland de M. Molson et à son frère Thomas H.P. Molson.
19 octobre 1957	Maurice « Rocket » Richard devient le premier joueur dans la LNH à compter 500 buts. Il compte contre Glenn Hall de Chicago à 15 : 52 de la première période.
20 avril 1958	Le Canadien remporte sa dixième coupe Stanley en l'emportant sur les Bruins de Boston, à Boston.
18 avril 1959	Le Canadien remporte sa onzième coupe Stanley, sa HUITIÈME AU FORUM.
1er novembre 1959	Jacques Plante porte un masque pour la première fois dans la LNH, à New York : Canadien 3, Rangers 1.

14 avril 1960	Le Canadien remporte sa douzième coupe Stanley et sa cinquième en autant d'années lorsqu'il réussit à vaincre Toronto, à Toronto. Maurice Richard compte alors le dernier but de sa carrière.
15 septembre 1960	Maurice Richard annonce sa retraite du hockey actif. Il a compté 544 buts en saisons régulières et 82 dans les séries de la coupe Stanley dont 6 en prolongation.
16 mars 1961	Bernard Geoffrion devient le second joueur du Canadien à compter 50 buts dans une même saison. Il marque son cinquantième contre les Leafs de Toronto.
11 octobre 1961	Jean Béliveau devient le capitaine du Club de Hockey Canadien remplaçant Doug Harvey qui devient l'entraîneur des Rangers.
4 avril 1963	Dickie Moore joue son dernier match pour le Canadien.
9 avril 1964	Bernard Geoffrion joue son dernier match dans l'uniforme du Canadien.
15 mai 1964	David Molson devient président du Canadien et Sam Pollock succède à Frank J. Selke comme directeur-gérant.
1er mai 1965	Jean Béliveau devient le premier gagnant du trophée Conn Smythe. Le trophée Smythe est remis au joueur le plus utile à son équipe lors des séries éliminatoires. Béliveau compte à 14 secondes de la première période, le record pour un but gagnant lors d'un match décisif pour la coupe Stanley. Le Canadien bat Chicago 4 à 0 et gagne la série 4 à 3. NEUVIÈME COUPE AU FORUM et treizième de l'histoire du Canadien.
5 mai 1966	Le Canadien remporte sa quatorzième coupe Stanley en battant Detroit, à Detroit. Henri Richard a compté le but de la coupe, en surtemps.

17 décembre 1966	Jean Béliveau subit une blessure sérieuse à l'oeil, frappé accidentellement par un bâton, dans un match contre Chicago, au Forum. Il manqua 13 matches et en plus le MATCH DES ÉTOILES de la LNH qui fut disputé au FORUM, cette année-là, le 18 JANVIER.
11 mai 1968	Le Canadien remporte sa quinzième coupe Stanley en battant St. Louis 3 à 2 dans la première finale après l'expansion de la LNH. Toe Blake prend sa retraite le lendemain et Claude Ruel devient l'entraîneur, en juin. C'est le dernier match de hockey joué dans le vieux Forum.
juin 1968	Claude Provost devient le premier gagnant du trophée Bill Masterton. Ce trophée est donné au joueur qui donne le meilleur exemple de persévérance, d'esprit sportif et de dévouement au hockey.
septembre 1968	Le sénateur Molson et son frère vendent le Club de Hockey Canadien et la Canadian Arena à leurs trois cousins, J. David Molson, William A. Molson et Peter B. Molson.
12 octobre 1968	Claude Ruel fait ses débuts comme entraîneur du Canadien succédant à Toe Blake. Il conduira son club à la conquête de la coupe Stanley dès sa première année.
2 novembre 1968	Inauguration du « nouveau » Forum par une grande soirée de gala. Canadien défait Detroit, 2 à 1. Jean Béliveau compte le premier but et Yvan Cournoyer le second.
4 mai 1969	Le Canadien remporte sa seizième coupe Stanley en battant St. Louis, à St. Louis. Le Tricolore l'a emporté en quatre matches consécutifs.
13 octobre 1970	Roger Doucet interprète le Ô Canada pour la première fois à un match du Canadien. Il sera le chanteur attitré du Canadien et du Forum durant dix années complètes.

3 décembre 1970	Claude Ruel démissionne comme entraîneur du Canadien. Il est remplacé par Al McNeil.
11 février 1971	Jean Béliveau compte son cinq centième but dans la Ligue Nationale de Hockey lors d'une victoire de 6 à 2 au Forum, contre Minnesota. Le gardien déjoué fut Gilles Gilbert.
20 février 1971	Jean Béliveau obtient sa sept centième assistance et son mille deux centième point lors d'un match contre Chicago : Montréal 7, Chicago 1.
14 mars 1971	Ken Dryden gagne son premier match dans la LNH à Pittsburgh : Montréal 5, Pittsburgh 1.
24 mars 1971	La Soirée JEAN BÉLIVEAU. Au nom des amateurs, on lui présente un chèque au montant de 155 000 $ pour la création du Fonds Jean Béliveau.
18 mai 1971	Jean Béliveau joue son dernier match dans l'uniforme du Canadien. Le Canadien bat Chicago 3 à 2 à Chicago et remporte sa dix-septième coupe Stanley dans le septième match de la finale.
9 juin 1971	Jean Béliveau annonce sa retraite et devient vice-président, section des affaires sociales du Club de Hockey Canadien.
10 juin 1971	Scotty Bowman devient l'entraîneur du Canadien ; Guy Lafleur est le premier choix du Canadien et le premier au repêchage universel.
9 octobre 1971	Guy Lafleur joue son premier match pour le Canadien contre les Rangers de New York.

23 octobre 1971	Guy Lafleur compte son premier but contre Gary Edwards à Los Angeles : Canadien 3, Los Angeles 1.
30 décembre 1971	Les frères Molson vendent la Canadian Arena Company et le Club de Hockey Canadien à Placements Rondelle Ltée, propriété de MM. Peter et Edward Bronfman. Jacques Courtois devient président du club.
6 décembre 1972	La Soirée HECTOR « TOE » BLAKE. On lui présente une coupe, genre bol à fruits, fabriquée en partie avec l'argent pris à même la coupe Stanley originale.
8 janvier 1973	Larry Robinson fait ses débuts dans l'uniforme du Canadien contre Minnesota, au Forum.
10 mai 1973	Henri Richard compte deux buts pour Montréal dans une victoire de 6 à 4, contre Chicago. Le Canadien gagne sa dix-huitième coupe Stanley, 4 à 2. Pour Richard, il s'agit d'une onzième Coupe, toujours un record de la LNH.
26 janvier 1974	La Soirée HENRI RICHARD.
29 mars 1975	Guy Lafleur devient le troisième joueur du Canadien à compter 50 buts dans une même saison quand il enregistre le but magique contre Denis Herron, à Kansas City. Guy réussira à compter 50 buts ou plus au cours des 5 saisons suivantes.
31 décembre 1975	Le Canadien et l'Armée Rouge de l'URSS jouent un match nul 3 à 3 absolument sensationnel et mémorable. C'est un premier match international pour le Canadien.
16 mai 1976	Le Canadien remporte sa dix-neuvième coupe Stanley. Match disputé à Philadelphie.

3 avril 1977	Steve Shutt compte son soixantième but de la saison contre Washington. Guy Lafleur finit la saison avec 136 points (un record d'équipe). Le Canadien termine au premier rang de la LNH avec 60 victoires et 8 défaites pour 132 points, toujours un record de la LNH.
14 mai 1977	Le Canadien remporte sa vingtième coupe Stanley. Match disputé à Boston.
8 avril 1978	Guy Lafleur compte ses cinquante-neuvième et soixantième buts en saison régulière, contre Detroit et le gardien Ron Low, ici au Forum. Guy partage ainsi le record d'équipe du plus grand nombre de buts comptés dans une saison (60) avec Steve Shutt.
25 mai 1978	Le Canadien remporte sa vingt et unième coupe Stanley, de nouveau à BOSTON.
4 août 1978	Les Brasseries Molson du Canada Ltée font l'acquisition du Club de Hockey Canadien.
4 septembre 1978	Sam Pollock prend sa retraite et Irving Grundman devient directeur-gérant du club.
21 mai 1979	Le Canadien remporte une quatrième coupe Stanley consécutive en battant les Rangers de New York 4 à 1 dans le cinquième match de la finale. Une vingt-deuxième Coupe pour le Canadien et une onzième à Montréal. Quelques jours plus tard, les joueurs Jacques Lemaire, Ken Dryden et Yvan Cournoyer prennent leur retraite et Scotty Bowman remet sa démission.
4 septembre 1979	Bernard Geoffrion devient entraîneur-chef du Canadien. Il remplira cette fonction durant 30 matches et démissionnera le 12 décembre.

12 décembre 1979	Claude Ruel redevient entraîneur-chef du Canadien. Il sera en poste jusqu'à la fin de 1980-81.
31 décembre 1979	Dans un match international au Forum, le Canadien bat l'Armée Rouge de l'URSS, 4 à 2.
3 juin 1981	Bob Berry est le nouvel entraîneur-chef du Canadien. Il sera en poste jusqu'au 24 février 1984.
6 octobre 1982	L'ailier gauche suédois Mats Naslund devient le premier Européen à se mériter un poste régulier avec le Canadien.
12 novembre 1982	Ronald Corey devient président du Club de Hockey Canadien.
28 avril 1983	Serge Savard succède à Irving Grundman comme directeur-gérant du Canadien.
20 mai 1983	Bob Berry est réengagé comme entraîneur-chef du Canadien et Jacques Lemaire ainsi que Jacques Laperrière deviennent assistants-entraîneurs. Jacques Plante sera l'entraîneur des gardiens de buts.
17 décembre 1983	Soirée des vainqueurs des « Cinq coupes Stanley consécutives ».
20 décembre 1983	Guy Lafleur compte son cinq centième but dans la Ligue Nationale lors d'un match disputé au New Jersey contre les Devils. Le Canadien l'emporte 6 à 0 et Steve Shutt compte, lui, son quatre centième but en saison régulière.
9 février 1984	Guy Lafleur obtient une assistance contre Vancouver, au Forum, et devient le meilleur pointeur de l'histoire du Canadien avec 1 220 points.

24 février 1984	Jacques Lemaire succède à Bob Berry comme entraîneur-chef. Il conduira le Canadien jusqu'en finale de la Conférence Prince-de-Galles.
25 octobre 1984	Guy Lafleur compte son dernier but (cinq cent dix-huitième de sa carrière) contre les Sabres de Buffalo.
26 novembre 1984	Deux jours après son dernier match dans l'uniforme du Canadien, Guy Lafleur annonce sa retraite. En 961 matches, Lafleur a marqué 518 buts et 728 assistances pour 1 246 points, un record d'équipe.
12 janvier 1985	Lors des célébrations du soixante-quinzième anniversaire du Canadien, on annonce la formation de rêve du Bleu Blanc Rouge : gardien : Jacques Plante ; défenseurs : Doug Harvey, Larry Robinson ; centre : Jean Béliveau ; ailier droit : Maurice « Rocket » Richard ; ailier gauche : Dickie Moore ; entraîneur : Hector « Toe » Blake.
29 juillet 1985	Jean Perron devient l'entraîneur du Canadien, Jacques Lemaire qui occupait ce poste depuis le 23 janvier 1984 est nommé un des adjoints du directeur-gérant Serge Savard.
9 mars 1985	Pierre Mondou subit une blessure à l'oeil gauche, en jouant contre Hartford, ce qui met fin à sa carrière.
27 février 1986	Décès de Jacques Plante des suites d'un cancer.
19 mars 1986	Larry Robinson joue son millième match dans la LNH. Il est le quatrième joueur du Canadien à participer à 1 000 matches ou plus. Les autres furent Henri Richard (1 256) ; Jean Béliveau (1 125) ; Claude Provost (1 005).

24 mai 1986	Le Canadien remporte la coupe Stanley pour la vingt-troisième fois. Patrick Roy, un jeune gardien de vingt ans, remporte le trophée Conn Smythe. Il est le plus jeune joueur de l'histoire à mériter cet honneur.
2 juin 1986	Décès de Aurèle Joliat.
22 septembre 1986	Mario Tremblay prend sa retraite, après une carrière de douze ans avec le Tricolore.

Le gardien Lorne Worsley serre bien fort sa première coupe Stanley après une victoire du Canadien sur le Chicago le 1er mai 1965, au Forum. L'autre trophée, le Conn Smythe, a été remporté par Jean Béliveau, la première fois que ce trophée fut attribué. À l'arrière, Claude Mouton, tout souriant, alors débutant aux sports à CKAC, ne savait pas qu'il allait devenir, huit ans plus tard, le directeur de la Publicité du Bleu Blanc Rouge. Aux côtés de Claude, deux commentateurs de la radio, le regretté Roger Turcotte et Jean Péloquin.

La dernière coupe Stanley d'Henri Richard avant que celui-ci prenne sa retraite.
DENIS BRODEUR, MONTRÉAL

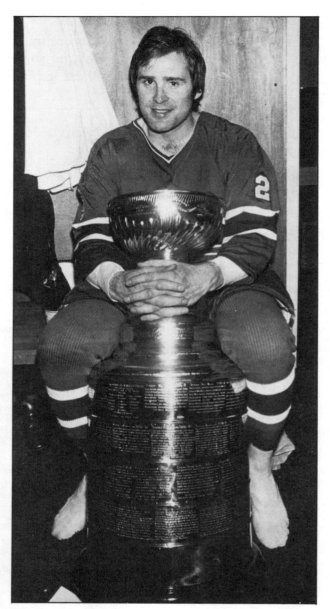

Ken Dryden.
DENIS BRODEUR, MONTRÉAL

2

L'équipe de rêve de tous les temps chez les Canadiens

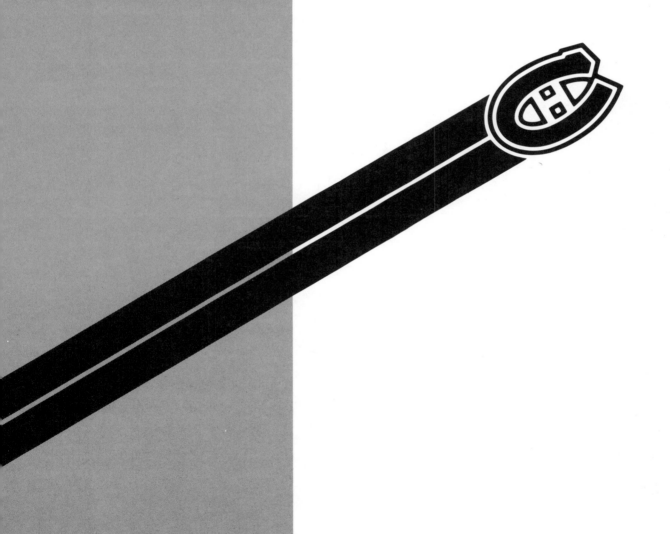

L'équipe de rêve de tous les temps chez les Canadiens

Dans le cadre du soixante-quinzième anniversaire du Club de Hockey Canadien, quelques médias de Montréal, soit *La Presse, The Gazette,* les postes de radio CKAC et CFCF invitèrent les amateurs de hockey à voter pour une formation de rêve de l'histoire du Canadien.

Les amateurs votèrent en grand nombre, dépassant toute espérance ; le résultat fut dévoilé le 12 janvier 1985, avant un match, au Forum. Pour l'occasion, l'hymne national fut chanté par la grande cantatrice Nicole Lorange du Metropolitan Opera de New York.

Le Canadien avait également invité pour cette occasion monsieur Aurèle Joliat qui était le plus vieux joueur de l'histoire de l'équipe et, également, le seul joueur vivant à avoir disputé le premier match du Canadien sur la patinoire du Forum ; c'était il y a plus de soixante ans.

L'ovation accordée à Joliat et aux membres de l'équipe de rêve fut fantastique et demeurera gravée dans la mémoire des partisans pour de nombreuses années.

Ce fut la dernière apparition publique à Montréal de monsieur Aurèle Joliat, qui mourut le 2 juin 1986.

Aurèle Joliat.
TEMPLE DE LA RENOMMÉE, TORONTO

Hector « Toe » Blake

Hector « Toe » Blake entraîna le Canadien pendant 13 saisons au cours desquelles il gagna huit fois la coupe Stanley dont cinq fois d'affilée. Il fut un entraîneur à nul autre pareil, après avoir connu une carrière fantastique comme joueur.

Il fit partie en compagnie de Maurice Richard et de Elmer Lach de la fameuse « Ligne du Punch ». À l'aile gauche, il remporta le championnat des compteurs en 1939 avec 24 buts et 23 assistances et se mérita le trophée Hart (le joueur le plus utile à son club) la même année. En 1946, il reçut le trophée Lady Byng, il est en fait le seul joueur de l'histoire du Canadien à avoir remporté ce trophée.

Blake débuta dans la Ligue Nationale en 1934-35 avec les Maroons de Montréal et quand il prit sa retraite après la saison 1947-48, il avait compté 235 buts et accumulé 292 assistances.

Nommé cinq fois pour faire partie des équipes d'Étoiles dont trois fois pour la première, il fut admis au Temple de la renommée en 1966.

Excellent joueur, sa carrière d'entraîneur l'a réellement classé parmi les grands du hockey : 500 victoires en 914 matches. C'est au cours des éliminatoires qu'il remporta ses plus grands succès : il était l'homme derrière le banc à partir de 1955-56 lorsque l'équipe se

Le grand Frank Selke discutant stratégie avec Maurice Richard, alors que Toe Blake et Larry Aubut surveillent le jeu sur la patinoire.

Marcel Bonin et Toe Blake avec le fameux trophée.

mérita huit coupes Stanley dont cinq consécutives, la dernière coïncidant avec sa dernière saison comme entraîneur en 1967-68.

Pourquoi était-il unique comme entraîneur?

Il parvenait, avec brio, à obtenir le maximum de ses joueurs. Il est vrai qu'il a dirigé des équipes formidables, mais sa grande force résidait dans sa capacité d'inculquer à ses joueurs un grand désir de vaincre. Il était inacceptable de perdre... Blake obtenait le maximum de ses hommes, mais lui aussi se donnait entièrement, avec une seule idée: gagner!

Si la défaite était inacceptable pour Blake, il s'assurait toujours de très bien préparer chaque match afin de triompher. Il prenait toujours les moyens nécessaires pour déjouer l'entraîneur adverse, il se renseignait continuellement sur l'adversaire, sur sa faiblesse, sa force et, finalement, ces informations servaient au Tricolore.

Il exigeait loyauté et discipline de ses joueurs et leur offrait la même chose: il voulait qu'ils se donnent à cent pour cent et ils le faisaient presque toujours.

Il était dur, franc et juste. Il a été et demeure le meilleur entraîneur de l'histoire de la Ligue Nationale.

Il a été, et est encore, à tous les jours: UN VAINQUEUR.

Bernard Geoffrion et Maurice Richard portent Toe Blake en triomphe après une victoire en coupe Stanley, alors que Don Marshall (22) regarde la scène.

91

*Hector « Toe » Blake quitte le Forum
après le match du samedi 11 mai 1968
contre les Blues de St. Louis. Les
Canadiens venaient d'emporter la coupe
Stanley en quatre matches consécutifs,
leur huitième coupe en treize saisons. Le
lendemain, il annonça qu'il ne reviendrait
pas la saison suivante.*

Jacques Plante

Au fil des ans, diverses équipes de la LNH et, en particulier, les Canadiens de Montréal, ont pu compter sur des gardiens de buts exceptionnellement doués.

Terry Sawchuk... Glenn Hall... Frank Brimsek... Turk Broda : tous occupent maintenant une place de choix au Temple de la renommée du hockey. À cette illustre compagnie, les Canadiens ont fourni un fort contingent où l'on trouve Georges Vézina, George Hainsworth, Bill Durnan, Ken Dryden, et bien sûr Jacques Plante, l'homme que les amateurs considèrent comme le plus grand gardien de buts de toute l'histoire du hockey à Montréal.

Ses titres de gloire ?

Il gardait les filets des Canadiens lorsqu'ils ont gagné la coupe Stanley cinq années de suite. Et il faisait partie de l'équipe qui a remporté celle de 1952-1953.

Six fois gagnant du trophée Vézina avec les Canadiens, il devait mériter cet honneur suprême une fois de plus en 1968-69, avec les Blues de St. Louis. Glenn Hall et lui avaient mystifié les équipes adverses toute l'année.

Il a fait partie trois fois de la première équipe d'Étoiles de la LNH et quatre fois de la deuxième.

En 1962, il a reçu le trophée Hart décerné au joueur le plus utile de la ligue.

Jacques Plante innovait aussi : c'est lui qui a introduit le masque du gardien de buts, en 1959, après avoir été gravement blessé lors d'une partie à New York. C'est également lui

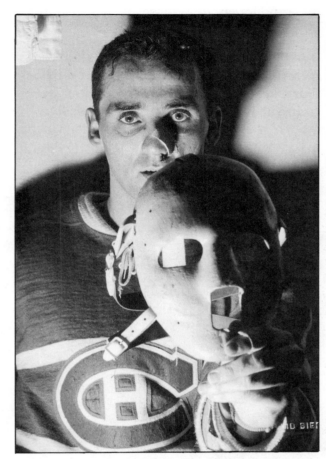

Après avoir été gravement blessé en 1959 à New York, Plante a introduit le masque du gardien de but.

qui a donné aux gardiens l'idée de passer derrière le filet pour récupérer la rondelle.

Mais surtout, il a été un gardien de buts inimitable, dont le talent n'avait d'égal que l'assurance.

À preuve, cette anecdote qu'on raconte encore dans les cercles du hockey. Elle remonte à 1961, Doug Harvey venait d'être échangé aux Rangers de New York. Après tant d'années passées à l'ombre protectrice du grand joueur de défense, Jacques Plante se sentait bien sûr un peu exposé.

« Il me manque, avait-il admis au camp d'entraînement. Doug Harvey est un défenseur extraordinaire, et nous comptions beaucoup sur lui, les autres et moi. » Puis il avait ajouté : « J'ai gagné cinq trophées Vézina avec lui, mais je vous promets que je l'aurai cette année encore, sans lui. »

Plante avait tenu parole en obtenant ce trophée et, en prime, le trophée Hart du joueur le plus utile à son équipe.

Pendant toute sa carrière avec les Canadiens, Jacques Plante a été son propre maître. Il a joué 553 parties dans l'uniforme du Tricolore (dont 3 en 1952-53), avant d'être échangé aux Rangers de New York, au début de la saison 1963-64.

Ce qu'il valait au juste ?

Jacques Plante à ses débuts avec les Canadiens s'était présenté au camp d'entraînement avec la traditionnelle tuque qui l'avait caractérisé avec le Royal Senior.

Jacques Plante dans une pose caractéristique.

Après une grande victoire, Plante est ici porté en triomphe par Phil Goyette, Dollard St-Laurent et Jean-Guy Talbot et l'entraîneur Toe Blake.

Pour la dernière de leurs cinq coupes Stanley consécutives, en 1960, les Canadiens ont remporté huit parties de suite. Pendant cette série, Plante n'a accordé que 11 buts et a obtenu 3 blanchissages.

L'entraîneur ANATOLI TARASOV, l'un des grands du hockey soviétique, fit un témoignage des plus révélateurs au sujet de Plante. Il déclara : « Tout ce que les Soviétiques ont appris au sujet de la position de gardien de buts, ils l'ont appris de Jacques Plante, et il ajouta, il était le meilleur homme à étudier, parce qu'il savait tout sur sa position. »

Jacques Plante est décédé le 27 février 1986.

L'équipe de rêve du Canadien

De gauche à droite, Jacques Plante, Larry Robinson, l'entraîneur «Toe» Blake, Jean Béliveau, Dickie Moore, Doug Harvey, Maurice Richard, auxquels s'ajoutent le capitaine actuel du Canadien, Bob Gainey et l'ex-vedette du club, Aurèle Joliat.

Doug Harvey

La majorité des joueurs de hockey sont heureux lorsqu'ils possèdent bien quelques techniques de notre sport national. Ce n'était cependant pas le cas de Doug Harvey, un joueur de défense merveilleux qui maîtrisait presque tous les aspects de ce sport au cours de ses meilleures années avec le Bleu Blanc Rouge.

Que le match fut rapide ou violent, son talent exceptionnel lui permettait de s'ajuster à tous les genres de jeu et de situation. Lorsque le Canadien devait « tuer le temps », soit lors d'un désavantage numérique ou vers la fin d'un match, on faisait immanquablement appel à Doug Harvey. Le rusé arrière-garde contrôlait la rondelle à volonté, faisait des passes savantes à ses coéquipiers sans jamais perdre son calme, même dans les situations critiques.

Harvey appartenait à ce genre de joueur à qui tout paraît facile. Il ne semblait jamais tendu ni épuisé et il fut sans contredit un leader et un héros incontesté au sein du Tricolore durant la majeure partie de son illustre carrière. Alors que le Canadien décrochait cinq coupes Stanley consécutives, de 1956 à 1960, Harvey fut l'une des principales bougies d'allumage des Montréalais.

Originaire de Montréal, Doug décida de faire carrière dans le hockey après avoir rejeté des offres alléchantes de clubs majeurs de baseball et de football car il était un as dans ces deux sports également. Son choix fut très judicieux, autant pour lui que pour le Canadien. Au cours de ses 13 saisons passées dans l'uniforme Bleu Blanc Rouge, Harvey fut choisi pour la première équipe d'Étoiles neuf fois et une fois pour la deuxième. Il a de plus remporté le trophée James Norris six fois. Rappelons ici que ce trophée est remis annuellement au meilleur défenseur de la Ligue Nationale.

Les experts n'ont décelé qu'un seul petit défaut dans le jeu de ce merveilleux athlète. Il ne lançait pas assez souvent : il n'a jamais réussi à compter plus de neuf buts au cours d'une saison. Doug a cependant expliqué sa faible performance en ce domaine : « Je ne recevais aucun boni pour le nombre de buts que je pouvais compter durant une saison ; alors pourquoi ne pas aider plutôt ceux qui méritaient des bonis pour faire scintiller la lumière rouge. On sait que Harvey alimentait constamment ses coéquipiers de passes adroites et y allait lui-même d'un lancer frappé, de la pointe. Doug était un joueur plus qu'intelligent, dont le jeu était basé sur la finesse et la précision.

Idole de toute la jeunesse montréalaise, Harvey fut vendu en juin 1961 aux Rangers de New York où il devint joueur-entraîneur. Il réussit alors à conduire les infortunés Rangers aux séries de fin de saison pour la première fois en quatre ans. Il remporta cette année-là son septième trophée James Norris et fut également choisi pour faire partie du premier club d'Étoiles de la LNH une septième fois.

L'année suivante, Doug abandonna son poste d'entraîneur car il détestait les responsabilités inhérentes à ce poste. Il demeura toutefois joueur actif des Rangers durant dix-

huit mois et aimait alors à dire : « Lorsque j'étais entraîneur, je ne pouvais faire partie du groupe des joueurs et vivre comme eux. Je ne pouvais être un des leurs. Maintenant, je peux aller prendre une bière avec mes coéquipiers en toute tranquillité. »

Par la suite, Doug Harvey roula sa bosse dans les ligues mineures et il joua successivement à Baltimore, St. Paul, Québec, Pittsburgh et Kansas City. Il retourna dans la Ligue Nationale en 1968 et on le vit cette fois dans l'uniforme des Blues de St. Louis. Il put même faire face à son ancien club, le Canadien, puisque les Blues furent opposés cette année-là au club montréalais dans la grande finale de la coupe Stanley.

Même âgé de 45 ans, Harvey demeura avec St. Louis pour la saison 1968-69 pendant laquelle il tint deux rôles : ceux de défenseur et d'entraîneur-adjoint. Par la suite, il devint entraîneur à la défensive pour les Kings de Los Angeles avant de prendre sa retraite et de retourner chez lui, à Montréal.

Harvey fut l'un des grands de la Ligue. Il pouvait tenir sa position avec souplesse et lorsque le jeu l'exigeait, jouer dur. Il était le meilleur de la Ligue : il réussissait à accélérer le jeu et par moment à presque l'arrêter comme bon lui semblait.

Doug Harvey est maintenant dépisteur pour le Canadien dans la région d'Ottawa.

Doug Harvey, défense.

Maurice Richard

Beaucoup ont tenté de percer le secret du « Rocket » depuis que Maurice Richard a pris sa retraite, il y a près de vingt-cinq ans, au terme d'une carrière qui avait fait de lui le plus prestigieux héros de l'histoire des Canadiens.

On a parlé de son ardeur, de sa concentration, de son leadership. On a employé des mots comme colère, rage. Mais le mot de la fin revient à Frank Selke père, qui était directeur général des Canadiens à l'époque où Richard éblouissait les foules : « Richard faisait tout par instinct et en force. Il n'y a jamais eu de joueur plus opportuniste. »

« Quand je repense à Richard, raconte le grand gardien de buts Glenn Hall, je revois surtout ses yeux. Lorsqu'il fonçait sur vous, la rondelle collée au bout du bâton, ses yeux flamboyaient et étincelaient comme les lumières d'une machine à boules. C'était affolant. »

Le légendaire ailier droit a semé la terreur chez les gardiens de buts pendant dix-huit saisons ; plus de quatre décennies après son entrée dans la LNH, bon nombre des records de la Ligue lui appartiennent encore.

Avec 544 buts, il reste le meilleur marqueur des Canadiens. Il détient toujours les records des séries éliminatoires pour le nombre total de buts (82), le nombre de buts gagnants (18), le nombre de buts en périodes supplémentaires (6) et le nombre de parties d'au moins trois buts (7).

On le voit, les parties cruciales, surtout celles des éliminatoires, avivaient en Richard

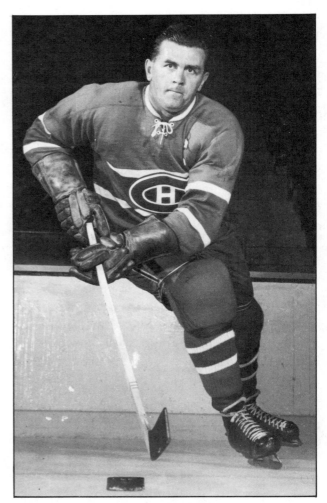

Maurice «Rocket» Richard, Monsieur Hockey, est encore l'idole d'un peuple, 26 ans après avoir pris sa retraite.

l'instinct du marqueur. Que son record de 82 buts en séries tienne encore vingt-quatre ans après sa retraite, c'est tout dire. L'équipe avait besoin d'un but? Le Rocket était là pour ça.

Mais par-delà le nombre de buts (il a été le premier joueur de la Ligue Nationale à en enregistrer 50 en 50 parties), la façon de les marquer a tissé la légende de Maurice Richard.

Il était si fort qu'il logeait encore la rondelle au fond des filets avec deux défenseurs sur le dos. Le plus souvent, d'ailleurs, il avait droit à la double couverture; il y voyait un hommage qui le poussait à batailler encore plus. Qu'on se rappelle seulement ce soir du 23 mars 1944 où les Canadiens affrontaient en séries éliminatoires les Maple Leafs de Toronto. L'équipe montréalaise avait gagné 5 à 1. Richard avait marqué tous les buts.

En dix-huit saisons à Montréal, Richard a participé à la conquête de huit coupes Stanley, dont cinq d'affilée, un autre record de la LNH. Il a fait partie de la première équipe d'Étoiles à huit reprises et de la deuxième à six occasions. Aucun autre joueur des Canadiens n'a réussi à en faire autant.

Marqueur par excellence, Maurice Richard n'a jamais remporté le championnat des marqueurs, mais a été nommé le joueur le plus utile à son équipe (trophée Hart) en 1947.

Dans la chambre des joueurs, le lendemain de sa retraite... une photo qui vaut mille mots.

Jean Béliveau

En dix-huit saisons d'une carrière marquée du sceau de l'excellence, Jean Béliveau a mis au service des Canadiens des talents aussi variés qu'exceptionnels.

Brillant marqueur, il a amassé 507 buts en 1 125 matches de saison, plus 79 buts en 162 parties éliminatoires, aidant son équipe à remporter 10 coupes Stanley. Dans la liste des marqueurs des Canadiens, il se place derrière Maurice Richard et Guy Lafleur.

Il savait également animer une attaque : n'a-t-il pas récolté 712 assistances en saisons régulières et 97 pendant les éliminatoires ?

Enfin, c'était un leader respecté, qui a été capitaine de l'équipe de 1961 jusqu'à sa retraite, à la fin de la saison 1970-71.

Béliveau compte à son actif plus de buts, d'assistances et donc, de points que tout autre centre des Canadiens. Et ces points, il les a tous inscrits avec bravoure et élégance.

Élégance, voilà le mot qu'on associe le plus souvent au style de Jean Béliveau. Un style incomparable : quiconque a eu la chance de voir ce géant de 1,90 m et de 95 kg déjouer un joueur, puis deux, et d'un coup de poignet, glisser la rondelle derrière un gardien, a été témoin de l'un des plus beaux spectacles

En compagnie de Frank J. Selke et de Dick Irvin, alors entraîneur, Jean Béliveau signe son premier contrat le 3 octobre 1953.

qu'ait jamais offert le hockey professionnel. Le plus étonnant, c'est que Béliveau a donné ce spectacle grandiose soir après soir tout au long de sa carrière, sans jamais défaillir. Qu'il ait été comblé d'honneurs n'a donc rien de surprenant.

Trois autres centres de la LNH ont été comme lui six fois membres de la première équipe d'Étoiles ; ni Stan Mikita, ni Phil Esposito, ni Bill Cowley n'ont toutefois pu égaler son record de 10 participations à l'une ou l'autre des équipes d'Étoiles.

En 1955-56, Béliveau a remporté à la fois le trophée Hart et le championnat des marqueurs avec 47 buts et 41 assistances. Il a reçu le trophée Hart une autre fois en 1963-64, et a été le premier lauréat du trophée Conn Smythe, la saison suivante.

Superstar, Béliveau l'a été pleinement dès les tout débuts de sa carrière. Avant de faire le saut dans la LNH, il était déjà la coqueluche de la ville de Québec. Pour obtenir ses services, les Canadiens ont dû recourir aux grands moyens et acheter toute la Ligue de hockey majeur du Québec pour l'intégrer au réseau professionnel. C'est à ce prix seulement qu'ils pouvaient s'assurer que Béliveau ne leur échapperait pas.

Ils ne l'ont jamais regretté. Béliveau s'est imposé d'emblée, comme on s'y attendait. L'année précédant son entrée au sein de l'équipe, il avait eu droit à un essai de trois parties et en avait profité pour marquer cinq buts. Il n'en fallait pas plus pour convaincre la direction des Canadiens qu'il serait une grande étoile. Ils avaient vu juste.

Larry Robinson

Je pense que le plus bel hommage rendu à Larry Robinson depuis quelques années fut le vote populaire des amateurs par lequel Larry fut élu comme membre de l'équipe de rêve du Canadien étant ainsi le seul joueur actif à être choisi.

Âgé de 33 ans, il en était à sa treizième saison avec l'équipe. Il fut le quatrième choix du Canadien derrière Guy Lafleur, Chuck Arnason et Murray Wilson, soit le vingtième choix au total du repêchage de 1971.

Larry, le seul joueur du Canadien membre en 1984 de l'Équipe Canada, lors du tournoi Coupe Canada, s'est toujours montré meneur partout où il a passé que ce soit sur la glace ou en dehors de la glace.

Il a décroché deux fois le trophée Norris offert au meilleur défenseur de la Ligue Nationale.

Il a joué avec la première équipe d'Étoiles trois fois et trois fois également avec la deuxième.

En 1978, il remporta le trophée Conn Smythe. Sa contribution à l'équipe a mené les Canadiens à la deuxième coupe Stanley de la

Larry à ses débuts professionnels avec les Voyageurs de la Nouvelle-Écosse de la Ligue Américaine.

Larry aujourd'hui (1986).

série de quatre Coupes consécutives. Au total, il fut membre de six équipes de la coupe Stanley.

Il est indéniable que son leadership et son expérience sont indispensables à l'équipe dans sa poursuite vers l'excellence.

Il est indéniable également que Robinson agissait comme une bougie d'allumage à la belle époque du *Big Three* en compagnie de Serge Savard et de Guy Lapointe. Autant à l'offensive qu'à la défensive, le *Big Three* y a été pour beaucoup dans l'obtention de quatre autres coupes Stanley consécutives.

Larry est le premier à admettre qu'il s'est amélioré grâce à Serge Savard. Avec lui, il a appris énormément et il est devenu le pilier défensif du Canadien ; à titre d'exemple, il détient le record du plus grand nombre d'assistances en une saison pour un défenseur, soit 66. C'est également lui qui a accumulé le plus d'assistances pendant sa carrière, pour un défenseur, soit 589... le plus de points en une saison, 85 et le plus de points pendant sa carrière chez les Canadiens, pour un défenseur, soit 763.

Robinson, c'est un gentilhomme et c'est surtout l'un des plus grands défenseurs de l'histoire des Canadiens.

Larry, un excellent joueur de balle-molle, évolue l'été avec le Tricolore.

Dickie Moore

Dickie Moore est le modèle parfait de ce qu'étaient les nombreux alignements du Canadien qui demeurèrent un symbole d'excellence au cours des années.

Loyal, se donnant à sa tâche, un joueur d'équipe rêvé, possesseur d'un exceptionnel talent... il fit constamment preuve de toutes ses capacités au cours de ses 14 saisons dans la Ligue Nationale, la plupart avec le club Canadien.

Moore, un ailier gauche, a été membre d'un club Canadien vainqueur de la coupe Stanley à six reprises. Par deux fois, il remporta le championnat des compteurs de la LNH dont une fois en faisant la dernière moitié de la saison avec un poignet dans le plâtre. Il participa au premier club d'Étoiles deux fois et au second club, une fois.

Il est probable que, dans toute l'histoire du Canadien, Moore est le joueur qui a dû supporter le plus de douleur. Il y eut cette fois où il fila jusqu'à la conquête du trophée Art Ross alors qu'il avait un poignet dans le plâtre, mais il y eut beaucoup plus. En effet, durant presque toute sa carrière, Moore eut différents problèmes avec ses genoux et il s'ensuivit que son insistance pour toujours être au poste et pour tout donner, lui laissa des blessures diverses qui lui causèrent beaucoup de douleur, mais il ne fut à peu près jamais absent.

Sa détermination était tout à fait extraordinaire. À ses débuts, cela l'amena à livrer combat à presque tout le monde, mais il s'assagit en vieillissant et sut dépenser ses énergies à

Dickie Moore à son apogée.

bien meilleur compte. Son intensité au jeu ne diminua jamais mais il sut plutôt se comporter de façon beaucoup plus profitable pour son club et pour lui-même.

L'intelligence prime toujours au cours d'un match et Moore en faisait preuve abondamment. Il fut un manieur de bâton exceptionnel et aussi un créateur de jeu très adroit. De plus, dans ses duels avec un gardien il fut gagnant bien plus souvent que perdant.

Sa fiche au cours de sa carrière dans la LNH est impressionnante. Il a pris part à 719 matches et compté 261 buts. En séries éliminatoires, il conserva presque toujours l'excellente moyenne de 1 point par match avec 46 buts et 64 assistances. Sa carrière se termina à St. Louis en 1967-68, saison pendant laquelle il transforma les Blues en un nouveau club de la première expansion de la Nationale, un club qui surprit tout le monde en atteignant la finale de la Coupe contre le Canadien, son ancien club!

Joueur d'équipe parfait, Dickie Moore pensait sans cesse au résultat d'un match à chacun de ses coups de patin et de ses mouvements. Il fut fort heureux quand il enleva ses deux championnats comme compteur, ainsi que d'autres honneurs personnels mais il déclare sans aucune hésitation que les victoires d'équipe, soit six conquêtes de la coupe Stanley par le Canadien alors qu'il patrouillait l'aile gauche avec tout son brio, furent sans contredit les exploits qui lui apportèrent la plus grande satisfaction.

Dickie Moore à ses débuts.

3

Le Forum
par Camil DesRoches

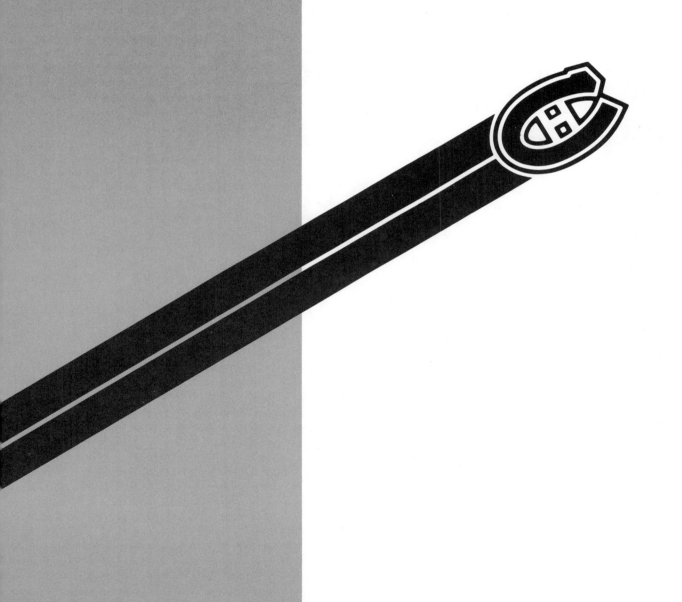

Le Forum
par Camil DesRoches

Le Forum de Montréal, la plus célèbre patinoire de hockey au monde et un centre sportif et de divertissement des plus renommés en Amérique, célébrait en novembre dernier son soixante-deuxième anniversaire. Foyer des illustres Canadiens de Montréal de la Ligue Nationale de Hockey, le premier Forum — capacité de 9 000 sièges — fut construit au coût de 1 500 000 $ et ouvrit ses portes le 29 novembre 1924. On porta sa capacité à 12 500 sièges en 1949 puis, en 1968, un Forum tout neuf, moderne et resplendissant, complètement climatisé et doté de 16 500 sièges, fut érigé en cinq mois et demi au coût, cette fois, de 10 000 000 $. C'est l'édifice actuel et il fut inauguré par une Première de grand gala, samedi soir le 2 novembre 1968.

Au cours des 62 merveilleuses années d'existence du Forum, plus de 80 millions de chauds partisans du Bleu Blanc Rouge ont vu leurs chers Canadiens remporter la coupe Stanley pas moins de 21 fois — le Tricolore, disons-le en passant, enleva la Coupe 2 fois au début de sa longue histoire, avant de s'installer ici définitivement en 1926 — terminer 29 fois en première place et 13 autres fois en seconde position.

Le Forum en 1924.

Les Maroons de Montréal avec deux coupes Stanley en 1926 et 1935 ; le Royal Senior avec une coupe Allan, emblème du championnat amateur du Canada, en 1947 ; le Royal Junior avec une coupe Memorial, emblème du championnat junior du pays, en 1949 et enfin le Canadien Junior avec deux coupes Memorial, soit en 1950 et à la fin de la saison 1969-70, ont également fait grand honneur au célèbre édifice.

La lutte, la boxe, le tennis professionnel, les Six Jours furent aussi fort populaires au cours des ans tandis que dans le monde du divertissement, on a pu applaudir les artistes les plus célèbres venus des quatre coins du globe lors de revues sur glace telles les *Ice Fol-*

La Soirée du Hockey: Boston et Montréal jouant dans une enceinte bondée.
DAVID BIER

110

lies et les *Ice Capades*, de comédies musicales, de concerts, d'opéras, d'expositions, de ralliements et de congrès divers sans oublier la Messe de minuit qui se déroula devant près de 15 000 personnes pendant 3 années consécutives : en 1951, 1952 et 1953.

Le premier Forum

Malgré de longues heures de recherche, au cours des vingt-cinq ou trente dernières années, nous n'avons vraiment pu prouver que le Forum avait été expressément conçu pour le Canadien même si c'est bien le Tricolore qui a été sa raison d'être depuis son ouverture en 1924.

Le Canadien fonctionnait depuis quinze ans quand le président du Canadien Pacifique, Sir Edward Beattie, fit connaître sa détermination de doter la ville d'une patinoire beaucoup plus vaste et beaucoup plus pratique que celles qui existaient déjà à Montréal.

Il faut dire, ici, que le Canadien jouait alors à la patinoire Mont-Royal, sise au coin des rues Mont-Royal et Saint-Urbain, un endroit assez respectable si on le compare à la patinoire Jubilee où le Bleu Blanc Rouge disputa le premier match de son histoire, le 5 janvier 1910. Cette patinoire, située au coin des rues Ste-Catherine est et Moreau, à deux pas d'une gare de chemin de fer qui existait alors et qui était utilisée par tous les gens de l'est de la métropole, ne pouvait accommoder que 3 200 spectateurs.

Deux ou trois ans plus tard, le Canadien transporta ses pénates à la patinoire de Westmount où logeaient déjà les Wanderers, le club anglais de leur circuit. C'était déjà beaucoup mieux car on pouvait y accueillir plus de 6 000 personnes et elle était la toute première patinoire au monde à avoir été construite spécialement pour le hockey.

Son secrétaire-trésorier et dirigeant principal se nommait William H. Northey. Sportsman et homme d'affaires, il devint une figure éminente du hockey et du monde sportif local et le demeura pendant plus de cinquante ans. On disait de lui — et nous pouvons appuyer cette assertion car nous avons eu le privilège de travailler pour lui, ici au Forum, durant une quinzaine d'années — que sa parole avait toujours eu plus de valeur que n'importe quel contrat.

Sir Edward avait réussi à intéresser le sénateur Donat Raymond à son projet d'une nouvelle patinoire. Il ne fut pas surpris lorsque le sénateur, un autre grand sportsman, lui recommanda M. Northey dont le travail à la patinoire Westmount était remarquable. Cette patinoire où le Canadien joua jusqu'au 2 janvier 1918, date à laquelle elle fut détruite par un incendie. Elle était située presque au même endroit que le Forum actuel, mais à quelques centaines de pieds à l'ouest de la rue Atwater.

Étant donné l'importante expérience de M. Northey, MM. Beattie et Raymond le prièrent donc de préparer les plans d'une patinoire idéale et de bien vouloir les soumettre aux 17 ou 18 financiers qui allaient se réunir au bureau de Sir Edward quelques mois plus tard.

M. Northey qui, au fil des ans, allait devenir successivement trésorier, gérant, vice-président et président du Forum, s'intéressait à plusieurs sports mais il vivait tout spécialement pour le hockey. Il s'appliqua donc à tracer les plans qui, selon lui, donneraient naissance à la patinoire parfaite et il fut tout heureux d'apprendre à Sir Edward que son travail prévoyait une patinoire, sans aucune colonne, qui pourrait accommoder 12 500 personnes, soit presque le double de n'importe quelle patinoire déjà existante.

Parmi les riches hommes d'affaires et financiers, tous des sportsmen réputés, qui assistèrent à cette assemblée importante pour Montréal, mentionnons des gens bien connus du temps : Percy Collins, Sir Edward Beattie lui-même, Gordon Cushing, Kenneth Dawes, le colonel Herbert Molson, le major Hartland MacDougall, H.L. Timmins, le sénateur Donat Raymond et William Northey.

M. Beattie ainsi que M. Raymond, défendirent le plan conçu par M. Northey, mais lorsqu'ils firent connaître le coût approximatif de la patinoire dont rêvait M. Northey, la plupart des financiers présents déclarèrent que c'était trop dispendieux et, qu'à leur humble avis, M. Northey faisait preuve d'un optimisme vraiment exagéré.

On en vint, finalement, à étudier un autre plan, commandé à des architectes, qui recommandait une patinoire de 9 300 sièges. On pria M. Northey d'examiner le plan en question et d'y apporter certaines modifications s'il le jugeait nécessaire et on accepta, alors, ce plan.

Il restait à choisir l'endroit où serait érigé ce nouvel amphithéâtre et aussi, point épineux, à trouver les fonds nécessaires à cette construction.

C'est le sénateur Raymond, qui fut par la suite président du Forum de Montréal et du Club de Hockey Canadien durant près d'un quart de siècle, qui se révéla vraiment l'âme dirigeante du projet, mais n'eut été de M. Timmins, on peut se demander si le Forum aurait été bâti. En effet, les compagnies d'assurance qui devaient financer le projet furent d'avis qu'un édifice de cette dimension réservé aux sports professionnels n'avait à peu près aucune chance de réussite et ils refusèrent les hypothèques réclamées. Ce fut M. Timmins qui vint à la rescousse en trouvant et en fournissant l'argent nécessaire à la réalisation du projet.

Quant au site, quelqu'un suggéra l'emplacement actuel du Forum, un quadrilatère à demi occupé alors par une piste pour patins à roulettes qui appartenait à un dénommé J.A. Christin.

Pour ce qui est de l'appellation du nouvel édifice, on décida de conserver le nom Forum, qui était déjà celui de l'édifice occupé par la piste pour patins à roulettes.

Un endroit approprié

L'idée de bâtir le Forum coin Atwater et Ste-Catherine ne pouvait être plus logique.

Le Forum de 1949, avec ses 1 800 sièges additionnels.
DAVID BIER

On pourrait même ajouter que le terrain choisi était pratiquement vénéré puisqu'une vingtaine d'années plus tôt, alors qu'il n'y avait qu'un vaste lot vacant à cet endroit, les jeunes gars du quartier en profitaient pour pratiquer leur sport favori, le hockey, sur une patinoire improvisée. C'est là que les immortels Lester et Frank Patrick, Art Ross et Russell Bowie, tous des Grands du jeu, pour ne nommer que ceux-là, apprirent leur hockey. On sait qu'ils furent, quelques années plus tard, responsables de l'immense popularité de notre sport national non seulement ici à Montréal, mais à travers le Canada tout entier et aussi aux États-Unis, tout d'abord chez les amateurs, de 1893 à 1925 environ quand la Nationale et le hockey professionnel s'implantèrent pour de bon outre-frontière.

Le nouveau Forum ouvrit ses portes le 2 novembre 1968.
DAVID BIER

On aura vu, au tout début, que ce n'est vraiment qu'en 1926, soit pour la saison 1926-27, que le Canadien vint résider en permanence au Forum. Le Bleu Blanc Rouge, toutefois, fut celui qui eut l'honneur de faire l'inauguration de l'édifice à la suite de son succès du printemps précédent, quand il remporta la coupe Stanley. Les Maroons de Montréal, qui firent partie de la Ligue Nationale de 1924 à 1938 et qui devinrent rapidement les grands rivaux du Tricolore, furent les seuls occupants du Forum, comme professionnels, en 1924-25 et en 1925-26. Ils remportèrent eux-mêmes la Coupe, au printemps de 1926 et ils attendaient donc les Canadiens de pied ferme quand le club, alors dirigé par Léo Dandurand et Cecil Hart, vint prendre demeure ici et il en résulta des matches sou-

113

vent épiques et féroces entre ces deux clubs qui représentaient les éléments français et anglais de la métropole. Les amateurs en furent les bénéficiaires car la plupart des rencontres Maroons-Canadiens offrirent du hockey tout à fait sensationnel.

Et le hockey fut vraiment roi au Forum durant de longues années. Même à l'époque, on diffusait peu d'événements sportifs à la radio et la télévision n'entrerait en scène qu'une trentaine d'années plus tard. Alors les sportifs avaient tout le temps voulu pour courir des matches et pendant plusieurs années, il y en eut presque à tous les soirs à cette toute nouvelle et plus que populaire patinoire qui avait nom FORUM DE MONTRÉAL. Ainsi, le Canadien et les Maroons se partageaient les jeudis et les samedis soir. La Ligue Senior qui s'appela tout d'abord le Groupe Senior et dont les 6, 7 et 8 clubs jouaient presque toujours devant des salles combles de 12 000 personnes ou plus, présentait ses matches les mercredis soir et les dimanches après-midi. La Ligue Junior, elle, déjà en existence depuis longtemps, jouait les lundis soir, et les mardis soir étaient occupés par la Ligue des Banques ou la Ligue des Chemins de Fer et du Téléphone !

Trois des grands du hockey sur une même photo: Maurice Richard et Jean Béliveau à la poursuite du grand Gordie Howe alors la vedette des Red Wings de Detroit.

Le Forum de Montréal

Capacité: 16 084 spectateurs.

Capacité avec places debout: 18 076.

Foule record à une joute professionnelle: 19 040 spectateurs, le 7 janvier 1974 (Philadelphie), saison régulière. — Séries éliminatoires, 19 005 spectateurs, le 8 mai 1973 (Chicago).

Foule record à une joute de hockey junior: 18 838 spectateurs, le 23 février 1969. Oshawa: 2 — Canadien Junior: 9.

Dimensions de la patinoire: 200 pieds par 85 pieds. Surface entière (exception faite des bancs des joueurs) entourée de vitre Herculite.

Couleurs de l'équipe: bleu, blanc, rouge. Uniforme blanc rayé bleu et rouge porté au Forum; rouge rayé bleu et blanc porté à l'étranger.

Emplacement de la galerie de la presse: audessus de la glace, du côté ouest.

Emplacement de la galerie de la radio et de la télévision: au-dessus de la glace, du côté est.

Matches des Étoiles LNH disputés à Montréal (au Forum)

3 octobre 1953	septième match annuel de la Ligue Nationale
9 octobre 1956	dixième match annuel de la Ligue Nationale
5 octobre 1957	onzième match annuel de la Ligue Nationale
4 octobre 1958	douzième match annuel de la Ligue Nationale
3 octobre 1959	treizième match annuel de la Ligue Nationale
1er octobre 1960	quatorzième match annuel de la Ligue Nationale
20 octobre 1965	dix-neuvième match annuel de la Ligue Nationale
18 janvier 1967	vingtième match annuel de la Ligue Nationale
21 janvier 1969	vingt-deuxième match annuel de la Ligue Nationale
21 janvier 1975	vingt-huitième match annuel de la Ligue Nationale

Dates et numéros des chandails retirés

octobre 1937	Howie Morenz	numéro 7
octobre 1960	Maurice Richard	numéro 9
octobre 1971	Aurèle Joliat et Jean Béliveau	numéro 4
octobre 1975	Henri Richard	numéro 16
février 1985	Guy Lafleur	numéro 10
octobre 1986	Doug Harvey	numéro 2

Un bref aperçu de la LNH

La saison 1980-81 est la 64 de l'histoire de la Ligue Nationale de Hockey. La chronologie de son histoire se déroule comme suit :

1917

La Ligue Nationale de Hockey est organisée à Montréal le 22 novembre. Des délégués représentant les Canadiens de Montréal, les Wanderers de Montréal, Ottawa et Québec sont présents. Ces quatre équipes, plus les Arenas de Toronto, sont admises dans la ligue. Québec détient une concession mais décide de ne pas entrer en opération cette année. Frank Calder est nommé président et secrétaire-trésorier. Les premières parties de cette nouvelle ligue sont jouées le 19 décembre 1917. Toronto est la seule ville à posséder de la glace artificielle.

1917-18

Les équipes suivent un calendrier des 22 matches.

1918

Lorsque l'aréna de Westmount brûle de fond en comble, les Wanderers perdent leur patinoire locale et se retirent de la ligue.

1918-19

Les équipes complètent un calendrier de 18 matches.

1919

Les Bulldogs de Québec exercent leur droit d'entrer dans la ligue. Les Arenas de Toronto changent leur nom pour prendre celui de St. Patricks.

1919-20

Les équipes suivent un calendrier de 24 matches.

1920

Les Tigers de Hamilton remplacent Québec.

1924

Les Bruins de Boston deviennent la première équipe américaine à se joindre à la ligue et les Maroons de Montréal entrent dans le circuit toujours grandissant, donnant ainsi deux équipes à Montréal.

1924-25

Les équipes jouent 30 parties chacune.

1925

La franchise des Tigers de Hamilton est vendue aux Americans de New York pour la somme de 75 000 $. La troisième équipe des États-Unis entre dans la ligue.

1925-26

Le nombre de matches au calendrier augmente jusqu'à 36 pour chacune des équipes.

1926

Trois nouvelles équipes des États-Unis, les Rangers de New York, les Black Hawks de Chicago et les Cougars de Detroit, sont admises dans la ligue. Le circuit comprend maintenant 10 équipes et est divisé en deux sections : la division canadienne comprenant les Maple Leafs de Toronto (qui s'appelaient auparavant les St. Patricks), les Senators d'Ottawa, les Canadiens de Montréal, les Maroons de Montréal, et les Americans de New York. La division américaine comprend les Bruins de Boston, les Rangers de New York, les Black Hawks de Chicago, les Cougars de Detroit et les Pirates de Pittsburgh. La coupe Stanley, le trophée le plus convoité au hockey, devient propriété exclusive de la Ligue Nationale de Hockey.

1926-27

Le calendrier de chaque équipe est maintenant de 44 parties.

1930

La franchise de Pittsburgh est transférée à Philadelphie où l'équipe connue sous le nom de Quakers joue pendant une saison seulement. Detroit change le nom de son équipe (les Cougars) pour prendre celui de Falcons.

1931

Philadelphie quitte la ligue. Ottawa se retire de la ligue pour un an.

1931-32

Le calendrier est maintenant de 48 matches.

1932

Ottawa revient au jeu pour deux saisons.

1933

Detroit abandonne le nom de Falcons pour prendre celui de Red Wings.

1934

La concession d'Ottawa est envoyée à St. Louis. L'équipe appelée alors les Eagles de St. Louis est composée de la plupart des joueurs d'Ottawa de la saison précédente.

1935

St. Louis quitte la ligue. Le nombre d'équipes membres de la ligue est maintenant de huit.

1938

Les Maroons de Montréal se retirent de la LNH.

1941

Les Americans de New York changent leur nom pour prendre celui d'Americans de Brooklyn.

1942

Les Americans de Brooklyn se retirent de la ligue.

1942-43

Le calendrier est maintenant de 50 matches pour chaque équipe.

1943

Frank Calder, président depuis les débuts de la ligue, meurt à Montréal en février. Melvyn « Red » Dutton, ancien gérant des Americans de New York, lui succède comme président.

1946

Dutton prend sa retraite comme président de la ligue avant le début de la saison 1946-47 et cède sa place à Clarence S. Campbell.

1946-47

Un boni pour les joueurs est garanti pour les éliminatoires. Le calendrier passe à 60 matches.

1947

Un nouvel accord constitutionnel est signé par tous les clubs et doit se continuer à perpétuité.

1947

La première partie des étoiles annuelle est jouée à Toronto et on y reconnaît les anciennes étoiles.

1948

La Société de pension de la Ligue Nationale est fondée.

1949-50

Le calendrier de 70 parties est introduit.

1954

Le repêchage inter-ligue est modifié pour assurer une meilleure disponibilité des joueurs.

1957

Les premières 10 années du plan de pension sont achevées et le plan est révisé afin d'accroître les avantages. La prime donnée aux joueurs pour les éliminatoires est augmentée substantiellement. Le Conseil joueurs-propriétaires est fondé.

1960

On complète les transactions entre l'Exposition canadienne nationale et la ville de Toronto pour établir le Temple de la renommée à l'ECN.

1961

Le Temple de la renommée est officiellement ouvert en 1962 par le premier ministre John Diefenbaker et l'ambassadeur des États-Unis, Livingston T. Merchant.

1967

La plus grande année dans l'histoire de la LNH. Six nouvelles équipes des États-Unis sont ajoutées à la ligue, constituant ainsi une ligue composée de 12 équipes réparties en deux divisions. Les nouvelles équipes sont les Seals de Californie, les Kings de Los Angeles, les North Stars du Minnesota, les Flyers de Philadelphie, les Pingouins de Pittsburgh et les Blues de St. Louis, toutes appartenant à la division de l'Ouest. À la mi-saison, les Seals de Californie changent leur nom pour celui de Seals d'Oakland.

1967-68

Le calendrier est augmenté à 74 parties par équipe.

1968-69

Le calendrier est maintenant de 76 matches.

1969-70

La LNH comprend 14 équipes avec les Sabres de Buffalo et les Canucks de Vancouver se joignant à la division de l'Est et les Black Hawks de Chicago déménageant dans la division de l'Ouest.

1970-71

Le calendrier est augmenté à 78 matches. Les Seals d'Oakland deviennent les Golden Seals d'Oakland.

1971-72

La LNH décide de s'adjoindre 2 autres équipes pour un total de 16 équipes à la saison suivante. Les nouvelles équipes sont situées à Long Island et à Atlanta.

1972-73

Les Islanders de New York s'ajoutent à la division de l'Est et les Flames d'Atlanta à celle de l'Ouest.

1973-74

Des concessions de la LNH sont accordées à Washington et à Kansas City. Celles-ci doivent débuter à la saison 1974-75.

1974-75

La LNH se sépare en quatre divisions: les Islanders de New York forment une division avec les Rangers de New York, les Flames d'Atlanta et les Flyers de Philadelphie. Le calendrier est augmenté à 80 matches.

1975-76

La LNH nomme ses divisions d'après des étoiles célèbres du hockey: la conférence Clarence Campbell; les divisions Lester Patrick et Conn Smythe; la conférence Prince de Galles; les divisions James Norris et Charles Adams.

1976-77

Pour la première fois depuis 1934, des franchises de la LNH sont déplacées. Les Barons de Cleveland, auparavant les Seals de Californie jouent dans la division Adams alors que les Rockies du Colorado, anciennement Kansas City, évoluent avec la division Smythe.

1977-78

Clarence S. Campbell, président de la ligue depuis 1946, se retire. John A. Ziegler est élu président.

1978-79

Pour la première fois, deux concessions de la LNH sont amalgamées. Les Barons de Cleveland cessent leurs activités et s'allient aux North Stars du Minnesota et avec les North Stars déménagent à la conférence Prince de Galles et jouent dans la division Adams. Le nombre de matches entre les divisions augmente de six à huit. L'équipe des étoiles de la LNH de la saison 1978-79 doit rencontrer les étoiles de l'Union Soviétique à la mi-saison.

1979-80

La LNH augmente le nombre de ses équipes avec l'addition de quatre équipes de l'Association de Hockey Mondiale. Les nouvelles concessions sont celles des Whalers de Hartford, des Nordiques de Québec, des Jets de Winnipeg et des Oilers d'Edmonton.

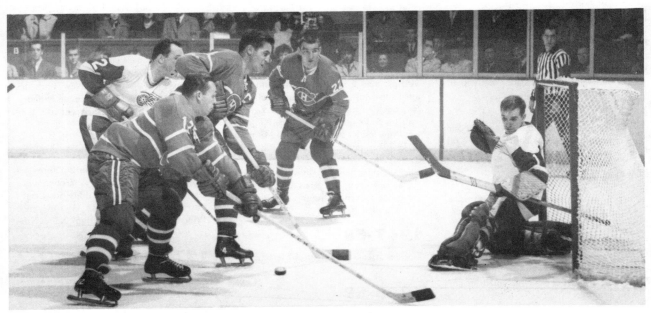

Ligne d'attaque du Tricolore qui a fait parler d'elle :
Yvan Cournoyer, Jean Béliveau, John Ferguson devant le
gardien Rodger Crozier des Red Wings de Detroit. À
l'arrière plan, l'arbitre Bill Friday.
DAVID BIER

Quelques jeunes recrues se rapportant au camp
d'entraînement du Tricolore. De gauche à droite,
Marc Tardif, Guy Charron, Phil Roberto et Réjean Houle.
RÉAL BRODEUR

5

Les dossiers
et tableaux d'honneur

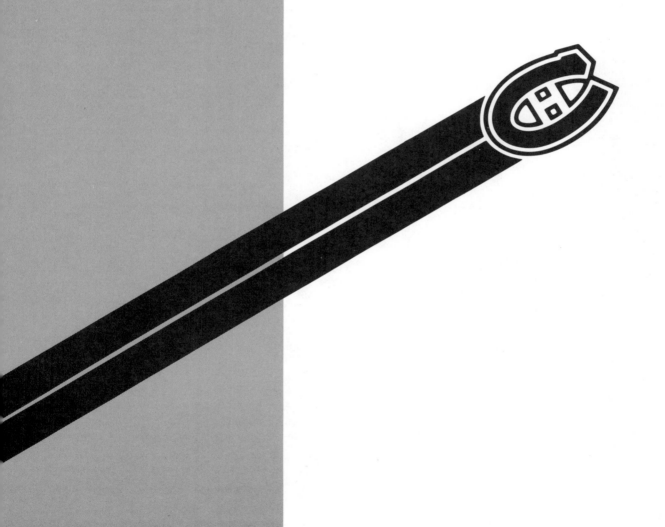

Records d'équipe — saison régulière

Le plus de victoires en une saison (1976-77) (80 matches)	**60**
Le moins de victoires en une saison (1918-19) (18 matches) (1939-40) (48 matches)	**10**
Calendrier de 70 matches, 1951-52	**25**
Le moins de défaites en une saison (1943-44) (50 matches)	**5**
(1928-29) (44 matches)	**7**
(1918-19) (18 matches)	**8**
(1944-45) (50 matches)	**8**
(1976-77) (80 matches)	**8**
Le plus de défaites en une saison (1983-84) (80 matches)	**40**
Le plus de matches nuls en une saison (1962-63) (70 matches)	**23**
Le moins de matches nuls en une saison (Cinq fois, 1917-18, 1918-19, 1919-20, 1920-21, 1923-24)	**0**
Calendrier de 70 matches (1983-84) (80 matches)	**5**
Le plus de victoires à domicile en une saison (1976-77) (40 matches)	**33**
Le moins de victoires à domicile en une saison (1925-26) (18 matches) (1935-36) (24 matches) (1939-40) (24 matches)	**5**
Calendrier de 70 matches (1962-63) (35 matches)	**15**
Le plus de défaites à domicile en une saison (1983-84) (40 matches)	**19**
Le moins de défaites à domicile en une saison	**0**

(1943-44) (25 matches) (1976-77) (40 matches)	**1**
Le plus de victoires à l'étranger en une saison (1976-77) (40 matches)	**27**
Le moins de victoires à l'étranger en une saison (1918-19) (9 matches) (1922-23) (12 matches) (1923-24) (12 matches) (1932-33) (24 matches)	**3**
Calendrier de 70 matches (1950-51) (35 matches) (1953-54) (35 matches)	**8**
Le plus de défaites à l'étranger en une saison (1983-84) (40 matches)	**21**
Le moins de défaites à l'étranger en une saison (1928-29) (22 matches)	**3**
Calendrier de 70 matches (1972-73) (39 matches) (1974-75) (40 matches) (1977-78) (40 matches)	**6**
Le plus de buts en une saison (1976-77) (80 matches)	**387**
Le moins de buts en une saison (1923-24) (24 matches)	**59**
Calendrier de 70 matches (1952-53) (70 matches)	**155**
Le plus de buts contre une équipe en une saison (1983-84) (80 matches)	**295**
Le moins de buts contre une équipe en une saison (1928-29) (44 matches)	**43**

Calendrier de 70 matches 131
(1955-56) (70 matches)

Le plus de points en une saison 132
(1976-77) (80 matches)

Le moins de points en une saison 20
(1918-19) (18 matches)

Calendrier de 70 matches 65
(1950-51) (70 matches)

Plus longue série de victoires 12
(1967-68) (6 janv. 68 au 3 fév. 68)

Plus longue série de défaites 12
(1925-26) (13 fév. 26 au 13 mars 26)

**Plus longue série de matches sans
victoire** 12
(1925-26) (13 fév. 26 au 13 mars 26)
(1935-35) (28 nov. 35 au 29 déc. 35,
8 revers et 4 nuls)

**Plus longue série de matches
sans défaite** 28
(1977-78) (18 déc. 77 au 23 fév. 78,
23 victoires et 5 nuls)

À domicile

Plus longue série de victoires 13
(1943-44) (2 nov. 43 au 8 janv. 44)
(1976-77) (30 janv. 77 au 26 mars 77)

Plus longue série de défaites 7
(1939-40) (16 déc. 39 au 18 janv. 40)

Plus longue série de matches sans défaite 34
(1976-77) (1er nov. 76 au 3 avril 77, 28
victoires et 6 nuls)

Plus longue série de matches sans victoire 15
(1939-40) (16 déc. 39 au 7 mars 40,
12 revers et 3 nuls)

À l'étranger

Plus longue série de victoires 8
(1977-78) (18 déc. 77 au 18 janv. 78)
(1981-82) (21 janv. 82 au 21 fév. 82)

Plus longue série de défaites 10
(1925-26) (1er déc. 25 au 2 fév. 26)

Plus longue série de matches sans défaite 23
(1974-75) (27 nov. 74 au 12 mars 75,
14 victoires et 9 nuls)

Plus longue série de matches sans victoire 12
(1951-52) (20 oct. 51 au 13 déc. 51,
8 revers et 4 nuls)

**Le plus de minutes de punition en une
saison** 1 464
(1984-85) (80 matches)

Le plus de buts en un match 16
le 3 mars 1920
Canadien 16, Bulldogs de Québec 3

**Le plus de buts en avantage numérique,
en une saison** 92
(1974-75) (80 matches)

Le plus de blanchissages en une saison 22
(1928-29) (44 matches)

Le moins de blanchissages en une saison 0
(1919-20) (24 matches)
(1921-22) (24 matches)
(1925-26) (36 matches)

**Le moins de blanchissages contre une
équipe en une saison** 0
(1960-61) (70 matches) (1971-72) (78 matches)
(1972-73) (78 matches) (1975-76) (80 matches)
(1979-80) (80 matches) (1981-82) (80 matches)

**Le plus de blanchissages contre une
équipe en une saison** 9
(1925-26) (36 matches) (1927-28) (44 matches)
(1949-50) (70 matches) (1953-54) (70 matches)

**Le plus de marqueurs de 20 buts en
une saison** 10
(1974-75)

**Le plus de marqueurs de 30 buts en
une saison** 5
(1971-72, 1974-75, 1975-76, 1981-82)

Le plus de marqueurs de 40 buts en une saison   **3**
(1979-80) (Guy Lafleur, 50; Pierre Larouche, 50; Steve Shutt, 47)

Le plus de marqueurs de 50 buts en une saison   **2**
(1976-77) (Steve Shutt, 60; Guy Lafleur, 56)

(1979-80) (Guy Lafleur, 50; Pierre Larouche, 50)

Le plus de marqueurs de 60 buts en une saison   **1**
(1976-77) (Steve Shutt, 60)
(1977-78) (Guy Lafleur, 60)

Records d'équipe détenus par le Canadien dans la Ligue Nationale — calendrier régulier

Le plus de points accumulés en une
saison   132
Canadien, 1976-77

Le plus de victoires en une
saison   60
Canadien, 1976-77

Le moins de défaites en une saison   5
Canadien, 1943-44 (calendrier de 50
matches)
Canadien, 1972-73 (calendrier de 78
matches)   10
Canadien, 1976-77 (calendrier de 80
matches)   8

Le moins de défaites sur sa patinoire,
en une saison   0
Canadien, 1943-44 (calendrier de 25
matches)

Le moins de défaites sur sa patinoire,
en une saison (calendrier de 35
matches)   1
Canadien, 1976-77 (calendrier de 80
matches)

Le plus de victoires à l'étranger,
en une saison   27
Canadien, 1976-77 — 1977-78

Le moins de défaites à l'étranger,
en une saison   3
Canadien, 1928-29 (22 matches)

Le moins de défaites à l'étranger,
en une saison (nouveau calendrier)   6
Canadien, 1972-73 (39 matches)
Canadien, 1973-74 (40 matches)
Canadien, 1977-78 (40 matches)

Le plus de matches sans défaite à
l'étranger, en une saison   23

Canadien, 27 nov. 74 au 12 mars 75
(14-0-9)

Le moins de matches nuls sur sa patinoire,
en une saison   0
Canadien, 1936-37 (calendrier de 24
matches)
Canadien, 1955-56 (calendrier de 35
matches)
Canadien, 1965-66 (calendrier de 35
matches)   1

Le moins de matches nuls à l'étranger,
en une saison   0
Canadien, 1926-27 (calendrier de 22
matches)
Canadien, 1939-40 (calendrier de 24
matches)

Le plus de matches sans défaites
sur sa patinoire   34
Canadien, du 1er nov. 76 au 3 avril 77
(28 victoires, 6 nuls)

Le plus de matches sans victoires
sur sa patinoire en une saison   15
Canadien, du 16 déc. 39 au 7 mars 40
(12 revers, 3 nuls)

Le plus de matches sans défaites sur sa
patinoire incluant les séries
éliminatoires, en une saison   38
Canadien, du 1er nov. 76 au 26 avril 77,
(28 victoires et 6 nuls en 34 matches réguliers
et 4 victoires en séries)

Le plus de blanchissages, en une saison   22
Canadien, 1928-29 (calendrier de 44 matches)

Le moins de buts alloués, en une saison
(calendrier d'au moins 70 matches)   131
Canadien, 1955-56

**Le plus de buts, comptés par les deux
équipes en un match**   **21**
Canadien 14, St. Patricks de Toronto 7,', à
à Montréal, le 10 janvier 1920.

**Le plus de buts comptés par une seule
équipe en un match**   **16**
Canadien le 3 mars 1920, à Montréal;ιadien
Canadien 16, Bulldogs de Québec 3

**Les six buts les plus rapides comptés
par les deux équipes**   **3 min 15 s**
À Montréal, le 4 janvier 1944, en première
période (Canadien 4, Maple Leafs de Toronto 2). Le Canadien l'emporta, 6 à 3

**Les trois buts les plus rapides comptés
par les deux équipes**   **18 s**
Le Canadien et les Rangers de New York, à
Montréal, le 12 décembre 1963, en première
période. Les compteurs : Dave Balon (Montréal) à 0:58 ; Gilles Tremblay (Montréal) à
1:04 ; Camille Henry (New York) à 1:16. Le
Canadien a remporté le match, 6 à 4.

**Les trois buts les plus rapides depuis le
début d'un match ou d'une période, comptés
par les deux équipes**   **1 min 16 s**
Le Canadien et les Rangers de New York, à
Montréal, le 12 décembre 1963, en première
période. Les compteurs : Dave Balon (Montréal) 0:58 ; Gilles Tremblay (Montréal)
1:04 ; Camille Henry (New York) 1:16. Le
Canadien l'emporta, 6 à 4.

**La plus basse moyenne de buts alloués,
en une saison**   **0,98**
En 1928-29, 43 buts alloués en 44 matches

**La plus forte avance en tête à la fin de
la saison régulière par un club champion**   **51**

Canadien, 1977-78 (80 parties)

*Henri Richard arrosé de champagne après la victoire de la coupe
Stanley en 1971.*
CANADA WIDE

Records d'équipe de la LNH établis par le Canadien en éliminatoires

Le plus grand nombre de conquêtes de la coupe Stanley   **23**
Le Canadien : 1916, 1924, 1930, 1931, 1944, 1946, 1953, 1956, 1957, 1958, 1959, 1960, 1965, 1966, 1968, 1969, 1971, 1973, 1976, 1977, 1978, 1979, 1986

Le plus de présences dans la série finale   **27**

Le plus de présence dans les éliminatoires   **56**

Le plus grand nombre de conquêtes consécutives de la coupe Stanley   **5**
Le Canadien en 1956, 1957, 1958, 1959, 1960

Le plus grand nombre de présences consécutives dans la série finale   **10**
Le Canadien, de 1951 à 1960

Le plus grand nombre de présences consécutives dans les éliminatoires   **21**
Le Canadien, de 1949 à 1969

Le moins de buts comptés par les deux équipes (série de 3 matches)   **7**
Boston et Canadien en demi-finale 1929. Boston l'emporte 3 à 0 et surclasse le Canadien 5 à 2 au total des buts.

Le moins de buts comptés par une seule équipe, série de 4 matches   **2**
Le Canadien, série finale de 1952. Les Red Wings de Detroit ont remporté la série 4 à 0, marquant 11 buts, en allouant 2.

Le plus de buts comptés en une partie (une seule équipe) (record égalé)   **11**
Le Canadien, à Montréal le 30 mars 1944. Canadien 11, Toronto 0. Le Canadien a remporté la série demi-finale 4 à 1.

Le plus de buts comptés en une période (une seule équipe)   **7**
Le Canadien le 30 mars 1944, à Montréal, en troisième période. Canadien 11, Toronto 0.

Le plus de buts comptés par les deux équipes, en une période (record égalé)   **9**
Chicago rencontre le Canadien, le 8 mai 1973 à Montréal. En deuxième période, Chicago compte cinq buts et Canadien quatre. Chicago l'emportant au compte de 8 à 7.

Le plus de matches avec prolongation en série finale   **5**
Toronto et Canadien en 1951. Toronto devait remporter la série 4 à 1.

Les deux buts les plus rapides en désavantage numérique, en une partie   **24 s**
Le 23 avril 1978. Canadien rencontre Detroit, à Detroit — Doug Risebrough et Bob Gainey.

Les quatre buts les plus rapides comptés par une seule équipe   **2 min 35 s**
Le Canadien, contre Toronto à Montréal le 30 mars, 1944. En troisième période. Toe Blake a marqué à 7 : 58 et à 8 : 37. Maurice Richard a marqué à 19 : 17 et Ray Getliffe à 10 : 33. Le Canadien a remporté le match 11 à 0 et la série 4 à 0.

Les cinq buts les plus rapides comptés par une seule équipe   **3 min 36 s**
Le Canadien à Montréal, le 30 mars 1944, contre les Maple Leafs de Toronto. Toe

Blake a marqué à 7:58 de la troisième période, puis de nouveau à 8:37 suivi de Maurice Richard à 9:17, de Ray Getliffe à 10:33, et de Buddy O'Connor à 11:34. Le Canadien a remporté le match 11 à 0, et la série demi-finale 4 à 0.

Le but le plus rapide après le début de surtemps **9 s**

Le 18 mai, le Canadien rencontre Calgary à Calgary. Brian Skrudland.

Maurice Richard et Elmer Lach devant le gardien de but Chuck Rayner des Rangers de New York.

Records individuels de la LNH établis par le Canadien — éliminatoires

Le plus de matches disputés en séries éliminatoires   **180**
Henri Richard

Le plus de points dans les éliminatoires   **176**
Jean Béliveau, 79 buts et 97 assistances

Le plus de points en série finale   **12**
Yvan Cournoyer, Jacques Lemaire, 1973

Le plus de buts en série finale   **7**
Jean Béliveau, en 1956, en cinq matches contre les Red Wings de Detroit (record égalé)

Le plus d'assistances en série finale   **9**
Jacques Lemaire en 1973 contre Chicago

Le plus de buts en une seule partie   **5**
Maurice Richard, le 23 mars 1944, à Montréal. Compte final: Canadien 5, Toronto 1.

Le plus de points en une période   **4**
Maurice Richard, le 29 mars 1945, à Montréal, en troisième période, contre les Maple Leafs de Toronto: 3 buts, 1 assistance. Compte final: Canadien 10, Toronto 3:
Dickie Moore, le 25 mars 1954, à Montréal, en première période, contre les Bruins de Boston: 2 buts et 2 assistances. Compte final: Canadien 8, Boston 1.

Le plus de buts en une période   **3**
Maurice Richard, le 23 mars 1944, à Montréal, en deuxième période, contre les Maple Leafs de Toronto. Compte final: Canadien 5, Toronto 1. Le 29 mars 1945, à Montréal, en troisième période, contre les Maple Leafs de Toronto. Compte final: Canadien 10, Toronto 3. Le 6 avril 1957, à Montréal, en deuxième période, contre les Bruins de Boston. Compte final: Canadien 5, Boston 1. Jacques Lemaire, 20 avril 1971, à Montréal contre Min-

nesota, en deuxième période. Compte final: Canadien 7, Minnesota 2.

Le plus d'assistances en une période   **3**
Toe Blake, le 23 mars 1944, à Montréal, en deuxième période, contre Toronto. Compte final: Canadien 5, Toronto 1. Le 13 avril 1944, à Montréal, en troisième période, contre Chicago. Compte final: Canadien 5, Chicago 4.
Elmer Lach, le 30 mars 1944, à Montréal, en troisième période. Compte final: Canadien 11, Toronto 0.
Jean Béliveau, le 25 mars 1954, à Montréal, en première période, contre Boston. Compte final: Canadien 8, Boston 1.
Maurice Richard, le 27 mars 1956, à Montréal, en deuxième période, contre New York. Compte final: Canadien 7, Rangers 0.
Doug Harvey, le 6 avril 1957, à Montréal, en deuxième période, contre Boston. Compte final: Canadien 5, Boston 1. Le 2 avril 1959, à Montréal, en première période, contre Chicago. Compte final: Canadien 4, Chicago 2.
Dickie Moore, le 2 avril 1959, à Montréal, en première période, contre Chicago. Compte final: Canadien 4, Chicago 2.
Henri Richard, le 7 avril 1960, à Montréal, en première période, contre Toronto. Compte final: Canadien 4, Toronto 2.
Robert Rousseau, le 1er mai 1965, à Montréal, en première période, contre Chicago. Compte final: Canadien 4, Chicago 1.
Jean Béliveau, 27 avril 1971, à Montréal, contre Minnesota, en troisième période. Compte final: Canadien 5, Minnesota 1.

Le plus de buts gagnants   **18**
Maurice Richard, en 15 saisons dans les élimatoires.

Le plus de buts en prolongation   **6**
Maurice Richard (1 but en 1946, 3 en 1951, 1 en 1957, 1 en 1958).

Le plus de buts en prolongation éliminatoires, en une année   **3**
Maurice Richard, en 1951, il en a marqué deux lors de la série demi-finale contre Detroit, série remportée par le Canadien 4 à 2 ; il en a marqué un autre lors de la série finale contre Toronto, série remportée par les Maple Leafs, 4 à 1.

Le plus de buts avec avantage numérique en une période   **2**
Maurice Richard, le 6 avril 1954, à Detroit, en première période. Match remporté par le Canadien, 3 à 1.

Bernard Geoffrion, le 7 avril 1955, à Montréal, en première période. Canadien 4, Detroit 2.

Gilles Tremblay, le 14 avril 1966, à Toronto, en deuxième période. Match remporté par le Canadien, 4 à 1.

Jean Béliveau, le 20 avril 1968, à Montréal, en deuxième période. Canadien 4, Chicago 1.

Le plus de matches de trois buts ou plus   **7**
Maurice Richard a connu quatre matches de trois buts chacun, deux matches de quatre buts chacun et, enfin, une partie de cinq buts.

Records individuels aux différentes positions

Centre

Le plus de buts en une saison   **50**
Pierre Larouche, 1979-80

Le plus de buts à vie   **507**
Jean Béliveau, 1950-51 à 1970-71

Le plus d'assistances en une saison   **82**
Peter Mahovlich, 1974-75

Le plus d'assistances à vie   **712**
Jean Béliveau, 1950-51 à 1970-71

Le plus de points en une saison   **117**
Peter Mahovlich, 1974-75

Le plus de points à vie   **1 219**
Jean Béliveau, 1950-51 à 1970-71

Le plus de minutes de punition en une saison   **198**
Doug Risebrough, 1974-75

Le plus de minutes de punition à vie   **1 029**
Jean Béliveau, 1950-51 à 1970-71

Ailier droit

Le plus de buts en une saison   **60**
Guy Lafleur, 1977-78

Le plus de buts à vie   **544**
Maurice Richard, 1942-43 à 1959-60

Le plus d'assistances en une saison   **80**
Guy Lafleur, 1976-77

Le plus d'assistances à vie   **728**
Guy Lafleur, 1971-72 à 1984-85

Le plus de points en une saison   **136**
Guy Lafleur, 1976-77

Le plus de points à vie   **1 246**
Guy Lafleur, 1971-72 à 1984-85

Le plus de minutes de punition en une saison   **358**
Chris Nilan, 1984-85

Le plus de minutes de punition à vie   **1 699**
Chris Nilan, 1979-80 à 1984-85

Ailier gauche

Le plus de buts en une saison   **60**
Steve Shutt, 1976-77

Le plus de buts à vie   **408**
Steve Shutt, 1972-73 à 1984-85

Le plus d'assistances en une saison   **67**
Mats Naslund, 1985-86

Le plus d'assistances à vie   **368**
Steve Shutt, 1972-73 à 1984-85

Le plus de points en une saison   **110**
Mats Naslund, 1985-86

Le plus de points à vie   **776**
Steve Shutt, 1972-73 à 1984-85

Le plus de minutes de punition en une saison   **185**
John Ferguson, 1968-69

Le plus de minutes de punition à vie   **1 214**
John Ferguson, 1963-64 à 1970-71

Défenseurs

Le plus de buts en une saison   **28**
Guy Lapointe, 1974-75

Le plus de buts à vie   **174**
Larry Robinson, 1973-74 à 1985-86

Le plus d'assistances en une saison   **66**
Larry Robinson, 1976-77

Le plus d'assistances à vie   **589**
Larry Robinson, 1972-73 à 1985-86

Le plus de points en une saison   **85**
Larry Robinson, 1976-77

Le plus de points à vie   **763**
Larry Robinson, 1972-73 à 1985-86

Le plus de minutes de punition en une saison   **167**
Lou Fontinato, 1961-62

Le plus de minutes de punition à vie   **1 042**
Doug Harvey, 1947-48 à 1960-61

Gardien de buts

Le plus de blanchissages en une saison   **22**
George Hainsworth, 1928-29

Le plus de blanchissages à vie   **75**
George Hainsworth, 1926-27 à 1932-33

La plus longue série de blanchissages   **309 min 21 s**
Bill Durnan, 24 février au 9 mars 1949

Le plus d'assistances en une saison   **4**
Ken Dryden, 1972-73
Michel Larocque, 1977-78

Records d'équipe individuels

Le plus de buts en une saison   60
Steve Shutt (1976-77)
Guy Lafleur (1977-78)

Le plus d'assistances en une saison   82
Pete Mahovlich (1974-75)

Le plus de points en une saison   136
Guy Lafleur (1976-77)

Le plus de points en une saison incluant les séries éliminatoires   162
Guy Lafleur (1976-77)

Le plus de minutes de punition en une saison   358
Chris Nilan (1984-85)

Le plus de buts à vie   544
Maurice Richard (1942-43 à 1959-60)

Le plus d'assistances à vie   728
Guy Lafleur (1971-72 à 1984-85)

Le plus de points à vie   1 246
Guy Lafleur (1971-72 à 1984-85)

Le plus de saisons avec l'équipe   20
Henri Richard

Le plus de matches avec l'équipe   1 256
Henri Richard (saison régulière)

Le plus de minutes de punition à vie   1 699
Chris Nilan (1979-80 à 1984-85, saison régulière)

Le plus de buts dans les éliminatoires   82
Maurice Richard

Le plus de buts à vie (éliminatoires incluses)   626
Maurice Richard, 544 en saison
— 82 en éliminatoires

Le plus d'assistances à vie (éliminatoires incluses)   809
Jean Béliveau, 712 en saison
— 97 en éliminatoires

Le plus de points à vie (éliminatoires incluses)   1 395
Jean Béliveau, 1 219 en saison
— 176 en éliminatoires

Le plus de matches (éliminatoires incluses)   1 436
Henri Richard (1955-56 à 1974-75),
1 256 en saison — 180 en éliminatoires

Le plus de minutes de punition à vie (éliminatoires incluses)   1 931
Chris Nilan, 1 425 en saison
— 191 en éliminatoires

La plus longue série de matches avec au moins un point   28
Guy Lafleur, 1976-77
(19 buts et 42 mentions d'assistance)

Le plus de matches consécutifs avec au moins un but   14
Joe Malone, 1917-18
(35 buts dans cette période)

La plus longue série de matches consécutifs avec au moins une mention d'assistance   12
Peter Mahovlich, 1974-75 (13 mentions)
Guy Lafleur, 1979-80 (15 mentions)

Le plus de points en un match   8
Maurice Richard, à Montréal, le 28 décembre 1944: cinq buts, trois assistances (Montréal 9, Detroit 1) Bert Olmstead, à Montréal le 9 janvier 1954: quatre buts, quatre assistances, (Montréal 12, Chicago 1)

Le plus de buts en un match   6
Newsy Lalonde, le 10 janvier 1920

Le plus d'assistances en un match   6

Elmer Lach, le 6 février 1943 au
Forum, Montréal 8, Boston 3

Le plus de buts en une période   **3**
(par plusieurs joueurs)

Le plus de points en une période   **4**
(par plusieurs joueurs)

Le plus d'assistances en une période   **4**
Buddy O'Connor, du Canadien. Le 8 novembre 1942, à Montréal, en troisième période.
Canadien 10, Rangers de New York, 4.
Phil Watson, du Canadien. Le 18 mars 1944,
à Montréal, en troisième période. Montréal
11, New York 2.
Jean-Claude Tremblay, du Canadien, le 29
décembre 1962, à Montréal, en deuxième période. Montréal 5, Detroit 1.

**Le plus de buts comptés par un défenseur,
en un match**   **4**
Sprague Cleghorn, à Montréal, le 14 janvier
1922; Canadien 10, Tigers de Hamilton 6.
Harry Cameron, 3 mars 1920. Canadien 16,
Bulldogs de Québec 3.

Le plus de matches consécutifs   **560**
Doug Jarvis (1975-76 à 1981-82)

Le plus de saisons de 20 buts   **14**
Maurice Richard (1943-44 à 1956-57)

Guy Lafleur   **13**
Jean Béliveau   **13**

Le plus de saisons consécutives de 20 buts 14
Maurice Richard de 1943-44 à 1956-57

Le plus de saisons de 30 buts   **9**
Maurice Richard
Steve Shutt

Le plus de saisons consécutives de 30 buts 9
Steve Shutt de 1974-75 à 1982-83

Le plus de saisons de 40 buts   **6**
Guy Lafleur

Le plus de saisons consécutives de 40 buts 6
Guy Lafleur de 1974-75 à 1979-80

Le plus de saisons de 50 buts   **6**
Guy Lafleur

Le plus de saisons consécutives de 50 buts 6
Guy Lafleur de 1974-75 à 1979-80

Le plus de saisons de 100 points   **6**
Guy Lafleur de 1974-75 à 1979-80

Le plus de points comptés par une recrue 71
Mats Naslund, 1982-83, 26 buts, 45 assistances; Kjell Dahlin, 1985-86, 32 buts, 39 assistances.

Fiche à vie des Canadiens contre les autres de la LNH

Équipe	À domicile							À l'étrange	
	PJ	G	P	N	BP	BC	PTS	PJ	G
Boston	277	159	77	41	934	630	359	278	102
Buffalo	47	25	14	8	192	150	58	47	16
Calgary (Atlanta)	27	16	7	4	100	63	36	26	17
Chicago	257	160	49	48	1 001	605	368	256	119
Detroit	263	161	60	42	927	582	364	263	92
Edmonton	12	6	4	2	41	37	14	11	4
Hartford	24	18	1	3	136	74	39	20	14
Los Angeles	46	31	6	9	214	116	73	47	29
Minnesota	40	27	8	5	179	101	59	41	23
New Jersey (KC/Col)	21	15	3	3	101	56	33	22	19
NY Islanders	26	15	6	5	101	81	35	28	11
NY Rangers	257	170	54	33	1 013	590	373	257	104
Philadelphie	41	26	9	6	166	112	58	40	18
Pittsburgh	46	41	2	4	247	113	86	46	25
Québec	24	14	5	5	105	77	33	24	8
St. Louis	41	32	6	3	191	100	67	40	20
Toronto	303	183	81	39	1 072	740	405	304	105
Vancouver	34	28	5	1	175	87	57	32	21
Washington	27	23	1	3	150	52	49	28	14
Winnipeg	11	9	2	0	61	29	18	12	6
Autres	231	148	58	25	779	469	321	230	98
Totaux	2 055	1 307	458	289	7 885	4 864	2 905	2 052	865

P	N	BP	BC	PTS		PJ	G	P	N	BP	BC	PTS
127	49	743	820	253		555	261	204	90	1 687	1 450	612
20	11	148	146	43		94	41	34	19	340	296	101
4	5	104	76	39		53	33	11	9	204	139	75
87	50	709	680	288		513	279	136	98	1 710	1 285	656
120	51	669	737	235		526	253	180	93	1 596	1 319	599
7	0	36	48	8		23	10	11	2	75	85	22
8	2	105	83	30		48	32	9	7	241	157	71
12	6	188	134	64		93	60	18	15	402	250	135
10	8	153	106	54		81	50	18	13	332	207	113
3	0	117	51	38		43	34	6	3	218	107	71
14	3	81	100	25		54	26	20	8	182	181	60
104	49	749	742	257		514	274	158	82	1 762	1 332	630
13	9	123	100	45		81	44	22	15	289	212	103
13	8	173	134	58		93	66	15	12	420	247	144
14	2	82	93	18		48	22	19	7	177	170	51
8	12	144	105	52		81	52	14	15	335	205	119
155	44	780	913	254		607	288	236	83	1 852	1 653	659
3	8	132	78	50		66	49	8	9	307	165	107
8	6	107	67	34		55	37	9	9	257	119	83
3	3	53	38	15		23	15	5	3	114	67	33
97	35	586	606	231		461	246	155	60	1 365	1 075	582
830	361	5 982	5 857	2 091		4 112	2 172	1 288	652	13 865	10 721	4 996

Résumé

135

Les meneurs pour les buts en carrière

Joueur	Buts	Joueur	Buts	Joueur	Buts
1. Richard, Maurice	544	13. Provost, Claude	254	25. Houle, Réjean	161
2. Lafleur, Guy	518	14. Blake, Hector « Toe »	235	26. Napier, Mark	145
3. Béliveau, Jean	507	15. Mahovlich, Peter	223	27. Ferguson, John	145
4. Cournoyer, Yvan	428	16. Lach, Elmer	215	28. Lépine, Alfred « Pit »	143
5. Shutt, Steve	408	17. Backstrom, Ralph	215	29. Naslund, Mats*	140
6. Geoffrion, Bernard	371	18. Gainey, Bob*	210	30. Mosdell, Ken	132
7. Lemaire, Jacques	366	19. Rousseau, Robert	200	31. Mahovlich, Frank	129
8. Richard, Henri	358	20. Mondou, Pierre	194	32. Lalonde, Newsy	124
9. Joliat, Aurèle	270	21. Lambert, Yvon	181	33. Risebrough, Doug	117
10. Tremblay, Mario*	258	22. Robinson, Larry*	174	34. Larose, Claude	117
11. Morenz, Howie	256	23. Tremblay, Gilles	168	35. Gagnon, Johnny	115
12. Moore, Dickie	254	24. Lapointe, Guy	166	*Joueur actif	

Les meneurs pour les assistances en carrière

Joueur	Assistances	Joueur	Assistances	Joueur	Assistances
1. Lafleur, Guy	728	13. Mahovlich, Peter	346	25. Laperrière, Jacques	242
2. Béliveau, Jean	712	14. Moore, Dickie	340	26. Gainey, Bob	236
3. Richard, Henri	688	15. Provost, Claude	335	27. Lambert, Yvon	234
4. Robinson, Larry*	589	16. Tremblay, Mario*	327	28. Talbot, Jean-Guy	209
5. Lemaire, Jacques	469	17. Rousseau. Robert	322	29. Joliat, Aurèle	190
6. Cournoyer, Yvan	435	18. Savard, Serge	312	30. Risebrough, Doug	185
7. Richard, Maurice	421	19. Tremblay, Jean-Claude	306	31. Naslund, Mats*	184
8. Lach, Elmer	408	20. Blake, Hector (Toe)	292	32. Johnson, Tom	183
9. Lapointe, Guy	406	21. Backstrom Ralph	287	33. Mahovlich, Frank	181
10. Geoffrion, Bernard	388	22. Olmstead, Bert	280	34. Reay, Billy	162
11. Harvey, Doug	371	23. Mondou, Pierre	262	35. Tremblay, Gilles	162
12. Shutt, Steve	368	24. Houle, Réjean	247	*Joueur actif	

Frank Mahovlich qui a marqué son cinq centième but pour les Canadiens.
DENIS BRODEUR, MONTRÉAL

Jean Béliveau qui a marqué plus de 500 buts dans sa carrière.
FORUM DE MONTRÉAL

Maurice Richard, Guy Lafleur, Boom Boom Geoffrion, les grands marqueurs de buts des Canadiens (50 buts).
DENIS BRODEUR, MONTRÉAL

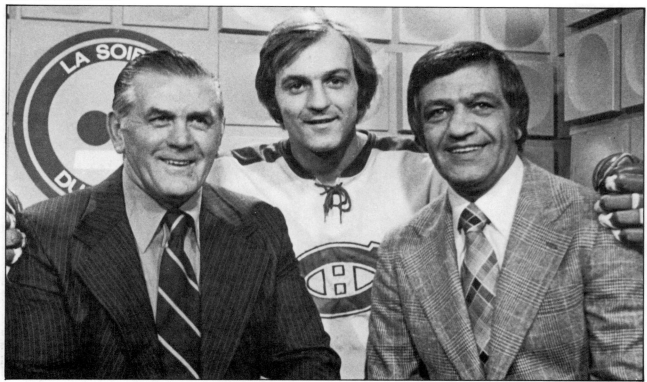

Les meneurs pour les points en carrière

Joueur	PJ	B	A	PTS	Joueur	PJ	B	A	PTS
1. Lafleur, Guy	961	518	728	1 246	16. Blake, Hector « Toe »	577	235	292	527
2. Béliveau, Jean	1 125	507	712	1 219	17. Rousseau, Robert	643	200	322	522
3. Richard, Henri	1 256	358	688	1 046	18. Backstrom, Ralph	844	215	287	502
4. Richard, Maurice	978	544	421	965	19. Joliat, Aurèle	654	270	190	460
5. Cournoyer, Yvan	968	428	435	863	20. Mondou, Pierre	548	194	262	456
6. Lemaire, Jacques	853	366	469	835	21. Harvey, Doug	890	76	371	447
7. Shutt, Steve	871	408	368	776	22. Gainey, Bob*	986	210	236	446
8. Robinson, Larry	1 005	174	589	763	23. Lambert, Yvon	606	181	234	415
9. Geoffrion, Bernard	766	371	388	759	24. Morenz, Howie	460	256	156	412
10. Lach, Elmer	664	215	408	623	25. Savard, Serge	917	100	312	412
11. Moore, Dickie	654	254	340	594	26. Houle, Réjean	635	161	247	408
12. Provost, Claude	1 005	254	335	589	27. Olmstead, Bert	508	103	280	383
13. Tremblay, Mario*	852	258	327	585	28. Tremblay, Jean-Claude	794	57	306	363
14. Lapointe, Guy	777	166	406	572	29. Tremblay, Gilles	509	168	162	330
15. Mahovlich, Peter	581	223	346	569	30. Naslund, Mats*	311	140	184	324

*Joueur actif

Les meneurs en carrière pour les points en séries éliminatoires depuis 1927

Joueur	PJ	B	A	PTS	Joueur	PJ	B	A	PTS
1. Béliveau, Jean	162	79	97	176	22. Backstrom, Ralph	100	22	26	48
2. Lemaire, Jacques	145	61	78	139	23. Houle, Réjean	92	14	34	48
3. Lafleur, Guy	124	57	76	133	24. Lambert, Yvon	86	24	22	46
4. Richard, Henri	180	49	80	129	25. Naslund, Mats*	50	22	23	45
5. Cournoyer, Yvan	147	64	63	127	26. Mondou, Pierre	69	17	28	45
6. Richard, Maurice	133	82	44	126	27. Rousseau, Robert	78	16	29	45
7. Geoffrion, Bernard	127	56	59	115	27. Duff, Dick	60	16	26	42
8. Robinson, Larry*	154	19	80	99	28. Olmstead, Bert	86	8	33	41
9. Shutt, Steve	96	50	48	98	29. Curry, Floyd	91	23	17	40
10. Moore, Dickie	112	38	56	94	30. Ferguson, John	85	20	18	38
11. Mahovlich, Peter	86	30	41	71	31. Smith, Bobby*	47	14	21	35
12. Lapointe, Guy	112	25	43	68	32. Bouchard, Émile	113	11	21	32
13. Savard, Serge	123	19	49	68	33. Jarvis, Doug	72	11	20	31
14. Harvey, Doug	123	8	59	67	34. Risebrough, Doug	74	11	20	31
15. Tremblay, J.-C.	109	14	51	65	35. Laperrière, Jacques	88	9	22	31
16. Lach, Elmer	79	19	45	64	36. Chelios, Chris*	44	5	26	31
17. Provost, Claude	126	25	38	63	37. Mosdell, Ken	79	16	13	29
18. Gainey, Bob*	143	23	40	63	38. Reay, Billy	63	13	16	29
19. Blake, Hector (Toe)	57	25	37	62	39. Larose, Claude	82	11	16	27
20. Mahovlich, Frank	49	27	31	58	40. Carbonneau, Guy*	50	15	11	26
21. Tremblay, Mario	101	20	29	49	41. Goyette, Phil	52	12	14	26

*Joueur actif

L'un des grands entraîneurs de l'histoire du Canadien, Dick Irvin, en compagnie du célèbre Maurice Richard.

Dick Irvin derrière le banc du Canadien. Devant lui, de gauche à droite, Léo Lamoureux, Maurice Richard, Phil Watson, Ray Getliffe.

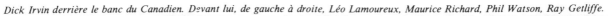

Membres du panthéon du hockey

AURÈLE JOLIAT, avril 1945
HOWIE MORENZ, avril 1945
GEORGES VÉZINA, avril 1945
NEWSY LALONDE, juin 1950
JOE MALONE, juin 1950
SPRAGUE CLEGHORN, avril 1958
HERB GARDINER, avril 1958
SYLVIO MANTHA, septembre 1960
JOE HALL, juin 1961
GEORGE HAINSWORTH, juin 1961
MAURICE RICHARD, juin 1961
JACK LAVIOLETTE, août 1962
DIDIER PITRE, août 1962
BILL DURNAN, juin 1964
BABE SIEBERT, juin 1964
TOE BLAKE, juin 1966
ÉMILE BOUCHARD, juin 1966
ELMER LACH, juin 1966
KENNY REARDON, juin 1966
TOM JOHNSON, juin 1970
JEAN BÉLIVEAU, juin 1972
BERNARD GEOFFRION, juin 1972
DOUGLAS HARVEY, juin 1973
DICKIE MOORE, juin 1974
JACQUES PLANTE, juin 1978
HENRI RICHARD, juin 1979
GUMP WORSLEY, juin 1980
FRANK MAHOVLICH, juin 1981
YVAN COURNOYER, juin 1982
KEN DRYDEN, juin 1983
JACQUES LEMAIRE, juin 1984
BERT OLMSTEAD, juin 1985
SERGE SAVARD, septembre 1986

Bâtisseurs

WILLIAM NORTHEY, avril 1945
HON. DONAT RAYMOND, avril 1958
FRANK SELKE, septembre 1960
J. AMBROSE O'BRIEN, juin 1962
LÉO DANDURAND, avril 1963
TOMMY GORMAN, avril 1963
HON. HARTLAND DE M. MOLSON, juin 1973
JOS CATTARINICH, août 1977
SAM POLLOCK, août 1978

Aurèle Joliat
TEMPLE DE LA RENOMMÉE, TORONTO

Howie Morenz

Georges Vézina.

Newsy Lalonde
TEMPLE DE LA RENOMMÉE, TORONTO

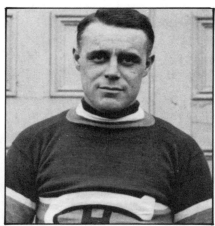

Joe Malone
TEMPLE DE LA RENOMMÉE, TORONTO

Sprague Cleghorn
TEMPLE DE LA RENOMMÉE, TORONTO

Herb Gardiner
TEMPLE DE LA RENOMMÉE, TORONTO

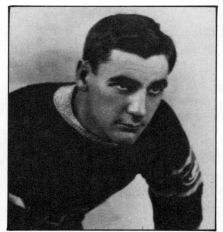

Sylvio Mantha
TEMPLE DE LA RENOMMÉE, TORONTO

Joe Hall
TEMPLE DE LA RENOMMÉE, TORONTO

George Hainsworth
TEMPLE DE LA RENOMMÉE, TORONTO

Maurice Richard.

Jack Laviolette
TEMPLE DE LA RENOMMÉE, TORONTO

Didier Pitre
TEMPLE DE LA RENOMMÉE, TORONTO

Bill Durnan
TEMPLE DE LA RENOMMÉE, TORONTO

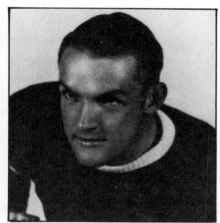
Babe Seibert
TEMPLE DE LA RENOMMÉE, TORONTO

Toe Blake
F. DUPUIS

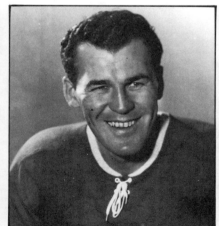
Émile Bouchard
TEMPLE DE LA RENOMMÉE, TORONTO

Elmer Lach
F. DUPUIS

143

Kenny Reardon
F. DUPUIS

Tom Johnson

Jean Béliveau

Bernard Geoffrion

Douglas Harvey

Dickie Moore

Jacques Plante

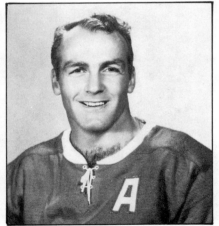

Henri Richard
TEMPLE DE LA RENOMMÉE, TORONTO

Lorne Worsley

144

Frank Mohovlich

Yvan Cournoyer

Ken Dryden

Jacques Lemaire

Bert Olmstead

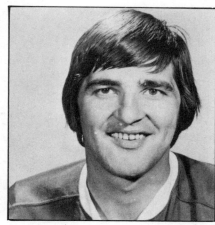

Serge Savard

William Northey
TEMPLE DE LA RENOMMÉE, TORONTO

Donat Raymond
DAVID BIER

Frank Selke
TEMPLE DE LA RENOMMÉE, TORONTO

J. Ambrose O'Brien
TEMPLE DE LA RENOMMÉE, TORONTO

Léo Dandurand

Tommy Gorman
TEMPLE DE LA RENOMMÉE, TORONTO

Hartland de M. Molson
TEMPLE DE LA RENOMMÉE, TORONTO

Jos Cattarinich

Sam Pollock
DAVID BIER

6

Le personnel

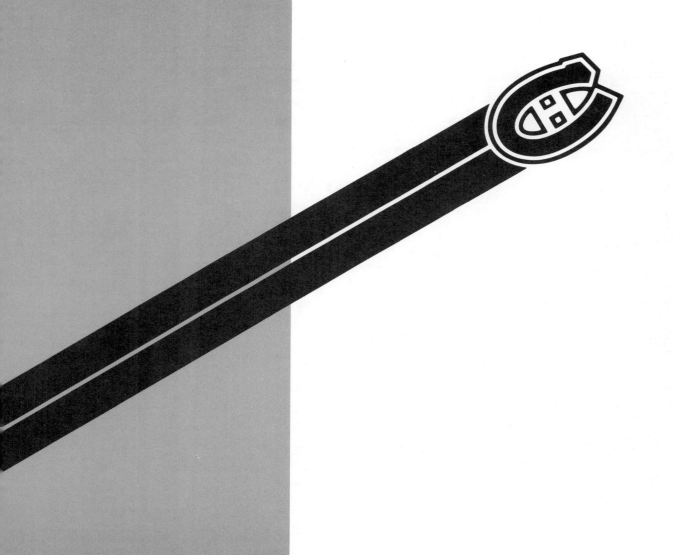

1909-10

ENTRAÎNEUR: George Kennedy
CAPITAINE: Newsy Lalonde

N°	NOMS
•	Jos Cattarinich
•	Teddy Groulx
•	Séguin
•	Jack Laviolette
•	Didier Pitre
•	Georges «Skinner» Poulin
•	Art. Bernier
•	Edgar Leduc
•	Décarie
•	E.-C. Lalonde
•	Chapleau
•	Lorenzo Chartrand
•	Richard Duckett
•	Larochelle
•	Millaire
•	J. Bougie
•	R. Power
•	Henri Trudel
•	Evariste Payer
•	Lorenzo Bertrand

1911-12

ENTRAÎNEUR: George Kennedy
CAPITAINE: Newsy Lalonde

N°	NOMS
•	Georges Vézina
•	Ernest Dubeau
•	Didier Pitre
•	Louis Berlinguette
•	Jack Laviolette
•	Eugène Payan
•	Hector Dallaire
•	«Pud» Glass
•	J. Bougie
•	E.-C. Lalonde
•	Edgar Leduc
•	Art. Bernier
•	Alphonse Jetté
•	Evariste Payer
•	Larry Gilmour
•	«Skinner» Poulin
•	«Rocket» Power

1913-14

ENTRAÎNEUR: George Kennedy
CAPITAINE: Newsy Lalonde

N°	NOMS
•	Georges Vézina
•	Ernest Dubeau
•	Jack Laviolette
•	Donald Smith
•	E.-C. Lalonde
•	Didier Pitre
•	Louis Berlinguette
•	Hector Dallaire
•	Alphonse Jetté
•	Clayton Fréchette
•	H. Scott
•	Émile Marchildon
•	Jimmy Gardner, gérant

1910-11

ENTRAÎNEUR: George Kennedy
CAPITAINE: Newsy Lalonde

N°	NOMS
•	Georges Vézina
•	Jack Laviolette
•	Didier Pitre
•	«Skinner» Poulin
•	Edgar Leduc
•	Décarie
•	Eugène Payan
•	«Rocket» Power
•	E.-C. Lalonde
•	Hector Dallaire
•	Art. Bernier
•	Henri Trudel
•	Lorenzo Bertrand
•	Evariste Payer
•	A. Lecours, gérant

1912-13

ENTRAÎNEUR: George Kennedy
CAPITAINE: Newsy Lalonde

N°	NOMS
•	Georges Vézina
•	Ernest Dubeau
•	Jack Laviolette
•	«Pud» Glass
•	Didier Pitre
•	Hector Dallaire
•	Eugène Payan
•	Alphonse Jetté
•	Donald Smith
•	Louis Degray
•	Louis Berlinguette
•	Ernest Povey
•	Clayton Fréchette
•	Guévremont
•	Marchand

1914-15

ENTRAÎNEUR: George Kennedy
CAPITAINE: Newsy Lalonde

N°	NOMS
•	Georges Vézina
•	Ray Marchand
•	Jack Laviolette
•	Ernest Dubeau
•	H. Scott
•	Donald Smith
•	Louis Berlinguette
•	E.-C. Lalonde
•	Alphonse Jetté
•	Bert Corbeau
•	Jack Fournier
•	Nick Bawlf
•	Gagné
•	Hunt
•	Jimmy Gardner

1912-13

Première rangée, de gauche à droite, Donald Smith, Newsy Lalonde, Georges Vézina, Jack Laviolette.

Deuxième rangée, dans le même ordre, Louis Berlinguette, Hector Dallaire, A. Fréchette, Jas. Gardner, Billy Noseworthy (coach) H. Jetté.

DOMINION PHOTO PRISE LE 29-12-1912 À L'ARÉNA JUBILEE SITUÉE ANGLE MOREAU ET STE-CATHERINE À MONTRÉAL

1915-16, l'année où les Canadiens remportèrent leur première coupe Stanley, deux ans avant la fondation de la LNH.
TEMPLE DE LA RENOMMÉE, TORONTO

1915-16

ENTRAÎNEUR: George Kennedy
CAPITAINE: Newsy Lalonde

N°	NOMS
•	Georges Vézina
•	Ernest Dubeau
•	Bert Corbeau
•	Didier Pitre
•	Jack Laviolette
•	Louis Berlinguette
•	H. Scott

N°	NOMS
•	Howard McNamara
•	Goldie Prodgers
•	«Skinner» Poulin
•	Hector Dallaire
•	Amos Arbour
•	Skene Ronan
•	Jean Matte
•	E. Sauvé

1916-17

ENTRAÎNEUR: George Kennedy
CAPITAINE: Newsy Lalonde

N°	NOMS
•	Georges Vézina
•	Bert Corbeau
•	Didier Pitre
•	E.-C. Lalonde, capitaine
•	Jack Laviolette
•	Louis Berlinguette
•	Harold McNamara
•	«Skinner» Poulin
•	Didier Pitre
•	Leduc
•	Mummery
•	Coutu
•	Malone
•	Thomas Smith
•	Reg. Noble et Brooks

1917-18

ENTRAÎNEUR: George Kennedy
CAPITAINE: Newsy Lalonde

N°	NOMS
•	Joe Malone
•	Newsy Lalonde
•	Didier Pitre
•	Jack McDonald
•	Bert Corbeau
•	Joe Hall
•	Louis Berlinguette
•	Jack Laviolette
•	Bill Coutu
•	Bill Bell
•	Georges Vézina
•	Payer

LES WANDERERS DE MONTRÉAL
Une des brillantes équipes qui a contribué à la popularité du hockey d'aujourd'hui.

Équipe All-Stars de la L.H.N. qui a joué contre les Maple Leafs dans la joute-bénéfice Ace Bailey le 14 février 1934
Rangée d'arrière: Chuck Gardiner, Red Dutton, Eddie Shore, Allan Shields, Bill O'Brien, Lionel Conacher, Ching Johnson, Nels Stewart, Frank Finnigan.
Rangée d'avant: Normie Himes, Larry Aurie, Hooley Smith, Jimmie Ward, Lester Patrick, Leo Dandurand, Bill Cook, Howie Morenz, Aurel Joliat, Herbie Lewis
Mascotte: Howie Morenz, Jr.

1918-19

ENTRAÎNEUR: George Kennedy
CAPITAINE: Newsy Lalonde

N°	NOMS
1	Georges Vézina
2	Bert Corbeau
3	Joe Hall
4	Newsy Lalonde
5	Didier Pitre
6	Odie Cleghorn
8	Louis Berlinguette
9	Bill Coutu
10	Jack McDonald
•	Joe Malone
•	Bill Bell
•	Amos Arbour
•	Fred Doherty

1919-20

ENTRAÎNEUR: George Kennedy
CAPITAINE: Newsy Lalonde

N°	NOMS
•	Newsy Lalonde
•	Amos Arbour
•	Odie Cleghorn
•	Harry Cameron
•	Didier Pitre
•	Bert Corbeau
•	Louis Berlinguette
•	Bill Coutu
•	Howie McNamara
•	Don Smith
•	Jack Coughlin
•	Georges Vézina

1920-21

ENTRAÎNEUR: Léo Dandurand
CAPITAINE: Newsy Lalonde

N°	NOMS
•	Newsy Lalonde
•	Didier Pitre
•	Harry Mummery
•	Amos Arbour
•	Bert Corbeau
•	Louis Berlinguette
•	Cully Wilson
•	Odie Cleghorn
•	Jack McDonald
•	Dave Ritchie
•	Bill Bell
•	Georges Vézina
•	Dave Campbell

Léo Dandurand et Newsy Lalonde.

153

1921-22

ENTRAÎNEUR: Léo Dandurand
CAPITAINE: Sprague Cleghorn

N°	NOMS
•	Odie Cleghorn
•	Bill Boucher
•	Sprague Cleghorn
•	Louis Berlinguette
•	Newsy Lalonde
•	Bill Coutu
•	Bert Corbeau
•	Bill Bell
•	Didier Pitre
•	Edmond Bouchard
•	Jack McDonald
•	Phil Stephens

1922-23

ENTRAÎNEUR: Léo Dandurand
CAPITAINE: Sprague Cleghorn

N°	NOMS
1	Georges Vézina
2	Sprague Cleghorn
3	Bill Coutu Bert Corbeau
4	Aurèle Joliat Newsy Lalonde
5	Bill Boucher Didier Pitre
6	Louis Berlinguette
7	Odie Cleghorn
9	Bill Bell Bill Coutu
10	Didier Pitre
11	Edmond Bouchard Joe Malone
12	Marchand
13	Bill Boucher

Joe Malone

154

1923-24

ENTRAÎNEUR: Léo Dandurand
CAPITAINE: Sprague Cleghorn

N°	NOMS
1	Georges Vézina
2	Sprague Cleghorn
3	Bill Coutu
4	Aurèle Joliat
5	Bill Boucher
6	Odie Cleghorn
7	Howie Morenz
8	Bill Cameron
9	Sylvio Mantha
10	Robert Boucher
11	Bill Bell
•	Charles Fortier

1924-25

ENTRAÎNEUR: Léo Dandurand
CAPITAINE: Sprague Cleghorn

N°	NOMS
1	Georges Vézina
2	Sprague Cleghorn
3	Bill Coutu
4	Aurèle Joliat
5	Bill Boucher
6	Odie Cleghorn
7	Howie Morenz
8	Sylvio Mantha
9	John Matz
10	Fern Headley
11	Dave Ritchie
•	René Lafleur
•	René Joliat

1925-26

ENTRAÎNEUR: Cecil Hart
CAPITAINE: Bill Coutu

N°	NOMS
•	Howie Morenz
•	Aurèle Joliat
•	Alfred «Pit» Lépine
•	Albert Leduc
•	Bill Boucher
•	Hector Lépine
•	Sylvio Mantha
•	Bill Coutu
•	Wildor Larochelle
•	Jean Matte
•	Rolland Paulhus
•	Georges Vézina
•	Bill Holmes
•	John McKinnon
•	Dave Ritchie
•	Alphonse Lacroix
•	Bill Taugher
•	Herb Rheaume

Georges Vézina.

Albert Leduc.

Aurèle Joliat

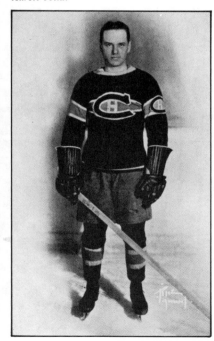

1926-27

ENTRAÎNEUR: Cecil Hart
CAPITAINE: Sylvio Mantha

N°	NOMS
1	Herb Gardiner
2	Sylvio Mantha
3	Ambrose Moran A. Gauthier
4	Aurèle Joliat
5	Carson Cooper A. Gauthier
6	Arthur Gagné
7	Howie Morenz
8	Albert Leduc
9	Alfred « Pit » Lépine
10	Wildor Larochelle
11	Gizzy Hart Léo Lafrance Lachance
12	George Hainsworth
14	George Hainsworth Palangio Lacroix

1927-28

ENTRAÎNEUR: Cecil Hart
CAPITAINE: Sylvio Mantha

N°	NOMS
1	Herb Gardiner
2	Sylvio Mantha George Hainsworth
3	Charles Langlois Marty Burke
4	Aurèle Joliat
5	George Patterson Léo Lafrance
6	Arthur Gagné
7	Howie Morenz
8	Albert Leduc
9	Alfred « Pit » Lépine
10	Wildor Larochelle
11	Gizzy Hart
14	Léo Gaudreault

1928-29

ENTRAÎNEUR: Cecil Hart
CAPITAINE: Sylvio Mantha

N°	NOMS
1	Marty Burke
2	Sylvio Mantha
3	Gerry Carson Herb Gardiner
4	Aurèle Joliat
5	Armand Mondou Léo Gaudreault
6	Arthur Gagné
7	Howie Morenz
8	Albert Leduc
9	Alfred « Pit » Lépine
10	George Patterson Georges Mantha Arthur Lesieur Wildor Larochelle
11	George Patterson Georges Mantha
12	George Hainsworth
14	Gerry Carson R. Palangio Arthur Lesieur

Wildor Larochelle

Alfred « Pit » Lépine.

1929-30

ENTRAÎNEUR: Cecil Hart
CAPITAINE: Sylvio Mantha

N°	NOMS
1	George Hainsworth Roy Worters Tom Murray
2	Sylvio Mantha
3	Marty Burke
4	Aurèle Joliat
5	Armand Mondou
6	Nick Wasnie
7	Howie Morenz
8	Albert Leduc
9	Alfred « Pit » Lépine
10	Wildor Larochelle
11	Bert McCaffrey Gord Fraser
12	Georges Mantha
14	Gerry Carson
15	Desrivières
16	Gus Rivers Desrivières

TEMPLE DE LA RENOMMÉE, TORONTO

1930-31

ENTRAÎNEUR: Cecil Hart
CAPITAINE: Sylvio Mantha

TEMPLE DE LA RENOMMÉE, TORONTO

N°	NOMS
1	George Hainsworth
2	Sylvio Mantha
3	Marty Burke
4	Aurèle Joliat
5	Armand Mondou
6	Nick Wasnie
7	Howie Morenz
8	Albert Leduc
9	Alfred « Pit » Lépine
10	Wildor Larochelle
11	Bert McCaffrey Arthur Lesieur
12	Georges Mantha
14	John Gagnon
15	Gus Rivers

1931-32

ENTRAÎNEUR: Cecil Hart
CAPITAINE: Sylvio Mantha

N°	NOMS
1	George Hainsworth
2	Sylvio Mantha
3	Marty Burke
4	Aurèle Joliat
5	Armand Mondou
6	Nick Wasnie
7	Howie Morenz
8	Albert Leduc
9	Alfred «Pit» Lépine
10	Wildor Larochelle
11	Dunc Munro
12	Georges Mantha
14	John Gagnon
15	Arthur Lesieur Gus Rivers
16	Arthur Alexandre

1932-33

ENTRAÎNEUR: Newsy Lalonde
CAPITAINE: George Hainsworth

N°	NOMS
1	George Hainsworth
2	Sylvio Mantha Harold Starr
3	Sylvio Mantha Marty Burke Harold Starr
4	Aurèle Joliat
5	Léo Bourgault Armand Mondou Gizzy Hart Léo Murray
6	Gerry Carson Léo Gaudreault Hago Harrington
7	Howie Morenz
8	Albert Leduc
9	Alfred «Pit» Lépine
10	Wildor Larochelle Hago Harrington
11	John Gagnon
12	Georges Mantha Léonard Grosvenor
14	John Gagnon Wildor Larochelle
15	Arthur Giroux Léo Bourgault Paul-Marcel Raymond
16	Arthur Giroux Gizzy Hart R. McCartney

1933-34

ENTRAÎNEUR: Newsy Lalonde
CAPITAINE: Sylvio Mantha

N°	NOMS
1	Lorne Chabot Wilf Cude
2	Sylvio Mantha
3	Gerry Carson
4	Aurèle Joliat
5	John Gagnon
6	Georges Mantha
7	Howie Morenz
8	Wildor Larochelle
9	Alfred «Pit» Lépine
10	Marty Burke
11	Léo Bourgault
12	Armand Mondou
14	John Riley
15	Adélard Lafrance
16	Samuel Godin Paul-Marcel Raymond
17	John Portland

*L'équipe 1930-31, collection de la
famille J. Cattarinich (Seremba).*

L'équipe 1932-33

159

1934-35

ENTRAÎNEURS: Newsy Lalonde &
Léo Dandurand
CAPITAINE: Sylvio Mantha

N°	NOMS
1	Wilfe Cude
2	Sylvio Mantha
3	Gerry Carson
4	Aurèle Joliat
5	Paul Runge Albert Leduc
6	Georges Mantha
8	Wildor Larochelle Gerry Carson
9	Alfred « Pit » Lépine
12	Tony Savage B. McCully Léo Bourgault
22	Nels Crutchfield
33	John Riley
48	John Gagnon Paul-Marcel Raymond Norm Collings
55	John McGill
64	Armand Mondou
75	Leroy Goldsworthy John Portland Desse Roche
88	Roger Jenkins
99	Joe Lamb Léo Bourgault Desse Roche

1935-36

ENTRAÎNEUR: Sylvio Mantha
CAPITAINE: Sylvio Mantha

N°	NOMS
1	Wilf Cude Abbie Cox
2	Sylvio Mantha
3	Walter Buswell
4	Aurèle Joliat
5	Armand Mondou
6	Georges Mantha
8	Wildor Larochelle Max Bennett Conrad Bourcier
9	Alfred « Pit » Lépine
10	Leroy Goldsworthy

N°	NOMS
11	John McGill
12	Paul Haynes
14	John Gagnon
15	G. Leroux Joffre Desilets
16	Arthur Lesieur
17	Cliff Goupille
18	Irving Frew
19	Bill Miller Jean-Louis Bourcier Paul Runge
20	Paul-Émile Drouin
21	Hector « Toe » Blake Rosario « Lolo » Couture Rodrigue Lorrain

1936-37

ENTRAÎNEUR: Cecil Hart
CAPITAINE: Babe Seibert

N°	NOMS
1	Babe Seibert
2	Bill MacKenzie Gallagher
3	Walter Buswell
4	Aurèle Joliat
5	Rodrigue Lorrain
6	Bill Miller
8	George Brown Roger Jenkins
9	Alfred « Pit » Lépine
10	Paul Haynes
11	John McGill
12	Georges Mantha
14	John Gagnon
15	Joffre Desilets
16	Hector « Toe » Blake
17	Wilf Cude George Hainsworth
18	Armand Mondou
19	Paul Runge Armand Mondou Paul-Émile Drouin
20	Paul Runge Armand Mondou Paul-Émile Drouin
21	Armand Mondou Wilf Cude

Le fameux Howie Morenz de Montréal.

Wilf Cude.

1937-38

ENTRAÎNEUR: Cecil Hart
CAPITAINE: Babe Seibert

N°	NOMS
1	Babe Seibert
2	Marty Burke Bill MacKenzie
3	Walter Buswell
4	Aurèle Joliat
5	Rodrigue Lorrain
6	Hector «Toe» Blake Antonio Demers
8	Don Wilson Armand Mondou Ossie Asmundson
9	Alfred «Pit» Lépine
10	Paul Haynes
11	Cliff Goupille
12	Georges Mantha
14	John Gagnon
15	Joffre Desilets
16	Don Wilson George Brown Antonio Demers
17	Wilf Cude Paul Gauthier
18	Paul-Marcel Raymond
20	Paul-Émile Drouin Gus Mancuso Armand Raymond

1938-39

ENTRAÎNEURS: Cecil Hart &
Jules Dugal
CAPITAINE: Babe Seibert

N°	NOMS
1	Babe Seibert
2	Marv «Cy» Wentworth
3	Walter Buswell
4	Paul-Émile Drouin Wilf Cude
5	Rodrigue Lorrain Marcel Tremblay
6	Hector «Toe» Blake
8	Stuart Evans
9	Herb Cain
10	Paul Haynes
11	Bill Summerhill Bob Gracie
12	Georges Mantha
14	John Gagnon
15	George Brown Desse Smith
16	Jim Ward Cliff Goupille
17	Armand Mondou Wilf Cude
18	Jim Ward
19	Claude Bourque
20	Louis Trudel
24	Wilf Cude

1939-40

ENTRAÎNEURS: Babe Seibert &
Alfred «Pit» Lépine
CAPITAINE: Walter Buswell

N°	NOMS
1	Wilf Cude Claude Bourque Mike Karakas
2	Marv «Cy» Wentworth Rhys Thomson
3	Walter Buswell
4	Paul-Émile Drouin
5	Rodrigue Lorrain
6	Hector «Toe» Blake
8	Louis Trudel
9	Marty Barry
10	Paul Haynes Antonio Demers
11	Ray Getliffe
12	Georges Mantha
14	John Gagnon Gus Mancuso Gordon Poirier
15	Bill Summerhill Earl Robinson John Doran Armand Raymond
16	Cliff Goupille
17	Armand Mondou
18	Charlie Sands
19	Doug Young
20	Doug Young

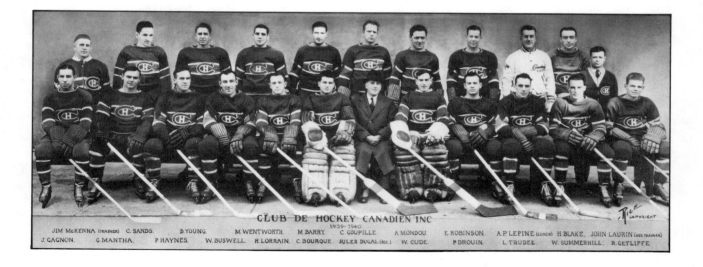

CLUB DE HOCKEY CANADIEN INC
1939-1940

JIM McKENNA (TRAINER) C. SANDS. D. YOUNG. M. WENTWORTH. M. BARRY. C. GOUPILLE. A. MONDOU. E. ROBINSON. A. P. LEPINE (COACH) H. BLAKE. JOHN LAURIN (ASS. TRAINER)
J. GAGNON. G. MANTHA. P. HAYNES. W. BUSWELL. R. LORRAIN. C. BOURQUE. JULES DUGAL (SEC.) W. CUDE. P. DROUIN. L. TRUDEL. W. SUMMERHILL. R. GETLIFFE.

1940-41

ENTRAÎNEUR: Dick Irvin
CAPITAINE: Hector « Toe » Blake

N°	NOMS
1	Bert Gardiner Wilf Cude
2	Cliff Goupille
3	John Portland Doug Young
4	Ken Reardon
5	Joseph Benoît
6	Hector « Toe » Blake
8	Paul-Émile Drouin Louis Trudel Stuart Smith
9	Charlie Sands
10	Louis Trudel Alex Singbush Georges Mantha Paul Haynes
11	Ray Getliffe
12	Murph Chamberlain
14	Elmer Lach Paul-Émile Bibeault
15	John Adams
16	John Quilty
17	Tony Graboski
18	Alex Singbush « Peggy » O'Neil
19	Antonio Demers

1941-42

ENTRAÎNEUR: Dick Irvin
CAPITAINE: Hector « Toe » Blake

N°	NOMS
1	Paul-Émile Bibeault Bert Gardiner
2	Cliff Goupille
3	John Portland
4	Ken Reardon
5	Joseph Benoît
6	Hector « Toe » Blake
8	Tony Graboski Léo Lamoureux
9	Charlie Sands
10	Elmer Lach Jim Haggerty
11	Ray Getliffe
12	Murph Chamberlain Red Heron
14	Terry Reardon
15	« Bunny » Dame
16	John Quilty
17	Émile Bouchard
18	Stuart Smith « Peggy » O'Neil Connie Tudin
19	Antonio Demers
20	Pierre Morin
21	Bud O'Connor
22	Gerry Heffernan Rodrigue Lorrain

1942-43

ENTRAÎNEUR: Dick Irvin
CAPITAINE: Hector « Toe » Blake

N°	NOMS
0	Paul-Émile Bibeault
1	Paul-Émile Bibeault Tony Graboski
2	Cliff Goupille
3	John Portland
4	Léo Lamoureux
5	Joseph Benoît
6	Hector « Toe » Blake
8	Glen Harmon Terry Reardon R. Lee John Mahaffey Frank Mailley
9	Charlie Sands
10	Bud O'Connor
11	Ray Getliffe
12	Gord Drillon
14	Antonio Demers Charlie Phillips Ernest Laforce
15	Maurice Richard « Smiley » Meronek John Mahaffey Irving McGibbon
16	Elmer Lach Paul-Émile Bibeault
17	Émile Bouchard
18	« Dutch » Hiller Alex Smart Tony Graboski
19	Marcel Dheere
20	« Dutch » Hiller
21	Marcel Dheere
22	Gerry Heffernan

1943-44

ENTRAÎNEUR: Dick Irvin
CAPITAINE: Hector « Toe » Blake

N°	NOMS
1	Bill Durnan
2	Mike McMahon
3	Émile Bouchard
4	Léo Lamoureux
6	Hector « Toe » Blake
8	Glen Harmon
9	Maurice Richard
10	Bud O'Connor
11	Ray Getliffe
12	Murph Chamberlain
14	Phil Watson
16	Elmer Lach
17	Fernand Majeau
18	Gerry Heffernan
21	Robert Fillion
22	Jean-Claude Campeau Robert Walton

1944-45

ENTRAÎNEUR: Dick Irvin
CAPITAINE: Hector « Toe » Blake

N°	NOMS
1	Bill Durnan
2	Frank Eddolls
3	Émile Bouchard
4	Léo Lamoureux
5	« Dutch » Hiller
6	Hector « Toe » Blake
8	Glen Harmon
9	Maurice Richard
10	Bud O'Connor
11	Ray Getliffe
12	Murph Chamberlain
14	Rolland Rossignol Rosario Joanette Ed Emberg (éliminatoires) John Mahaffey (éliminatoires)
15	Robert Fillion

N°	NOMS
16	Elmer Lach
17	Fernand Majeau Nils Tremblay
18	Ken Mosdell
19	Fernand Gauthier
22	Wilf Field Frank Stahan (éliminatoires)

CLUB DE HOCKEY CANADIEN
Champions N.H.L., 1943-1944

HECTOR DUBOIS, FERNAND MAJEAU, MIKE McMAHON, MAURICE RICHARD, RAY GETLIFFE, BILL O'BRIEN, EMILE BOUCHARD, LEO LAMOUREUX, BOB FILION, GLEN HARMON, ERNIE COOK.

PHIL. WATSON, JERRY HEFFERNAN, BUDDY O'CONNOR, BILL DURNAN, T. P. GORMAN, DICK IRVIN, HECTOR "Toe" BLAKE, ELMER LACH, MURPH. CHAMBERLAIN.

1945-46

ENTRAÎNEUR: Dick Irvin
CAPITAINE: Hector «Toe» Blake

N°	NOMS
1	Bill Durnan Paul-Émile Bibeault
2	Frank Eddolls
3	Émile Bouchard
4	Léo Lamoureux
5	«Dutch» Hiller

N°	NOMS
6	Hector «Toe» Blake
8	Glen Harmon
9	Maurice Richard
10	Bud O'Connor
11	Joseph Benoît
12	Murph Chamberlain
14	Bill Reay
15	Robert Fillion
16	Elmer Lach
17	Ken Reardon
18	Ken Mosdell Murdo MacKay

N°	NOMS
19	Jim Peters
20	Gérard Plamondon Moe White Mike McMahon
21	Lorrain Thibeault Paul-Émile Bibeault
22	Vic Lynn

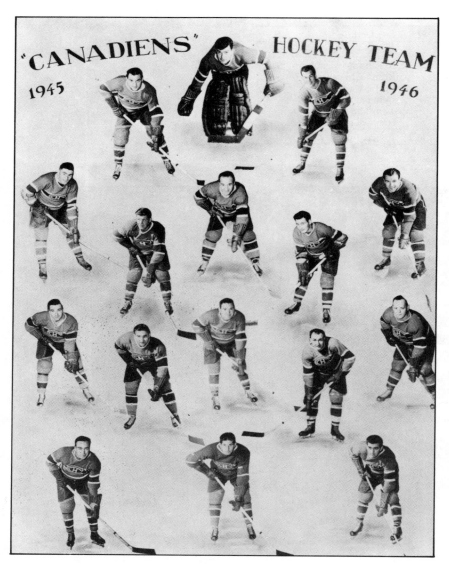

1945-46

En haut, sur la première rangée, en partant de la gauche, Léo Lamoureux, Bill Durnan, Émile Bouchard. Sur la deuxième rangée, Kenny Reardon, Murph Chamberlain, Billy Reay, Jimmy Peters, Glen Harmon. Toujours dans le même ordre sur la troisième rangée, Bob Fillion, Dutch Hiller, Buddy O'Connor, Joe Benoit, Mike McMahon et finalement sur la quatrième rangée, Toe Blake, Elmer Lach et Maurice Richard.

1946-47

ENTRAÎNEUR: Dick Irvin
CAPITAINE: Hector « Toe » Blake

N°	NOMS
1	Bill Durnan
2	Frank Eddolls
3	Émile Bouchard
4	Léo Lamoureux
5	Robert Fillion
6	Hector « Toe » Blake
8	Glen Harmon
9	Maurice Richard
10	Bud O'Connor
11	Hubert Macey Doug Lewis George Pargeter Joseph Benoît

N°	NOMS
12	Murph Chamberlain
14	Bill Reay
15	George Allen
16	Elmer Lach
17	Ken Reardon
18	Ken Mosdell
19	Jim Peters
20	Léo Gravelle
21	Roger Léger
22	John Quilty Hubert Macey
23	Murdo MacKay (éliminatoires)

1946-47

Sur la première rangée, de gauche à droite, Dick Irvin, Glen Harmon, Maurice Richard, Bill Durnan, Toe Blake, Elmer Lach et Tom Gorman.

Sur la deuxième rangée, dans le même ordre, Ernie Cook, Frank Eddolls, Billy Reay, Joe Benoit, Dutch Hiller, Buddy O'Connor, Gerry Plamondon et Hector Dubois.

Finalement, sur la troisième rangée, Bob Fillion, Léo Lamoureux, Jimmy Peters, Émile Bouchard, Ken Mosdell, Kenny Reardon et Murph Chamberlain.

1946-47

1947-48

ENTRAÎNEUR: Dick Irvin
CAPITAINES: Hector «Toe» Blake &
Bill Durnan

N°	NOMS
1	Bill Durnan Gerry McNeil
2	Doug Harvey
3	Émile Bouchard
4	Howard Riopelle
5	Jacques Locas
6	Hector «Toe» Blake
8	Glen Harmon
9	Maurice Richard
10	Robert Fillion John Quilty
11	Jean-Claude Campeau
12	Murph Chamberlain
14	Bill Reay
15	Floyd Curry
16	Elmer Lach
17	Ken Reardon
18	Gérard Plamondon Ken Mosdell
19	Jim Peters Joe Carveth
20	Bob Carse George Robertson
21	Roger Léger
22	Normand Dussault Tom Johnson Léo Gravelle
23	Hal Laycoe Murdo MacKay

1948-49

ENTRAÎNEUR: Dick Irvin
CAPITAINE: Émile Bouchard

N°	NOMS
1	Bill Durnan
2	Doug Harvey
3	Émile Bouchard
4	Howard Riopelle
5	Gérard Plamondon Jacques Locas
6	Jos Carveth
8	Glen Harmon
9	Maurice Richard
10	Robert Fillion
11	George Robertson Floyd Curry (éliminatoires)

N°	NOMS
12	Murph Chamberlain
14	Bill Reay
15	Léo Gravelle Ed Dorohoy
16	Elmer Lach
17	Ken Reardon
18	Ken Mosdell
19	Murdo MacKay (éliminatoires)
20	Jean-Claude Campeau
21	Roger Léger Jim MacPherson
22	Normand Dussault
23	Hal Laycoe

Bill Durnan: un des plus grands gardiens de buts de l'histoire du Canadien. Bill fut le seul gardien à être capitaine de son équipe dans l'histoire du hockey moderne.

1949-50

ENTRAÎNEUR: Dick Irvin
CAPITAINE: Émile Bouchard

N°	NOMS
1	Bill Durnan Gerry McNeil
2	Doug Harvey
3	Émile Bouchard
4	Howard Riopelle Gilles Dubé
5	Gérard Plamondon Bert Hirschfeld
6	Joe Carveth Floyd Curry
8	Glen Harmon
9	Maurice Richard
10	Robert Fillion
11	Calum MacKay
12	Grant Warwick Bob Fryday Gerry McNeil Paul Meger (éliminatoires)
14	Bill Reay
15	Léo Gravelle
16	Elmer Lach
17	Ken Reardon
18	Ken Mosdell
19	Louis « Lulu » Denis Bob Frampton
20	Tom Johnson (éliminatoires)
21	Roger Léger
22	Normand Dussault
23	Hal Laycoe

1950-51

ENTRAÎNEUR: Dick Irvin
CAPITAINE: Émile Bouchard

N°	NOMS
1	Gerry McNeil
2	Doug Harvey
3	Émile Bouchard
4	Claude Robert Ernie Roche Hugh Currie
5	Bert Hirschfeld Bernard Geoffrion Gérard Desaulniers Louis « Lulu » Denis
6	Floyd Curry
8	Glen Harmon
9	Maurice Richard
10	Tom Johnson
11	Calum MacKay
12	Hal Laycoe Ed Mazur Fred Burchell Dollard St-Laurent Dick Gamble Syd McNabney (éliminatoires)
14	Bill Reay
15	Léo Gravelle Bert Olmstead
16	Elmer Lach
17	Bob Dawes Jean Béliveau Ross Lowe (éliminatoires)
18	Ken Mosdell
19	Vern Kaiser Bert Hirschfeld Gérard Plamondon
20	Paul Meger Frank King Tony Manastersky Jean Béliveau
21	Jim MacPherson
22	Normand Dussault
23	Paul Masnick

1951-52

ENTRAÎNEUR: Dick Irvin
CAPITAINE: Émile Bouchard

N°	NOMS
1	Gerry McNeil
2	Doug Harvey
3	Émile Bouchard
4	Ross Lowe
5	Bernard Geoffrion
6	Floyd Curry

N°	NOMS
8	Dick Gamble
9	Maurice Richard
10	Tom Johnson
11	Paul Masnick
	Gene Achtymichuk
	Calum MacKay
	Lorne Davis
12	Dickie Moore
	Gérald Couture
14	Bill Reay
15	Bert Olmstead
16	Elmer Lach

N°	NOMS
17	John McCormack
18	Ken Mosdell
19	Dollard St-Laurent
20	Paul Meger
21	Jim MacPherson
23	Don Marshall
	Stan Long
	Paul Masnick
	Bob Fryday
	Ed Mazur
	Garry Edmundson
	Cliff Malone

1951-52

Sur la première rangée, de gauche à droite, Frank Selke Jr, Paul Meger, Billy Reay, Bernard Geoffrion, Frank Selke, Dick Irvin, Maurice Richard, Elmer Lach, Dickie Moore et Camil DesRoches.

Dans le même ordre, sur la deuxième rangée, Hector Dubois, Gerry McNeil, Paul Masnick, Floyd Curry, Dick Gamble, Bert Olmstead, John McCormack, Ken Mosdell, Ross Lowe, Lorne Davis, Jacques Plante, Gaston Bettez.

Finalement, sur la troisième rangée, Garry Edmundson, Doug Harvey, Dollard St-Laurent, Jim MacPherson, Émile Bouchard, Eddie Mazur, Tom Johnson et Gene Achtymichuk.

169

1952-53

ENTRAÎNEUR: Dick Irvin
CAPITAINE: Émile Bouchard

N°	NOMS
1	Gerry McNeil Jacques Plante Hal Murphy
2	Doug Harvey
3	Émile Bouchard
4	Ed Litzenberger Reg Abbott Calum Mackay (éliminatoires) Ivan Irwin
5	Bernard Geoffrion
6	Floyd Curry
8	Dick Gamble
9	Maurice Richard
10	Tom Johnson
11	Paul Masnick

N°	NOMS
12	Dickie Moore Jean Béliveau
14	Bill Reay
15	Bert Olmstead
16	Elmer Lach
17	John McCormack
18	Ken Mosdell
19	Dollard St-Laurent
20	Paul Meger
21	Jim MacPherson
22	Lorne Davis
23	Gaye Stewart Rolland Rousseau Ed Mazur (éliminatoires) Doug Anderson (éliminatoires) Gérard Desaulniers

DAVID BIER

Première rangée, de gauche à droite: Jacques Plante, Maurice Richard, Elmer Lach, Bert Olmstead, Dick Irvin, coach, Frank J. Selke, directeur-gérant, Bernard Geoffrion, Billy Reay, Paul Meger et Gerry McNeil.

Rangée du centre, de gauche à droite: Camil DesRoches, directeur de la publicité, Calum MacKay, Dickie Moore, Dick Gamble, Ken Mosdell, Floyd Curry, Lorne Davis, Paul Masnick et Frank D. Selke, directeur des relations publiques.

Dernière rangée: Hector Dubois, entraîneur, Doug Harvey, Johnny McCormack, Eddie Mazur, Bud MacPherson, Émile Bouchard, Tom Johnson, Dollard St-Laurent et Gaston Bettez, assistant-entraîneur.

DAVID BIER

1953-54

ENTRAÎNEUR: Dick Irvin
CAPITAINE: Émile Bouchard

N°	NOMS
1	Gerry McNeil Jacques Plante
2	Doug Harvey
3	Émile Bouchard
4	Jean Béliveau
5	Bernard Geoffrion
6	Floyd Curry
8	Dick Gamble Paul Masnick
9	Maurice Richard
10	Tom Johnson
11	Calum Mackay
12	Dickie Moore
14	André Corriveau Fred Burchell Lorne Davis
15	Bert Olmstead
16	Elmer Lach
17	Gérard Desaulniers Ed Litzenberger John McCormack
18	Ken Mosdell
19	Dollard St-Laurent
20	Paul Meger
21	Jim MacPherson
22	Lorne Davis Paul Masnick Ed Litzenberger
23	Ed Mazur
24	Gaye Stewart

1954-55

ENTRAÎNEUR: Dick Irvin
CAPITAINE: Émile Bouchard

N°	NOMS
1	Jacques Plante Charlie Hodge Claude Evans André Binette
2	Doug Harvey
3	Émile Bouchard
4	Jean Béliveau
5	Bernard Geoffrion
6	Floyd Curry
8	Jack LeClair
9	Maurice Richard
10	Tom Johnson
11	Calum MacKay
12	Dickie Moore
14	Paul Masnick Paul Ronty
15	Bert Olmstead
17	Ed Litzenberger Garry Blaine Jean-Guy Talbot
18	Ken Mosdell
19	Dollard St-Laurent
20	Paul Meger Jim Bartlett
21	Jim MacPherson
22	Paul Masnick Don Marshall Orval Tessier
23	Jean-Guy Talbot Jean-Paul Lamirande Ed Mazur George McAvoy (éliminatoires)
24	Dick Gamble (éliminatoires) Guy Rousseau

1955-56

ENTRAÎNEUR : Hector « Toe » Blake
CAPITAINE : Émile Bouchard

N°	NOMS
1	Jacques Plante Robert Perreault
2	Doug Harvey
3	Émile Bouchard
4	Jean Béliveau
5	Bernard Geoffrion
6	Floyd Curry
8	Jack LeClair
9	Maurice Richard

N°	NOMS
10	Tom Johnson
12	Dickie Moore
14	Dick Gamble Connie Broden
15	Bert Olmstead
16	Henri Richard
17	Jean-Guy Talbot
18	Ken Mosdell
19	Dollard St-Laurent
21	Walter Clune Jacques Deslauriers
22	Don Marshall
23	Claude Provost
24	Bob Turner

DAVID BIER

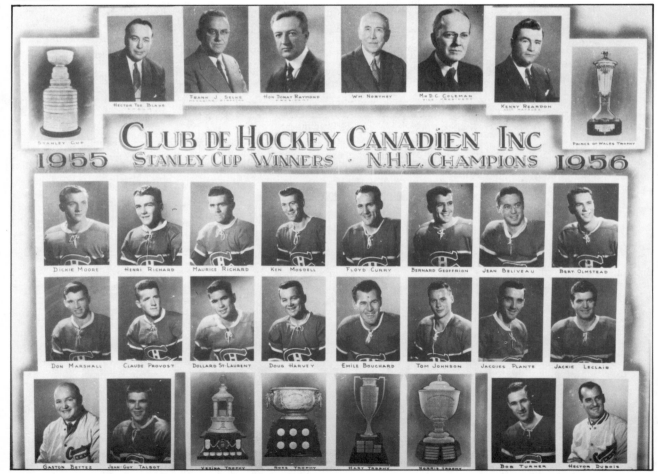

172

1956-57

ENTRAÎNEUR: Hector « Toe » Blake
CAPITAINE: Maurice Richard

N°	NOMS
1	Jacques Plante
	Gerry McNeil
2	Doug Harvey
4	Jean Béliveau
5	Bernard Geoffrion
6	Floyd Curry
8	Jack LeClair
	Stan Smrke
9	Maurice Richard
10	Tom Johnson
11	Bob Turner
12	Dickie Moore
14	Claude Provost
15	Bert Olmstead
16	Henri Richard
17	Jean-Guy Talbot
19	Dollard St-Laurent
20	Jerry Wilson
	Ralph Backstrom
	Philippe Goyette
	Allan Johnson
	Bronco Horvath
	Murray Balfour
	Glenn Cressman
	Guy Rousseau
21	Jim MacPherson
22	Don Marshall
23	André Pronovost
24	Gene Achtymichuk
	Glenn Cressman

1957-58

ENTRAÎNEUR: Hector « Toe » Blake
CAPITAINE: Maurice Richard

N°	NOMS
1	Jacques Plante
	Charlie Hodge
	Len Broderick
2	Doug Harvey
4	Jean Béliveau
5	Bernard Geoffrion
6	Floyd Curry
8	Connie Broden
	Stan Smrke
	Ken Mosdell
	Bill Carter
	Ralph Backstrom
	Gene Achtymichuk
	Claude Laforge
	Murray Balfour
9	Maurice Richard
10	Tom Johnson
11	Bob Turner
12	Dickie Moore
14	Claude Provost
15	Bert Olmstead
16	Henri Richard
17	Jean-Guy Talbot
18	Marcel Bonin
19	Dollard St-Laurent
20	Philippe Goyette
21	Albert Langlois
	John Bownass
22	Don Marshall
23	André Pronovost
24	Ab McDonald (éliminatoires)
25	Don Aiken

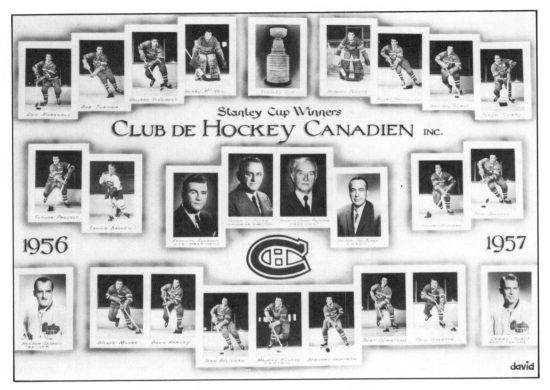

1957-58

Sur la première rangée, de gauche à droite, Jacques Plante, Toe Blake, Frank Selke Sr, Maurice Richard, Sen. H. de M. Molson, Kenney Reardon et Charlie Hodge. Toujours de gauche à droite, sur la deuxième rangée, Camil DesRoches, Dickie Moore, Tom Johnson, Jean Béliveau, Dollard St-Laurent, Bernard Geoffrion et Frank Selke Jr. Sur la troisième rangée, dans le même ordre, Hector Dubois, Henri Richard, André Pronovost, Claude Provost, Marcel Bonin et Larry Aubut. Finalement, sur la quatrième rangée, Jean-Guy Talbot, Floyd Curry, Bob Turner, Bert Olmstead, Doug Harvey, Phil Goyette et Don Marshall.

1958-59

ENTRAÎNEUR: Hector « Toe » Blake
CAPITAINE: Maurice Richard

N°	NOMS
1	Jacques Plante
	Charlie Hodge
	Claude Pronovost
	Claude Cyr
2	Doug Harvey
4	Jean Béliveau

N°	NOMS
5	Bernard Geoffrion
6	Ralph Backstrom
8	Ken Mosdell (éliminatoires)
	Bill Hicke (éliminatoires)
9	Maurice Richard
10	Tom Johnson
11	Bob Turner
12	Dickie Moore
14	Claude Provost

N°	NOMS
15	Ab McDonald
16	Henri Richard
17	Jean-Guy Talbot
18	Marcel Bonin
19	Albert Langlois
20	Philippe Goyette
21	Ian Cushenan
22	Don Marshall
23	André Pronovost

1958-59

Sur la première rangée, de gauche à droite, Charlie Hodge, Dickie Moore, Ken Reardon, Sen. H. de M. Molson, Maurice Richard, Frank Selke Sr, Toe Blake, Bernard Geoffrion et Jacques Plante.

Sur la deuxième rangée, dans le même ordre, Camil DesRoches, Henri Richard, Jean-Guy Talbot, Doug Harvey, Ken Mosdell, Jean Béliveau, Ab McDonald, Tom Johnson, Bob Turner, Claude Provost et Frank Selke Jr.

Finalement, sur la troisième rangée, Hector Dubois, Bill Hicke, Ralph Backstrom, Don Marshall, Albert Langlois, Ian Cushenan, Phil Goyette, André Pronovost, Marcel Bonin et Larry Aubut.

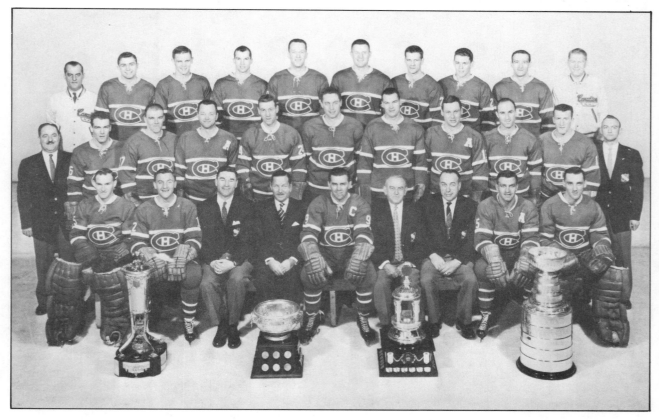

1959-60

ENTRAÎNEUR: Hector « Toe » Blake
CAPITAINE: Maurice Richard

N°	NOMS
1	Jacques Plante
	Charlie Hodge
2	Doug Harvey
4	Jean Béliveau
5	Bernard Geoffrion
6	Ralph Backstrom
8	Bill Hicke
9	Maurice Richard
10	Tom Johnson

N°	NOMS
11	Bob Turner
12	Dickie Moore
14	Claude Provost
15	Ab McDonald
16	Henri Richard
17	Jean-Guy Talbot
18	Marcel Bonin
19	Albert Langlois
20	Philippe Goyette
21	Jean-Claude Tremblay
22	Don Marshall
23	André Pronovost
24	Cecil Hoekstra
	Reg Fleming

1959-60

Sur la première rangée, de gauche à droite, Charlie Hodge, Doug Harvey, Sen. H. de M. Molson, Frank Selke Sr, Maurice Richard, Ken Reardon, Toe Blake, Tom Johnson et Jacques Plante.

Sur la deuxième rangée, dans le même ordre, Camil DesRoches, Dickie Moore, Jean-Guy Talbot, Albert Langlois, Jean Béliveau, Ab McDonald, Bob Turner, Phil Goyette, Bernard Geoffrion et Frank Selke Jr.

Finalement, sur la troisième rangée, Larry Aubut, Henri Richard, Bill Hicke, Claude Provost, Don Marshall, Ralph Backstrom, André Pronovost, Marcel Bonin et Hector Dubois.

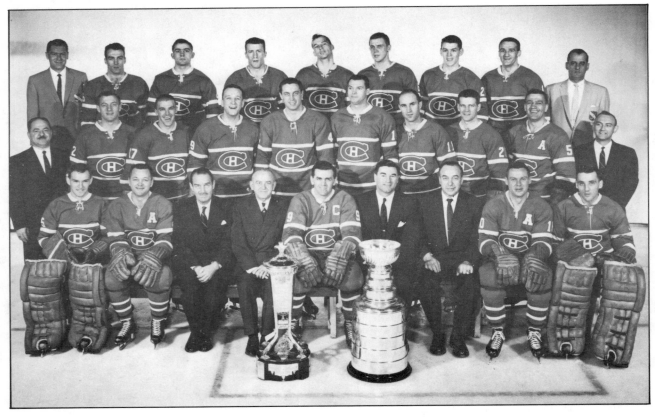

1960-61

ENTRAÎNEUR: Hector «Toe» Blake
CAPITAINE: Doug Harvey

N°	NOMS
1	Jacques Plante Charlie Hodge
2	Doug Harvey
3	Jean-Claude Tremblay Jean Gauthier*
4	Jean Béliveau
5	Bernard Geoffrion
6	Ralph Backstrom
8	Bill Hicke
10	Tom Johnson
11	Bob Turner
12	Dickie Moore
14	Claude Provost
15	Jean-Guy Gendron
16	Henri Richard
17	Jean-Guy Talbot
18	Marcel Bonin
19	Albert Langlois
20	Philippe Goyette
21	Gilles Tremblay
22	Don Marshall
23	Jean-Guy Gendron André Pronovost
24	Robert Rousseau Wayne Connelly
25	Cliff Pennington Jean Gauthier Glen Skov

1961-62

ENTRAÎNEUR: Hector «Toe» Blake
CAPITAINE: Jean Béliveau

N°	NOMS
1	Jacques Plante
3	Jean-Claude Tremblay
4	Jean Béliveau
5	Bernard Geoffrion
6	Ralph Backstrom
8	Bill Hicke
10	Tom Johnson
11	Jean Gauthier
12	Dickie Moore

N°	NOMS
14	Claude Provost
15	Robert Rousseau
16	Henri Richard
17	Jean-Guy Talbot
18	Marcel Bonin
19	Lou Fontinato
20	Philippe Goyette
21	Gilles Tremblay
22	Don Marshall
23	Al MacNeil
24	Gord Berenson Charlie Hamilton
25	Bill Carter
26	Keith McCreary (éliminatoires)

1962-63

ENTRAÎNEUR: Hector «Toe» Blake
CAPITAINE: Jean Béliveau

N°	NOMS
1	Jacques Plante Cesare Maniago Ernie Wakely
3	Jean-Claude Tremblay
4	Jean Béliveau
5	Bernard Geoffrion
6	Ralph Backstrom
8	Bill Hicke
10	Tom Johnson
11	Jean Gauthier
12	Dickie Moore
14	Claude Provost
15	Robert Rousseau
16	Henri Richard
17	Jean-Guy Talbot
18	Gord Berenson
19	Lou Fontinato
20	Philippe Goyette
21	Gilles Tremblay
22	Don Marshall
23	Bill McCreary Claude Larose
24	Gord Berenson Bill Sutherland (éliminatoires)

N°	NOMS
25	Terry Harper Claude Larose
26	Gérald Brisson Jacques Laperrière

1963-64

ENTRAÎNEUR: Hector «Toe» Blake
CAPITAINE: Jean Béliveau

N°	NOMS
1	Charlie Hodge Lorne Worsley
2	Jacques Laperrière
3	Jean-Claude Tremblay
4	Jean Béliveau
5	Bernard Geoffrion
6	Ralph Backstrom
8	Bill Hicke
10	Marc Rhéaume
11	Ted Harris Wayne Hicks Jean Gauthier
14	Claude Provost
15	Robert Rousseau
16	Henri Richard
17	Jean-Guy Talbot
18	Bryan Watson John Hanna
19	Terry Harper
20	Dave Balon
21	Gilles Tremblay
22	John Ferguson
23	André Boudrias Yvan Cournoyer Claude Larose
24	Gord Berenson
25	André Boudrias Yvan Cournoyer Wayne Hicks Léon Rochefort Terry Gray
26	Jim Roberts Léon Rochefort Terry Gray
30	Lorne Worsley Jean-Guy Morissette

1964-65

ENTRAÎNEUR: Hector « Toe » Blake
CAPITAINE: Jean Béliveau

N°	NOMS
1	Charlie Hodge
2	Jacques Laperrière
3	Jean-Claude Tremblay
4	Jean Béliveau
6	Ralph Backstrom
8	Bill Hicke
	Dick Duff

N°	NOMS
10	Ted Harris
11	Claude Larose
12	Yvan Cournoyer
14	Claude Provost
15	Robert Rousseau
16	Henri Richard
17	Jean-Guy Talbot
18	Keith McCreary
	Bryan Watson
19	Terry Harper
20	Dave Balon
21	Gilles Tremblay

N°	NOMS
22	John Ferguson
23	Gord Berenson
	Keith McCreary
	Garry Peters
24	Jean-Noël Picard
	Garry Peters
	André Boudrias
	Jean Gauthier
	(éliminatoires)
25	Jean-Noël Picard
	Léon Rochefort
26	Jim Roberts
30	Lorne Worsley

1964-65

Sur la première rangée, de gauche à droite, Jean Béliveau, Toe Blake, Sam Pollock, Sen. H. de M. Molson, Dave Molson, Maurice Richard et Jean-Guy Talbot.

Toujours dans le même ordre, sur la deuxième rangée, Lorne Worsley, Jean-Claude Tremblay, Terry Harper, Ted Harris, Noël Picard, Jacques Laperrière, John Ferguson et Charlie Hodge.

Sur la troisième rangée, Henri Richard, Claude Provost, Ralph Backstrom, Jim Roberts, Gordon Berenson, Claude Larose, Gilles Tremblay, Robert Rousseau et Dick Duff.

Finalement, sur la quatrième rangée, Andy Galley, Yvan Cournoyer, Ernie Wakely, Jean Gauthier, Bryan Watson, Dave Balon, Garry Peters et Larry Aubut.

1965-66

ENTRAÎNEUR: Hector « Toe » Blake
CAPITAINE: Jean Béliveau

N°	NOMS
1	Charlie Hodge
2	Jacques Laperrière
3	Jean-Claude Tremblay
4	Jean Béliveau
6	Ralph Backstrom
8	Dick Duff
10	Ted Harris
11	Claude Larose
12	Yvan Cournoyer
14	Claude Provost
15	Robert Rousseau
16	Henri Richard
17	Jean-Guy Talbot
18	Léon Rochefort Dan Grant
19	Terry Harper
20	Dave Balon
21	Gilles Tremblay
22	John Ferguson
23	Gord Berenson Noel Price Jean Gauthier
24	Gord Berenson
25	Noel Price Don Johns Jean Gauthier
26	Jim Roberts
30	Lorne Worsley

1966-67

ENTRAÎNEUR: Hector « Toe » Blake
CAPITAINE: Jean Béliveau

N°	NOMS
1	Charlie Hodge
2	Jacques Laperrière
3	Jean-Claude Tremblay
4	Jean Béliveau
6	Ralph Backstrom
8	Dick Duff
10	Ted Harris
11	Claude Larose
12	Yvan Cournoyer
14	Claude Provost
15	Robert Rousseau
16	Henri Richard
17	Jean-Guy Talbot
18	André Boudrias Garry Peters
19	Terry Harper
20	Dave Balon
21	Gilles Tremblay
22	John Ferguson
23	Noel Price
24	Carol Vadnais Jean Gauthier Serge Savard
25	Léon Rochefort
26	Jim Roberts
29	Rogatien Vachon
30	Rogatien Vachon Lorne Worsley Garry Bauman

1967-68

ENTRAÎNEUR: Hector « Toe » Blake
CAPITAINE: Jean Béliveau

N°	NOMS
1	Lorne Worsley
2	Jacques Laperrière
3	Jean-Claude Tremblay
4	Jean Béliveau
5	Gilles Tremblay

N°	NOMS
6	Ralph Backstrom
8	Dick Duff
10	Ted Harris
11	Claude Larose
12	Yvan Cournoyer
14	Claude Provost
15	Robert Rousseau
16	Henri Richard
17	Carol Vadnais
18	Serge Savard

N°	NOMS
19	Terry Harper
20	Garry Monahan
22	John Ferguson
23	Dan Grant
24	Mickey Redmond
25	Jacques Lemaire
26	Bryan Watson
30	Lorne Worsley

1967-68

Sur la première rangée, de gauche à droite, Claude Provost, Toe Blake, Sen. H. de M. Molson, Jean Béliveau, David J. Molson, Sam Pollock et Henri Richard.

Dans le même ordre, sur la deuxième rangée, Rogatien Vachon, Danny Grant, Jacques Lemaire, Mickey Redmond, Yvan Cournoyer et Lorne Worsley.

Sur la troisième rangée, Eddie Palchak, Dick Duff, Claude Larose, John Ferguson, Ralph Backstrom, Robert Rousseau, Gilles Tremblay et Larry Aubut.

Finalement, sur la quatrième rangée, Jean-Claude Tremblay, Carol Vadnais, Serge Savard, Jacques Laperrière, Terry Harper et Ted Harris.

1968-69

ENTRAÎNEUR: Claude Ruel
CAPITAINE: Jean Béliveau

N°	NOMS
1	Lorne Worsley Tony Esposito
2	Jacques Laperrière
3	Jean-Claude Tremblay
4	Jean Béliveau
5	Gilles Tremblay
6	Ralph Backstrom
8	Dick Duff
10	Ted Harris
11	Jude Drouin Howie Glover
12	Yvan Cournoyer
14	Claude Provost
15	Robert Rousseau
16	Henri Richard
17	Larry Hillman Guy Lapointe
18	Serge Savard
19	Terry Harper
20	Garry Monahan Lucien Grenier
21	Lucien Grenier
22	John Ferguson
23	Christian Bordeleau Alain Caron Bob Berry Garry Monahan
24	Mickey Redmond
25	Jacques Lemaire
29	Tony Esposito Ernie Wakely
30	Rogatien Vachon Tony Esposito

1969-70

ENTRAÎNEUR: Claude Ruel
CAPITAINE: Jean Béliveau

N°	NOMS
1	Rogatien Vachon Lorne Worsley
2	Jacques Laperrière
3	Jean-Claude Tremblay
4	Jean Béliveau
5	Ted Harris
6	Ralph Backstrom
8	Dick Duff Larry Mickey
10	Ted Harris
11	Bob Sheehan Jean Gauthier Phil Roberto Réjean Houle
12	Yvan Cournoyer
14	Claude Provost
15	Robert Rousseau
16	Henri Richard
17	Lucien Grenier Guy Lapointe
18	Serge Savard
19	Terry Harper
20	Peter Mahovlich
21	Ted Harris Larry Mickey Marc Tardif Fran Huck Guy Charron
22	John Ferguson
23	Christian Bordeleau
24	Mickey Redmond
25	Jacques Lemaire
26	Larry Pleau Paul Curtis Jude Drouin
29	Philippe Myre
30	Rogatien Vachon

1970-71

ENTRAÎNEUR: Claude Ruel &
Al MacNeil
CAPITAINE: Jean Béliveau

N°	NOMS
1	Rogatien Vachon
2	Jacques Laperrière
3	Jean-Claude Tremblay
4	Jean Béliveau
5	Guy Lapointe
6	Ralph Backstrom Fran Huck Charles Lefley
8	Jean Béliveau Phil Roberto Larry Pleau Charles Lefley
10	Frank Mahovlich Bill Collins
11	Marc Tardif
12	Yvan Cournoyer Fran Huck
14	Réjean Houle
15	Claude Larose
16	Henri Richard
17	Phil Roberto
18	Serge Savard
19	Terry Harper
20	Peter Mahovlich
21	Réjean Houle Léon Rochefort
22	John Ferguson
23	Guy Charron Bob Murdoch
24	Mickey Redmond Bob Sheehan
25	Jacques Lemaire
26	Pierre Bouchard
27	Frank Mahovlich
29	Ken Dryden
30	Philippe Myre

1969-70

Sur la première rangée, de gauche à droite, Sam Pollock (vice-président & gérant général), Jean Béliveau (capitaine), Peter Molson, J. David Molson (président), William Molson, Henri Richard et Claude Ruel (entraîneur).

Dans le même ordre, sur la deuxième rangée, Lorne Worsley, Jacques Lemaire, Dick Duff, Ralph Backstrom, Robert Rousseau, Yvan Cournoyer, Gilles Tremblay et Rogatien Vachon.

Sur la troisième rangée, Larry Aubut (entraîneur), Ted Harris, Christian Bordeleau, Claude Provost, Mickey Redmond, Jean-Claude Tremblay et Eddy Palchak (assistant-entraîneur).

Finalement, sur la quatrième rangée, Serge Savard, Larry Hillman, John Ferguson, Jacques Laperrière et Terry Harper.

1973-74

Sur la première rangée, de gauche à droite, Jean Béliveau (vice-président senior, affaires sociales, Sam Pollock (vice-président et gérant général), Yvan Cournoyer, Peter Bronfman (président du Conseil d'administration), Frank Mahovlich, Me Jacques Courtois (président), Henri Richard (capitaine), Edward Bronfman (directeur), Pete Mahovlich, Scott Bowman (entraîneur) et Claude Ruel (directeur du développement des joueurs).

Sur la deuxième rangée, dans le même ordre, Bob Williams (entraîneur), Jacques Lemaire, Claude Larose, Bob Gainey, Larry Robinson, Yvon Lambert, Steve Shutt, Jim Roberts et Eddie Palchak (entraîneur).

Sur la troisième rangée, Rick Wilson, Guy Lafleur, John Van Boxmeer, Michel Plasse, Michel Larocque, Wayne Thomas et Guy Lapointe.

Finalement, sur la dernière rangée, Glen Goldup, Chuck Lefley, Murray Wilson, Pierre Bouchard, Jacques Laperrière et Serge Savard.

1971-72

ENTRAÎNEUR: Scott Bowman
CAPITAINE: Henri Richard

N°	NOMS
1	Denis Dejordy Rogatien Vachon
2	Jacques Laperrière
3	Jean-Claude Tremblay
5	Guy Lapointe
6	Jim Robert Dale Hoganson
8	Larry Pleau Reynald Comeau
10	Guy Lafleur
11	Marc Tardif
12	Yvan Cournoyer
14	Réjean Houle
15	Claude Larose
16	Henri Richard
17	Larry Pleau Phil Roberto
18	Serge Savard
19	Terry Harper
20	Peter Mahovlich
21	Charles Lefley
23	Bob Murdoch Germain Gagnon
24	Charles Arnason Dale Hoganson
25	Jacques Lemaire
26	Pierre Bouchard
27	Frank Mahovlich
29	Ken Dryden
30	Philippe Myre

1972-73

ENTRAÎNEUR: Scott Bowman
CAPITAINE: Henri Richard

N°	NOMS
1	Michel Plasse
2	Jacques Laperrière
3	Dale Hoganson
5	Guy Lapointe
6	Jim Roberts
8	Charles Arnason
10	Guy Lafleur
11	Marc Tardif
12	Yvan Cournoyer
14	Réjean Houle
15	Claude Larose
16	Henri Richard
17	Murray Wilson
18	Serge Savard
19	Larry Robinson
20	Peter Mahovlich
21	Randy Rota Dave Gardner Yvon Lambert
22	Steve Shutt
23	Bob Murdoch
24	Charles Lefley
25	Jacques Lemaire
26	Pierre Bouchard
27	Frank Mahovlich
29	Ken Dryden
30	Wayne Thomas

1973-74

ENTRAÎNEUR: Scott Bowman
CAPITAINE: Henri Richard

N°	NOMS
1	Michel Plasse
2	Jacques Laperrière
3	Rick Wilson
5	Guy Lapointe
6	Jim Roberts
8	John Van Boxmeer
10	Guy Lafleur
11	Yvon Lambert
12	Yvan Cournoyer
14	Glenn Goldup
15	Claude Larose
16	Henri Richard
17	Murray Wilson Claude Larose
18	Serge Savard
19	Larry Robinson
20	Peter Mahovlich
22	Steve Shutt
23	Bob Gainey
24	Charles Lefley
25	Jacques Lemaire
26	Pierre Bouchard
27	Frank Mahovlich
30	Wayne Thomas
31	Michel Larocque

1974-75

ENTRAÎNEUR: Scott Bowman
CAPITAINE: Henri Richard

N°	NOMS
1	Michel Larocque
3	John Van Boxmeer
5	Guy Lapointe
6	Jim Roberts
8	Doug Risebrough
10	Guy Lafleur
11	Yvon Lambert
12	Yvan Cournoyer
14	Glenn Goldup Mario Tremblay
15	Claude Larose Ron Andruff Glenn Goldup
16	Henri Richard
17	Murray Wilson
18	Serge Savard
19	Larry Robinson
20	Peter Mahovlich
21	Glen Sather
22	Steve Shutt
23	Bob Gainey
24	Charles Lefley Don Awrey
25	Jacques Lemaire
26	Pierre Bouchard
27	Rick Chartraw
29	Ken Dryden

1975-76

ENTRAÎNEUR: Scott Bowman
CAPITAINE: Yvan Cournoyer

N°	NOMS
1	Michel Larocque
3	John Van Boxmeer
5	Guy Lapointe
6	Jim Roberts
8	Doug Risebrough
10	Guy Lafleur
11	Yvon Lambert
12	Yvan Cournoyer

N°	NOMS
14	Mario Tremblay
15	Glenn Goldup Ron Andruff
17	Murray Wilson
18	Serge Savard
19	Larry Robinson
20	Peter Mahovlich
21	Doug Jarvis
22	Steve Shutt
23	Bob Gainey
24	Don Awrey
25	Jacques Lemaire
26	Pierre Bouchard
27	John Van Boxmeer Sean Shanahan Rick Chartraw
29	Ken Dryden

1976-77

ENTRAÎNEUR: Scott Bowman
CAPITAINE: Yvan Cournoyer

N°	NOMS
1	Michel Larocque
2	Bill Nyrop Brian Engblom (éliminatoires)
3	John Van Boxmeer
5	Guy Lapointe
6	Jim Roberts
8	Doug Risebrough
10	Guy Lafleur
11	Yvon Lambert
12	Yvan Cournoyer
14	Mario Tremblay
15	Réjean Houle
17	Murray Wilson
18	Serge Savard
19	Larry Robinson
20	Peter Mahovlich
21	Doug Jarvis
22	Steve Shutt
23	Bob Gainey
24	Pierre Mondou (éliminatoires)
25	Jacques Lemaire
26	Pierre Bouchard

N°	NOMS
27	Rick Chartraw
28	Mike Polich (éliminatoires)
29	Ken Dryden

1977-78

ENTRAÎNEUR: Scott Bowman
CAPITAINE: Yvan Cournoyer

N°	NOMS
1	Michel Larocque
2	Bill Nyrop
3	Brian Engblom
5	Guy Lapointe
6	Pierre Mondou
8	Doug Risebrough
10	Guy Lafleur
11	Yvon Lambert
12	Yvan Cournoyer
14	Mario Tremblay
15	Réjean Houle
17	Murray Wilson Mike Polich
18	Serge Savard
19	Larry Robinson
20	Peter Mahovlich
21	Doug Jarvis
22	Steve Shutt
23	Bob Gainey
24	Gilles Lupien
25	Jacques Lemaire
26	Pierre Bouchard
27	Rick Chartraw
28	Pierre Larouche
29	Ken Dryden
30	Rodney Schutt
31	Pat Hughes

1978-79

ENTRAÎNEUR: Scott Bowman
CAPITAINE: Serge Savard

N°	NOMS
1	Michel Larocque
3	Brian Engblom
5	Guy Lapointe
6	Pierre Mondou
8	Doug Risebrough
10	Guy Lafleur
11	Yvon Lambert
12	Yvan Cournoyer
14	Mario Tremblay
15	Réjean Houle
17	Rod Langway

N°	NOMS
18	Serge Savard
19	Larry Robinson
20	Cam Connor
21	Doug Jarvis
22	Steve Shutt
23	Bob Gainey
24	Gilles Lupien
25	Jacques Lemaire
26	Dan Newman
27	Rick Chartraw
28	Pierre Larouche
29	Ken Dryden
30	Pat Hughes
31	Mark Napier
32	David Lumley

Au match des Étoiles 1978-79

Guy Lafleur, Serge Savard, Ken Dryden, Scott Bowman, Bob Gainey, Larry Robinson et Guy Lapointe.

1979-80

ENTRAÎNEURS: Bernard Geoffrion
& Claude Ruel
CAPITAINE: Serge Savard

N°	NOMS
1	Michel Larocque
2	Gaston Gingras Moe Robinson
3	Brian Engblom
5	Guy Lapointe
6	Pierre Mondou
8	Doug Risebrough
10	Guy Lafleur
11	Yvon Lambert
14	Mario Tremblay
15	Réjean Houle
17	Rod Langway
18	Serge Savard
19	Larry Robinson
20	Danny Geoffrion
21	Doug Jarvis
22	Steve Shutt
23	Bob Gainey
24	Gilles Lupien
25	Yvan Joly (éliminatoires)
26	Normand DuPont
27	Rick Chartraw
28	Pierre Larouche
30	Chris Nilan Keith Acton Rick Meagher
31	Mark Napier
32	Denis Herron
33	Richard Sévigny

1980-81

ENTRAÎNEUR: Claude Ruel
CAPITAINE: Serge Savard

N°	NOMS
1	Michel Larocque
2	Gaston Gingras
3	Brian Engblom
5	Guy Lapointe
6	Pierre Mondou
8	Doug Risebrough
10	Guy Lafleur
11	Yvon Lambert
12	Keith Acton
14	Mario Tremblay
15	Réjean Houle
17	Rod Langway
18	Serge Savard
19	Larry Robinson
20	Danny Geoffrion
21	Doug Jarvis
22	Steve Shutt
23	Bob Gainey
24	Gilles Lupien
25	Doug Wickenheiser
26	Normand DuPont
27	Rick Chartraw
28	Pierre Larouche
30	Chris Nilan
31	Mark Napier
32	Denis Herron
33	Richard Sévigny

1981-82

ENTRAÎNEUR: Bob Berry
CAPITAINE: Bob Gainey

N°	NOMS
1	Rick Wamsley
2	Gaston Gingras
3	Brian Engblom
5	Guy Lapointe
6	Pierre Mondou
8	Doug Risebrough
10	Guy Lafleur
12	Keith Acton
14	Mario Tremblay
15	Réjean Houle
17	Rod Langway
18	Jeff Brubaker
19	Larry Robinson
20	Mark Hunter
21	Doug Jarvis
22	Steve Shutt
23	Bob Gainey
24	Robert Picard
25	Doug Wickenheiser
26	Craig Laughlin
27	Gilbert Delorme
28	Pierre Larouche
29	Mark Holden Dave Orleski
30	Chris Nilan
31	Mark Napier
32	Denis Herron
33	Richard Sévigny
34	Bill Kitchen

1978-79: Champion de la coupe Stanley, gagnant Trophée Prince de Galles

Sur la dernière rangée, de gauche à droite, Gilles Lupien, Larry Robinson, Rod Langway, Serge Savard, Brian Engblom, Guy Lapointe et Rick Chartraw.

Sur la troisième rangée, de gauche à droite, Yvon Lambert, Pat Hughes, Mario Tremblay, Bob Gainey, Cam Connor, Guy Lafleur, Steve Shutt et Doug Risebrough.

Sur la deuxième rangée, de gauche à droite, Eddy Palchak (entraîneur en chef), Doug Jarvis, Pierre Mondou, Mark Napier, Pierre Larouche, Réjean Houle, Jacques Lemaire et Pierre Meilleur (entraîneur adjoint).

Sur la première rangée, de gauche à droite, Michel Larocque, Claude Ruel (directeur du développement des joueurs), Scotty Bowman (entraîneur), Yvan Cournoyer (capitaine), E. Jacques Courtois (président et directeur général), Irving Grundman (vice-président délégué et directeur gérant), Jean Béliveau (vice-président senior, Affaires sociales) et Ken Dryden.

Trophées de gauche à droite, Trophée Vézina: Ken Dryden, Michel Larocque. Trophée Conn Smythe: Bob Gainey. Coupe Stanley, Trophée Prince de Galles. Trophée Frank J. Selke: Bob Gainey. Trophée Bill Masterton: Serge Savard.

1982-83

ENTRAÎNEUR: Bob Berry
CAPITAINE: Bob Gainey

N°	NOMS
1	Rick Wamsley
2	Gaston Gingras
3	Ric Nattress Bill Kitchen
5	Rick Green
6	Pierre Mondou
8	Dan Daoust
10	Guy Lafleur

N°	NOMS
11	Ryan Walter
12	Keith Acton
14	Mario Tremblay
15	Réjean Houle
17	Craig Ludwig
18	Bill Root
19	Larry Robinson
20	Mark Hunter
21	Guy Carbonneau
22	Steve Shutt
23	Bob Gainey
24	Robert Picard

N°	NOMS
25	Doug Wickenheiser
26	Mats Naslund
27	Gilbert Delorme
28	Yvan Joly
29	Dwight Schofield John Newberry
30	Chris Nilan
31	Mark Napier
32	Mark Holden
33	Richard Sévigny
34	Dwight Schofield Bill Kitchen

1981-82

Sur la première rangée, de gauche à droite, Larry Robinson, Réjean Houle, Irving Grundman, Bob Berry, Bob Gainey, Jacques Laperrière, Morgan McCammon, Steve Shutt et Guy Lafleur.

Dans le même ordre, sur la deuxième rangée, Rick Wamsley, Richard Sévigny, Denis Herron, Yvon Bélanger, Ronald Caron, Jean Béliveau, Pierre Mondou, Doug Jarvis et Keith Acton.

Sur la troisième rangée, Eddie Palchak, Mario Tremblay, Craig Laughlin, Mark Napier, Chris Nilan, Doug Risebrough et Gaetan Lefebvre.

Finalement, sur la quatrième rangée, Doug Wickenheiser, Gaston Gingras, Brian Engblom, Rod Langway, Robert Picard, Gilbert Delorme et Mark Hunter.

1983-84

ENTRAÎNEURS: Bob Berry &
Jacques Lemaire
CAPITAINE: Bob Gainey

N°	NOMS
1	Rick Wamsley
2	Kent Carlson
3	Ric Nattress
5	Rick Green
6	Pierre Mondou
8	Greg Paslawski Alfie Turcotte
10	Guy Lafleur
11	Ryan Walter
12	Keith Acton

N°	NOMS
14	Mario Tremblay
15	Bobby Smith
17	Craig Ludwig
18	Bill Root
19	Larry Robinson
20	Mark Hunter
21	Guy Carbonneau
22	Steve Shutt
23	Bob Gainey
24	Robert Picard Chris Chelios
25	Doug Wickenheiser Jocelyn Gauvreau Sergio Momesso Larry Landon

N°	NOMS
26	Mats Naslund
27	Gilbert Delorme Perry Turnbull
28	Jean Hamel
29	John Chabot
30	Chris Nilan
31	Mark Napier John Newberry Normand Baron
32	Claude Lemieux Mark Holden
33	Richard Sévigny
34	Dave Allison Jocelyn Gauvreau
35	Mike McPhee
36	Dave Allison Bill Kitchen
37	Steve Penney

1983-84

Sur la première rangée, de gauche à droite, Rick Wamsley, Guy Lafleur, Ronald Corey, Serge Savard, Bob Gainey, Jacques Lemaire, Morgan McCammon, Larry Robinson et Richard Sévigny.

Dans le même ordre, sur la deuxième rangée, Mats Naslund, Pierre Mondou, Chris Nilan, Jacques Plante, Guy Carbonneau, Mario Tremblay et Jean Hamel.

Sur la troisième rangée, Eddy Palchak, Mark Hunter, Steve Shutt, Alfie Turcotte, Ryan Walter, Steve Penney, Normand Baron, Gaétan Lefebvre et Sylvain Toupin.

Finalement, sur la quatrième rangée, Kent Carlson, Perry Turnbull, Chris Chelios, Mike McPhee, Bob Smith, Craig Ludwig, Rick Green, Rick Nattress, Bill Nyrop et John Chabot.

1984-85

ENTRAÎNEUR: Jacques Lemaire
CAPITAINE: Bob Gainey

N°	NOMS
1	Doug Soetaert
2	Kent Carlson
3	Ric Nattress
5	Rick Green
6	Pierre Mondou
8	Alfie Turcotte
10	Guy Lafleur
11	Ryan Walter

N°	NOMS
12	Serge Boisvert
14	Mario Tremblay
15	Bobby Smith
17	Craig Ludwig
18	Tom Kurvers
19	Larry Robinson
20	Mark Hunter
21	Guy Carbonneau
22	Steve Shutt Stéphane Richer
23	Bob Gainey
24	Chris Chelios

N°	NOMS
25	Petr Svoboda
26	Mats Naslund
27	Lucien DeBlois
28	Steve Rooney
29	John Chabot Ron Flockhart
30	Chris Nilan
31	John Newberry
32	Claude Lemieux
34	Jeff Teal
35	Greg Moffett Mike McPhee
37	Steve Penney

1984-85

Sur la première rangée, de gauche à droite, Doug Soetaert, Mario Tremblay, Ronald Corey (président), Serge Savard (directeur-gérant), Bob Gainey (capitaine), Jacques Lemaire (entraîneur en chef), Morgan McCammon (président du Conseil d'administration), Larry Robinson, Steve Penney.

Dans le même ordre, sur la deuxième rangée, Mats Naslund, Pierre Mondou, Guy Lafleur, Jean Perron (adjoint à l'entraîneur), Jacques Laperrière (adjoint à l'entraîneur), Jean Béliveau (vice-président senior, affaires sociales), Guy Carbonneau et Chris Chelios.

Sur la troisième rangée, Eddy Palchak (gérant de l'équipement), Yvon Bélanger (thérapeute athlétique), Mike McPhee, Mark Hunter, Petr Svoboda, Alfie Turcotte, Gaétan Lefebvre (adjoint au thérapeute athlétique), Sylvain Toupin (adjoint au gérant de l'équipement).

Finalement, sur la quatrième rangée, de gauche à droite, Bobby Smith, Craig Ludwig, Rick Green, Steve Rooney, Lucien DeBlois, Chris Nilan, Ryan Walter et Ron Flockhart.

1985-86

ENTRAÎNEUR : Jean Perron
CAPITAINE : Bob Gainey

N°	NOMS
1	Doug Soetaert
5	Rick Green
8	Alfie Turcotte
	David Maley
11	Ryan Walter
12	Serge Boisvert
14	Mario Tremblay
15	Bobby Smith

N°	NOMS
17	Craig Ludwig
18	Tom Kurvers
19	Larry Robinson
20	Kjell Dahlin
21	Guy Carbonneau
22	Randy Bucyk
23	Bob Gainey
24	Chris Chelios
25	Petr Svoboda
26	Mats Naslund
27	Lucien DeBlois
28	Steve Rooney

N°	NOMS
29	Gaston Gingras
30	Chris Nilan
31	John Kordic
32	Claude Lemieux
33	Patrick Roy
34	Shayne Corson
35	Mike McPhee
36	Sergio Momesso
37	Steve Penney
38	Mike Lalor
39	Brian Skrudland
40	Dominic Campedelli
44	Stephane Richer

1985-86

Champions de la coupe Stanley, gagnant du Trophée Prince de Galles

Sur la quatrième rangée, de gauche à droite, Tom Kurvers, Dave Maley, Rick Green, Sergio Momesso, John Kordic, Steve Rooney, Stéphane Richer, Bobby Smith, Craig Ludwig et Randy Bucyk.

Sur la troisième rangée, de gauche à droite, Eddy Palchak (soigneur-chef), Gaétan Lefebvre (thérapeute athlétique), Brian Skrudland, Claude Lemieux, Kjell Dahlin, Serge Boisvert, Mike Lalor, Gaston Gingras, Petr Svoboda, Lucien DeBlois et Sylvain Toupin (soigneur-adjoint).

Sur la deuxième rangée, de gauche à droite, Ryan Walter, Mike McPhee, Chris Chelios, Jean Béliveau (vice-président senior, affaires sociales), Jacques Lemaire (directeur du personnel hockey et adjoint au directeur-gérant), André Boudrias (directeur du recrutement et adjoint au directeur-gérant), Yvon Bélanger (thérapeute athlétique), Jacques Laperrière (entraîneur-adjoint), Guy Carbonneau et Chris Nilan.

Sur la première rangée, de gauche à droite, Patrick Roy, Mario Tremblay, Mats Naslund, Ronald Corey (président), Serge Savard (directeur-gérant), Bob Gainey (capitaine), Jean Perron (entraîneur chef), Morgan McCammon (président du Conseil d'administration), Larry Robinson, Doug Soetaert et Steve Penney.

Trophée Conn Smythe : Patrick Roy
Coupe Stanley
Trophée Prince de Galles

Les présidents

Ronald Corey	1982	—
Morgan McCammon	1978 — 1982	
Jacques Courtois	1972 — 1978	
J. David Molson	1964 — 1972	
Hon H. de M. Molson	1957 — 1964	
Hon. Donat Raymond	1938 — 1957	
Ernest Savard	1935 — 1938	
Hon. Athanase David	1930 — 1935	
Léo Dandurand	1921 — 1930	
George Kennedy	1910 — 1921	
J. Ambrose O'Brien (Fondateur)	1909 — 1910	

Les directeurs – gérants

Serge Savard	1983	—
Irving Grundman	1978 — 1983	
Sam Pollock	1964 — 1978	
Frank Selke	1946 — 1964	
Tom P. Gorman	1941 — 1946	
Jules Dugal	1939 — 1940	
Cecil Hart	1936 — 1939	
Ernest Savard	1935 — 1936	
Léo Dandurand	1921 — 1935	
George Kennedy	1910 — 1921	
Jos Cattarinich	1909 — 1910	

Ronald Corey

Serge Savard

Les entraîneurs

Jos Cattarinich et Laviolette	1909-10 — 1910-11
George Kennedy	1911-12 — 1920-21
Léo Dandurand	1921-22 — 1924-25
Cecil Hart	1925-26 — 1931-32
Newsy Lalonde	1932-33 — 1933-34
Newsy Lalonde et Léo Dandurand	1934-35
Sylvio Mantha	1935-36
Cecil Hart	1936-37 — 1937-38
Cecil Hart et Jules Dugal	1938-39
Babe Siebert	1939 (*)
Pit Lépine	1939-40
Dick Irvin	1940-41 — 1954-55
Toe Blake	1955-56 — 1967-68
Claude Ruel	1968-69 — 1969-70
Claude Ruel et Al Mac Neil	1970-71
Scott Bowman	1971-72 — 1978-79
Bernard Geoffrion et Claude Ruel	1979-80
Claude Ruel	1980-81
Bob Berry	1981-82 — 1983-84
Jacques Lemaire	1983-84 — 1984-85
Jean Perron	1985

*Nommé entraîneur au cours de l'été mais décéda avant le commencement de la saison.

Jean Perron

Les capitaines

Louis Berlinguette et Jack Laviolette	1909-19
Newsy Lalonde	1919-21
Sprague Cleghorn	1921-25
Bill Coutu	1925-26
Sylvio Mantha	1926-32
Georges Hainsworth	1932-33
Sylvio Mantha	1933-36
Babe Seibert	1936-39
Walter Buswell	1939-40
Hector « Toe » Blake	1940-48
Bill Durnan	1948 (janv.-avril)
Émile Bouchard	1948-56
Maurice « Rocket » Richard	1956-60
Doug Harvey	1960-61
Jean Béliveau	1961-71
Henri Richard	1971-75
Yvan Cournoyer	1975-79
Serge Savard	1979-81
Bob Gainey	1981 —

Bob Gainey

Le repêchage amateur par les Canadiens
1963-1980

Choix

1963	1	Garry MONAHAN	1	St. Michaels Juveniles
	2	Rodney PRESSWOOD	7	Georgetown Midgets
	3	Roy PUGH	13	Aurora Jr. « C »
	4	Glen SHIRTON	18	Port Colborne Midgets
1964	1	Claude CHAGNON	6	Comité des Jeunes, Rosemont
	2	Guy ALLEN	12	Stamford Jr. « B »
	3	Paul REID	18	Kingston Midgets
	4	Michel JACQUES	24	Juniors « B » de Mégantic
1965	1	Pierre BOUCHARD	5	St-Vincent de Paul Jr. « B »
1966	1	Phil MYRE	5	Shawinigan Jrs
	2	Maurice ST-JACQUES	11	London Nationals
	3	Jude DROUIN	17	Maple Leafs de Verdun
	4	Bob PATE	23	Canadiens jrs de Montréal
1967	1	Elgin McCANN	8	Weyburn Red Wings
1968	1	Michel PLASSE	1	Rangers de Drummondville
	2	Roger BÉLISLE	2	Montreal North Beavers
	3	Jim PRITCHARD	3	Winnipeg Jets
	4	Don GRIERSON	23	North Bay Trappers
1969	1	Réjean HOULE	1	Canadiens jrs de Montréal
	2	Marc TARDIF	2	Canadiens jrs de Montréal
	3	Bob SHEEHAN	32	St. Catharines Black Hawks
	4	Murray ANDERSON	44	Flin Flon Bombers
	5	Garry DOYLE	56	Ottawa 67's
	6	Guy DELPARTE	63	London Knights
	7	Lynn POWIS	68	University of Denver
	8	Ian WILKIE	74	Edmonton Oil Kings
	9	Dale POWER	75	Peterborough Petes
	10	Frank HAMILL	79	Toronto Marlboros
	11	Gilles DROLET	83	As de Québec
	12	Darrel KNIBBS	84	Lethbridge Sugar Kings

1970	1	Ray MARTINUIK	5	Flin Flon Bombers
	2	Chuck LEFLEY	6	Canadian National Team
	3	Steve CARLYLE	31	Red Deer Rustlers
	4	Cal HAMMOND	45	Flin Flon Bombers
	5	John FRENCH	52	Toronto Marlboros
	6	Richard WILSON	66	University of North Dakota
	7	Robert BROWN	80	Boston University
	8	Bob FOWLER	93	Estevan Bruins
	9	Rick JORDAN		

1971	1	Guy LAFLEUR	1	Remparts de Québec
	2	Chuck ARNASON	7	Flin Flon Bombers
	3	Murray WILSON	11	Ottawa 67's
	4	Larry ROBINSON	20	Kitchener Rangers
	5	Michel DEGUISE	24	Éperviers de Sorel
	6	Terry FRENCH	25	Ottawa 67's
	7	Jim CAHOON	31	North Dakota University
	8	Ed SIDEBOTTOM	45	Estevan Bruins
	9	Greg HUBICK	53	Duluth University
	10	Mike BUSNIUCK	67	Denver University
	11	Ross BUTLER	81	Winnipeg Jets
	12	Peter SULLIVAN	95	Oshawa Generals

1972	1	Steve SHUTT	4	Toronto Marlboros
	2	Michel LAROCQUE	6	Ottawa 67's
	3	Dave GARDNER	8	Toronto Marlboros
	4	John VAN BOXMEER	14	Guelph Jrs.
	5	Edward GILBERT	46	Hamilton Red Wings
	6	Dave ELENBAAS	62	Cornell University
	7	Bill NYROP	66	University of Notre Dame
	8	D'Arcy RYAN	94	Yale University
	9	Yves ARCHAMBAULT	110	Éperviers de Sorel
	10	Graham PARSONS	126	Red Deer Rustlers
	11	Edward BUMBACCO	142	University of Notre Dame
	12	Fred RIGGALL	151	University of Dartmouth
	13	Ron LEBLANC	152	Moncton University

1973	1	Bob GAINEY	8	Peterborough Petes
	2	Glenn GOLDUP	17	Toronto Marlboros
	3	Peter MARRIN	22	Toronto Marlboros
	4	Ron ANDRUFF	32	Flin Flon Bombers
	5	Ed HAMPHREYS	37	Saskatoon
	6	Alan HANGSLEBEN	56	North Dakota University

	7	Richard LATULIPPE	64	Remparts de Québec
	8	Gerry GIBBONS	80	St. Mary's University
	9	Denis PATRY	96	Drummondville
	10	Michel BÉLISLE	112	Canadiens jrs de Montréal
	11	Mario DESJARDINS	128	Sherbrooke
	12	Bob WRIGHT	143	Pembroke
	13	Alain LABRECQUE	158	Trois-Rivières
	14	Gord HALLIDAY	166	Pennsylvania University
	15	Cap RAEDER	167	New Hampshire University
	16	Louis CHIASSON	168	Trois-Rivières
1974	1	Cam CONNOR	5	Flin Flon Bombers
	2	Doug RISEBROUGH	7	Kitchener Rangers
	3	Rick CHARTRAW	10	Kitchener Rangers
	4	Mario TREMBLAY	12	Canadiens jrs de Montréal
	5	Gordon McTAVISH	15	Sudbury Wolves
	6	Gary MacGREGOR	30	Cornwall Royals
	7	Gilles LUPIEN	33	Canadiens jrs de Montréal
	8	Marty HOWE	51	Houston Aeros
	9	Barry LEGGE	61	Winnipeg Jets
	10	Mike McKEGNEY	69	Kitchener Rangers
	11	John STEWART	105	Bowling Green University
	12	Joe MICHELETTI	123	Minnesota University
	13	Jamie HISLOP	140	New Hampshire University
	14	Gordon STEWART	157	Kamloops Chiefs
	15	Charles LUKSA	172	Kitchener Rangers
	16	Clifford COX	187	New Hampshire University
	17	David LUMLEY	199	New Hampshire University
	18	Michael HOBIN	209	Hamilton Red Wings
1975	1	Robin SADLER	9	Edmonton Oil Kings
	2	Pierre MONDOU	15	Canadiens jrs de Montréal
	3	Brian ENGBLOM	22	Wisconsin University
	4	Kelly GREENBANK	34	Winnipeg - WCHL
	5	Paul WOODS	51	Sault Ste. Marie
	6	Pat HUGHES	52	Michigan University
	7	Dave GORMAN	70	Phoenix Roadrunners (WHA)
	8	Jim TURKIEWICZ	88	Toronto Toros (WHA)
	9	Michel LACHANCE	106	Canadiens jrs de Montréal
	10	Tim BURKE	124	New Hampshire University
	11	Craig NORWICH	142	Wisconsin University
	12	Paul CLARKE	158	University of Notre Dame
	13	Robert FERRITER	173	Boston College
	14	David BELL	187	Harvard University

	15	Carl JACKSON	198	Pennsylvania University
	16	Michel BRISEBOIS	204	Castors de Sherbrooke
	17	Roger BOURQUE	208	University of Notre Dame
	18	Jim LUNDQUIST	211	Brown University
	19	Don MADSON	214	Fargo Junior
	20	Bob BAIN	215	New Hampshire University
1976	1	Peter LEE	12	Ottawa 67's
	2	Rod SCHUTT	13	Sudbury Wolves
	3	Bruce BAKER	18	Ottawa 67's
	4	Barry MELROSE	36	Kamloops Chiefs
	5	Bill BAKER	54	Minnesota University
	6	Ed CLAREY	72	Cornwall Royals
	7	Maurice BARRETTE	90	Remparts de Québec
	8	Pierre BRASSARD	108	Cornwall Royals
	9	Richard GOSSELIN	118	Flin Flon Bombers
	10	John GREGORY	123	Wisconsin University
	11	Bruce HORSCH	125	Michigan Tech. University
	12	John TAVELLA	127	Sault Ste. Marie
	13	Mark DAVIDSON	129	Flin Flon Bombers
	14	Bill WELLS	131	Cornwall Royals
	15	Ron WILSON	133	St. Catharines Black Hawks
1977	1	Mark NAPIER	10	Birmingham Bulls
	2	Normand DUPONT	18	Canadiens jrs de Montréal
	3	Rod LANGWAY	36	New Hampshire University
	4	Alain CÔTÉ	43	Saguenéens de Chicoutimi
	5	Pierre LAGACÉ	46	Remparts de Québec
	6	Moe ROBINSON	49	Kingston Canadiens
	7	Gordie ROBERTS	54	New England Whalers
	8	Robert HOLLAND	64	Junior de Montréal
	9	Gaétan ROCHETTE	90	Dynamos de Shawinigan
	10	Bill HIMMELRIGHT	108	North Dakota University
	11	Richard SÉVIGNY	124	Castors de Sherbrooke
	12	Keith HENDRICKSON	137	Minnesota Duluth University
	13	Mike REILLY	140	Colorado College
	14	Barry BORRETT	152	Cornwall Royals
	15	Syd TANCHAK	154	Clarkson College
	16	Mark HOLDEN	160	Brown University
	17	Craig LAUGHLIN	162	Clarkson College
	18	Daniel POULIN	166	Saguenéens de Chicoutimi
	19	Tom McDONNEL	169	Ottawa 67's
	20	Cary FARELLI	173	Toronto Marlboros
	21	Carey WALKER	174	New Westminster Bruins

	22	Mark WELLS	176	Bowling Green University
	23	Stan PALMER	177	Minnesota Duluth University
	24	Jean BÉLISLE	179	Saguenéens de Chicoutimi
	25	Bob DALY	180	Ottawa 67's
	26	Bob BOILEAU	182	Boston University
	27	John COSTELLO	183	Lowell Technical College
1978	1	Dan GEOFFRION	8	Cornwall Royals
	2	Dave HUNTER	17	Sudbury Wolves
	3	Dale YAKIWCHUK	30	Portland Winter Hawks
	4	Ron CARTER	36	Castors de Sherbrooke
	5	Richard DAVID	42	Draveurs de Trois-Rivières
	6	Kevin REEVES	69	Junior de Montréal
	7	Mike BOYD	86	Sault Ste. Marie Greyhounds
	8	Keith ACTON	103	Peterborough Petes
	9	Jim LAWSON	120	Brown University
	10	Larry LANDON	137	Rensselaer Polytechnic Institute
	11	Kevin CONSTANTINE	154	Rensselaer Polytechnic Institute
	12	John SWAN	171	McGill University
	13	Daniel MÉTIVIER	186	Olympiques de Hull
	14	Vjacheslav FEDISOV	201	URSS
	15	Jeff MARS	212	Michigan University
	16	George GOULAKOS	225	St. Lawrence University
	17	Ken MOODIE	227	Colgate University
	18	Serge LEBLANC	229	Vermont University
	19	Bob MAGNUSON	230	Merrimack College
	20	Chris NILAN	231	North Eastern University
	21	Rick WILSON	232	St. Lawrence University
	22	Louis SLEIGHER	233	Saguenéens de Chicoutimi
	23	Doug ROBB	234	Billings Bighorns
1979	1	Gaston GINGRAS	27	Birmingham Bulls
	2	Nat NASLUND	37	Sweden
	3	Craig LEVIE	43	Edmonton Oil Kings
	4	Guy CARBONNEAU	44	Saguenéens de Chicoutimi
	5	Rick WAMSLEY	58	Brantford Alexanders
	6	Dave ORLESKI	79	New Westminster Bruins
	7	Yvan JOLY	100	Ottawa 67's
	8	Greg MOFFETT	121	University of New Hampshire
1980	1	Douglas WICKENHEISER	1	Regina Pats
	2	Rick NATTRESS	27	Brantford Alexanders
	3	John CHABOT	40	Olympiques de Hull
	4	John NEWBURRY	45	Nanaimo

	5	Craig LUDWIDG	61	University of North Dakota
	6	Jeff TEAL	82	University of Minnesota
	7	Rémi GAGNÉ	103	Saguenéens de Chicoutimi
	8	Mike McPHEE	124	Ryerson Polytechnic Institute
	9	Bill NORTON	145	Clarkson College
	10	Steve PENNY	166	Cataractes de Shawinigan Falls
	11	John SCHMIDT	187	University of Notre Dame
	12	Scott ROBINSON	208	University of Denver
1981	1	Mark HUNTER	7	Brantford Alexanders
	2	Gilbert DELORME	18	Saguenéens de Chicoutimi
	3	Jan INGMAN	19	Frajestads, Elite Division, Suède
	4	Lars ERICKSSON	32	Brynas, Elite Division, Suède
	5	Chris CHELIOS	40	Moose Jaw Canucks
	6	Dieter HEGEN	46	E.V. Fussen, Allemagne
	7	Kjell DAHLIN	82	Timra, Première division, Suède
	8	Steve ROONEY	88	Canton High School, Massachusetts
	9	Tom ANASTOS	124	Paddocks Saints « A », Michigan
	10	Tom KURVERS	145	Minnesota-Duluth University
	11	Paul GESS	166	Jefferson High School, Minnesota
	12	Scott FERGUSON	187	Edina West High School, Minnesota
	13	Danny BURROWS	208	Belleville Juniors
1982	1	Alain HÉROUX	19	Saguenéens de Chicoutimi
	2	Jocelyn GAUVREAU	31	Bisons de Granby
	3	Kent CARLSON	32	St. Lawrence University
	4	David MALEY	33	Edina High School, Minnesota
	5	Scott SANDELIN	40	Hibbing High School, Minnesota
	6	Scott HARLOW	61	SS Braves High School, Maine
	7	John DEVOE	69	Edina High School, Minnesota
	8	Kevin HOULE	103	Acton High School, Maine
	9	Ernie BARGAS	117	Coon Rapids High School, Minnesota
	10	Michael DARK	124	Sarnia Junior B
	11	Hannu JARVENPAA	145	Karpas S/M, Finlande
	12	Steve SMITH	150	St. Lawrence University
	13	Tom KOLIOUPOULOS	166	Fraser High School, Minnesota
	14	Brian WILLIAMS	187	Sioux City Musketeer
	15	Bob EMERY	208	Matignon High School, Maine
	16	Darren ACHESON	229	Fort Saskatchewan
	17	Bill BRAUER	250	Edina High School, Minnesota
1983	1	Alfie TURCOTTE	17	Portland Winter Hawks
	2	Claude LEMIEUX	26	Draveurs de Trois-Rivières
	3	Sergio MOMESSO	27	Cataractes de Shawinigan

	4	Todd FRANCIS	35	Brantford Alexanders	
	5	Daniel LETENDRE	45	Remparts de Québec	
	6	John KORDIC	78	Portland Winter Hawks	
	7	Dan WURST	98	Edina High School	
	8	Arto JAVANAINEN	118	Assat. Finlande	
	9	Vladislav TRETIAK	138	URSS	
	10	Bob BRIDEN	158	Henry Carr. H.S.	
	11	Grant McKAY	178	Calgary University	
	12	Thomas RUNDQUIST	198	Swedish National Team	
	13	Jeff PERPICH	218	Hibbing H.S.	
	14	Jean-Guy BERGERON	238	Cataractes de Shawinigan	
1984	1	Petr SVOBODA	5	Tchécoslovaquie (JR.)	
	2	Shayne CORSON	9	Brantford Alexanders	
	3	Stéphane RICHER	29	Bisons de Granby	
	4	Patrick ROY	51	Bisons de Granby	
	5	Graeme BONAR	54	Sault Ste. Marie Greyhounds	
	6	Lee BRODEUR	65	Grafton H.S.	
	7	Gerald JOHANNSON	95	Swift Current	
	8	Jim NESICH	116	Juniors de Verdun	
	9	Scott MacTAVISH	137	Fredericton H.S.	
	10	Brad McCAUGHEY	158	Ann Arbour H.S.	
	11	Éric DEMERS	179	Cataractes de Shawinigan	
	12	Ron ANNEAR	199	San Diego Univ.	
	13	Dave TANNER	220	Notre Dame University	
	14	Troy CROSBY	240	Juniors de Verdun	
1985	1	José CHARBONNEAU	12	Voltigeurs de Drummondville	
	2	Tom CHORSKE	16	Minneapolis S.W.H.S.	
	3	Todd RICHARDS	33	Armstrong H.S.	
	4	Rocky DUNDAS	47	Kelowna Wings	
	5	Martin DESJARDINS	75	Draveurs de Trois-Rivières	
	6	Brent GILCHRIST	79	Kelowna Wings	
	7	Tom SAGISSOR	96	Hastings H.S.	
	8	Donald DUFRESNE	117	Draveurs de Trois-Rivières	
	9	Ed CHRISTOPOLI	142	Penticton	
	10	Mike CLARINGBULL	163	Medicine Hat Tigers	
	11	Roger BEEDON	184	Sarnia	
	12	Maurice MANSI	198	R.P.I.	
	13	Chad ARTHUR	205	Stratford Jr. B	
	14	Mike BISHOP	226	Sarnia	
	15	John FERGUSON jr	247	Winnipeg South Blues Jr. B	

1986	1	Mark PEDERSON	15	Medicine Hat Tigers
	2	Benoit BRUNET	27	Hull
	3	Jyrkki LUMME	57	Ilves Finland
	4	Brent BOBYCK	78	Notre Dame University
	5	Éric AUBERTIN	94	Bisons de Granby
	6	Mario MILANI	99	Canadiens jrs de Verdun
	7	Steve BISSON	120	Sault Ste. Marie
	8	Lyle ODELIN	141	Moose Jaw
	9	Rick HAYWARD	162	Hull
	10	Antonin ROUTA	183	C.S.S.R. Tchécoslovaquie
	11	Éric BOHEMIER	204	Hull
	12	Charlie MOORE	225	Belleville
	13	Karel SVOBODA	246	C.S.S.R. Tchécoslovaquie

Joueurs selon le numéro

0

Paul-Émile Bibeault 1942-43

1

Georges Vézina 1918-25
Herb Gardiner 1926-28
Marty Burke 1928-29
George Hainsworth 1929-33
Roy Worters
Tom Murray
Lorne Chabot 1933-34
Wilf Cude 1934-36
Ab Cox
Babe Seibert 1936-39
Claude Bourque 1939-40
Mike Karakas
Bert Gardiner 1940-42
Paul-Émile Bibeault 1942-43
Tony Graboski
Bill Durnan 1943-50
Paul-Émile Bibeault
Gerry McNeil 1950-54
Hal Murphy
Jacques Plante 1954-63
Charlie Hodge
Claude Evans
André Binette
Robert Perreault
Len Broderick
Claude Pronovost
Claude Cyr
Cesare Maniago
Ernie Wakely
Charlie Hodge 1963-67
Lorne Worsley
Lorne Worsley 1967-70
Tony Esposito
Rogatien Vachon 1970-72
Denis Dejordy
Michel Plasse 1972-74
Michel Larocque 1974-81
Rick Wamsley 1981-84
Doug Soetaert 1984-86

2

Bert Corbeau 1918-19
Sprague Cleghorn 1922-25
Sylvio Mantha 1926-36

George Hainsworth
Harold Starr
Bill MacKenzie 1936-38
Gallagher
Marty Burke
Marv Wentworth 1938-40
Rhys Thomson
Cliff Goupille 1940-43
Mike McMahon 1943-44
Frank Eddolls 1944-47
Doug Harvey 1947-61 *
Jacques Laperrière 1963-74
Rick Chartråw 1975-76
Bill Nyrop 1975-78
Gaston Gingras 1979-83
Moe Robinson 1979-80
Kent Carlson 1983-85

3

Joe Hall 1918-19
Bill Coutu 1922-25
Bert Corbeau
Ambrose Moran 1926-27
Arthur Gauthier
Charles Langlois 1927-28
Gerry Carson 1928-29
Herb Gardiner
Marty Burke 1929-33
Sylvio Mantha
Harold Starr
Gerry Carson 1933-35
Walt Buswell 1935-40
Doug Young
Jack Portland 1940-43
Émile « Butch » Bouchard 1943-56
Jean-Claude Tremblay 1960-72
Jean Gauthier
Dale Hoganson 1972-73
Rick Wilson 1973-74
John Van Boxmeer 1974-77
Brian Engblom 1976-77
  (éliminatoires)
Brian Engblom 1976-81

*En hommage à Doug Harvey, le numéro 2 fut officiellement retiré le 26 octobre 1985.

Bill Kitchen 1982-83
Ric Nattress 1982-85

4

Newsy Lalonde 1918-19
Newsy Lalonde 1922-23
Aurèle Joliat 1923-38
Paul-Émile Drouin 1938-40
Ken Reardon 1940-42
Léo Lamoureux 1942-47
Howard « Rip » Riopelle 1947-50
Gilles Dubé
Claude Robert 1950-51
Hugh Currie
Ernie Roche
Ross Lowe 1951-52
Ed Litzenberger 1952-53
Reg Abbott
Calum MacKay
Ivan Irwin
Jean Béliveau 1953-71*

5

Didier Pitre 1918-19
Didier Pitre 1922-23
Bill Boucher 1923-25
Carson Cooper 1926-27
Arthur Gauthier
George Patterson 1927-28
Léo Lafrance
Armand Mondou 1928-33
Léo Gaudreault
Léo Bourgault
Gizzy Hart
Leo Murray
John Gagnon 1933-34
Paul Runge 1934-35
Albert Leduc
Armand Mondou 1935-36
Rodrigue Lorrain 1936-40
Marcel Tremblay
Joseph Benoît 1940-43
« Dutch » Hiller 1944-46

*Après la retraite de Jean Béliveau, le numéro 4 fut retiré de l'alignement en l'honneur d'Aurèle Joliat et de Jean Béliveau.

Robert Fillion 1946-47
Jacques Locas 1947-49
Gérard Plamondon 1949-50
Bert Hirschfeld 1950-51
Gérard Desaulniers
Louis « Lulu » Denis
Bernard Geoffrion 1951-64
Gilles Tremblay 1967-69
Ted Harris 1969-70
Guy Lapointe 1970-81
Rick Green 1982 —

6

Odie Cleghorn 1918-19
Louis Berlinguette 1922-23
Odie Cleghorn 1923-25
Arthur Gagné 1926-29
Nick Wasnie 1929-32
Gerry Carson 1932-33
Léo Gaudreault
Hago Harrington
Georges Mantha 1933-36
Bill Miller 1936-37
Hector « Toe » Blake 1937-48
Antonio Demers
Joe Carveth 1948-50
Floyd Curry 1950-58
Ralph Backstrom 1958-70
Fran Huck 1970-71
Charles Lefley
Dale Hoganson 1971-72
Jim Roberts 1972-77
Pierre Mondou 1977-85

7

Odie Cleghorn 1922-23
Howie Morenz 1923-34 et 1936-37 *

8

Louis Berlinguette 1918-19
Bill Cameron 1923-24
Sylvio Mantha 1924-25
Albert Leduc 1926-33
Wildor Larochelle 1933-36
Gerry Carson
Max Bennett
Conrad Bourcier

*Après le décès d'Howie Morenz, à la suite d'une blessure, le numéro 7 fut retiré de l'alignement en son honneur.

George Brown 1936-37
Roger Jenkins
Don Willson 1937-38
Armand Mondou
Ossie Asmundson
Stew Evans 1938-39
Louis Trudel 1939-41
Paul-Émile Drouin
Stuart Smith
Tony Graboski 1941-42
Léo Lamoureux
Terry Reardon 1942-43
Glen Harmon
John Mahaffey
Frank Mailley
R. Lee
Glen Harmon 1943-51
Dick Gamble 1951-54
Paul Masnick
Jack LeClair 1954-57
Stan Smrke 1957-58
Connie Broden
Ken Mosdell
Bill Carter
Ralph Backstrom
Gene Achtymichuk
Claude Laforge
Murray Balfour
Ken Mosdell 1958-59
Bill Hicke 1959-65
Dick Duff 1965-70
Larry Mickey
Jean Béliveau 1970-71
Phil Roberto
Charles « Chuck » Lefley
Larry Pleau 1971-72
Reynald Comeau
Charles « Chuck » Arnason 1972-73
John Van Boxmeer 1973-74
Doug Risebrough 1974-82
Dan Daoust 1982-83
Greg Paslawski 1983-84
Alfie Turcotte 1983-86

9

Bill Coutu 1918-19
Bill Coutu 1922-23
Bill Bell
Sylvio Mantha 1923-24
John Matz 1924-25
Alfred « Pit » Lépine 1926-38
Herb Cain 1938-39
Marty Barry 1939-40

Charlie Sands 1940-43
Maurice Richard 1943-60 *

10

Jack McDonald 1918-19
Didier Pitre 1922-23
Robert Boucher 1923-24
Fern Headley 1924-25
Wildor Larochelle 1926-33
George Patterson
Georges Mantha
Arthur Lesieur
Hago Harrington
Marty Burke 1933-34
Leroy Goldsworthy 1935-36
Paul Haynes 1936-40
Antonio « Tony » Demers
Paul Haynes 1940-41
Louis Trudel
Alex Singbush
Georges Mantha
Elmer Lach 1941-42
Jim Haggerty
Buddy O'Connor 1942-47
Robert Fillion 1947-50
John Quilty
Tom Johnson 1950-63
Marc Rhéaume
Ted Harris 1964-70
Bill Collins 1970-71
Frank Mahovlich
Guy Lafleur 1971-85

11

Edmond Bouchard 1922-23
Joe Malone
Bill Bell 1923-24
Dave Ritchie 1924-25
Gizzy Hart 1926-28
Léo Lafrance
Lachance
George Patterson 1928-29
Georges Mantha
Bert McCaffrey 1929-32
George Fraser
Arthur Lesieur
Dunc Munro 1931-32
John Gagnon 1932-33

*Après la retraite de Maurice « Rocket » Richard, le numéro 9 fut retiré de l'alignement en son honneur.

Léo Bourgault 1933-34
John McGill 1935-37
Cliff Goupille 1937-38
Bill Summerhill 1938-39
Bob Gracie
Ray Getliffe 1939-45
Joseph Benoît 1945-47
Hubert Macey
Doug Lewis
George Pargeter
Jean-Claude Campeau 1947-48
George Robertson 1948-49
Floyd Curry
Calum MacKay 1949-55
Gene Achtymichuk
Lorne Davis
Paul Masnick 1952-53
Bob Turner 1956-61
Jean Gauthier 1961-64
Ted Harris
Wayne Hicks
Claude Larose 1964-68
Jude Drouin 1968-69
Howie Glover
Jean Gauthier 1969-70
Bob Sheehan
Phil Roberto
Réjean Houle
Marc Tardif 1970-73
Yvon Lambert 1973-81
Ryan Walter 1982-83

12

Marchand 1922-23
George Hainsworth 1926-29
Georges Mantha 1929-33
Léonard Grosvenor
Armand Mondou 1933-34
Léo Bourgault 1934-35
Tony Savage
Bob McCully
Paul Haynes 1935-36
Georges Mantha 1936-40
Murph Chamberlain 1940-49
Red Heron
Gord Drillon 1942-43
Grant Warwick 1949-50
Bob Fryday
Gerry McNeil
Paul Meger
Hal Laycoe 1950-51
Ed Mazur
Fred « Skippy » Burchell

Dollard St-Laurent
Dick Gamble
Syd McNabney
Gérald « Gerry » Couture 1951-52
Dickie Moore 1952-63
Jean Béliveau
Yvan Cournoyer 1964-80
Fran Huck
Keith Acton 1980, 1983-84
Serge Boisvert 1984-85

13

Bill Boucher 1922-23

14

George Hainsworth 1926-27
Pete Palangio
Lacroix
Armand Gaudreault 1927-28
Pete Palangio 1928-29
Gerry Carson
Arthur Lesieur
Gerry Carson 1929-30
Johnny Gagnon 1930-33
John Gagnon 1932-33
Wildor Larochelle
Johnny Gagnon 1935-40
Gus Mancuso
Gord Poirier
Elmer Lach 1940-41
Paul-Émile Bibeault
Terry Reardon 1941-42
Antonio Demers 1942-43
Charlie Phillips
Ernest Laforce
Phil Watson 1943-44
Rolland Rossignol 1944-45
Rosario « Kitoute » Joanette
Ed Emberg
John Mahaffey
Bill Reay 1945-53
André Corriveau 1953-54
Fred « Skippy » Burchell
Lorne Davis
Paul Masnick 1954-55
Paul Ronty
Dick Gamble 1955-56
Connie Broden
Claude Provost 1956-70
Réjean Houle 1970-73
Glenn Goldup 1973-75
Mario Tremblay 1974-86

15

Des Rivières 1929-30
Gus Rivers 1930-32
Arthur Lesieur
Arthur Giroux 1932-33
Gizzy Hart
Ron McCartney
Léo Lafrance 1933-34
G. Leroux 1935-36
Joffre Desilets 1936-38
George Brown 1938-39
Desse Smith
Bill Summerhill 1939-40
Earl Robinson
John « Red » Foran
Armand Raymond
John Adams 1940-41
« Bunny » Dame 1941-42
Maurice Richard 1942-43
« Smiley » Meronek
John Mahaffey
Irving McGibbon
Robert Fillion 1944-46
George Allen 1946-47
Floyd Curry 1947-48
Léo Gravelle 1948-51
Ed Dorohoy
Bert Olmstead 1951-58
Ab McDonald 1958-60
Jean-Guy Gendron 1960-61
Robert Rousseau 1961-70
Claude Larose 1970-75
Ron Andruff
Glenn Goldup 1975-76
Ron Andruff
Réjean Houle 1976-83
Bobby Smith 1983-84

16

Gus Rivers 1929-30
Des Rivières 1930-31
Arthur Alexandre 1931-32
Arthur Giroux 1932-33
Gizzy Hart
Ron McCartney
Samuel Godin 1933-34
Paul-Marcel Raymond
Arthur Lesieur 1935-36
Hector « Toe » Blake 1936-37
Don Wilson 1937-38
George Brown

Antonio « Tony » Demers
Jim Ward 1938-39
Cliff Goupille 1939-40
John Quilty 1940-42
Paul-Émile Bibeault 1942-43
Elmer Lach 1943-54
Henri Richard 1955-75 *

17

John Portland 1933-34
Cliff Goupille 1935-36
Wilf Cude 1936-39
George Hainsworth
Paul Gauthier
Armand Mondou 1939-40
Tony Graboski 1940-41
Émile Bouchard 1941-43
Fernand Majeau 1943-45
Nils Tremblay
Ken Reardon 1945-50
Bob Dawes 1950-51
Jean Béliveau
Ross Lowe
John McCormack 1951-54
Gérard Desaulniers
Ed Litzenberger 1954-55
Garry Blaine
Jean-Guy Talbot 1955-67
Carol Vadnais 1967-68
Larry Hillman 1968-69
Guy Lapointe 1969-70
Lucien Grenier
Phil Roberto 1970-72
Larry Pleau
Murray Wilson 1972-78
Claude Larose
Mike Polich 1977-78
Rod Langway 1978-82
Craig Ludwig 1982-83

18

Irving Frew 1935-36
Armand Mondou 1936-37
Paul-Marcel Raymond 1937-38
Jim Ward 1938-39
Charlie Sands 1939-40

*Après la retraite d'Henri Richard, le numéro 16 fut retiré de l'alignement en l'honneur d'Elmer Lach et d'Henri Richard.

Alex Singbush 1940-41
« Peggy » O'Neil 1941-42
Desse Smith
Connie Tudin
« Dutch » Hiller 1942-43
Alex Smart
Tony Graboski
Gerry Heffernan 1943-44
Ken Mosdell 1944-56
Murdo MacKay
Gérard Plamondon
Marcel Bonin 1957-62
Gord « Red » Berenson 1962-63
Bryan Watson 1963-65
John Hanna
Keith McCreary
Léon Rochefort 1965-66
Dan Grant
André Boudrias 1966-67
Garry Peters
Serge Savard 1967-81
Jeff Brubaker 1981-82
Bill Root 1982-84
Tom Kurvers 1984-85

19

Bill Miller 1935-36
Jean-Louis Bourcier
Paul Runge 1936-37
Armand Mondou
Paul-Émile Drouin
Claude Bourque 1938-39
Doug Young 1939-40
Antonio Demers 1940-42
Marcel Dheere 1942-43
Fernand Gauthier 1944-45
Jim Peters 1945-48
Joe Carveth
Murdo MacKay 1948-49
Louis « Lulu » Denis 1949-50
Bob Frampton
Vern Kaiser 1950-51
Bert Hirschfeld
Gérard Plamondon
Dollard St-Laurent 1951-57
Albert « Junior » Langlois 1958
Lou Fontinato 1961-63
Terry Harper 1963-72
Larry Robinson 1972

20

Paul-Émile Drouin 1935-38

Paul Runge
Armand Mondou
Gus Mancuso
Armand Raymond
Louis Trudel 1938-39
Doug Young 1939-40
Pierre « Pete » Morin 1941-42
« Dutch » Hiller 1942-43
Gérard Plamondon 1945-46
Tony White
Mike McMahon
Léo Gravelle 1946-47
Bob Carse 1947-48
George Robertson
Jean-Claude Campeau 1948-49
Tom Johnson 1949-50
Paul Meger 1950-51
Frank King
Tony Manastersky
Jean Béliveau
Paul Meger 1951-55
Jim Bartlett
Jerry Wilson 1956-57
Ralph Backstrom
Allan Johnson
Bronco Horvath
Murray Balfour
Glen Cressman
Guy Rousseau
Philippe Goyette 1957-63
Dave Balon 1963-67
Garry Monahan 1967-69
Lucien Grenier
Peter Mahovlich 1969-78
Cam Connor 1978-79
Danny Geoffrion 1979-80
Yvan Joly 1980-81
Guy Carbonneau 1980-81
Mark Hunter 1981-85
Kjell Dahlin 1985-86

21

Hector « Toe » Blake 1935-36
Rosario « Lolo » Couture
Rodrigue Lorrain
Armand Mondou 1936-37
Wilf Cude
Bud O'Connor 1941-42
Marcel Dheere 1942-43
Robert Fillion 1943-44
Lorrain Thibeault 1945-46
Paul-Émile Bibeault
Roger Léger 1946-50

Jim « Bud » MacPherson 1950-57
Walter « Wally » Clune 1955-56
Jacques Deslauriers
Albert « Junior » Langlois 1957-58
John « Jack » Bownass
Ian Cushenan 1958-59
Jean-Claude Tremblay 1959-60
Gilles Tremblay 1960-67
Lucien Grenier 1968-69
Ted Harris 1969-70
Larry Mickey
Marc Tardif
Fran Huck
Guy Charron
Réjean Houle 1970-71
Léon Rochefort
Charles « Chuck » Lefley 1971-72
Randy Rota 1972-73
Dave Gardner
Yvon Lambert
Glen Sather 1974-75
Doug Jarvis 1975-82
Guy Carbonneau 1982-83

22

Nels Crutchfield 1934-35
Gerry Heffernan 1941-43
Rodrigue Lorrain
Jean-Claude Campeau 1943-44
Bob Walton
Wilf Field 1944-45
Frank « Butch » Stahan
Vic Lynn 1945-46
John Quilty 1946-47
Hubert Macey
Normand Dussault 1947-51
Tom Johnson
Léo Gravelle
Lorne Davis 1952-54
Paul Masnick
Ed Litzenberger
Paul Masnick 1954-55
Orval Tessier
Don Marshall 1955-63
John Ferguson 1963-71
Steve Shutt 1972-80, 1984-85
Stéphane Richer 1984-85
Randy Bucyk 1985-86

23

Murdo MacKay 1946-48
Hal Laycoe 1948-50

Paul Masnick 1950-52
Don Marshall
Stan Long
Bob Fryday
Garry Edmundson
Cliff Malone
Ed Mazur 1952-55
Gaye Stewart
Rolland Rousseau
Doug Anderson
Gérard Desaulniers
Jean-Guy Talbot
Jean-Paul Lamirande
George McAvoy
Claude Provost 1955-56
André Pronovost 1956-61
Jean-Guy Gendron
Al McNeil 1961-62
Bill McCreary 1962-63
Claude Larose 1963-64
André Boudrias
Yvan Cournoyer
Keith McCreary 1964-65
Garry Peters
Gord Berenson 1965-66
Jean Gauthier
Noel Price 1966-67
Dan Grant 1967-68
Christian Bordeleau 1968-70
Alain Caron
Bob Berry
Garry Monahan
Guy Charron 1970-71
Bob Murdoch 1971-73
Germain Gagnon
Bob Gainey 1973 —

24

Wilf Cude 1938-39
Gaye Stewart 1953-54
Dick Gamble 1954-55
Guy Rousseau
Bob Turner 1955-56
Gene Achtymichuk 1956-57
Glenn Cressman
Ab McDonald 1957-58
Cecil Hoekstra 1959-60
Reg Fleming
Robert Rousseau 1960-61
Wayne Connelly
Gord Berenson 1961-66
Charles Hamilton
Bill Sutherland
Jean-Noël Picard 1964-65

Garry Peters
André Boudrias
Jean Gauthier
Jean Gauthier 1966-67
Carol Vadnais
Serge Savard
Mickey Redmond 1967-71
Bob Sheehan
Charles « Chuck » Arnason 1971-72
Dale Hoganson
Charles « Chuck » Lefley 1972-75
Don Awrey 1975-76
Pierre Mondou 1976-77
Gilles Lupien 1977-80
Robert Picard 1980-83
Chris Chelios 1983-84

25

Don Aiken 1957-58
Cliff Pennington 1960-61
Jean Gauthier
Glen Skov
Bill Carter 1961-62
Terry Harper 1962-63
Claude Larose
André Boudrias 1963-64
Yvan Cournoyer
Wayne Hicks
Terry Gray
Léon Rochefort 1964-65
Jean-Noël Picard
Jean Gauthier 1965-66
Noel Price
Don Johns
Léon Rochefort 1966-67
Jacques Lemaire 1967-79
Yvan Joly 1979-80
Doug Wickenheiser 1980-81, 1983-84
Jocelyn Gauvreau 1983-84
Sergio Momesso 1983-84
Larry Landon 1983-84
Petr Svoboda 1984-85

26

Keith McCreary 1961-62
Gérald Brisson 1962-63
Jacques Laperrière
Léon Rochefort 1963-64
Terry Gray
Jim Roberts 1964-67
Bryan Watson 1967-68
Larry Pleau 1969-70

Paul Curtis
Jude Drouin
Pierre Bouchard 1970-78
Dan Newman 1978-79
Normand DuPont 1979-80
Bill Baker 1980-81
Craig Laughlin 1981-82
Mats Naslund 1982-83

27

Frank Mahovlich 1970-74
Rick Chartraw 1974-81
Sean Shanahan
John Van Boxmeer
Gilbert Delorme 1980-81, 1983 —
Perry Turnbull 1983-84
Lucien Deblois 1984-85

28

Mike Polich 1976-77
Pierre Larouche 1977-81
Yvan Joly 1982-83
Jean Hamel 1983-84
Steve Rooney 1984-85

29

Rogatien Vachon 1966-67
Tony Esposito 1968-69
Ernie Wakely
Philippe Myre 1969-70
Ken Dryden 1970-79
Dave Orleski 1980-82
Rick Wamsley 1980-81
Glen Sorenson 1980-81
Mark Holden 1981-82
Dwight Schofield 1982-83
John Newberry 1982-83
John Chabot 1983-85
Ron Flockhart 1984-85
Gaston Gingras 1985-86

30

Lorne Worsley 1963-68
Jean-Guy Morissette
Garry Bauman
Rogatien Vachon 1968-70
Tony Esposito
Philippe Myre 1970-72
Wayne Thomas 1972-74

Rodney Schutt 1977-78
Pat Hughes 1978-79
Rick Meagher 1979-80
Keith Acton
Chris Nilan 1979-86

31

Michel « Bunny » Larocque 1973-74
Pat Hughes 1977-78
Mark Napier 1978-84
John Newberry 1983-85
Normand Baron 1983-84
John Kordic 1985-86

32

Dave Lumley 1978-79
Denis Herron 1979-82
Mark Holden 1982-84
Claude Lemieux 1984-86

33

John Riley 1934-35
Richard Sévigny 1979-80, 1983-84
Patrick Roy 1985-86

34

Bill Kitchen 1981-83
Dwight Schofield 1982-83
Dave Allison 1983-84
Jocelyn Gauvreau 1983-84
Jeff Teal 1984-85
Shayne Corson 1985-86

35

Greg Moffett 1984-85
Mike Mc Phee 1983-86

36

Dave Allison 1983-84
Bill Kitchen 1983-84
Sergio Momesso 1985-86

37

Steve Penney 1983-86

38

Mike Lalor 1985-86

39

Brian Skrudland 1985-86

40

Dominic Campadelli 1985-86

44

Stéphane Richer 1985-86

48

John Gagnon 1934-35
Paul-Marcel Raymond
Norm Collins

55

Jack McGill 1934-35

64

Armand Mondou 1934-35

75

Leroy Goldsworthy 1934-35
John Portland
Desse Roche

88

Roger Jenkins 1934-35

99

Joe Lamb 1934-35
Léo Bourgault
Desse Roche

7

Performances individuelles des joueurs

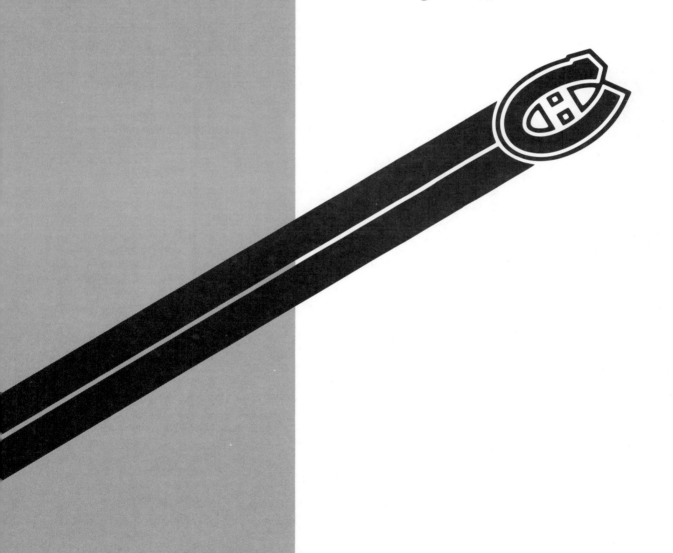

Les statistiques combinées sont fournies pour les joueurs qui se sont alignés avec plus d'une équipe durant une même saison. Ces saisons sont désignées par un astérisque.

ABBOTT, Reginald (Reg)

Né à Winnipeg, Manitoba, le 4 février 1930.
Centre, lance de la gauche.
5'11", 155 lbs
Dernier club amateur: les Wheat Kings jrs de Brandon.

SAISON	CLUB	PJ	B	A	PTS	MEP
1952-53	Canadiens de Montréal	3	0	0	0	0
	TOTAUX	3	0	0	0	0

ACHTYMICHUK, Eugene Edward (Gene)

Né à Lamont, Alberta, le 7 septembre 1932.
Centre, lance de la gauche.
5'11", 170 lbs
Dernier club amateur: les jrs de Crows Nest Pass.

SAISON	CLUB	PJ	B	A	PTS	MEP
1951-52	Canadiens de Montréal	1	0	0	0	0
1956-57	Canadiens de Montréal	3	0	0	0	0
1957-58	Canadiens de Montréal	16	3	5	8	2
	TOTAUX	20	3	5	8	2

A fait partie de l'équipe qui a remporté le trophée Prince de Galles en 1956-57, 1957-58.

ACTON, Keith

Né à Peterborough, Ontario, le 15 avril 1958.
Avant, lance de la droite.
5'8" 167 lbs
Dernier club amateur: Peterborough jr.

SAISON	CLUB	PJ	B	A	PTS	MEP
1979-80	Canadiens de Montréal	2	0	1	1	0
1980-81	Canadiens de Montréal	61	15	24	39	74
1981-82	Canadiens de Montréal	78	36	52	88	88
1982-83	Canadiens de Montréal	78	24	26	50	63
1983-84	Canadiens de Montréal	9	3	7	10	4
	TOTAUX	228	78	110	188	229

ELIMINATOIRES		PJ	B	A	PTS	MEP
1980-81	Canadiens de Montréal	2	0	0	0	6
1981-82	Canadiens de Montréal	5	0	4	4	16
1982-83	Canadiens de Montréal	3	0	0	0	0
	TOTAUX	10	0	4	4	22

Échangé le 28 octobre 1983 avec Mark Napier et un choix de troisième ronde à Minnesota pour Bobby Smith en 1984.

ADAMS, John E. (Jack)

Né à Calgary, Alberta, le 5 mai 1920.
Ailier gauche, lance de la gauche.
5'10", 163 lbs
Dernier club amateur: les K of C jrs de Calgary.

SAISON	CLUB	PJ	B	A	PTS	MEP
1940-41	Canadiens de Montréal	42	6	12	18	11
	TOTAUX	42	6	12	18	11

ELIMINATOIRES		PJ	B	A	PTS	MEP
1940-41	Canadiens de Montréal	3	0	0	0	0
	TOTAUX	3	0	0	0	0

AIKEN, Donald (Don)

Né à Arlington, Massachusetts, le 1er janvier 1932.
Gardien de but.

SAISON	CLUB	PJ	BC	BL	MOY
1957-58	Canadiens de Montréal	1	6	0	6.00
	TOTAUX	1	6	0	6.00

A fait partie de l'équipe qui a remporté le trophée Prince de Galles en 1957-58.
Remplaça Jacques Plant à 6:15 dans la deuxième période le 13 mars 1958.

ALEXANDRE, Arthur (Art)

Lance de la droite.

SAISON	CLUB	PJ	B	A	PTS	MEP
1931-32	Canadiens de Montréal	10	0	2	2	8
1932-33	Canadiens de Montréal	1	0	0	0	0
	TOTAUX	11	0	2	2	8

ELIMINATOIRES		PJ	B	A	PTS	MEP
1931-32	Canadiens de Montréal	4	0	0	0	0
	TOTAUX	4	0	0	0	0

Décédé en 1976.

ALLEN, George Trenholme

Né à Bayfield, Nouveau-Brunswick, le 27 juillet 1914.
Défenseur, lance de la gauche, ailier gauche.
5'10", 170 lbs
Dernier club amateur: les Beavers de North Battleford.

SAISON	CLUB	PJ	B	A	PTS	MEP
1946-47	Canadiens de Montréal	49	7	14	21	12
	TOTAUX	49	7	14	21	12

ELIMINATOIRES		PJ	B	A	PTS	MEP
1946-47	Canadiens de Montréal	11	1	3	4	6
	TOTAUX	11	1	3	4	6

A fait partie de l'équipe qui a remporté le trophée Prince de Galles en 1946-47.

ALLISON, Dave

Né à Fort-Frances, Ontario, le 14 avril 1959.
Défenseur droit.
6'1", 198 lbs
Dernier club amateur: les Cornwall jrs.

SAISON	CLUB	PJ	B	A	PTS	MEP
1983-84	Canadiens de Montréal	3	0	0	0	12
	TOTAUX	3	0	0	0	12

Signe avec Montréal comme agent libre le 4 octobre 1979.
Contrat racheté en 1985.

ANDERSON, Douglas (Doug, Andy)

Né à Edmonton, Alberta, le 20 octobre 1927.
Centre, lance de la gauche.
5'7", 157 lbs
Dernier club amateur: les Flyers srs d'Edmonton.

ELIMINATOIRES		PJ	B	A	PTS	MEP
1952-53	Canadiens de Montréal	2	0	0	0	0
	TOTAUX	2	0	0	0	0

A fait partie de l'équipe qui a remporté la coupe Stanley en 1952-53.

ANDRUFF, Ronald Nicholas (Ron)

Né à Port Alberni, Colombie-Britannique, le 10 juillet 1953.
Centre, lance de la droite.
6', 185 lbs
Dernier club amateur: les Bombers jrs de Flin Flon.

SAISON	CLUB	PJ	B	A	PTS	MEP
1974-75	Canadiens de Montréal	5	0	0	0	2
1975-76	Canadiens de Montréal	1	0	0	0	0
	TOTAUX	6	0	0	0	2

A fait partie de l'équipe qui a remporté le trophée Prince de Galles en 1975-76.

ARBOUR, Amos

SAISON	CLUB	PJ	B	A	PTS	MEP
1915-16	Canadiens de Montréal	20	5	—	5	—
1918-19	Canadiens de Montréal	1	0	0	0	0
1919-20	Canadiens de Montréal	20	22	4	26	10
1920-21	Canadiens de Montréal	22	14	3	17	40
	TOTAUX	63	41	7	48	50

ELIMINATOIRES		PJ	B	A	PTS	MEP
1915-16	Canadiens de Montréal	4	3	—	3	—
	TOTAUX	4	3	—	3	—

A fait partie de l'équipe qui a remporté la coupe Stanley en 1915-16.
Echangé avec Carol Wilson et Harry Mummery pour Sprague Cleghorn et Bill Couture.

ARNASON, Ernest Charles (Chuck)

Né à Dauphin, Manitoba, le 15 juillet 1951.
Ailier droit, lance de la droite.
5'10", 185 lbs
Dernier club amateur: les Bombers jrs de Flin Flon.

SAISON	CLUB	PJ	B	A	PTS	MEP
1971-72	Canadiens de Montréal	17	3	0	3	4
1972-73	Canadiens de Montréal	19	1	1	2	2
	TOTAUX	36	4	1	5	6

A fait partie de l'équipe qui a remporté le trophée Prince de Galles en 1972-73.
Echangé aux Flames d'Atlanta avec Bob Murray et les droits sur Dale Hoganson pour un joueur nommé plus tard et un futur choix au repêchage de mai 1973.

ASMUNDSON, Oscar (Ossie)

Né à Red Deer, Alberta, le 17 novembre 1908.
Centre, lance de la droite.
6', 170 lbs

SAISON	CLUB	PJ	B	A	PTS	MEP
1937-38	Canadiens de Montréal	2	0	0	0	0
	TOTAUX	2	0	0	0	0

AWREY, Donald William (Don, Elbows)

Né à Kitchener, Ontario, le 18 juillet 1943.
Défenseur, lance de la gauche.
6', 195 lbs
Dernier club amateur: les Flyers jrs de de Niagara Falls.

SAISON	CLUB	PJ	B	A	PTS	MEP
1974-75	Canadiens de Montréal	56	1	11	12	58
1975-76	Canadiens de Montréal	72	0	12	12	29
	TOTAUX	128	1	23	24	87

ELIMINATOIRES		PJ	B	A	PTS	MEP
1974-75	Canadiens de Montréal	11	0	6	6	12
	TOTAUX	11	0	6	6	12

Obtenu des Blues de St. Louis contre Charles Lefley, le 28 novembre 1974.
A fait partie de l'équipe qui a remporté le trophée Prince de Galles en 1975-76.
Echangé aux Pingouins de Pittsburgh pour le troisième choix amateur de 1978 et d'autres considérations futures, le 11 août 1976.

BACKSTROM, Ralph Gerald

Né à Kirkland Lake, Ontario, le 18 septembre 1937.
Centre, lance de la gauche.
5'10", 170 lbs
Dernier club amateur: les Canadiens jrs de Hull-Ottawa.

SAISON	CLUB	PJ	B	A	PTS	MEP
1956-57	Canadiens de Montréal	3	0	0	0	0
1957-58	Canadiens de Montréal	2	0	1	1	0
1958-59	Canadiens de Montréal	64	18	22	40	19
1959-60	Canadiens de Montréal	64	13	15	28	24
1960-61	Canadiens de Montréal	69	12	20	32	44
1961-62	Canadiens de Montréal	66	27	38	65	29
1962-63	Canadiens de Montréal	70	23	12	35	51

		PJ	B	A	PTS	MEP
1963-64	Canadiens de Montréal	70	8	21	29	41
1964-65	Canadiens de Montréal	70	25	30	55	41
1965-66	Canadiens de Montréal	67	22	20	42	10
1966-67	Canadiens de Montréal	69	14	27	41	39
1967-68	Canadiens de Montréal	70	20	25	45	14
1968-69	Canadiens de Montréal	72	13	28	41	16
1969-70	Canadiens de Montréal	72	19	24	43	20
1970-71	Canadiens de Montréal	16	1	4	5	0
	TOTAUX	844	215	287	502	348

ELIMINATOIRES		PJ	B	A	PTS	MEP
1958-59	Canadiens de Montréal	11	3	5	8	12
1959-60	Canadiens de Montréal	7	0	3	3	2
1960-61	Canadiens de Montréal	5	0	0	0	4
1961-62	Canadiens de Montréal	5	0	1	1	6
1962-63	Canadiens de Montréal	5	0	0	0	2
1963-64	Canadiens de Montréal	7	2	1	3	8
1964-65	Canadiens de Montréal	13	2	3	5	10
1965-66	Canadiens de Montréal	10	3	4	7	4
1966-67	Canadiens de Montréal	10	5	2	7	6
1967-68	Canadiens de Montréal	13	4	3	7	4
1968-69	Canadiens de Montréal	14	3	4	7	10
	TOTAUX	100	22	26	48	68

PARTIES D'ETOILES		PJ	B	A	PTS
1958	Canadiens de Montréal	1	0	0	0
1959	Canadiens de Montréal	1	0	1	1
1960	Canadiens de Montréal	1	0	1	1
1962	Etoiles de la LNH	1	0	0	0
1965	Canadiens de Montréal	1	0	1	1
1967	Canadiens de Montréal	1	0	0	0
	TOTAUX	6	0	3	3

Echangé aux Kings de Los Angeles pour les services de Gord Labossière et de Raymond Fortin, le 26 janvier 1971.

A remporté le trophée Calder (la meilleure recrue) en 1958-59.
A fait partie de l'équipe qui a remporté le trophée Prince de Galles en 1957-58, 1958-59, 1959-60, 1960-61, 1961-62, 1963-64, 1965-66, 1967-68, 1968-69.
A fait partie de l'équipe qui a remporté la coupe Stanley en 1958-59, 1959-60, 1964-65, 1965-66, 1967-68, 1968-69.

BALFOUR, Murray

Né à Régina, Saskatchewan, le 24 août 1936.
Ailier droit, lance de la droite.
5'9", 178 lbs
Dernier club amateur: les Pats jrs de Régina.

SAISON	CLUB	PJ	B	A	PTS	MEP
1956-57	Canadiens de Montréal	2	0	0	0	2
1957-58	Canadiens de Montréal	3	1	1	2	4
	TOTAUX	5	1	1	2	6

A fait partie de l'équipe qui a remporté le trophée Prince de Galles en 1957-58.
Vendu aux Black Hawks de Chicago, en juin 1959.

BALON, David Alexander (Dave)

Né à Wakaw, Saskatchewan, le 2 août 1938.
Ailier gauche, lance de la gauche.
5'11", 180 lbs
Dernier club amateur: les Mintos jrs de Prince Albert.

SAISON	CLUB	PJ	B	A	PTS	MEP
1963-64	Canadiens de Montréal	70	24	18	42	80
1964-65	Canadiens de Montréal	63	18	23	41	61
1965-66	Canadiens de Montréal	45	3	7	10	24
1966-67	Canadiens de Montréal	48	11	8	19	31
	TOTAUX	226	56	56	112	196

ELIMINATOIRES		PJ	B	A	PTS	MEP
1963-64	Canadiens de Montréal	7	1	1	2	25
1964-65	Canadiens de Montréal	10	0	0	0	10
1965-66	Canadiens de Montréal	9	2	3	5	16
1966-67	Canadiens de Montréal	9	0	2	2	6
	TOTAUX	35	3	6	9	57

PARTIES D'ETOILES		PJ	B	A	PTS
1965	Canadiens de Montréal	1	0	0	0
1966	Canadiens de Montréal	1	0	0	0
	TOTAUX	2	0	0	0

Obtenu des Rangers de New York avec Lorne Worsley, Léon Rochefort et Len Ronson contre Jacques Plante, Don Marshall et Philippe Goyette le 4 juin 1963.
Repêché par les North Stars du Minnesota lors de l'expansion de 1967, le 6 juin 1967.
A fait partie de l'équipe qui a remporté le trophée Prince de Galles en 1963-64, 1965-66.
A fait partie de l'équipe qui a remporté la coupe Stanley en 1964-65, 1965-66.

BARON, Normand

Né à Verdun, Québec, le 15 décembre 1957.
Ailier gauche.
6', 205 lbs
Dernier club amateur: Verdun Int.

SAISON	CLUB	PJ	B	A	PTS	MEP
1983-84	Canadiens de Montréal	4	0	0	0	12
	TOTAUX	4	0	0	0	12

ELIMINATOIRES		PJ	B	A	PTS	MEP
1983-84	Canadiens de Montréal	3	0	0	0	22
	TOTAUX	3	0	0	0	22

Signe avec Montréal comme agent libre le 15 mars 1984. Échangé à St. Louis pour considérations futures le 30 septembre 1985.

BARRY, Martin J. A. (Marty)

Né à Québec, Québec, le 8 décembre 1905.
Centre, lance de la gauche.
5'11", 175 lbs
Dernier club amateur: St. Anthony, à Montréal.

SAISON	CLUB	PJ	B	A	PTS	MEP
1939-40	Canadiens de Montréal	30	4	10	14	2
	TOTAUX	30	4	10	14	2

Acheté des Red Wings de Detroit en 1939.
Membre du Temple de la Renommée en juin 1965.
Décédé le 20 août 1969.

BARTLETT, James Baker (Jim)

Né à Verdun, Québec, le 27 mai 1932.
Ailier gauche, lance de la gauche.
5'9", 165 lbs
Dernier club amateur: les Red Rocks de Matane.

SAISON	CLUB	PJ	B	A	PTS	MEP
1954-55	Canadiens de Montréal	2	0	0	0	4
	TOTAUX	2	0	0	0	4

BAUMAN, Garry Glenwood

Né à Innisfail, Alberta, le 21 juillet 1940.
Gardien de but, lance de la gauche.
5'11", 175 lbs
Dernier club amateur: Michigan Tech.

SAISON	CLUB	PJ	BC	BL	MOY
1966-67	Canadiens de Montréal	2	5	0	2.50
	TOTAUX	2	5	0	2.50

FICHE OFFENSIVE		PJ	B	A	PTS	MEP
1966-67	Canadiens de Montréal	2	0	0	0	0
	TOTAUX	2	0	0	0	0

Repêché par les North Stars du Minnesota lors de l'expansion de 1967 le 6 juin 1967.

BAWLF, Nick W.

Né à Winnipeg, Manitoba, en 1885.

SAISON	CLUB	PJ	B	A	PTS	MEP
*1914-15	Ontarios/ Canadiens de Montréal	15	9	—	9	—
	TOTAUX	15	9	—	9	—

Obtenu du club Ontarios en 1914-15.
Décédé le 6 juin 1947.

BÉLIVEAU, Jean (Le Gros Bill)

Né à Trois-Rivières, Québec, le 31 août 1931.
Centre, lance de la gauche.
6'3", 205 lbs
Dernier club amateur: les As srs de Québec.

SAISON	CLUB	PJ	B	A	PTS	MEP
1950-51	Canadiens de Montréal	2	1	1	2	0
1952-53	Canadiens de Montréal	3	5	0	5	0
1953-54	Canadiens de Montréal	44	13	21	34	22
1954-55	Canadiens de Montréal	70	37	36	73	58
1955-56	Canadiens de Montréal	70	47	41	88	143
1956-57	Canadiens de Montréal	69	33	51	84	105
1957-58	Canadiens de Montréal	55	27	32	59	93
1958-59	Canadiens de Montréal	64	45	46	91	67
1959-60	Canadiens de Montréal	60	34	40	74	57
1960-61	Canadiens de Montréal	69	32	58	90	57
1961-62	Canadiens de Montréal	43	18	23	41	36
1962-63	Canadiens de Montréal	69	18	49	67	68
1963-64	Canadiens de Montréal	68	28	50	78	42
1964-65	Canadiens de Montréal	58	20	23	43	76
1965-66	Canadiens de Montréal	67	29	48	77	50
1966-67	Canadiens de Montréal	53	12	26	38	22
1967-68	Canadiens de Montréal	59	31	37	68	28
1968-69	Canadiens de Montréal	69	33	49	82	55
1969-70	Canadiens de Montréal	63	19	30	49	10
1970-71	Canadiens de Montréal	70	25	51	76	40
	TOTAUX	1125	507	712	1219	1029

ELIMINATOIRES		PJ	B	A	PTS	MEP
1953-54	Canadiens de Montréal	10	2	8	10	4
1954-55	Canadiens de Montréal	12	6	7	13	18
1955-56	Canadiens de Montréal	10	12	7	19	22
1956-57	Canadiens de Montréal	10	6	6	12	15
1957-58	Canadiens de Montréal	10	4	8	12	10
1958-59	Canadiens de Montréal	3	1	4	5	4
1959-60	Canadiens de Montréal	8	5	2	7	6
1960-61	Canadiens de Montréal	6	0	5	5	0
1961-62	Canadiens de Montréal	6	2	1	3	4
1962-63	Canadiens de Montréal	5	2	1	3	2
1963-64	Canadiens de Montréal	5	2	0	2	18
1964-65	Canadiens de Montréal	13	8	8	16	34
1965-66	Canadiens de Montréal	10	5	5	10	6
1966-67	Canadiens de Montréal	10	6	5	11	26
1967-68	Canadiens de Montréal	10	7	4	11	6
1968-69	Canadiens de Montréal	14	5	10	15	8
1970-71	Canadiens de Montréal	20	6	16	22	28
	TOTAUX	162	79	97	176	211

PARTIES D'ETOILES		PJ	B	A	PTS
1953	Canadiens de Montréal	1	0	1	1
1954	Étoiles de la LNH	1	0	1	1
1955	Étoiles de la LNH	1	0	1	1
1956	Canadiens de Montréal	1	0	0	0
1957	Canadiens de Montréal	1	0	0	0
1958	Canadiens de Montréal	1	0	0	0
1959	Canadiens de Montréal	1	2	0	2
1960	Canadiens de Montréal	1	0	0	0
1963	Etoiles de la LNH	1	0	0	0
1964	Etoiles de la LNH	1	1	0	1
1965	Canadiens de Montréal	1	1	0	1
1968	Etoiles de la LNH	1	0	0	0
1969	Etoiles de la LNH (div. est)	1	0	0	0
	TOTAUX	13	4	3	7

A fait partie de l'équipe qui a remporté le trophée Prince de Galles en 1955-56, 1957-58, 1958-59, 1959-60, 1960-61, 1961-62, 1963-64, 1965-66, 1967-68, 1968-69.
A fait partie de l'équipe qui a remporté la coupe Stanley en 1955-56, 1956-57, 1957-58, 1958-59, 1959-60, 1964-65, 1965-66, 1967-68, 1968-69, 1970-71.
A remporté le trophée Art Ross en 1955-56.
A remporté le trophée David A. Hart en 1955-56, 1963-64.
A remporté le trophée Conn Smythe en 1964-65.
Membre de la première équipe d'étoiles en 1954-55, 1955-56, 1956-57, 1958-59, 1959-60, 1960-61.
Membre de la deuxième équipe d'étoiles en 1957-58, 1963-64, 1965-66, 1968-69.
Nommé capitaine des Canadiens en 1961 (1961-62 à 1970-71).
Nommé vice-président des Canadiens en 1971.
Membre du Temple de la Renommée en juin 1972.

BÉLIVEAU, Marcel

SAISON	CLUB	PJ	B	A	PTS	MEP
1914-15	Canadiens de Montréal	1	0	—	0	—
	TOTAUX	1	0	—	0	—

BELL, William (Bill)

Né à Lachine, Québec, le 10 juin 1891.
Défenseur, ailier, centre.

SAISON	CLUB	PJ	B	A	PTS	MEP
'1917-18	Wanderers de Montréal/					
	Canadiens de Montréal	8	1	—	1	—
1918-19	Canadiens de Montréal	1	0	0	0	0
1920-21	Canadiens de Montréal	4	0	0	0	0
'1921-22	Canadiens de Montréal/					
	Senators d'Ottawa	23	2	1	3	4
1922-23	Canadiens de Montréal	15	0	0	0	0
1923-24	Canadiens de Montréal	10	0	0	0	0
	TOTAUX	61	3	1	4	4

ELIMINATOIRES		PJ	B	A	PTS	MEP
1922-23	Canadiens de Montréal	2	0	0	0	0
1923-24	Canadiens de Montréal	5	0	0	0	0
	TOTAUX	7	0	0	0	0

Repêché des Red Band Wanderers de Montréal en 1917-18.
A fait partie de l'équipe qui a remporté la coupe Stanley en 1923-24.

BENNETT, Max

Né à Cobalt, Ontario, le 4 novembre 1912.
Ailier droit, lance de la droite.
5'6", 157 lbs
Dernier club amateur: les Tigers de Hamilton.

SAISON	CLUB	PJ	B	A	PTS	MEP
1935-36	Canadiens de Montréal	1	0	0	0	0
	TOTAUX	1	0	0	0	0

BENOIT, Joseph (Joe)

Né à St. Albert, Alberta, le 27 février 1916.
Ailier droit, lance de la droite.
5'9", 160 lbs
Dernier club amateur: les Smoke Eaters de Trail.

SAISON	CLUB	PJ	B	A	PTS	MEP
1940-41	Canadiens de Montréal	45	16	16	32	32
1941-42	Canadiens de Montréal	45	20	16	36	27
1942-43	Canadiens de Montréal	49	30	27	57	23
1945-46	Canadiens de Montréal	39	9	10	19	8
1946-47	Canadiens de Montréal	6	0	0	0	4
	TOTAUX	184	75	69	144	94

ELIMINATOIRES		PJ	B	A	PTS	MEP
1940-41	Canadiens de Montréal	3	4	0	4	2
1941-42	Canadiens de Montréal	3	1	0	1	5
1942-43	Canadiens de Montréal	5	1	3	4	4
	TOTAUX	11	6	3	9	11

A fait partie de l'équipe qui a remporté le trophée Prince de Galles en 1945-46, 1946-47.

BERENSON, Gordon Arthur (Red)

Né à Régina, Saskatchewan, le 8 décembre 1939.
Centre, lance de la gauche.
6', 190 lbs
Dernier club amateur: Université du Michigan.

SAISON	CLUB	PJ	B	A	PTS	MEP
1961-62	Canadiens de Montréal	4	1	2	3	4
1962-63	Canadiens de Montréal	37	2	6	8	15
1963-64	Canadiens de Montréal	69	7	9	16	12
1964-65	Canadiens de Montréal	3	1	2	3	0
1965-66	Canadiens de Montréal	23	3	4	7	12
	TOTAUX	136	14	23	37	43

ELIMINATOIRES		PJ	B	A	PTS	MEP
1961-62	Canadiens de Montréal	5	2	0	2	0
1962-63	Canadiens de Montréal	5	0	0	0	0
1963-64	Canadiens de Montréal	7	0	0	0	4
1964-65	Canadiens de Montréal	9	0	1	1	2
	TOTAUX	26	2	1	3	6

A fait partie de l'équipe qui a remporté le trophée Prince de Galles en 1961-62, 1963-64, 1965-66.
A fait partie de l'équipe qui a remporté la coupe Stanley en 1964-65.
Echangé aux Rangers de New York pour les services de Ted Taylor et Garry Peters le 13 juin 1966.

BERLINGUETTE, Louis

SAISON	CLUB	PJ	B	A	PTS	MEP
1911-12	Canadiens de Montréal	4	0	—	0	—
1912-13	Canadiens de Montréal	14	4	—	4	—
1913-14	Canadiens de Montréal	20	4	—	4	—
1914-15	Canadiens de Montréal	19	2	—	2	—
1915-16	Canadiens de Montréal	19	2	—	2	—
1916-17	Canadiens de Montréal	17	7	—	7	—
1917-18	Canadiens de Montréal	20	2	—	2	—
1918-19	Canadiens de Montréal	18	5	3	8	9
1919-20	Canadiens de Montréal	24	7	7	14	36
1920-21	Canadiens de Montréal	24	12	9	21	24
1921-22	Canadiens de Montréal	24	12	5	17	8
1922-23	Canadiens de Montréal	24	2	3	5	4
	TOTAUX	227	59	27	86	81

ELIMINATOIRES		PJ	B	A	PTS	MEP
1913-14	Canadiens de Montréal	2	0	—	0	—
1915-16	Canadiens de Montréal	1	0	—	0	—
1916-17	Canadiens de Montréal	5	0	—	0	—
1917-18	Canadiens de Montréal	2	0	—	0	—
1918-19	Canadiens de Montréal	2	1	0	1	—
1922-23	Canadiens de Montréal	2	0	1	1	—
	TOTAUX	14	1	1	2	—

Repêché de la Ligue Professionnelle de Hockey de l'Ontario en 1911.
A fait partie de l'équipe qui a remporté la coupe Stanley en 1915-16.
Echangé aux Sheiks de Saskatoon en 1923.
Décédé le 2 juin 1959.

BERNIER, Arthur (Art)

SAISON	CLUB	PJ	B	A	PTS	MEP
1909-10	Canadiens de Montréal	1	2	—	2	—
1910-11	Canadiens de Montréal	3	1	—	1	—
	TOTAUX	4	3	—	3	—

ELIMINATOIRES		PJ	B	A	PTS	MEP
1909-10	Canadiens de Montréal	12	11	—	11	—
	TOTAUX	12	11	—	11	—

BERRY, Robert Victor (Bob)

Né à Montréal, Québec, le 29 novembre 1943.
Ailier gauche, lance de la gauche.
6', 190 lbs
Dernier club amateur: l'Equipe Nationale B du Canada.

SAISON	CLUB	PJ	B	A	PTS	MEP
1968-69	Canadiens de Montréal	2	0	0	0	0
	TOTAUX	2	0	0	0	0

A fait partie de l'équipe qui a remporté le trophée Prince de Galles en 1968-69.
Vendu aux Kings de Los Angeles le 8 octobre 1970.

BERTRAND, Lorenzo

SAISON	CLUB	PJ	B	A	PTS	MEP
1910-11	Canadiens de Montréal	1	0	—	0	—
1913-14	Canadiens de Montréal	1	0	—	0	—
	TOTAUX	2	0	—	0	—

BIBEAULT, Paul-Emile (Paul)

Né à Montréal, Québec, le 13 avril 1919.
Gardien de but, lance de la gauche.
5'9", 165 lbs
Dernier club amateur: les Canadiens srs de Montréal.

SAISON	CLUB	PJ	BC	BL	MOY
1940-41	Canadiens de Montréal	3	15	0	5.00
1941-42	Canadiens de Montréal	38	131	1	3.47
1942-43	Canadiens de Montréal	50	191	1	3.82
1945-46	Canadiens de Montréal	10	30	0	3.00
	TOTAUX	101	367	2	3.63

ELIMINATOIRES		PJ	BC	BL	MOY
1941-42	Canadiens de Montréal	3	8	1	2.66
1942-43	Canadiens de Montréal	5	15	1	3.00
	TOTAUX	8	23	2	2.88

FICHE OFFENSIVE		PJ	B	A	PTS	MEP
1940-41	Canadiens de Montréal	3	0	0	0	0
1941-42	Canadiens de Montréal	38	0	0	0	0
1942-43	Canadiens de Montréal	50	0	0	0	0
1945-46	Canadiens de Montréal	10	0	0	0	0
	TOTAUX	101	0	0	0	0

ELIMINATOIRES		PJ	B	A	PTS	MEP
1941-42	Canadiens de Montréal	3	0	0	0	0
1942-43	Canadiens de Montréal	5	0	0	0	0
	TOTAUX	8	0	0	0	0

A fait partie de l'équipe qui a remporté le trophée Prince de Galles en 1945-46.

BINETTE, André

Né à Montréal, Québec, le 2 décembre 1933.
Gardien de but, lance de la gauche.
5'7", 165 lbs
Dernier club amateur: les Reds jrs de Trois-Rivières.

SAISON	CLUB	PJ	BC	BL	MOY
1954-55	Canadiens de Montréal	1	4	0	4.00
	TOTAUX	1	4	0	4.00

FICHE OFFENSIVE		PJ	B	A	PTS	MEP
1954-55	Canadiens de Montréal	1	0	0	0	0
	TOTAUX	1	0	0	0	0

BLAINE, Gary James

Né à St-Boniface, Manitoba, le 19 avril 1933.
Ailier droit, lance de la droite.
5'11", 190 lbs
Dernier club amateur: les Canadiens jrs de St-Boniface.

SAISON	CLUB	PJ	B	A	PTS	MEP
1954-55	Canadiens de Montréal	1	0	0	0	0
	TOTAUX	1	0	0	0	0

BLAKE, Hector (Toe)

Né à Victoria Mines, Ontario, le 21 août 1912.
Ailier gauche, lance de la gauche.
5'10", 165 lbs
Dernier club amateur: les Tigers de Hamilton.

SAISON	CLUB	PJ	B	A	PTS	MEP
1935-36	Canadiens de Montréal	11	1	2	3	28
1936-37	Canadiens de Montréal	43	10	12	22	12
1937-38	Canadiens de Montréal	43	17	16	33	33
1938-39	Canadiens de Montréal	48	24	23	47	10
1939-40	Canadiens de Montréal	48	17	19	36	48
1940-41	Canadiens de Montréal	48	12	20	32	49
1941-42	Canadiens de Montréal	48	17	28	45	19

		PJ	B	A	PTS	MEP
1942-43	Canadiens de Montréal	48	23	36	59	26
1943-44	Canadiens de Montréal	41	26	33	59	10
1944-45	Canadiens de Montréal	49	29	38	67	35
1945-46	Canadiens de Montréal	50	29	21	50	2
1946-47	Canadiens de Montréal	60	21	29	50	6
1947-48	Canadiens de Montréal	32	9	15	24	4
	TOTAUX	569	235	292	527	272

ELIMINATOIRES		PJ	B	A	PTS	MEP
1936-37	Canadiens de Montréal	5	1	0	1	0
1937-38	Canadiens de Montréal	3	3	1	4	2
1938-39	Canadiens de Montréal	3	1	1	2	2
1940-41	Canadiens de Montréal	3	0	3	3	5
1941-42	Canadiens de Montréal	3	0	3	3	2
1942-43	Canadiens de Montréal	5	4	3	7	0
1943-44	Canadiens de Montréal	9	7	11	18	2
1944-45	Canadiens de Montréal	6	0	2	2	5
1945-46	Canadiens de Montréal	9	7	6	13	5
1946-47	Canadiens de Montréal	11	2	7	9	0
	TOTAUX	57	25	37	62	23

A fait partie de l'équipe qui a remporté le trophée Prince de Galles en 1943-44, 1944-45, 1945-46, 1946-47.
A fait partie de l'équipe qui a remporté la coupe Stanley en 1943-44, 1945-46.
A gagné le championnat de buts en 1938-39.
A remporté le trophée Lady Byng en 1945-46.
A remporté le trophée Hart en 1938-39.
Membre de la première équipe d'étoiles en 1938-39, 1939-40, 1944-45.
Membre de la deuxième équipe d'étoiles en 1937-38, 1945-46.
Nommé entraîneur des Canadiens en 1955. Succéda à Dick Irvin. Entraîneur des Canadiens de 1955-56 à 1967-68.
Membre de la célèbre "Punch Line" complétée par Maurice Richard, à l'aile droite et Elmer Lach, au centre.
Nommé capitaine des Canadiens en 1940 (1940-41 à 1947-48).
Membre du Temple de la Renommée du Hockey en juin 1966.

BOISVERT, Serge

Né à Drummondville, Québec, 1er Juin 1959.
Ailier droit.
5'9", 175 lbs
Dernier club amateur: Sherbrooke jr.

SAISON	CLUB	PJ	B	A	PTS	MEP
1984-85	Canadiens de Montréal	14	2	2	4	0
1985-86	Canadiens de Montréal	9	2	2	4	2
	TOTAUX	23	4	4	8	2

ELIMINATOIRES		PJ	B	A	PTS	MEP
1984-85	Canadiens de Montréal	12	3	5	8	2
1985-86	Canadiens de Montréal	8	0	1	1	0
	TOTAUX	20	3	6	9	2

Signe avec Montréal comme agent libre le 8 février 1985.

BONIN, Marcel

Né à Montréal, Québec, le 12 septembre 1932.
Ailier gauche, lance de la gauche.
5'9", 175 lbs
Dernier club amateur: les As de Québec.

SAISON	CLUB	PJ	B	A	PTS	MEP
1957-58	Canadiens de Montréal	66	15	24	39	37
1958-59	Canadiens de Montréal	57	13	30	43	38
1959-60	Canadiens de Montréal	59	17	34	51	59
1960-61	Canadiens de Montréal	65	16	35	51	45
1961-62	Canadiens de Montréal	33	7	14	21	41
	TOTAUX	280	68	137	205	220

ELIMINATOIRES		PJ	B	A	PTS	MEP
1957-58	Canadiens de Montréal	9	0	1	1	2
1958-59	Canadiens de Montréal	11	10	5	15	4
1959-60	Canadiens de Montréal	8	1	4	5	12
1960-61	Canadiens de Montréal	6	0	1	1	29
	TOTAUX	34	11	11	22	47

PARTIES D'ETOILES		PJ	B	A	PTS
1957	Canadiens de Montréal	1	0	1	1
1958	Canadiens de Montréal	1	0	0	0
1959	Canadiens de Montréal	1	0	0	0
1960	Canadiens de Montréal	1	0	0	0
	TOTAUX	4	0	1	1

Repêché des Bruins de Boston en juin 1957.
A fait partie de l'équipe qui a remporté le trophée Prince de Galles en 1957-58, 1958-59, 1959-60, 1960-61, 1961-62.
A fait partie de l'équipe qui a remporté la coupe Stanley en 1957-58, 1958-59, 1959-60.

BORDELEAU, Christian Gérard (Chris)

Né à Noranda, Québec, le 23 septembre 1947.
Centre, lance de la gauche.
5'8", 165 lbs
Dernier club amateur: les Canadiens jrs de Montréal.

SAISON	CLUB	PJ	B	A	PTS	MEP
1968-69	Canadiens de Montréal	13	1	3	4	4
1969-70	Canadiens de Montréal	48	2	13	15	18
	TOTAUX	61	3	16	19	22

ELIMINATOIRES		PJ	B	A	PTS	MEP
1968-69	Canadiens de Montréal	6	1	0	1	0
	TOTAUX	6	1	0	1	0

Frère de Jean-Pierre Bordeleau des Black Hawks de Chicago et de Paulin Bordeleau des Nordiques de Québec.
A fait partie de l'équipe qui a remporté le trophée Prince de Galles en 1968-69.
A fait partie de l'équipe qui a remporté la coupe Stanley en 1968-69.
Vendu aux Blues de St. Louis le 22 mai 1970.

BOUCHARD, Edmond

Né à Trois-Rivières, Québec.

SAISON	CLUB	PJ	B	A	PTS	MEP
1921-22	Canadiens de Montréal	18	1	4	5	4
*1922-23	Canadiens de Montréal/ Tigers de Hamilton	24	6	0	6	2
	TOTAUX	42	7	4	11	6

Echangé avec Albert Corbeau aux Tigers de Hamilton pour Joe Malone en 1922.

BOUCHARD, Emile Joseph (Butch)

Né à Montréal, Québec, le 11 septembre 1920.
Défenseur, lance de la droite.
6'2", 205 lbs
Dernier club amateur: les Canadiens srs de Montréal.

SAISON	CLUB	PJ	B	A	PTS	MEP
1941-42	Canadiens de Montréal	44	0	6	6	38
1942-43	Canadiens de Montréal	45	2	16	18	47
1943-44	Canadiens de Montréal	39	5	14	19	52
1944-45	Canadiens de Montréal	50	11	23	34	34
1945-46	Canadiens de Montréal	45	7	10	17	52
1946-47	Canadiens de Montréal	60	5	7	12	60
1947-48	Canadiens de Montréal	60	4	6	10	78
1948-49	Canadiens de Montréal	27	3	3	6	42
1949-50	Canadiens de Montréal	69	1	7	8	88
1950-51	Canadiens de Montréal	52	3	10	13	80
1951-52	Canadiens de Montréal	60	3	9	12	45
1952-53	Canadiens de Montréal	58	2	8	10	55
1953-54	Canadiens de Montréal	70	1	10	11	89
1954-55	Canadiens de Montréal	70	2	15	17	81
1955-56	Canadiens de Montréal	36	0	0	0	22
	TOTAUX	785	49	144	193	863

ELIMINATOIRES		PJ	B	A	PTS	MEP
1941-42	Canadiens de Montréal	3	1	1	2	0
1942-43	Canadiens de Montréal	5	0	1	1	4
1943-44	Canadiens de Montréal	9	1	3	4	4
1944-45	Canadiens de Montréal	6	3	4	7	4
1945-46	Canadiens de Montréal	9	2	1	3	17
1946-47	Canadiens de Montréal	11	0	3	3	21

		PJ	B	A	PTS	MEP
1948-49	Canadiens de Montréal	7	0	0	0	6
1949-50	Canadiens de Montréal	5	0	2	2	2
1950-51	Canadiens de Montréal	11	1	1	2	2
1951-52	Canadiens de Montréal	11	0	2	2	14
1952-53	Canadiens de Montréal	12	1	1	2	6
1953-54	Canadiens de Montréal	11	2	1	3	4
1954-55	Canadiens de Montréal	12	0	1	1	37
1955-56	Canadiens de Montréal	1	0	0	0	0
	TOTAUX	113	11	21	32	121

PARTIES D'ETOILES		PJ	B	A	PTS
1947	Etoiles de la LNH	1	0	0	0
1948	Etoiles de la LNH	1	0	0	0
1950	Etoiles de la LNH	1	0	0	0
1951	Etoiles de la LNH	1	0	0	0
1952	Etoiles de la LNH	1	0	0	0
1953	Etoiles de la LNH	1	0	0	0
	TOTAUX	6	0	0	0

A fait partie de l'équipe qui a remporté le trophée Prince de Galles en 1943-44, 1944-45, 1945-46, 1946-47, 1955-56.
A fait partie de l'équipe qui a remporté la coupe Stanley en 1943-44, 1945-46, 1952-53, 1955-56.
Membre de la première équipe d'étoiles en 1944-45, 1945-46, 1946-47.
Membre de la deuxième équipe d'étoiles en 1943-44.
Nommé capitaine des Canadiens en 1948 (1948-49 à 1955-56).
Membre du Temple de la Renommée du Hockey en juin 1966.

BOUCHARD, Pierre (Butch)

Né à Longueuil, Québec, le 20 février 1948.
Défenseur, lance de la gauche.
6'2", 202 lbs
Dernier club amateur: les Canadiens jrs de Montréal.

SAISON	CLUB	PJ	B	A	PTS	MEP
1970-71	Canadiens de Montréal	51	0	3	3	50
1971-72	Canadiens de Montréal	60	3	5	8	39
1972-73	Canadiens de Montréal	41	0	7	7	69
1973-74	Canadiens de Montréal	60	1	14	15	25
1974-75	Canadiens de Montréal	79	3	9	12	65
1975-76	Canadiens de Montréal	66	1	11	12	50
1976-77	Canadiens de Montréal	73	4	11	15	52
1977-78	Canadiens de Montréal	59	4	6	10	29
	TOTAUX	489	16	66	82	379

ELIMINATOIRES		PJ	B	A	PTS	MEP
1970-71	Canadiens de Montréal	13	0	1	1	10
1971-72	Canadiens de Montréal	1	0	0	0	0
1972-73	Canadiens de Montréal	17	1	3	4	13
1973-74	Canadiens de Montréal	6	0	2	2	4
1974-75	Canadiens de Montréal	10	0	2	2	10
1975-76	Canadiens de Montréal	13	2	0	2	8
1976-77	Canadiens de Montréal	6	0	1	1	6
1977-78	Canadiens de Montréal	10	0	1	1	5
	TOTAUX	76	3	10	13	56

Fils d'Emile Bouchard.
Premier choix amateur des Canadiens en 1965.
A fait partie de l'équipe qui a remporté le trophée Prince de Galles en 1972-73, 1975-76, 1977-78.
A fait partie de l'équipe qui a remporté la coupe Stanley en 1970-71, 1972-73, 1975-76, 1976-77, 1977-78.
Repêché des Waivers par les Capitals de Washington en octobre 1978.

BOUCHER, Robert (Bob)

Né à Ottawa, Ontario.

SAISON	CLUB	PJ	B	A	PTS	MEP
1923-24	Canadiens de Montréal	12	0	0	0	0
	TOTAUX	12	0	0	0	0

ELIMINATOIRES		PJ	B	A	PTS	MEP
1923-24	Canadiens de Montréal	5	0	0	0	0
	TOTAUX	5	0	0	0	0

Frère de Frank, Bill et George Boucher.

BOUCHER, William (Bill)

Né à Ottawa, Ontario.
Ailier droit.

SAISON	CLUB	PJ	B	A	PTS	MEP
1921-22	Canadiens de Montréal	24	17	5	22	18
1922-23	Canadiens de Montréal	24	23	4	27	52
1923-24	Canadiens de Montréal	23	16	6	22	33
1924-25	Canadiens de Montréal	30	18	13	31	92
1925-26	Canadiens de Montréal	34	8	5	13	112
*1926-27	Bruins de Boston/					
	Canadiens de Montréal	35	6	0	6	26
	TOTAUX	170	88	33	121	303

ELIMINATOIRES		PJ	B	A	PTS	MEP
1922-23	Canadiens de Montréal	2	1	0	1	2
1923-24	Canadiens de Montréal	6	6	2	8	14
1924-25	Canadiens de Montréal	6	2	1	3	17
	TOTAUX	14	9	3	12	33

Frère de Frank, George et Bob Boucher.
A fait partie de l'équipe qui a remporté le trophée
Prince de Galles en 1924-25.
A fait partie de l'équipe qui a remporté la coupe Stanley
en 1923-24.
Echangé aux Bruins de Boston pour Carson Cooper en
1926.

BOUDRIAS, André G.

Né à Montréal, Québec, le 19 septembre 1943.
Centre, lance de la gauche.
5'8", 165 lbs
Dernier club amateur: les Canadiens jrs de Montréal.

ELIMINATOIRES		PJ	B	A	PTS	MEP
1963-64	Canadiens de Montréal	4	1	4	5	2
1964-65	Canadiens de Montréal	1	0	0	0	2
1966-67	Canadiens de Montréal	2	0	1	1	2
	TOTAUX	7	1	5	6	6

PARTIES D'ETOILES		PJ	B	A	PTS
1967	Canadiens de Montréal	1	0	0	0
	TOTAUX	1	0	0	0

A fait partie de l'équipe qui a remporté le trophée
Prince de Galles en 1963-64.
Echangé aux North Stars du Minnesota avec Robert
Charlebois et Bernard Côté pour le premier choix
amateur de 1971 (C. Arnason) le 6 juin 1967.

BOUGIE, J.

SAISON	CLUB	PJ	B	A	PTS	MEP
1909-10	Canadiens de Montréal	1	0	—	0	—
	TOTAUX	1	0	—	0	—

BOURCIER, Conrad

Né à Montréal, Québec, le 28 mai 1916.
Centre, lance de la gauche.
5'7", 145 lbs
Dernier club amateur: Verdun.

SAISON	CLUB	PJ	B	A	PTS	MEP
1935-36	Canadiens de Montréal	6	0	0	0	0
	TOTAUX	6	0	0	0	0

Frère de Jean-Louis Bourcier.

BOURCIER, Jean-Louis

Né à Montréal, Québec, le 3 janvier 1912.
Ailier gauche, lance de la gauche.
5'11", 175 lbs
Dernier club amateur: Verdun.

SAISON	CLUB	PJ	B	A	PTS	MEP
1935-36	Canadiens de Montréal	9	0	1	1	0
	TOTAUX	9	0	1	1	0

Frère de Conrad Bourcier.

BOURGEAULT, Léo A.

Né à Sturgeon Falls, Ontario, le 17 janvier 1903.
Défenseur, lance de la gauche.
5'6", 165 lbs
Dernier club amateur: Guelph.

SAISON	CLUB	PJ	B	A	PTS	MEP
*1932-33	Senators d'Ottawa/					
	Canadiens de Montréal	50	2	2	4	27
1933-34	Canadiens de Montréal	48	4	3	7	10
1934-35	Canadiens de Montréal	4	0	0	0	0
	TOTAUX	102	6	5	11	37

ELIMINATOIRES		PJ	B	A	PTS	MEP
1932-33	Canadiens de Montréal	2	0	0	0	0
1933-34	Canadiens de Montréal	2	0	0	0	0
	TOTAUX	4	0	0	0	0

Obtenu des Senators d'Ottawa (1932-33).

BOURQUE, Claude Hennessey

Né à Oxford, Nouvelle-Ecosse, le 31 mars 1915.
Gardien de but.
5'6", 140 lbs
Dernier club amateur: les Maple Leafs de Verdun.

SAISON	CLUB	PJ	BC	BL	MOY
1938-39	Canadiens de Montréal	25	69	2	2.76
*1939-40	Canadiens de Montréal/				
	Red Wings de Detroit	37	124	2	3.35
	TOTAUX	62	193	4	3.05

ELIMINATOIRES		PJ	BC	BL	MOY
1938-39	Canadiens de Montréal	3	8	1	2.67
	TOTAUX	3	8	1	2.67

FICHE OFFENSIVE		PJ	B	A	PTS	MEP
1938-39	Canadiens de Montréal	25	0	0	0	0
*1939-40	Canadiens de Montréal/					
	Red Wings de Detroit	37	0	0	0	0
	TOTAUX	62	0	0	0	0

ELIMINATOIRES		PJ	B	A	PTS	MEP
1938-39	Canadiens de Montréal	3	0	0	0	0
	TOTAUX	3	0	0	0	0

BOWNASS, John (Jack, Red)

Né à Winnipeg, Manitoba, le 27 juillet 1930.
Défenseur, lance de la gauche.
6'1", 200 lbs
Dernier club amateur: les Saguenéens de Chicoutimi.

SAISON	CLUB	PJ	B	A	PTS	MEP
1957-58	Canadiens de Montréal	4	0	1	1	0
	TOTAUX	4	0	1	1	0

A fait partie de l'équipe qui a remporté le trophée
Prince de Galles en 1957-58.

BRISSON, Gérald (Gerry)

Né à St-Boniface, Manitoba, le 3 septembre 1937.
Ailier droit, lance de la droite.
5'9", 155 lbs
Dernier club amateur: les Petes jrs de Peterborough.

SAISON	CLUB	PJ	B	A	PTS	MEP
1962-63	Canadiens de Montréal	4	0	2	2	4
	TOTAUX	4	0	2	2	4

BRODEN, Connell (Connie)

Né à Montréal, Québec, le 6 avril 1932.
Centre, lance de la gauche.
5'8", 160 lbs
Dernier club amateur: les Mohawks srs de Cincinnati.

SAISON	CLUB	PJ	B	A	PTS	MEP
1955-56	Canadiens de Montréal	3	0	0	0	2
1957-58	Canadiens de Montréal	3	2	1	3	0
	TOTAUX	6	2	1	3	2

ELIMINATOIRES		PJ	B	A	PTS	MEP
1956-57	Canadiens de Montréal	6	0	1	1	0
1957-58	Canadiens de Montréal	1	0	0	0	0
	TOTAUX	7	0	1	1	0

A fait partie de l'équipe qui a remporté le trophée
Prince de Galles en 1955-56, 1957-58.
A fait partie de l'équipe qui a remporté la coupe Stanley
en 1956-57, 1957-58.

BRODERICK, Len

Né à Toronto, Ontario, le 11 octobre 1930.
Gardien de but.

SAISON	CLUB	PJ	BC	BL	MOY
1957-58	Canadiens de Montréal	1	2	0	2.00
	TOTAUX	1	2	0	2.00

FICHE OFFENSIVE		PJ	B	A	PTS	MEP
1957-58	Canadiens de Montréal	1	0	0	0	0
	TOTAUX	1	0	0	0	0

A fait partie de l'équipe qui a remporté le trophée
Prince de Galles en 1957-58.

BROOKS, ?

SAISON	CLUB	PJ	B	A	PTS	MEP
1916-17	Canadiens de Montréal	1	0	—	0	—
	TOTAUX	1	0	—	0	—

BROWN, George Allan

Né à Winnipeg, Manitoba, le 17 mai 1912.
Centre, lance de la gauche.
6', 185 lbs
Dernier club amateur: Verdun.

SAISON	CLUB	PJ	B	A	PTS	MEP
1936-37	Canadiens de Montréal	27	4	6	10	10
1937-38	Canadiens de Montréal	34	1	7	8	14
1938-39	Canadiens de Montréal	18	1	9	10	10
	TOTAUX	79	6	22	28	34

ELIMINATOIRES		PJ	B	A	PTS	MEP
1936-37	Canadiens de Montréal	4	0	0	0	0
1937-38	Canadiens de Montréal	3	0	0	0	2
	TOTAUX	7	0	0	0	2

BRUBAKER, Jeff

Né à Hagerstown, Maryland, le 24 février 1958.
Ailier gauche.
6'2", 205 lbs
Dernier club amateur: Peterborough jr.

SAISON	CLUB	PJ	B	A	PTS	MEP
1981-82	Canadiens de Montréal	3	0	1	1	32
	TOTAUX	3	0	1	1	32

ELIMINATOIRES		PJ	B	A	PTS	MEP
1981-82	Canadiens de Montréal	2	0	0	0	27
	TOTAUX	2	0	0	0	27

Obtenu par Montréal en octobre 1981 au repêchage
interligue.
Repêché par Calgary au repêchage interligue le 3 octobre
1983.

BUCYK, Randy

Né à Edmonton, Alberta, le 9 novembre 1962.
Ailier gauche.
6', 190 lbs
Dernier club amateur: Université Northeastern.

SAISON	CLUB	PJ	B	A	PTS	MEP
1985-86	Canadiens de Montréal	17	4	2	6	8
	TOTAUX	17	4	2	6	8

ELIMINATOIRES		PJ	B	A	PTS	MEP
1985-86	Canadiens de Montréal	2	0	0	0	0
	TOTAUX	2	0	0	0	0

Signe avec Montréal comme agent libre le 15 janvier 1986.

BURCHELL, Frederick (Skippy)

Né à Montréal, Québec, le 9 janvier 1931.
Centre, lance de la gauche.
5'6", 145 lbs
Dernier club amateur: les Jets de Johnstown.

SAISON	CLUB	PJ	B	A	PTS	MEP
1950-51	Canadiens de Montréal	2	0	0	0	0
1953-54	Canadiens de Montréal	2	0	0	0	2
	TOTAUX	4	0	0	0	2

BURKE, Martin Alphonsus (Marty)

Né à Toronto, Ontario, le 28 janvier 1906.
Défenseur, lance de la gauche.
5'7", 160 lbs
Dernier club amateur: les Seniors de Port Arthur.

SAISON	CLUB	PJ	B	A	PTS	MEP
*1927-28	Pirates de Pittsburgh/					
	Canadiens de Montréal	46	2	1	3	61
1928-29	Canadiens de Montréal	44	4	2	6	68
1929-30	Canadiens de Montréal	44	2	11	13	71
1930-31	Canadiens de Montréal	44	2	5	7	91
1931-32	Canadiens de Montréal	48	3	6	9	50
*1932-33	Canadiens de Montréal/					
	Senators d'Ottawa	45	2	5	7	36
1933-34	Canadiens de Montréal	45	1	4	5	28
*1937-38	Canadiens de Montréal/					
	Black Hawks de					
	Chicago	50	0	5	5	39
	TOTAUX	366	16	39	55	444

ELIMINATOIRES		PJ	B	A	PTS	MEP
1928-29	Canadiens de Montréal	3	0	0	0	8
1929-30	Canadiens de Montréal	6	0	1	1	6
1930-31	Canadiens de Montréal	10	1	2	3	10
1931-32	Canadiens de Montréal	4	0	0	0	12
1933-34	Canadiens de Montréal	2	0	1	1	2
	TOTAUX	25	1	4	5	38

Obtenu des Pirates de Pittsburgh contre Charles Langlois en 1927-28.
A fait partie de l'équipe qui a remporté la coupe Stanley en 1929-30, 1930-31.
Echangé aux Senators d'Ottawa pour Léo Bourgeault et Harold Starr en 1932-33.
Obtenu des Senators d'Ottawa contre Albert Leduc en 1934.
Echangé aux Black Hawks de Chicago avec Howie Morenz et Lorne Chabot pour Lionel Conacher, Roger Jenkins et Leroy Goldsworthy en 1934.
Obtenu des Black Hawks de Chicago contre Bill MacKenzie en 1937-38.

BUSWELL, Walter Gerald Gerard (Walt)

Né à Montréal, Québec, le 6 novembre 1907.
Défenseur, lance de la gauche.
5'11", 170 lbs
Dernier club amateur: les Juniors de St-François-Xavier.

SAISON	CLUB	PJ	B	A	PTS	MEP
1935-36	Canadiens de Montréal	44	0	2	2	34
1936-37	Canadiens de Montréal	44	0	4	4	30
1937-38	Canadiens de Montréal	48	2	15	17	24
1938-39	Canadiens de Montréal	46	3	7	10	10
1939-40	Canadiens de Montréal	46	1	3	4	10
	TOTAUX	228	6	31	37	108

ELIMINATOIRES		PJ	B	A	PTS	MEP
1936-37	Canadiens de Montréal	5	0	0	0	2
1937-38	Canadiens de Montréal	3	0	0	0	0
1938-39	Canadiens de Montréal	3	2	0	2	2
	TOTAUX	11	2	0	2	4

Obtenu des Red Wings de Detroit en 1935.
Nommé capitaine des Canadiens en 1939-40.

CAIN, Herbert (Herb, Herbie)

Né à Newmarket, Ontario, le 24 décembre 1912.
Ailier gauche, lance de la gauche.
5'11", 180 lbs
Dernier club amateur: les Tigers de Hamilton.

SAISON	CLUB	PJ	B	A	PTS	MEP
1938-39	Canadiens de Montréal	45	13	14	27	26
	TOTAUX	45	13	14	27	26

ELIMINATOIRES		PJ	B	A	PTS	MEP
1938-39	Canadiens de Montréal	3	0	0	0	2
	TOTAUX	3	0	0	0	2

Echangé aux Maroons de Montréal pour Nelson Crutchfield en 1934.
Repêché des Maroons de Montréal en 1938.
Echangé aux Bruins de Boston avec Des Smith pour Ray Getliffe et Herb Cain en 1939.

CAMERON, Harold Hugh (Harry)

Né à Pembroke, Ontario, le 6 février 1890.
Défenseur.

SAISON	CLUB	PJ	B	A	PTS	MEP
*1919-20	St.Patricks de Toronto/					
	Canadiens de Montréal	23	16	1	17	11
	TOTAUX	23	16	1	17	11

Décédé le 20 octobre 1953.

CAMERON, William (Bill)

Né à Timmins, Ontario, en 1904.

SAISON	CLUB	PJ	B	A	PTS	MEP
1923-24	Canadiens de Montréal	18	0	0	0	2
	TOTAUX	18	0	0	0	2

ELIMINATOIRES		PJ	B	A	PTS	MEP
1923-24	Canadiens de Montréal	6	0	0	0	0
	TOTAUX	6	0	0	0	0

CAMPBELL, David (Dave)

Né à Lachute, Québec, le 27 avril 1896.
Défenseur.

SAISON	CLUB	PJ	B	A	PTS	MEP
1920-21	Canadiens de Montréal	3	0	0	0	—
	TOTAUX	3	0	0	0	—

CAMPBELL, Herb

SAISON	CLUB	PJ	B	A	PTS	MEP
1920-21	Canadiens de Montréal	3	0	—	0	—
	TOTAUX	3	0	—	0	—

CAMPEAU, Jean-Claude (Tod)

Né à St-Jérôme, Québec, le 4 juin 1923.
Centre, lance de la gauche.
5'11", 175 lbs
Dernier club amateur: les Royals srs de Montréal.

SAISON	CLUB	PJ	B	A	PTS	MEP
1943-44	Canadiens de Montréal	2	0	0	0	0
1947-48	Canadiens de Montréal	14	2	2	4	4
1948-49	Canadiens de Montréal	26	3	7	10	12
	TOTAUX	42	5	9	14	16

ELIMINATOIRES		PJ	B	A	PTS	MEP
1948-49	Canadiens de Montréal	1	0	0	0	0
	TOTAUX	1	0	0	0	0

A fait partie de l'équipe qui a remporté le trophée Prince de Galles en 1943-44.

CAMPEDELLI, Don

Né à Cohasset, Massachusetts, le 4 mars 1964.
Défenseur droit.
6'1", 205 lbs
Dernier club amateur: Boston College.

SAISON	CLUB	PJ	B	A	PTS	MEP
1985-86	Canadiens de Montréal	2	0	0	0	0
	TOTAUX	2	0	0	0	0

Échangé par Toronto le 18 septembre 1985.

CARBONNEAU, Guy

Né à Sept-Iles, Québec, le 18 mars 1960.
Centre, lance de la droite.
5'10", 175 lbs
Dernier club amateur: Chicoutimi jr.

SAISON	CLUB	PJ	B	A	PTS	MEP
1980-81	Canadiens de Montréal	2	0	1	1	0
1982-83	Canadiens de Montréal	77	18	29	47	68
1983-84	Canadiens de Montréal	78	24	30	54	75
1984-85	Canadiens de Montréal	79	23	34	57	43
1985-86	Canadiens de Montréal	80	20	36	56	57
	TOTAUX	316	85	130	215	233

ELIMINATOIRES		PJ	B	A	PTS	MEP
1982-83	Canadiens de Montréal	3	0	0	0	2
1983-84	Canadiens de Montréal	15	4	3	7	12
1984-85	Canadiens de Montréal	12	4	3	7	8
1985-86	Canadiens de Montréal	20	7	5	12	35
	TOTAUX	50	15	11	26	57

CARLSON, Kent

Né à Concord, New Hampshire, le 11 janvier 1962.
Défenseur gauche.
6'3", 200 lbs
Dernier club amateur: Université St. Lawrence.

SAISON	CLUB	PJ	B	A	PTS	MEP
1983-84	Canadiens de Montréal	65	3	7	10	73
1984-85	Canadiens de Montréal	18	1	1	2	33
	TOTAUX	83	4	8	12	106

Échangé à St. Louis pour Graham Herring et un cinquième choix de repêchage le 31 janvier 1986.

CARON, Alain Luc (Boum Boum)

Né à Dolbeau, Québec, le 27 avril 1938.
Ailier droit, lance de la droite.
5'10", 175 lbs
Dernier club amateur: les Checkers de Charlotte.

SAISON	CLUB	PJ	B	A	PTS	MEP
1968-69	Canadiens de Montréal	2	0	0	0	0
	TOTAUX	2	0	0	0	0

Obtenu des Seals d'Oakland avec Wally Boyer, le premier choix amateur de 1968 (Jim Pritchard) et le premier choix amateur de 1970 (Ray Martiniuk) contre Norm Ferguson et Stan Fuller le 21 mai 1968.
A fait partie de l'équipe qui a remporté le trophée Prince de Galles en 1968-69.

CARROLL, George

Défenseur.

SAISON	CLUB	PJ	B	A	PTS	MEP
*1924-25	Canadiens de Montréal/ Bruins de Boston	15	0	0	0	9
	TOTAUX	15	0	0	0	9

A fait partie de l'équipe qui a remporté le trophée Prince de Galles en 1924-25.

CARSE, Robert Allison (Bob)

Né à Edmonton, Alberta, le 19 juillet 1919.
Ailier gauche, lance de la gauche.
5'9", 160 lbs
Dernier club amateur: les A.C. jrs d'Edmonton.

SAISON	CLUB	PJ	B	A	PTS	MEP
1947-48	Canadiens de Montréal	22	3	3	6	16
	TOTAUX	22	3	3	6	16

CARSON, Gerald (Gerry, Stub)

Né à Parry Sound, Ontario, le 10 octobre 1905.
Défenseur, lance de la gauche.
5'10", 175 lbs
Dernier club amateur: les Peach Kings de Grimsby.

SAISON	CLUB	PJ	B	A	PTS	MEP
*1928-29	Rangers de New York/ Canadiens de Montréal	40	0	0	0	9
1929-30	Canadiens de Montréal	35	1	0	1	8
1932-33	Canadiens de Montréal	48	5	2	7	53
1933-34	Canadiens de Montréal	48	5	1	6	51
1934-35	Canadiens de Montréal	48	0	5	5	56
	TOTAUX	219	11	8	19	177

ELIMINATOIRES		PJ	B	A	PTS	MEP
1929-30	Canadiens de Montréal	6	0	0	0	0
1932-33	Canadiens de Montréal	2	0	0	0	2
1933-34	Canadiens de Montréal	2	0	0	0	2
1934-35	Canadiens de Montréal	2	0	0	0	4
	TOTAUX	12	0	0	0	8

Obtenu des Rangers de New York en 1928-29.
A fait partie de l'équipe qui a remporté la coupe Stanley en 1929-30.

CARTER, William (Bill)

Né à Cornwall, Ontario, le 2 décembre 1937.
Centre, lance de la gauche.
5'11", 155 lbs
Dernier club amateur: les Canadiens jrs de Hull-Ottawa.

SAISON	CLUB	PJ	B	A	PTS	MEP
1957-58	Canadiens de Montréal	1	0	0	0	0
1961-62	Canadiens de Montréal	7	0	0	0	4
	TOTAUX	8	0	0	0	4

A fait partie de l'équipe qui a remporté le trophée Prince de Galles en 1957-58, 1961-62.

CARVETH, Joseph Gordon (Jos, Joe)

Né à Régina, Saskatchewan, le 21 mars 1918.
Ailier droit, lance de la droite.
5'10", 175 lbs
Dernier club amateur: les Pontiacs de Detroit.

SAISON	CLUB	PJ	B	A	PTS	MEP
*1947-48	Canadiens de Montréal/ Bruins de Boston	57	9	19	28	8
1948-49	Canadiens de Montréal	60	15	22	37	8
*1949-50	Canadiens de Montréal/ Red Wings de Detroit	71	14	18	32	15
	TOTAUX	188	38	59	97	31

ELIMINATOIRES		PJ	B	A	PTS	MEP
1948-49	Canadiens de Montréal	7	0	1	1	8
	TOTAUX	7	0	1	1	8

Obtenu des Bruins de Boston contre Jim Peters en 1948.
Echangé aux Red Wings de Detroit pour Calum MacKay en 1950.

CATTARINICH, Joseph (Jos, Joe)

Gardien de but.

SAISON	CLUB	PJ	BC	BL	MOY
1909-10	Canadiens de Montréal	1	6	0	6.00
	TOTAUX	1	6	0	6.00

ELIMINATOIRES		PJ	BC	BL	MOY
1909-10	Canadiens de Montréal	3	23	0	7.66
	TOTAUX	3	23	0	7.66

FICHE OFFENSIVE		PJ	B	A	PTS	MEP
1909-10	Canadiens de Montréal	1	0	—	0	—
	TOTAUX	1	0	—	0	—

ELIMINATOIRES		PJ	B	A	PTS	MEP
1909-10	Canadiens de Montréal	3	0	—	0	—
	TOTAUX	3	0	—	0	—

CHABOT, John

Né à Summerside, I.-P.-É., le 18 mai 1962.
Centre.
6'1", 185 lbs
Dernier club amateur: Castors de Sherbrooke jr.

SAISON	CLUB	PJ	B	A	PTS	MEP
1983-84	Canadiens de Montréal	56	18	25	43	13
	TOTAUX	56	18	25	43	13

ELIMINATOIRES		PJ	B	A	PTS	MEP
1983-84	Canadiens de Montréal	11	1	4	5	0
	TOTAUX	11	1	4	5	0

Échangé à Pittsburgh pour Ron Flockhart le 9 novembre 1984.

CHABOT, Lorne E.

Né à Montréal, Québec, le 5 octobre 1900.
Gardien de but, lance de la gauche.
6'1", 185 lbs
Dernier club amateur: les Seniors de Port Arthur.

SAISON	CLUB	PJ	BC	BL	MOY
1933-34	Canadiens de Montréal	47	101	8	2.15
	TOTAUX	47	101	8	2.15

ELIMINATOIRES		PJ	BC	BL	MOY
1933-34	Canadiens de Montréal	2	4	0	2.00
	TOTAUX	2	4	0	2.00

FICHE OFFENSIVE		PJ	B	A	PTS	MEP
1933-34	Canadiens de Montréal	47	0	0	0	2
	TOTAUX	47	0	0	0	2

ELIMINATOIRES		PJ	B	A	PTS	MEP
1933-34	Canadiens de Montréal	2	0	0	0	0
	TOTAUX	2	0	0	0	0

Obtenu des Maple Leafs de Toronto contre George Hainsworth au début de la saison 1933-34.
Echangé aux Black Hawks de Chicago avec Howie Morenz et Martin Burke pour Lionel Conacher, Roger Jenkins et Leroy Goldsworthy en 1934.
Décédé le 10 octobre 1946.

CHAMBERLAIN, Erwin Groves (Murph)

Né à Shawville, Québec, le 14 février 1915.
Ailier gauche, lance de la gauche.
5'11", 170 lbs
Dernier club amateur: le Frood Mines de Sudbury.

SAISON	CLUB	PJ	B	A	PTS	MEP
1940-41	Canadiens de Montréal	45	10	15	25	75
*1941-42	Canadiens de Montréal/ Americans de New York	36	12	12	24	46
1943-44	Canadiens de Montréal	47	15	32	47	65
1944-45	Canadiens de Montréal	32	12	14	38	
1945-46	Canadiens de Montréal	40	12	14	26	42
1946-47	Canadiens de Montréal	49	10	10	20	97
1947-48	Canadiens de Montréal	30	6	3	9	62
1948-49	Canadiens de Montréal	54	5	8	13	111
	TOTAUX	333	72	106	178	536

ELIMINATOIRES		PJ	B	A	PTS	MEP
1940-41	Canadiens de Montréal	3	0	2	2	11
1943-44	Canadiens de Montréal	9	5	3	8	12
1944-45	Canadiens de Montréal	6	1	1	2	10
1945-46	Canadiens de Montréal	9	4	2	6	18
1946-47	Canadiens de Montréal	11	1	3	4	19
1948-49	Canadiens de Montréal	4	0	0	0	8
	TOTAUX	42	11	11	22	78

Acheté des Maple Leafs de Toronto en 1940.
A fait partie de l'équipe qui a remporté le trophée Prince de Galles en 1943-44, 1944-45, 1945-46, 1946-47.
A fait partie de l'équipe qui a remporté la coupe Stanley en 1943-44, 1945-46.
Nommé assistant-capitaine des Canadiens en 1947.

Décédé d'une crise cardiaque le 8 mai 1986.

CHARRON, Guy

Né à Verdun, Québec, le 24 janvier 1949.
Ailier gauche, lance de la gauche.
5'10", 175 lbs
Dernier club amateur: les Canadiens jrs de Montréal.

SAISON	CLUB	PJ	B	A	PTS	MEP
1969-70	Canadiens de Montréal	5	0	0	0	0
1970-71	Canadiens de Montréal	15	2	2	4	2
	TOTAUX	20	2	2	4	2

Echangé aux Red Wings de Detroit avec Mickey Redmond et Bill Collins pour les services de Frank Mahovlich le 13 janvier 1971.

CHARTRAW, Rick Raymond R.

Né à Caracas, Venezuela, le 13 juillet 1954.
Défenseur, ailier droit, lance de la droite.
6'2", 210 lbs
Dernier club amateur: les Rangers jrs de Kitchener.

SAISON	CLUB	PJ	B	A	PTS	MEP
1974-75	Canadiens de Montréal	12	0	0	0	6
1975-76	Canadiens de Montréal	16	1	3	4	25
1976-77	Canadiens de Montréal	43	3	4	7	59
1977-78	Canadiens de Montréal	68	4	12	16	64
1978-79	Canadiens de Montréal	62	5	11	16	29
1979-80	Canadiens de Montréal	66	5	7	12	35
	TOTAUX	267	18	37	55	218

ELIMINATOIRES		PJ	B	A	PTS	MEP
1975-76	Canadiens de Montréal	2	0	0	0	0
1976-77	Canadiens de Montréal	13	2	1	3	17
1979-80	Canadiens de Montréal	10	2	2	4	0
	TOTAUX	25	4	3	7	17

Troisième choix amateur des Canadiens en 1974.
A fait partie de l'équipe qui a remporté le trophée Prince de Galles en 1975-76, 1976-77, 1977-78.
A fait partie de l'équipe qui a remporté la coupe Stanley en 1975-76, 1976-77, 1977-78, 1978-79.

CHELIOS, Chris

Né à Chicago, Illinois, le 25 janvier 1962.
Défenseur droit.
6'1", 187 lbs
Dernier club amateur: Université du Wisconsin.

SAISON	CLUB	PJ	B	A	PTS	MEP
1983-84	Canadiens de Montréal	12	0	2	2	12
1984-85	Canadiens de Montréal	74	9	55	64	87
1985-86	Canadiens de Montréal	41	8	26	34	67
	TOTAUX	127	17	83	100	166

ELIMINATOIRES		PJ	B	A	PTS	MEP
1983-84	Canadiens de Montréal	15	1	9	10	17
1984-85	Canadiens de Montréal	9	2	8	10	17
1985-86	Canadiens de Montréal	20	2	9	11	49
	TOTAUX	44	5	26	31	83

CLEGHORN, Ogilvie (Odie)

Né à Montréal, Québec, en 1891.
Centre, défenseur.
Dernier club amateur: les Yellow Jackets de Pittsburgh.

SAISON	CLUB	PJ	B	A	PTS	MEP
1918-19	Canadiens de Montréal	17	23	6	29	22
1919-20	Canadiens de Montréal	21	19	3	22	30
1920-21	Canadiens de Montréal	21	5	4	9	8
1921-22	Canadiens de Montréal	23	21	3	24	26
1922-23	Canadiens de Montréal	24	19	7	26	14
1923-24	Canadiens de Montréal	22	3	3	6	14
1924-25	Canadiens de Montréal	30	3	2	5	14
	TOTAUX	158	93	28	121	128

ELIMINATOIRES		PJ	B	A	PTS	MEP
1918-19	Canadiens de Montréal	10	9	0	9	0
1922-23	Canadiens de Montréal	2	0	0	0	2
1923-24	Canadiens de Montréal	6	0	1	1	0
1924-25	Canadiens de Montréal	5	0	1	1	0
	TOTAUX	23	9	2	11	2

Frère de Sprague Cleghorn.
Signe avec les Canadiens en 1918.
A fait partie de l'équipe qui a remporté la coupe Stanley en 1923-24.
A fait partie de l'équipe qui a remporté le trophée Prince de Galles en 1924-25.
Membre du Temple de la Renommée du Hockey en avril 1958.
Décédé, le 13 juillet 1956.

CLEGHORN, Sprague

Né à Montréal, Québec, en 1890.
Défenseur.

SAISON	CLUB	PJ	B	A	PTS	MEP
1921-22	Canadiens de Montréal	24	17	7	24	63
1922-23	Canadiens de Montréal	24	9	4	13	34
1923-24	Canadiens de Montréal	23	8	3	11	39
1924-25	Canadiens de Montréal	27	8	1	9	82
	TOTAUX	98	42	15	57	218

ELIMINATOIRES		PJ	B	A	PTS	MEP
1922-23	Canadiens de Montréal	1	0	0	0	0
1923-24	Canadiens de Montréal	6	2	1	3	2
1924-25	Canadiens de Montréal	6	1	2	3	4
	TOTAUX	13	3	3	6	6

Frère d'Ogilvie "Odie" Cleghorn.
Obtenu avec Bill Couture (Coutu) contre Harry Mummery, Carol Wilson et Amos Arbour, en 1921.
A fait partie de l'équipe qui a remporté la coupe Stanley en 1923-24.
A fait partie de l'équipe qui a remporté le trophée Prince de Galles en 1924-25.
Vendu aux Bruins de Boston pour la somme de $5000, en 1925.
Nommé capitaine des Canadiens de 1921-22 à 1924-25.
Membre du Temple de la Renommée du Hockey en avril 1958.
Décédé le 12 juillet 1956.

CLUNE, Walter James (Walt, Wally)

Né à Toronto, Ontario, le 20 février 1930.
Défenseur, lance de la droite.
5'9", 150 lbs
Dernier club amateur: les Royal srs de Montréal.

SAISON	CLUB	PJ	B	A	PTS	MEP
1955-56	Canadiens de Montréal	5	0	0	0	6
	TOTAUX	5	0	0	0	6

A fait partie de l'équipe qui a remporté le trophée Prince de Galles en 1955-56.

CODERRE, Sam

Coderre a joué deux semaines avec les Canadiens. Il avait été emprunté des Senators d'Ottawa. Nous ne pouvons affirmer l'année exacte mais nous pouvons dire que cela se situe entre 1918 et 1921.
Fiche incomplète: The Flying Frenchmen: Hockey's Greatest Dynasty, par Stan Fischler et Maurice Richard, pp. 33-34.

COLLINGS, Norman (Norm, Dodger)

Né à Bradford, Ontario.

SAISON	CLUB	PJ	B	A	PTS	MEP
1934-35	Canadiens de Montréal	1	0	1	1	0
	TOTAUX	1	0	1	1	0

COLLINS, William Earl (Bill)

Né à Ottawa, Ontario, le 13 juillet 1943.
Ailier droit, lance de la droite.
6', 178 lbs
Dernier club amateur: les Dunlops jrs de Whitby.

SAISON	CLUB	PJ	B	A	PTS	MEP
1970-71	Canadiens de Montréal	40	6	2	8	39
	TOTAUX	40	6	2	8	39

Obtenu des North Stars du Minnesota contre Jude Drouin le 10 juin 1970.
Echangé aux Red Wings de Detroit avec Mickey Redmond et Guy Charron pour les services de Frank Mahovlich le 13 janvier 1971.

COMEAU, Reynald Xavier (Rey)

Né à Montréal, Québec, le 25 octobre 1948.
Centre, lance de la gauche.
5'8", 170 lbs
Dernier club amateur: les Maple Leafs jrs de Verdun.

SAISON	CLUB	PJ	B	A	PTS	MEP
1971-72	Canadiens de Montréal	4	0	0	0	0
	TOTAUX	4	0	0	0	0

Repêché des Canucks de Vancouver lors du repêchage inter-ligue en juin 1971.
Vendu aux Flames d'Atlanta le 16 juin 1972.

CONNELLY, Wayne Francis

Né à Rouyn, Québec, le 16 décembre 1939.
Ailier droit, lance de la droite.
5'10", 170 lbs
Dernier club amateur: les Petes jrs de Peterborough.

SAISON	CLUB	PJ	B	A	PTS	MEP
1960-61	Canadiens de Montréal	3	0	0	0	0
	TOTAUX	3	0	0	0	0

A fait partie de l'équipe qui a remporté le trophée Prince de Galles en 1960-61.
Vendu aux Bruins de Boston le 10 juin 1961.

CONNOR, Cam

Né à Winnipeg, Manitoba, le 10 août 1954.
Ailier gauche, lance de la gauche.
6'2", 200 lbs
Dernier club amateur: les Bombers jrs de Flin Flon.

SAISON	CLUB	PJ	B	A	PTS	MEP
1978-79	Canadiens de Montréal	23	1	3	4	39
	TOTAUX	23	1	3	4	39

ELIMINATOIRES		PJ	B	A	PTS	MEP
1978-79	Canadiens de Montréal	8	1	0	1	0
	TOTAUX	8	1	0	1	0

COOPER, Carson E.

Né à Cornwall, Ontario.

SAISON	CLUB	PJ	B	A	PTS	MEP
*1926-27	Canadiens de Montréal/ Bruins de Boston	24	9	3	12	16
	TOTAUX	24	9	3	12	16

ELIMINATOIRES		PJ	B	A	PTS	MEP
1926-27	Canadiens de Montréal	3	0	0	0	0
	TOTAUX	3	0	0	0	0

Obtenu des Bruins de Boston contre Bill Boucher en 1926-27.
Décédé le 7 avril 1955.

CORBEAU, Albert (Bert)

Pointe, défenseur.

SAISON	CLUB	PJ	B	A	PTS	MEP
1914-15	Canadiens de Montréal	18	1	—	1	—
1915-16	Canadiens de Montréal	23	7	—	7	—
1916-17	Canadiens de Montréal	19	7	—	7	—
1917-18	Canadiens de Montréal	20	8	—	8	—
1918-19	Canadiens de Montréal	16	2	1	3	51
1919-20	Canadiens de Montréal	23	11	5	16	59
1920-21	Canadiens de Montréal	24	12	1	13	86
1921-22	Canadiens de Montréal	22	4	7	11	26
	TOTAUX	165	52	14	66	222

ELIMINATOIRES		PJ	B	A	PTS	MEP
1915-16	Canadiens de Montréal	5	0	—	0	—
1916-17	Canadiens de Montréal	6	4	—	4	—
1917-18	Canadiens de Montréal	2	1	0	1	—
1918-19	Canadiens de Montréal	10	1	0	1	—
	TOTAUX	23	6	0	6	—

A fait partie de l'équipe qui a remporté la coupe Stanley en 1915-16.
Echangé aux Tigers de Hamilton avec Edmond Bouchard pour les services de Joe Malone en 1922.
Décédé le 22 septembre 1942.

CORMIER, Roger

SAISON	CLUB	PJ	B	A	PTS	MEP
1925-26	Canadiens de Montréal	—	0	0	0	—
	TOTAUX	—	0	0	0	—

Dernier club amateur: le St-François-Xavier sr.

CORRIVEAU, Fred André (Dédé)

Né à Grand-Mère, Québec, le 15 mai 1928.
Ailier droit, lance de la droite.
5'8", 135 lbs
Dernier club amateur: les Braves de Valleyfield.

SAISON	CLUB	PJ	B	A	PTS	MEP
1953-54	Canadiens de Montréal	3	0	1	1	0
	TOTAUX	3	0	1	1	0

CORSON, Shayne

Né à Barrie, Ontario, le 13 août 1966.
Centre, ailier gauche.
6', 175 lbs
Dernier club amateur: Hamilton jr.

SAISON	CLUB	PJ	B	A	PTS	MEP
1985-86	Canadiens de Montréal	3	0	0	0	2
	TOTAUX	3	0	0	0	2

COUGHLIN, Jack

SAISON	CLUB	PJ	B	A	PTS	MEP
*1919-20	Bulldogs de Québec/ Canadiens de Montréal	11	0	0	0	—
	TOTAUX	11	0	0	0	—

COURNOYER, Yvan Serge

Né à Drummondville, Québec, le 22 novembre 1943.
Ailier droit, lance de la gauche.
5'7", 178 lbs
Dernier club amateur: les Canadiens jrs de Montréal.

SAISON	CLUB	PJ	B	A	PTS	MEP
1963-64	Canadiens de Montréal	5	4	0	4	0
1964-65	Canadiens de Montréal	55	7	10	17	10
1965-66	Canadiens de Montréal	65	18	11	29	8
1966-67	Canadiens de Montréal	69	25	15	40	14
1967-68	Canadiens de Montréal	64	28	32	60	23
1968-69	Canadiens de Montréal	76	43	44	87	31
1969-70	Canadiens de Montréal	72	27	36	63	23
1970-71	Canadiens de Montréal	65	37	36	73	21
1971-72	Canadiens de Montréal	73	47	36	83	15
1972-73	Canadiens de Montréal	67	40	39	79	18
1973-74	Canadiens de Montréal	67	40	33	73	18
1974-75	Canadiens de Montréal	76	29	45	74	32
1975-76	Canadiens de Montréal	71	32	36	68	20
1976-77	Canadiens de Montréal	60	25	28	53	8
1977-78	Canadiens de Montréal	68	24	29	53	12
1978-79	Canadiens de Montréal	15	2	5	7	2
	TOTAUX	968	428	435	863	255

ELIMINATOIRES		PJ	B	A	PTS	MEP
1964-65	Canadiens de Montréal	12	3	1	4	0
1965-66	Canadiens de Montréal	10	2	3	5	2
1966-67	Canadiens de Montréal	10	2	3	5	6
1967-68	Canadiens de Montréal	13	6	8	14	4
1968-69	Canadiens de Montréal	14	4	7	11	5
1970-71	Canadiens de Montréal	20	10	12	22	6
1971-72	Canadiens de Montréal	6	2	1	3	2
1972-73	Canadiens de Montréal	17	15	10	25	2
1973-74	Canadiens de Montréal	6	5	2	7	2
1974-75	Canadiens de Montréal	11	5	6	11	4
1975-76	Canadiens de Montréal	13	3	6	9	4
1976-77	Canadiens de Montréal	—	—	—	—	—
1977-78	Canadiens de Montréal	15	7	4	11	10
	TOTAUX	147	64	63	127	47

PARTIES D'ETOILES		PJ	B	A	PTS
1967	Canadiens de Montréal	1	0	0	0
1971	Etoiles de la section est	1	1	0	1
1972	Etoiles de la section est	1	0	0	0
1973	Etoiles de la section est	1	0	0	0
1974	Prince de Galles	1	1	1	2
1978	Prince de Galles	1	0	0	0
	TOTAUX	6	2	1	3

A fait partie de l'équipe qui a remporté le trophée
Prince de Galles en 1963-64, 1965-66, 1967-68, 1968-69,
1972-73, 1975-76, 1976-77, 1977-78.
A fait partie de l'équipe qui a remporté la coupe Stanley
en 1964-65, 1965-66, 1967-68, 1968-69, 1970-71, 1972-73,
1975-76, 1976-77, 1977-78, 1978-79.
A remporté le trophée Conn Smythe en 1972-73.
Membre de la deuxième équipe d'étoiles en 1968-69,
1970-71, 1971-72, 1972-73.
Nommé assistant-capitaine des Canadiens en 1972.
Nommé capitaine des Canadiens en 1975, succédant à
Henri Richard.
A pris sa retraite en octobre 1979.

COUTURE, Gérald Joseph Wilfred Arthur (Gerry)

Né à Saskatoon, Saskatchewan, le 6 août 1925.
Centre, lance de la droite.
6'2", 185 lbs
Dernier club amateur: les Quackers jrs de Saskatoon.

SAISON	CLUB	PJ	B	A	PTS	MEP
1951-52	Canadiens de Montréal	10	0	1	1	4
	TOTAUX	10	0	1	1	4

COUTURE, Rosario (Lolo)

Né à St-Boniface, Manitoba, le 24 juillet 1905.
Défenseur, ailier droit, lance de la droite.
5'11", 164 lbs
Dernier club amateur: les Rangers de Winnipeg.

SAISON	CLUB	PJ	B	A	PTS	MEP
1935-36	Canadiens de Montréal	10	0	1	1	0
	TOTAUX	10	0	1	1	0

Obtenu des Black Hawks de Chicago contre Wildor
Larochelle (1935-36).

COUTURE, William Wilfred (Bill, Coutu)

Né à Sault-Ste-Marie, Ontario.
Défenseur.

SAISON	CLUB	PJ	B	A	PTS	MEP
1916-17	Canadiens de Montréal	15	0	—	0	—
1917-18	Canadiens de Montréal	19	2	—	2	—
1918-19	Canadiens de Montréal	15	1	1	2	18
1919-20	Canadiens de Montréal	17	4	0	4	30
1921-22	Canadiens de Montréal	23	4	3	7	4
1922-23	Canadiens de Montréal	24	5	2	7	4
1923-24	Canadiens de Montréal	16	3	1	4	8
1924-25	Canadiens de Montréal	28	3	2	5	49
1925-26	Canadiens de Montréal	33	2	4	6	95
	TOTAUX	190	24	13	37	208

ELIMINATOIRES		PJ	B	A	PTS	MEP
1916-17	Canadiens de Montréal	5	0	—	0	—
1917-18	Canadiens de Montréal	2	0	—	0	—
1918-19	Canadiens de Montréal	10	0	—	0	—
1922-23	Canadiens de Montréal	1	0	0	0	22
1923-24	Canadiens de Montréal	6	0	0	0	2
1924-25	Canadiens de Montréal	6	1	0	1	14
	TOTAUX	30	1	0	1	38

A fait partie de l'équipe qui a remporté le trophée
Prince de Galles en 1924-25.
A fait partie de l'équipe qui a remporté la coupe Stanley
en 1923-24.
Echangé aux Tigers de Hamilton en 1920.
Obtenu avec Sprague Cleghorn contre Harry Mummery,
Carol Wilson et Amos Arbour, en 1921.
Succède à Sprague Cleghorn comme capitaine des
Canadiens en 1925-26.

COX, Ab (Abbie)

Gardien de but.

SAISON	CLUB	PJ	BC	BL	MOY
1935-36	Canadiens de Montréal	1	1	0	1.00
	TOTAUX	1	1	0	1.00

FICHE OFFENSIVE		PJ	B	A	PTS	MEP
1935-36	Canadiens de Montréal	1	0	0	0	0
	TOTAUX	1	0	0	0	0

CREIGHTON, William (Bill)

SAISON	CLUB	PJ	B	A	PTS	MEP
*1916-17	Canadiens de Montréal/ Maple Leafs	2	0	—	0	—
	TOTAUX	2	0	—	0	—

CRESSMAN, Glen

Né à Petersburg, Ontario, le 29 août 1934.
Centre, lance de la droite.
5'9", 155 lbs
Dernier club amateur: les Canucks jrs de
Kitchener-Waterloo.

SAISON	CLUB	PJ	B	A	PTS	MEP
1956-57	Canadiens de Montréal	4	0	0	0	2
	TOTAUX	4	0	0	0	2

CRUTCHFIELD, Nelson (Nels)

Né à Knowlton, Québec, le 12 juillet 1911.
Défenseur, centre, lance de la gauche.
6'1", 175 lbs
Dernier club amateur: Université McGill.

SAISON	CLUB	PJ	B	A	PTS	MEP
1934-35	Canadiens de Montréal	41	5	5	10	20
	TOTAUX	41	5	5	10	20

ELIMINATOIRES		PJ	B	A	PTS	MEP
1934-35	Canadiens de Montréal	2	0	1	1	22
	TOTAUX	2	0	1	1	22

Obtenu des Maroons de Montréal contre Lionel
Conacher et Herb Cain (1934-35).

CUDE, Wilfred (Wilf, Petch)

Né à Barry, pays de Galles, le 4 août 1910.
Gardien de but, lance de la gauche.
5'9", 146 lbs
Dernier club amateur: les Millionnaires de Melville.

SAISON	CLUB	PJ	BC	BL	MOY
*1933-34	Red Wings de Detroit/ Canadiens de Montréal	30	47	5	1.57
1934-35	Canadiens de Montréal	48	145	1	3.02
1935-36	Canadiens de Montréal	47	122	6	2.60
1936-37	Canadiens de Montréal	44	99	5	2.25
1937-38	Canadiens de Montréal	47	126	3	2.68
1938-39	Canadiens de Montréal	23	77	2	3.35
1939-40	Canadiens de Montréal	7	24	0	3.43
1940-41	Canadiens de Montréal	3	13	0	4.33
	TOTAUX	249	653	22	2.90

ELIMINATOIRES		PJ	BC	BL	MOY
1934-35	Canadiens de Montréal	2	6	0	3.00
1936-37	Canadiens de Montréal	5	13	0	2.60
1937-38	Canadiens de Montréal	3	11	0	3.67
	TOTAUX	10	30	0	3.09

FICHE OFFENSIVE		PJ	B	A	PTS	MEP
*1933-34	Red Wings de Detroit/ Canadiens de Montréal	30	0	0	0	0
1934-35	Canadiens de Montréal	48	0	0	0	0
1935-36	Canadiens de Montréal	47	0	0	0	0
1936-37	Canadiens de Montréal	44	0	0	0	0
1937-38	Canadiens de Montréal	47	0	0	0	0
1938-39	Canadiens de Montréal	23	0	0	0	0
1939-40	Canadiens de Montréal	7	0	0	0	0
1940-41	Canadiens de Montréal	3	0	0	0	0
	TOTAUX	249	0	0	0	0

ELIMINATOIRES		PJ	B	A	PTS	MEP
1934-35	Canadiens de Montréal	2	0	0	0	0
1936-37	Canadiens de Montréal	5	0	0	0	0
1937-38	Canadiens de Montréal	3	0	0	0	0
	TOTAUX	10	0	0	0	0

Obtenu des Red Wings de Detroit en 1934.
Membre de la deuxième équipe d'étoiles en 1935-36,
1936-37.
Décédé, le 5 mai 1968.

CURRIE, Hugh Roy

Né à Saskatoon, Saskatchewan, le 22 octobre 1925.
Défenseur, lance de la droite.
6', 190 lbs
Dernier club amateur: les Blades srs de Baltimore.

SAISON	CLUB	PJ	B	A	PTS	MEP
1950-51	Canadiens de Montréal	1	0	0	0	0
	TOTAUX	1	0	0	0	0

CURRY, Floyd James (Busher)

Né à Chapleau, Ontario, le 11 août 1925.
Ailier droit, lance de la droite.
5'11", 175 lbs
Dernier club amateur: les Royals srs de Montréal.

SAISON	CLUB	PJ	B	A	PTS	MEP
1947-48	Canadiens de Montréal	31	1	5	6	0
1949-50	Canadiens de Montréal	49	8	8	16	8
1950-51	Canadiens de Montréal	69	13	14	27	23
1951-52	Canadiens de Montréal	64	20	18	38	10
1952-53	Canadiens de Montréal	68	16	6	22	10
1953-54	Canadiens de Montréal	70	13	8	21	22
1954-55	Canadiens de Montréal	68	11	10	21	36
1955-56	Canadiens de Montréal	70	14	18	32	10
1956-57	Canadiens de Montréal	70	7	9	16	20
1957-58	Canadiens de Montréal	42	2	3	5	8
	TOTAUX	601	105	99	204	147

ELIMINATOIRES		PJ	B	A	PTS	MEP
1948-49	Canadiens de Montréal	2	0	0	0	2
1949-50	Canadiens de Montréal	5	1	0	1	2
1950-51	Canadiens de Montréal	11	0	2	2	2
1951-52	Canadiens de Montréal	11	4	3	7	6
1952-53	Canadiens de Montréal	12	2	1	3	2
1953-54	Canadiens de Montréal	11	4	0	4	4
1954-55	Canadiens de Montréal	12	8	4	12	4
1955-56	Canadiens de Montréal	10	1	5	6	12
1956-57	Canadiens de Montréal	10	3	2	5	2
1957-58	Canadiens de Montréal	7	0	0	0	2
	TOTAUX	91	23	17	40	38

PARTIES D'ETOILES		PJ	B	A	PTS	MEP
1951	Etoiles de la LNH	1	0	0	0	0
1952	Etoiles de la LNH	1	0	0	0	0
1953	Canadiens de Montréal	1	0	0	0	0
1956	Canadiens de Montréal	1	0	0	0	0
1957	Canadiens de Montréal	1	0	0	0	0
	TOTAUX	5	0	0	0	0

A fait partie de l'équipe qui a remporté le trophée
Prince de Galles en 1955-56, 1957-58.
A fait partie de l'équipe qui a remporté la coupe Stanley
en 1952-53, 1955-56, 1956-57, 1957-58.
Nommé assistant-capitaine des Canadiens en 1956.

CURTIS, Paul Edwin

Né à Peterborough, Ontario, le 29 septembre 1947.
Défenseur, lance de la gauche.
6', 185 lbs
Dernier club amateur: les Petes jrs de Peterborough.

SAISON	CLUB	PJ	B	A'	PTS	MEP
1969-70	Canadiens de Montréal	1	0	0	0	0
	TOTAUX	1	0	0	0	0

Repêché par les Kings de Los Angeles le 9 juin 1970.

CUSHENAN, Ian Robertson

Né à Hamilton, Ontario, le 29 novembre 1933.
Défenseur, lance de la gauche.
6'1", 195 lbs
Dernier club amateur: les Tee Pees jrs de
St. Catharines.

SAISON	CLUB	PJ	B	A	PTS	MEP
1958-59	Canadiens de Montréal	35	1	2	3	28
	TOTAUX	35	1	2	3	28

PARTIES D'ETOILES		PJ	B	A	PTS
1958	Canadiens de Montréal	1	0	0	0
	TOTAUX	1	0	0	0

A fait partie de l'équipe qui a remporté le trophée
Prince de Galles en 1958-59.

CYR, Claude

Né à Montréal, Québec, le 27 mars 1939.
Gardien de but.

SAISON	CLUB	PJ	BC	BL	MOY
1958-59	Canadiens de Montréal	1	1	0	1.00
	TOTAUX	1	1	0	1.00

FICHE OFFENSIVE		PJ	B	A	PTS	MEP
1958-59	Canadiens de Montréal	1	0	0	0	0
	TOTAUX	1	0	0	0	0

A fait partie de l'équipe qui a remporté le trophée
Prince de Galles en 1958-59.

DAHLIN, Kjell

Né à Timra, Suède, le 2 février 1963.
Ailier droit.
6', 175 lbs
Dernier club amateur: Farjestad, Suède.

SAISON	CLUB	PJ	B	A	PTS	MEP
1985-86	Canadiens de Montréal	77	32	39	71	4
	TOTAUX	77	32	39	71	4

ELIMINATOIRES		PJ	B	A	PTS	MEP
1985-86	Canadiens de Montréal	16	2	3	5	4
	TOTAUX	16	2	3	5	4

DALLAIRE, Henri J.

SAISON	CLUB	PJ	B	A	PTS	MEP
1910-11	Canadiens de Montréal	11	11	—	11	—
1911-12	Canadiens de Montréal	10	5	—	5	—
1913-14	Canadiens de Montréal	5	2	—	2	—
	TOTAUX	26	18	—	18	—

DAME, Aurella N. (Bunny)

Né à Edmonton, Alberta.

SAISON	CLUB	PJ	B	A	PTS	MEP
1941-42	Canadiens de Montréal	34	2	5	7	4
	TOTAUX	34	2	5	7	4

DAVIS, Lorne Austin

Né à Régina, Saskatchewan, le 20 juillet 1930.
Ailier droit, lance de la droite.
5'11", 190 lbs
Dernier club amateur: les Royal srs de Montréal.

SAISON	CLUB	PJ	B	A	PTS	MEP
1951-52	Canadiens de Montréal	3	1	1	2	2
1953-54	Canadiens de Montréal	37	6	4	10	2
	TOTAUX	40	7	5	12	4

ELIMINATOIRES		PJ	B	A	PTS	MEP
1952-53	Canadiens de Montréal	7	1	1	2	2
1953-54	Canadiens de Montréal	11	2	0	2	8
	TOTAUX	18	3	1	4	10

PARTIES D'ETOILES		PJ	B	A	PTS
1953	Canadiens de Montréal	1	0	0	0
	TOTAUX	1	0	0	0

A fait partie de l'équipe qui a remporté la coupe Stanley
en 1952-53.

DAWES, Robert James (Bob)

Né à Saskatoon, Saskatchewan, le 29 novembre 1924.
Défenseur, lance de la gauche.
6'1", 170 lbs
Dernier club amateur: les General jrs d'Oshawa.

SAISON	CLUB	PJ	B	A	PTS	MEP
1950-51	Canadiens de Montréal	15	0	5	5	4
	TOTAUX	15	0	5	5	4

ELIMINATOIRES		PJ	B	A	PTS	MEP
1950-51	Canadiens de Montréal	1	0	0	0	0
	TOTAUX	1	0	0	0	0

DEBLOIS, Lucien

Né à Saint-Thomas-de-Joliette, Québec, le 21 juin 1957.
Ailier droit.
5'11", 200 lbs.
Dernier club amateur: Sorel jr.

SAISON	CLUB	PJ	B	A	PTS	MEP
1984-85	Canadiens de Montréal	51	12	11	23	20
1985-86	Canadiens de Montréal	61	14	17	31	48
	TOTAUX	112	26	28	54	68

ELIMINATOIRES		PJ	B	A	PTS	MEP
1984-85	Canadiens de Montréal	8	2	4	6	4
1985-86	Canadiens de Montréal	11	0	0	0	7
	TOTAUX	19	2	4	6	11

Échangé à Montréal par Winnipeg pour Perry Turnbull, le
13 juin 1984.
Devenu agent libre sans compensation le 11 août 1986.
Signe en septembre 1986 comme agent libre avec les
Rangers de New York.

DECARIE, Ed

SAISON	CLUB	PJ	B	A	PTS	MEP
1909-10	Canadiens de Montréal	1	0	—	0	—
	TOTAUX	1	0	—	0	—

ELIMINATOIRES		PJ	B	A	PTS	MEP
1909-10	Canadiens de Montréal	12	7	—	7	—
	TOTAUX	12	7	—	7	—

DEJORDY, Denis Emile

Né à Ste-Hyacinthe, Québec, le 12 novembre 1938.
Gardien de but, lance de la gauche.
5'9", 185 lbs
Dernier club amateur: les Tee Pees jrs de
St. Catharines.

SAISON	CLUB	PJ	BC	BL	MOY
1971-72	Canadiens de Montréal	7	25	0	4.51
	TOTAUX	7	25	0	4.51

FICHE OFFENSIVE		PJ	B	A	PTS	MEP
1971-72	Canadiens de Montréal	7	0	1	1	0
	TOTAUX	7	0	1	1	0

Obtenu des Kings de Los Angeles avec Dale Hoganson,
Noel Price, Doug Robinson contre Rogatien Vachon le 4
novembre 1971.
Vendu aux Islanders de New York le 12 juin 1972.

DELORME, Gilbert

Né à Boucherville, Québec, le 25 novembre 1962.
Défenseur, lance de la droite.
6'1", 205 lbs
Dernier club amateur: Chicoutimi jr.

SAISON	CLUB	PJ	B	A	PTS	MEP
1981-82	Canadiens de Montréal	60	3	8	11	55
1982-83	Canadiens de Montréal	78	12	21	33	89
1983-84	Canadiens de Montréal	27	2	7	9	8
	TOTAUX	165	17	36	53	152

ELIMINATOIRES		PJ	B	A	PTS	MEP
1982-83	Canadiens de Montréal	3	0	0	0	2
	TOTAUX	3	0	0	0	2

Échangé à St. Louis avec Doug Wickenheiser et Greg
Paslawski pour Perry Turnbull, le 21 décembre 1983.

DEMERS, Antonio (Tony)

Né à Chambly Bassin, Québec, le 22 juillet 1917.
Ailier droit, lance de la droite.
5'9", 180 lbs
Dernier club amateur: les Braves srs de Valleyfield.

SAISON	CLUB	PJ	B	A	PTS	MEP
1937-38	Canadiens de Montréal	6	0	0	0	0
1939-40	Canadiens de Montréal	14	2	3	5	2
1940-41	Canadiens de Montréal	46	13	10	23	17
1941-42	Canadiens de Montréal	7	3	4	7	4
1942-43	Canadiens de Montréal	9	2	5	7	0
	TOTAUX	82	20	22	42	23

ELIMINATOIRES		PJ	B	A	PTS	MEP
1940-41	Canadiens de Montréal	2	0	0	0	0
	TOTAUX	2	0	0	0	0

DENIS, Louis Gilbert (Lulu)

Né à Vonda, Saskatchewan, le 7 juin 1928.
Ailier droit, lance de la droite.
5'8", 140 lbs
Dernier club amateur: les Royal srs de Montréal.

SAISON	CLUB	PJ	B	A	PTS	MEP
1949-50	Canadiens de Montréal	2	0	1	1	0
1950-51	Canadiens de Montréal	1	0	0	0	0
	TOTAUX	3	0	1	1	0

DESAULNIERS, Gérard (Gerry)

Né à Shawinigan Falls, Québec, le 31 décembre 1928.
Centre, lance de la gauche.
5'11", 152 lbs
Dernier club amateur: les Royal srs de Montréal.

SAISON	CLUB	PJ	B	A	PTS	MEP
1950-51	Canadiens de Montréal	3	0	1	1	2
1952-53	Canadiens de Montréal	2	0	1	1	2
1953-54	Canadiens de Montréal	3	0	0	0	0
	TOTAUX	8	0	2	2	4

DESILETS, Joffre Wilfred

Né à Capreol, Ontario, le 10 avril 1915.
Ailier droit, lance de la droite.
5'10", 175 lbs
Dernier club amateur: les Beavers de St. John.

SAISON	CLUB	PJ	B	A	PTS	MEP
1935-36	Canadiens de Montréal	38	7	6	13	0
1936-37	Canadiens de Montréal	48	7	12	19	17
1937-38	Canadiens de Montréal	32	6	7	13	6
	TOTAUX	118	20	25	45	23

ELIMINATOIRES		PJ	B	A	PTS	MEP
1936-37	Canadiens de Montréal	5	1	0	1	0
1937-38	Canadiens de Montréal	2	0	0	0	7
	TOTAUX	7	1	0	1	7

Echangé aux Black Hawks de Chicago pour Louis
Trudel en 1938.

DESLAURIERS, Jacques

Né à Montréal, Québec, le 3 septembre 1928.
Défenseur, lance de la gauche.
6', 170 lbs
Dernier club amateur: les Braves srs de Valleyfield.

SAISON	CLUB	PJ	B	A	PTS	MEP
1955-56	Canadiens de Montréal	2	0	0	0	0
	TOTAUX	2	0	0	0	0

A fait partie de l'équipe qui a remporté le trophée
Prince de Galles en 1955-56.

DESRIVIÈRES, ?

Fiche incomplète. Présence confirmée par le Official
Report Of Match, saison 1929-30, Bureau de la LNH.

DHEERE, Marcel Albert (Ching)

Né à St-Boniface, Manitoba, le 19 décembre 1920.
Ailier gauche, lance de la gauche.
5'7", 175 lbs
Dernier club amateur: Treherne, Manitoba
(intermédiaire).

SAISON	CLUB	PJ	B	A	PTS	MEP
1942-43	Canadiens de Montréal	11	1	2	3	2
	TOTAUX	11	1	2	3	2

ELIMINATOIRES		PJ	B	A	PTS	MEP
1942-43	Canadiens de Montréal	5	0	0	0	6
	TOTAUX	5	0	0	0	6

DOHERTY, Fred H.

Avant.

SAISON	CLUB	PJ	B	A	PTS	MEP
1918-19	Canadiens de Montréal	3	0	0	0	—
	TOTAUX	3	0	0	0	—

DORAN, John Michael (Red)

Né à Belleville, Ontario, le 24 mai 1911.
Défenseur, lance de la gauche.
6', 195 lbs
Dernier club amateur: les Marlboros srs de Toronto.

SAISON	CLUB	PJ	B	A	PTS	MEP
1939-40	Canadiens de Montréal	6	0	3	3	6
	TOTAUX	6	0	3	3	6

Décédé le 11 février 1975.

DOROHOY, Edward (Ed, The Pistol)

Né à Medicine Hat, Alberta, le 13 mars 1929.
Centre, lance de la gauche.
5'9", 150 lbs
Dernier club amateur: les Native Sons jrs de
Lethbridge.

SAISON	CLUB	PJ	B	A	PTS	MEP
1948-49	Canadiens de Montréal	16	0	0	0	6
	TOTAUX	16	0	0	0	6

DRILLON, Gordon Arthur (Gord)

Né à Moncton, Nouveau-Brunswick, le 23 octobre 1914.
Ailier droit, lance de la droite.
6'2", 178 lbs
Dernier club amateur: les Yellow Jackets de
Pittsburgh.

SAISON	CLUB	PJ	B	A	PTS	MEP
1942-43	Canadiens de Montréal	49	28	22	50	14
	TOTAUX	49	28	22	50	14

ELIMINATOIRES		PJ	B	A	PTS	MEP
1942-43	Canadiens de Montréal	5	4	2	6	0
	TOTAUX	5	4	2	6	0

Acheté des Maple Leafs de Toronto, en 1942.
Membre du Temple de la Renommée du Hockey
en juin 1975.

DROUIN, Jude

Né à Mont-Louis, Québec, le 28 octobre 1948.
Centre, lance de la droite.
5'9", 160 lbs
Dernier club amateur: les Canadiens jrs de Montréal.

SAISON	CLUB	PJ	B	A	PTS	MEP
1968-69	Canadiens de Montréal	9	0	1	1	0
1969-70	Canadiens de Montréal	3	0	0	0	2
	TOTAUX	12	0	1	1	2

A fait partie de l'équipe qui a remporté le trophée
Prince de Galles en 1968-69.
Echangé aux North Stars du Minnesota pour Bill Collins
le 10 juin 1970.

DROUIN, Paul-Emile (Polly)

Né à Verdun, Québec, le 16 janvier 1916.
Ailier gauche, lance de la gauche.
5'7", 160 lbs
Dernier club amateur: les Senators srs d'Ottawa.

SAISON	CLUB	PJ	B	A	PTS	MEP
1935-36	Canadiens de Montréal	30	1	8	9	19
1936-37	Canadiens de Montréal	4	0	0	0	0
1937-38	Canadiens de Montréal	31	7	13	20	8
1938-39	Canadiens de Montréal	28	7	11	18	2
1939-40	Canadiens de Montréal	42	4	11	15	51
1940-41	Canadiens de Montréal	21	4	7	11	0
	TOTAUX	156	23	50	73	80

ELIMINATOIRES		PJ	B	A	PTS	MEP
1937-38	Canadiens de Montréal	1	0	0	0	0
1938-39	Canadiens de Montréal	3	0	1	1	5
1940-41	Canadiens de Montréal	1	0	0	0	0
	TOTAUX	5	0	1	1	5

Repêché des Eagles de St. Louis en 1935.
Décédé le 2 janvier 1967.

DRYDEN, Kenneth Wayne (Ken)

Né à Hamilton, Ontario, le 8 août 1947.
Gardien de but, lance de la gauche.
6'4", 210 lbs
Dernier club amateur: l'Equipe Nationale du Canada.

SAISON	CLUB	PJ	BC	BL	MOY
1970-71	Canadiens de Montréal	6	9	0	1.65
1971-72	Canadiens de Montréal	64	142	8	2.24
1972-73	Canadiens de Montréal	54	119	6	2.26
1974-75	Canadiens de Montréal	56	149	4	2.69
1975-76	Canadiens de Montréal	62	121	8	2.03
1976-77	Canadiens de Montréal	56	117	10	2.14
1977-78	Canadiens de Montréal	52	105	5	2.05
1978-79	Canadiens de Montréal	47	108	5	2.30
	TOTAUX	397	870	46	2.34

ELIMINATOIRES		PJ	BC	BL	MOY
1970-71	Canadiens de Montréal	20	61	0	3.00
1971-72	Canadiens de Montréal	6	17	0	2.83
1972-73	Canadiens de Montréal	17	50	1	2.89
1974-75	Canadiens de Montréal	11	29	2	2.53
1975-76	Canadiens de Montréal	13	25	1	1.92
1976-77	Canadiens de Montréal	14	22	4	1.55
1977-78	Canadiens de Montréal	15	29	2	1.89
1978-79	Canadiens de Montréal	16	41	0	2.48
	TOTAUX	112	274	10	2.40

FICHE OFFENSIVE		PJ	B	A	PTS	MEP
1970-71	Canadiens de Montréal	6	0	0	0	0
1971-72	Canadiens de Montréal	64	0	3	3	4
1972-73	Canadiens de Montréal	54	0	4	4	2
1974-75	Canadiens de Montréal	56	0	3	3	2
1975-76	Canadiens de Montréal	62	0	2	2	0
1976-77	Canadiens de Montréal	56	0	2	2	0
1977-78	Canadiens de Montréal	52	0	2	2	0
1978-79	Canadiens de Montréal	47	0	3	3	0
	TOTAUX	397	0	19	19	8

ELIMINATOIRES		PJ	B	A	PTS	MEP
1970-71	Canadiens de Montréal	20	0	1	1	0
1971-72	Canadiens de Montréal	6	0	0	0	0
1972-73	Canadiens de Montréal	17	0	0	0	2
1974-75	Canadiens de Montréal	11	0	0	0	0
1975-76	Canadiens de Montréal	13	0	0	0	0
1976-77	Canadiens de Montréal	14	0	0	0	0
1977-78	Canadiens de Montréal	15	0	0	0	0
1978-79	Canadiens de Montréal	16	0	4	4	4
	TOTAUX	112	0	5	5	6

PARTIES D'ETOILES		PJ	BC	BL	MOY
1972	Etoiles de la section est	1	2	0	4.00
1975	Prince de Galles	1	0	0	0.00
1976	Prince de Galles	1	1	0	2.00
1977	Prince de Galles	1	1	0	2.00
1978	Prince de Galles	1	2	0	4.00
1979	Coupe du défi	2	7	0	3.50
	TOTAUX	7	13	0	2.17

Retraite en juin 1979.
A fait partie de l'équipe qui a remporté le trophée
Prince de Galles en 1972-73, 1975-76, 1976-77, 1977-78.
A fait partie de l'équipe qui a remporté la coupe Stanley
en 1970-71, 1972-73, 1975-76, 1976-77, 1977-78, 1978-79.
A remporté le trophée Conn Smythe en 1970-71.
A remporté le trophée Georges Vézina en 1972-73,
1975-76, 1976-77, 1977-78, 1978-79. (Les trois dernières
années, le trophée fut partagé avec Bunny Larocque.)
A remporté le trophée Calder en 1971-72.

Membre de la première équipe d'étoiles en 1972-73, 1975-76, 1976-77, 1977-78, 1978-79.
Membre de la deuxième équipe d'étoiles en 1971-72.

DUBÉ, Joseph Gilles

Né à Sherbrooke, Québec, le 2 juin 1927.
Ailier gauche, lance de la gauche.
5'11", 165 lbs
Dernier club amateur: les Saints srs de Sherbrooke.

SAISON	CLUB	PJ	B	A	PTS	MEP
1949-50	Canadiens de Montréal	12	1	2	3	2
	TOTAUX	12	1	2	3	2

DUBEAU, Ernest (Ernie)

SAISON	CLUB	PJ	B	A	PTS	MEP
1911-12	Canadiens de Montréal	18	3	—	3	—
1912-13	Canadiens de Montréal	19	0	—	0	—
1913-14	Canadiens de Montréal	20	7	—	7	—
1914-15	Canadiens de Montréal	19	6	—	6	—
	TOTAUX	76	16	—	16	—

ELIMINATOIRES		PJ	B	A	PTS	MEP
1913-14	Canadiens de Montréal	2	0	—	0	—
	TOTAUX	2	0	—	0	—

Obtenu du club Vancouver contre Edouard Lalonde en 1911.

DUCKETT, Richard

SAISON	CLUB	PJ	B	A	PTS	MEP
1909-10	Canadiens de Montréal					

Fiche incomplète: The Flying Frenchmen: Hockey's Greatest Dynasty, par Stan Fischler et Maurice Richard, p. 17.

DUFF, Terrance Richard (Dick)

Né à Kirkland Lake, Ontario, le 18 février 1936.
Ailier gauche, lance de la gauche.
5'9", 163 lbs
Dernier club amateur: le St. Michaels College jrs.

SAISON	CLUB	PJ	B	A	PTS	MEP
1964-65	Canadiens de Montréal	40	9	7	16	16
1965-66	Canadiens de Montréal	63	21	24	45	78
1966-67	Canadiens de Montréal	51	12	11	23	23
1967-68	Canadiens de Montréal	66	25	21	46	21
1968-69	Canadiens de Montréal	68	19	21	40	24
1969-70	Canadiens de Montréal	17	1	1	2	4
	TOTAUX	305	87	85	172	166

ELIMINATOIRES		PJ	B	A	PTS	MEP
1964-65	Canadiens de Montréal	13	3	6	9	17
1965-66	Canadiens de Montréal	10	2	5	7	2
1966-67	Canadiens de Montréal	10	2	3	5	4
1967-68	Canadiens de Montréal	13	3	4	7	4
1968-69	Canadiens de Montréal	14	6	8	14	11
	TOTAUX	60	16	26	42	38

PARTIES D'ETOILES		PJ	B	A	PTS
1965	Canadiens de Montréal	1	0	1	1
1967	Canadiens de Montréal	1	0	0	0
	TOTAUX	2	0	1	1

Obtenu des Rangers de New York contre Bill Hicke le 22 décembre 1964.
A fait partie de l'équipe qui a remporté le trophée Prince de Galles en 1965-66, 1967-68, 1968-69.
A fait partie de l'équipe qui a remporté la coupe Stanley en 1964-65, 1965-66, 1967-68, 1968-69.
Vendu aux Kings de Los Angeles le 23 janvier 1970.

DUPONT, Normand

Né à Montréal, Québec, le 5 février 1957.
Ailier gauche, lance de la gauche.
5'10", 180 lbs
Dernier club amateur: La LHA de Nouvelle-Ecosse.

SAISON	CLUB	PJ	B	A	PTS	MEP
1979-80	Canadiens de Montréal	35	1	3	4	4
	TOTAUX	35	1	3	4	4

ELIMINATOIRES		PJ	B	A	PTS	MEP
1979-80	Canadiens de Montréal	8	1	1	2	0
	TOTAUX	8	1	1	2	0

DURNAN, William Ronald (Bill)

Né à Toronto, Ontario, le 22 janvier 1915.
Gardien de but (ambidextre).
6', 185 lbs
Dernier club amateur: les Royal srs de Montréal.

SAISON	CLUB	PJ	BC	BL	MOY
1943-44	Canadiens de Montréal	50	109	2	2.18
1944-45	Canadiens de Montréal	50	121	1	2.42
1945-46	Canadiens de Montréal	40	104	4	2.60
1946-47	Canadiens de Montréal	60	138	4	2.30
1947-48	Canadiens de Montréal	59	162	5	2.74
1948-49	Canadiens de Montréal	60	126	10	2.10
1949-50	Canadiens de Montréal	64	141	8	2.20
	TOTAUX	383	901	34	2.36

ELIMINATOIRES		PJ	BC	BL	MOY
1943-44	Canadiens de Montréal	9	14	1	1.55
1944-45	Canadiens de Montréal	6	15	0	2.50
1945-46	Canadiens de Montréal	9	20	0	2.22
1946-47	Canadiens de Montréal	11	23	1	2.09
1948-49	Canadiens de Montréal	7	17	0	2.43
1949-50	Canadiens de Montréal	3	10	0	3.33
	TOTAUX	45	99	2	2.35

PARTIES D'ETOILES		PJ	BC	BL	MOY
1947	Etoiles de la LNH	1	3	0	1.50
1948	Etoiles de la LNH	1	0	0	0.00
1949	Etoiles de la LNH	1	1	0	0.50
	TOTAUX	3	4	0	0.67

FICHE OFFENSIVE		PJ	B	A	PTS	MEP
1943-44	Canadiens de Montréal	50	0	0	0	0
1944-45	Canadiens de Montréal	50	0	0	0	0
1945-46	Canadiens de Montréal	40	0	0	0	0
1946-47	Canadiens de Montréal	60	0	0	0	0
1947-48	Canadiens de Montréal	59	0	0	0	5
1948-49	Canadiens de Montréal	60	0	0	0	0
1949-50	Canadiens de Montréal	64	0	1	1	2
	TOTAUX	383	0	1	1	7

ELIMINATOIRES		PJ	B	A	PTS	MEP
1943-44	Canadiens de Montréal	9	0	0	0	0
1944-45	Canadiens de Montréal	6	0	0	0	0
1945-46	Canadiens de Montréal	9	0	0	0	0
1946-47	Canadiens de Montréal	11	0	0	0	0
1948-49	Canadiens de Montréal	7	0	0	0	0
1949-50	Canadiens de Montréal	3	0	0	0	0
	TOTAUX	45	0	0	0	0

A fait partie de l'équipe qui a remporté le trophée Prince de Galles en 1943-44, 1944-45, 1945-46, 1946-47.
A fait partie de l'équipe qui a remporté la coupe Stanley en 1943-44, 1945-46.
A remporté le trophée Georges Vézina en 1943-44, 1944-45, 1945-46, 1946-47, 1948-49, 1949-50.
Membre de la première équipe d'étoiles en 1943-44, 1944-45, 1945-46, 1946-47, 1948-49, 1949-50.
Membre du Temple de la Renommée du Hockey en juin 1964.
Nommé assistant-capitaine en 1946.
Nommé capitaine des Canadiens en 1948.

DUSSAULT, Joseph Normand (Norm, Ti-Nomme)

Né à Springfield, Massachusetts, le 26 septembre 1925.
Ailier gauche, lance de la gauche.
5'6", 150 lbs
Dernier club amateur: les Tigres de Victoriaville.

SAISON	CLUB	PJ	B	A	PTS	MEP
1947-48	Canadiens de Montréal	28	5	10	15	4
1948-49	Canadiens de Montréal	47	9	8	17	6
1949-50	Canadiens de Montréal	67	13	24	37	22
1950-51	Canadiens de Montréal	64	4	20	24	15
	TOTAUX	206	31	62	93	47

ELIMINATOIRES		PJ	B	A	PTS	MEP
1948-49	Canadiens de Montréal	2	0	0	0	0
1949-50	Canadiens de Montréal	5	3	1	4	0
	TOTAUX	7	3	1	4	0

DUTTON, Mervyn (Red)

Né à Russell, Manitoba, le 23 juillet 1898.
Défenseur.

SAISON	CLUB	PJ	B	A	PTS	MEP
1926-27	Canadiens de Montréal	—	4	4	8	—
1927-28	Canadiens de Montréal	—	7	6	13	—
1928-29	Canadiens de Montréal	—	1	3	4	—
1929-30	Canadiens de Montréal	—	3	13	16	—
	TOTAUX	—	15	26	41	—

ELIMINATOIRES		PJ	B	A	PTS	MEP
1926-27	Canadiens de Montréal	—	0	0	0	—
1927-28	Canadiens de Montréal	—	1	0	1	—
1929-30	Canadiens de Montréal	—	0	0	0	—
	TOTAUX	—	1	0	1	—

EDDOLLS, Frank Herbert

Né à Lachine, Québec, le 5 juillet 1921.
Défenseur, lance de la gauche.
5'8", 180 lbs
Dernier club amateur: les General jrs d'Oshawa.

SAISON	CLUB	PJ	B	A	PTS	MEP
1944-45	Canadiens de Montréal	43	5	8	13	20
1945-46	Canadiens de Montréal	8	0	1	1	6
1946-47	Canadiens de Montréal	6	0	0	0	0
	TOTAUX	57	5	9	14	26

ELIMINATOIRES		PJ	B	A	PTS	MEP
1944-45	Canadiens de Montréal	3	0	0	0	0
1945-46	Canadiens de Montréal	8	0	1	1	2
1946-47	Canadiens de Montréal	6	0	0	0	4
	TOTAUX	17	0	1	1	6

A fait partie de l'équipe qui a remporté le trophée Prince de Galles en 1944-45, 1945-46, 1946-47.
A fait partie de l'équipe qui a remporté la coupe Stanley en 1945-46.
Echangé aux Rangers de New York avec Buddy O'Connor pour Hal Laycoe, Joe Bell et George Robertson, en 1948.

EDMUNDSON, Garry Frank

Né à Sexsmith, Alberta, le 6 mai 1932.
Ailier gauche, lance de la gauche.
6', 173 lbs
Dernier club amateur: les Mohawks srs de Cincinnati.

SAISON	CLUB	PJ	B	A	PTS	MEP
1951-52	Canadiens de Montréal	1	0	0	0	0
	TOTAUX	1	0	0	0	0

ELIMINATOIRES		PJ	B	A	PTS	MEP
1951-52	Canadiens de Montréal	2	0	0	0	4
	TOTAUX	2	0	0	0	4

EMBERG, Edwin (Ed, Eddie)

Né à Verdun, Québec, le 18 novembre 1921.
Ailier gauche, lance de la gauche.
5'10", 160 lbs
Dernier club amateur: les Senators d'Ottawa.

ELIMINATOIRES		PJ	B	A	PTS	MEP
1944-45	Canadiens de Montréal	2	1	0	1	0
	TOTAUX	2	1	0	1	0

ENGBLOM, Brian

Né à Winnipeg, Manitoba, le 27 janvier 1955.
Défenseur, lance de la gauche.
6'2", 200 lbs
Dernier club amateur: Université du Wisconsin.

SAISON	CLUB	PJ	B	A	PTS	MEP
1976-77	Canadiens de Montréal	—	—	—	—	—
1977-78	Canadiens de Montréal	28	1	2	3	23
1978-79	Canadiens de Montréal	62	3	11	14	60
1979-80	Canadiens de Montréal	70	3	20	23	43
1980-81	Canadiens de Montréal	80	3	25	28	96
1981-82	Canadiens de Montréal	76	4	29	33	76
	TOTAUX	316	14	87	101	298

ELIMINATOIRES		PJ	B	A	PTS	MEP
1976-77	Canadiens de Montréal	2	0	0	0	2
1977-78	Canadiens de Montréal	5	0	0	0	2
1978-79	Canadiens de Montréal	16	0	1	1	11
1979-80	Canadiens de Montréal	10	2	4	6	6
1980-81	Canadiens de Montréal	3	1	0	1	4
1981-82	Canadiens de Montréal	5	0	2	2	14
	TOTAUX	41	3	7	10	39

A fait partie de l'équipe qui a remporté le trophée de Galles en 1977-78.
A fait partie de l'équipe qui a remporté la coupe Stanley en 1976-77, 1977-78, 1978-79.
Échangé avec Rod Langway, Doug Jarvis et Craig Laughlin pour Ryan Walter et Rick Green, le 9 septembre 1982.

ESPOSITO, Anthony James (Tony)

Né à Sault-Ste-Marie, Ontario, le 23 avril 1943.
Gardien de but, lance de la droite.
5'11", 185 lbs
Dernier club amateur: Michigan Tech.

SAISON	CLUB	PJ	BC	BL	MOY
1968-69	Canadiens de Montréal	13	34	2	2.73
	TOTAUX	13	34	2	2.73

FICHE OFFENSIVE		PJ	B	A	PTS	MEP
1968-69	Canadiens de Montréal	13	0	0	0	0
	TOTAUX	13	0	0	0	0

Frère de Phil Esposito des Rangers de New York.
Repêché par les Black Hawks de Chicago le 11 juin 1969.
A fait partie de l'équipe qui a remporté le trophée Prince de Galles en 1968-69.

EVANS, Claude

Né à Longueuil, Québec, le 28 avril 1933.
Gardien de but, lance de la gauche.
5'8", 165 lbs
Dernier club amateur: les Mohawks srs de Cincinnati.

SAISON	CLUB	PJ	BC	BL	MOY
1954-55	Canadiens de Montréal	4	12	0	3.60
	TOTAUX	4	12	0	3.60

FICHE OFFENSIVE		PJ	B	A	PTS	MEP
1954-55	Canadiens de Montréal	4	0	0	0	0
	TOTAUX	4	0	0	0	0

EVANS, Stewart (Stew)

Né à Ottawa, Ontario, le 19 juin 1908.
Défenseur, lance de la gauche.
5'10", 170 lbs
Dernier club amateur: les Buckaroos de Portland.

SAISON	CLUB	PJ	B	A	PTS	MEP
1938-39	Canadiens de Montréal	43	2	7	9	58
	TOTAUX	43	2	7	9	58

ELIMINATOIRES		PJ	B	A	PTS	MEP
1938-39	Canadiens de Montréal	3	0	0	0	2
	TOTAUX	3	0	0	0	2

FERGUSON, John Bowie (Fergie)

Né à Vancouver, Colombie-Britannique, le 5 septembre 1938.
Ailier gauche, lance de la gauche.
5'11", 190 lbs
Dernier club amateur: les Komets srs de Fort Wayne.

SAISON	CLUB	PJ	B	A	PTS	MEP
1963-64	Canadiens de Montréal	59	18	27	45	125
1964-65	Canadiens de Montréal	69	17	27	44	156
1965-66	Canadiens de Montréal	65	11	14	25	153
1966-67	Canadiens de Montréal	67	20	22	42	177
1967-68	Canadiens de Montréal	61	15	18	33	117
1968-69	Canadiens de Montréal	71	29	23	52	185
1969-70	Canadiens de Montréal	48	19	13	32	139
1970-71	Canadiens de Montréal	60	16	14	30	162
	TOTAUX	500	145	158	303	1214

ELIMINATOIRES		PJ	B	A	PTS	MEP
1963-64	Canadiens de Montréal	7	0	1	1	25
1964-65	Canadiens de Montréal	13	3	1	4	28
1965-66	Canadiens de Montréal	10	2	0	2	44
1966-67	Canadiens de Montréal	10	4	2	6	22
1967-68	Canadiens de Montréal	13	3	5	8	25
1968-69	Canadiens de Montréal	14	4	3	7	80
1970-71	Canadiens de Montréal	18	4	6	10	36
	TOTAUX	85	20	18	38	260

PARTIES D'ETOILES		PJ	B	A	PTS
1965	Canadiens de Montréal	1	0	0	0
1967	Canadiens de Montréal	1	2	0	2
	TOTAUX	2	2	0	2

A fait partie de l'équipe qui a remporté le trophée Prince de Galles en 1963-64, 1964-65, 1965-66, 1967-68, 1968-69.
A fait partie de l'équipe qui a remporté la coupe Stanley en 1964-65, 1965-66, 1967-68, 1968-69, 1970-71.
Nommé assistant-capitaine des Canadiens en 1969.

FIELD, Wilfred Spence (Wilf)

Né à Winnipeg, Manitoba, le 29 avril 1915.
Défenseur, lance de la droite.
5'11", 185 lbs
Dernier club amateur: les Monarchs jrs de Winnipeg.

SAISON	CLUB	PJ	B	A	PTS	MEP
*1944-45	Canadiens de Montréal/ Black Hawks de Chicago	48	4	4	8	32
	TOTAUX	48	4	4	8	32

Repêché des Americans de New York, en 1944.
A fait partie de l'équipe qui a remporté le trophée Prince de Galles en 1944-45.

FILLION, Robert Louis (Bob)

Né à Thetford Mines, Québec, le 12 juillet 1921.
Ailier gauche, lance de la gauche.
5'10", 170 lbs
Dernier club amateur: Le club de l'armée de Montréal.

SAISON	CLUB	PJ	B	A	PTS	MEP
1943-44	Canadiens de Montréal	41	7	23	30	14
1944-45	Canadiens de Montréal	31	6	8	14	12
1945-46	Canadiens de Montréal	50	10	6	16	12
1946-47	Canadiens de Montréal	57	6	3	9	16
1947-48	Canadiens de Montréal	32	9	9	18	8
1948-49	Canadiens de Montréal	59	3	9	12	14
1949-50	Canadiens de Montréal	57	1	3	4	8
	TOTAUX	327	42	61	103	84

ELIMINATOIRES		PJ	B	A	PTS	MEP
1943-44	Canadiens de Montréal	3	0	0	0	2
1944-45	Canadiens de Montréal	1	3	0	3	0
1945-46	Canadiens de Montréal	9	4	3	7	6
1946-47	Canadiens de Montréal	8	0	0	0	0
1948-49	Canadiens de Montréal	7	0	1	1	4
1949-50	Canadiens de Montréal	5	0	0	0	0
	TOTAUX	33	7	4	11	12

A fait partie de l'équipe qui a remporté le trophée Prince de Galles en 1943-44, 1944-45, 1945-46, 1946-47.
A fait partie de l'équipe qui a remporté la coupe Stanley en 1943-44, 1945-46.
Nommé assistant-capitaine des Canadiens en 1947.

FLEMING, Reginald Stephen (Reg)

Né à Montréal, Québec, le 21 avril 1936.
Défenseur, lance de la gauche.
5'10", 185 lbs
Dernier club amateur: les Canadiens jrs de Montréal.

SAISON	CLUB	PJ	B	A	PTS	MEP
1959-60	Canadiens de Montréal	3	0	0	0	2
	TOTAUX	3	0	0	0	2

A fait partie de l'équipe qui a remporté le trophée Prince de Galles en 1959-60.
Vendu aux Black Hawks de Chicago en juin 1960.

FLOCKHART, Ron

Né à Smithers, C.-B., le 10 octobre 1960.
Ailier gauche.
5'11", 185 lbs
Dernier club amateur: Regina jr.

SAISON	CLUB	PJ	B	A	PTS	MEP
1984-85	Canadiens de Montréal	42	10	12	22	14
	TOTAUX	42	10	12	22	14

ELIMINATOIRES		PJ	B	A	PTS	MEP
1984-85	Canadiens de Montréal	2	1	1	2	2
	TOTAUX	2	1	1	2	2

Échangé à Montréal par Pittsburgh pour John Chabot le 9 novembre 1984.
Échangé à St. Louis pour Perry Ganchar, le 26 août 1985.

FONTINATO, Louis (Lou)

Né à Guelph, Ontario, le 20 janvier 1932.
Défenseur, lance de la gauche.
6'1", 195 lbs
Dernier club amateur: les Biltmores jrs de Guelph.

SAISON	CLUB	PJ	B	A	PTS	MEP
1961-62	Canadiens de Montréal	54	2	13	15	167
1962-63	Canadiens de Montréal	63	2	8	10	141
	TOTAUX	117	4	21	25	308

ELIMINATOIRES		PJ	B	A	PTS	MEP
1961-62	Canadiens de Montréal	6	0	1	1	23
	TOTAUX	6	0	1	1	23

Acheté des Rangers de New York en juin 1961.
A fait partie de l'équipe qui a remporté le trophée Prince de Galles en 1961-62.

FORTIER, Charles

SAISON	CLUB	PJ	B	A	PTS	MEP
1923-24	Canadiens de Montréal	1	0	0	0	0
	TOTAUX	1	0	0	0	0

FOURNIER, Jacques (Jack)

Avant.

SAISON	CLUB	PJ	B	A	PTS	MEP
1914-15	Canadiens de Montréal	9	0	—	0	—
1915-16	Canadiens de Montréal	9	0	—	0	—
	TOTAUX	18	0	—	0	—

FRAMPTON, Robert Percy James (Bob)

Né à Toronto, Ontario, le 20 janvier 1929.
Ailier gauche, lance de la gauche.
5'10", 175 lbs
Dernier club amateur: les Royaux srs de Montréal.

SAISON	CLUB	PJ	B	A	PTS	MEP
1949-50	Canadiens de Montréal	2	0	0	0	0
	TOTAUX	2	0	0	0	0

ELIMINATOIRES		PJ	B	A	PTS	MEP
1949-50	Canadiens de Montréal	3	0	0	0	0
	TOTAUX	3	0	0	0	0

FRASER, Gordon (Gord)

Né à Pembroke, Ontario.
Défenseur.

SAISON	CLUB	PJ	B	A	PTS	MEP
*1929-30	Canadiens de Montréal/ Pirates de Pittsburgh	40	6	4	10	41
	TOTAUX	40	6	4	10	41

FRÉCHETTE, F.

SAISON	CLUB	PJ	B	A	PTS	MEP
1912-13	Canadiens de Montréal	1	0	—	0	—
1913-14	Canadiens de Montréal	1	0	—	0	—
	TOTAUX	2	0	—	0	—

FREW, Irvine

Né à Kilsyth, Ecosse, le 16 août 1907.
Défenseur, lance de la droite.
5'10", 180 lbs
Dernier club amateur: les Canadiens jrs de Calgary.

SAISON	CLUB	PJ	B	A	PTS	MEP
1935-36	Canadiens de Montréal	18	0	2	2	16
	TOTAUX	18	0	2	2	16

Repêché des Eagles de St. Louis en 1935.

FRYDAY, Robert George (Bob)

Né à Toronto, Ontario, le 5 décembre 1928.
Ailier droit, lance de la droite.
5'10", 155 lbs
Dernier club amateur: les Royaux srs de Montréal.

SAISON	CLUB	PJ	B	A	PTS	MEP
1949-50	Canadiens de Montréal	2	1	0	1	0
1951-52	Canadiens de Montréal	3	0	0	0	0
	TOTAUX	5	1	0	1	0

GAGNÉ, Arthur E. (Art)

Ailier droit, lance de la droite.

SAISON	CLUB	PJ	B	A	PTS	MEP
1926-27	Canadiens de Montréal	44	14	3	17	42
1927-28	Canadiens de Montréal	44	20	10	30	75
1928-29	Canadiens de Montréal	44	7	3	10	52
	TOTAUX	132	41	16	57	169

ELIMINATOIRES		PJ	B	A	PTS	MEP
1926-27	Canadiens de Montréal	4	0	0	0	0
1927-28	Canadiens de Montréal	2	1	1	2	4
1928-29	Canadiens de Montréal	3	0	0	0	12
	TOTAUX	9	1	1	2	16

Echangé aux Bruins de Boston en 1929.

GAGNON, Germain

Né à Chicoutimi, Québec, le 9 décembre 1942.
Ailier gauche, lance de la gauche.
6', 172 lbs
Dernier club amateur: les Canadiens jrs de Montréal.

SAISON	CLUB	PJ	B	A	PTS	MEP
1971-72	Canadiens de Montréal	4	0	0	0	0
	TOTAUX	4	0	0	0	0

Echangé aux Islanders de New York le 26 juin 1972, pour compléter la transaction du 6 juin 1972 dans laquelle les Islanders ont reçu Denis Dejordy, Tony Featherstone, Murray Anderson, Glen Resch et Alec Campbell contre un certain montant d'argent et des considérations futures.

GAGNON, John (Le chat noir, Black Cat, Johnny)

Né à Chicoutimi, Québec, le 8 juin 1905.
Ailier droit, lance de la droite.
5'5", 140 lbs
Dernier club amateur: Sons of Ireland (Québec).

SAISON	CLUB	PJ	B	A	PTS	MEP
1930-31	Canadiens de Montréal	41	18	7	25	43
1931-32	Canadiens de Montréal	48	19	18	37	40
1932-33	Canadiens de Montréal	48	12	23	35	64
1933-34	Canadiens de Montréal	48	9	15	24	25
*1934-35	Bruins de Boston/ Canadiens de Montréal	47	2	6	8	11
1935-36	Canadiens de Montréal	48	7	9	16	42
1936-37	Canadiens de Montréal	48	20	16	36	38
1937-38	Canadiens de Montréal	47	13	17	30	9
1938-39	Canadiens de Montréal	45	12	22	34	23
*1939-40	Canadiens de Montréal/ Americans de New York	34	8	8	16	0
	TOTAUX	444	120	141	261	295

ELIMINATOIRES		PJ	B	A	PTS	MEP
1930-31	Canadiens de Montréal	10	6	2	8	8
1931-32	Canadiens de Montréal	4	1	1	2	4
1932-33	Canadiens de Montréal	2	0	2	2	0
1933-34	Canadiens de Montréal	2	1	0	1	2
1934-35	Canadiens de Montréal	2	0	1	1	2
1936-37	Canadiens de Montréal	5	2	1	3	9
1937-38	Canadiens de Montréal	3	1	3	4	2
1938-39	Canadiens de Montréal	3	0	2	2	10
	TOTAUX	31	11	12	23	37

A fait partie de l'équipe qui a remporté la coupe Stanley en 1930-31.
Echangé aux Bruins de Boston pour Tony Savage en 1934-35.
Racheté des Bruins de Boston en 1934-35.
Vendu aux Americans de New York en 1939-40.

GAINEY, Robert Michael (Bob)

Né à Peterborough, Ontario, le 13 décembre 1953.
Ailier gauche, lance de la gauche.
6'2", 190 lbs
Dernier club amateur: les Petes jrs de Peterborough.

SAISON	CLUB	PJ	B	A	PTS	MEP
1973-74	Canadiens de Montréal	66	3	7	10	34
1974-75	Canadiens de Montréal	80	17	20	37	49
1975-76	Canadiens de Montréal	78	15	13	28	57
1976-77	Canadiens de Montréal	80	14	19	33	41
1977-78	Canadiens de Montréal	66	15	16	31	57
1978-79	Canadiens de Montréal	79	20	18	38	44
1979-80	Canadiens de Montréal	64	14	19	33	32
1980-81	Canadiens de Montréal	78	23	24	47	36
1981-82	Canadiens de Montréal	79	21	24	45	24
1982-83	Canadiens de Montréal	80	12	18	30	43
1983-84	Canadiens de Montréal	77	17	22	39	41
1984-85	Canadiens de Montréal	79	19	13	32	40
1985-86	Canadiens de Montréal	80	20	23	43	20
	TOTAUX	986	210	236	446	518

ELIMINATOIRES		PJ	B	A	PTS	MEP
1973-74	Canadiens de Montréal	6	0	0	0	6
1974-75	Canadiens de Montréal	11	2	4	6	4
1975-76	Canadiens de Montréal	13	1	3	4	20
1976-77	Canadiens de Montréal	14	4	1	5	25
1977-78	Canadiens de Montréal	15	2	7	9	14
1978-79	Canadiens de Montréal	16	6	10	16	10
1979-80	Canadiens de Montréal	10	1	1	2	4
1980-81	Canadiens de Montréal	3	0	0	0	2
1981-82	Canadiens de Montréal	5	0	1	1	8
1982-83	Canadiens de Montréal	3	0	0	0	4
1983-84	Canadiens de Montréal	15	1	5	6	9
1984-85	Canadiens de Montréal	12	1	3	4	13
1985-86	Canadiens de Montréal	20	5	5	10	12
	TOTAUX	143	23	40	63	131

PARTIE D'ETOILES		PJ	B	A	PTS
1977	Canadiens de Montréal	1	0	1	1
1978	Canadiens de Montréal	1	0	0	0
	TOTAUX	2	0	1	1

A fait partie de l'équipe qui a remporté le trophée Prince de Galles en 1975-76, 1976-77, 1977-78.
A fait partie de l'équipe qui a remporté la coupe Stanley en 1975-76, 1976-77, 1977-78, 1978-79, 1985-86.
Premier choix amateur des Canadiens en 1973.
A remporté le trophée Frank J. Selke en 1977-78, 1978-79, 1979-80.
A remporté le trophée Conn Smythe en 1978-79.

GALLAGHER, John James Patrick (Johnny)

Né à Kenora, Ontario, le 19 janvier 1909.
Défenseur, lance de la gauche.
5'11", 188 lbs
Dernier club amateur: les M.A.A.A. srs.

SAISON	CLUB	PJ	B	A	PTS	MEP
*1936-37	Americans de New York/ Canadiens de Montréal	20	1	0	1	12
	TOTAUX	20	1	0	1	12

Repêché des Americans de New York (1936-37).

GAMBLE, Richard Frank (Dick)

Né à Moncton, Nouveau-Brunswick, le 16 novembre 1928.
Ailier gauche, lance de la gauche.
6', 177 lbs
Dernier club amateur: les As srs de Québec.

SAISON	CLUB	PJ	B	A	PTS	MEP
1950-51	Canadiens de Montréal	1	0	0	0	0
1951-52	Canadiens de Montréal	64	23	17	40	8
1952-53	Canadiens de Montréal	69	11	13	24	26
1953-54	Canadiens de Montréal	32	4	8	12	18
1955-56	Canadiens de Montréal	12	0	3	3	8
	TOTAUX	178	38	41	79	60

ELIMINATOIRES		PJ	B	A	PTS	MEP
1951-52	Canadiens de Montréal	7	0	2	2	0
1952-53	Canadiens de Montréal	5	1	0	1	2
1954-55	Canadiens de Montréal	2	0	0	0	2
	TOTAUX	14	1	2	3	4

A fait partie de l'équipe qui a remporté le trophée Prince de Galles en 1955-56.
A fait partie de l'équipe qui a remporté la coupe Stanley en 1952-53.

GARDINER, Herbert Martin (Herb)

Né à Winnipeg, Manitoba, le 8 mai 1891.
Défenseur.

SAISON	CLUB	PJ	B	A	PTS	MEP
1926-27	Canadiens de Montréal	44	6	6	12	26
1927-28	Canadiens de Montréal	4	4	3	7	26
*1928-29	Canadiens de Montréal/ Black Hawks de Chicago	13	0	0	0	0
	TOTAUX	61	10	9	19	52

ELIMINATOIRES		PJ	B	A	PTS	MEP
1926-27	Canadiens de Montréal	4	0	0	0	6
1927-28	Canadiens de Montréal	2	0	1	1	4
1928-29	Canadiens de Montréal	3	0	0	0	0
	TOTAUX	9	0	1	1	10

Echangé aux Black Hawks de Chicago pour Arthur Lesieur en 1929.
Membre du Temple de la Renommée du Hockey en avril 1958.
Décédé le 11 janvier 1972.

GARDINER, Wilbert Homer (Bert)

Né à Saskatoon, Saskatchewan, le 25 mars 1913.
Gardien de but, lance de la gauche.
5'11", 160 lbs
Dernier club amateur: les Ramblers de Philadelphie.

SAISON	CLUB	PJ	BC	BL	MOY
1940-41	Canadiens de Montréal	42	119	2	2.83
1941-42	Canadiens de Montréal	10	42	0	4.20
	TOTAUX	52	161	2	3.10

ELIMINATOIRES		PJ	BC	BL	MOY
1940-41	Canadiens de Montréal	3	8	0	2.67
	TOTAUX	3	8	0	2.67

FICHE OFFENSIVE		PJ	B	A	PTS	MEP
1940-41	Canadiens de Montréal	42	0	0	0	0
1941-42	Canadiens de Montréal	10	0	0	0	0
	TOTAUX	52	0	0	0	0

ELIMINATOIRES		PJ	B	A	PTS	MEP
1940-41	Canadiens de Montréal	3	0	0	0	0
	TOTAUX	3	0	0	0	0

Obtenu des Rangers de New York en 1940.

GARDNER, David Calvin (Dave)

Né à Toronto, Ontario, le 23 août 1952.
Centre, lance de la droite.
6', 183 lbs
Dernier club amateur: les Marlboros jrs de Toronto.

SAISON	CLUB	PJ	B	A	PTS	MEP
1972-73	Canadiens de Montréal	5	1	1	2	2
1973-74	Canadiens de Montréal	31	1	10	11	2
	TOTAUX	36	2	11	13	4

A fait partie de l'équipe qui a remporté le trophée
Prince de Galles en 1972-73.
Echangé aux Blues de St. Louis pour le premier choix
amateur de 1974 (Doug Risebrough) le 9 mars 1974.
Fils de Cal Gardner.
Frère de Paul Gardner.

GARDNER, James Henry (Jim, Jimmy)

Né à Montréal, Québec, le 21 mai 1881.

SAISON	CLUB	PJ	B	A	PTS	MEP
1913-14	Canadiens de Montréal	13	10	—	10	—
1914-15	Canadiens de Montréal	3	0	—	0	—
	TOTAUX	16	10	—	10	—

Repêché du New Westminster en 1913.
Membre du Temple de la Renommée du Hockey en août
1962.
Décédé en novembre 1940.

GAUDREAULT, Léonard (Léo)

Né à Chicoutimi, Québec.
Ailier gauche.
5'10", 152 lbs
Dernier club amateur: les Seniors de St-François-Xavier.

SAISON	CLUB	PJ	B	A	PTS	MEP
1927-28	Canadiens de Montréal	32	6	2	8	24
1928-29	Canadiens de Montréal	11	0	0	0	4
1932-33	Canadiens de Montréal	24	2	2	4	2
	TOTAUX	67	8	4	12	30

GAUTHIER, Arthur (Art)

SAISON	CLUB	PJ	B	A	PTS	MEP
1926-27	Canadiens de Montréal	13	0	0	0	0
	TOTAUX	13	0	0	0	0

ELIMINATOIRES		PJ	B	A	PTS	MEP
1926-27	Canadiens de Montréal	1	0	0	0	0
	TOTAUX	1	0	0	0	0

GAUTHIER, Jean Philippe

Né à Montréal, Québec, le 29 avril 1937.
Défenseur, lance de la droite.
6'1", 196 lbs
Dernier club amateur: les Canadiens srs de
Hull-Ottawa.

SAISON	CLUB	PJ	B	A	PTS	MEP
1960-61	Canadiens de Montréal	4	0	1	1	8
1961-62	Canadiens de Montréal	12	0	1	1	10
1962-63	Canadiens de Montréal	65	1	17	18	46
1963-64	Canadiens de Montréal	1	0	0	0	2
1965-66	Canadiens de Montréal	2	0	0	0	0
1966-67	Canadiens de Montréal	2	0	0	0	2
1969-70	Canadiens de Montréal	4	0	1	1	0
	TOTAUX	90	1	20	21	68

ELIMINATOIRES		PJ	B	A	PTS	MEP
1962-63	Canadiens de Montréal	5	0	0	0	12
1964-65	Canadiens de Montréal	2	0	0	0	4
	TOTAUX	7	0	0	0	16

A fait partie de l'équipe qui a remporté le trophée
Prince de Galles en 1960-61, 1961-62, 1963-64, 1965-66.
A fait partie de l'équipe qui a remporté la coupe Stanley
en 1964-65.
Repêché par les Flyers de Philadelphie lors de
l'expansion de 1967, 6 juin 1967.
Réclamé par les Barons de Cleveland, club-ferme des
Canadiens, aux Blazers d'Oklahoma City, club-ferme des
Bruins de Boston, le 12 juin 1969.

GAUTHIER, Joseph Alphonse Paul

Né à Winnipeg, Manitoba, le 6 mars 1915.
Gardien de but.
5'5", 125 lbs
Dernier club amateur: les Monarchs de Winnipeg.

SAISON	CLUB	PJ	BC	BL	MOY
1937-38	Canadiens de Montréal	1	2	0	2.00
	TOTAUX	1	2	0	2.00

FICHE OFFENSIVE		PJ	B	A	PTS	MEP
1937-38	Canadiens de Montréal	1	0	0	0	0
	TOTAUX	1	0	0	0	0

Echangé aux Bruins de Boston pour Terry Reardon en
1941.

GAUTHIER, René Fernand (Fern)

Né à Chicoutimi, Québec, le 31 août 1919.
Ailier droit, lance de la droite.
5'11", 175 lbs
Dernier club amateur: les Seniors de Shawinigan Falls.

SAISON	CLUB	PJ	B	A	PTS	MEP
1944-45	Canadiens de Montréal	50	18	13	31	23
	TOTAUX	50	18	13	31	23

ELIMINATOIRES		PJ	B	A	PTS	MEP
1944-45	Canadiens de Montréal	4	0	0	0	0
	TOTAUX	4	0	0	0	0

Echangé aux Rangers de New York en 1943.
Obtenu des Rangers de New York avec Dutch Hiller
contre Phil Watson en 1944.
A fait partie de l'équipe qui a remporté le trophée
Prince de Galles en 1944-45.

GAUVREAU, Jocelyn

Né à Masham, Québec, le 4 mars 1964.
Défenseur gauche.
6', 175 lbs
Dernier club amateur: Granby jr.

SAISON	CLUB	PJ	B	A	PTS	MEP
1983-84	Canadiens de Montréal	2	0	0	0	0
	TOTAUX	2	0	0	0	0

Contrat terminé en 1985.

GENDRON, Jean-Guy (Smitty)

Né à Montréal, Québec, le 30 août 1934.
Ailier gauche, lance de la gauche.
5'9", 157 lbs
Dernier club amateur: les Reds jrs de Trois-Rivières.

SAISON	CLUB	PJ	B	A	PTS	MEP
1960-61	Canadiens de Montréal	43	9	12	21	51
	TOTAUX	43	9	12	21	51

ELIMINATOIRES		PJ	B	A	PTS	MEP
1960-61	Canadiens de Montréal	5	0	0	0	2
	TOTAUX	5	0	0	0	2

Obtenu des Bruins de Boston contre Andé Pronovost en
novembre 1960.
A fait partie de l'équipe qui a remporté le trophée
Prince de Galles en 1960-61.
Repêché par les Rangers de New York en juin 1961.

GEOFFRION, Danny

Né à Montréal, Québec, le 24 janvier 1958.
Ailier droit, lance de la droite.
5'10", 182 lbs
Dernier club amateur: les Cornwall jrs (LHJMQ).

SAISON	CLUB	PJ	B	A	PTS	MEP
1979-80	Canadiens de Montréal	32	0	6	6	12
	TOTAUX	32	0	6	6	12

ELIMINATOIRES		PJ	B	A	PTS	MEP
1979-80	Canadiens de Montréal	2	0	0	0	7
	TOTAUX	2	0	0	0	7

GEOFFRION, Joseph André Bernard (Boum Boum)

Né à Montréal, Québec, le 14 février 1931.
Ailier droit, lance de la droite.
5'9", 180 lbs
Dernier club amateur: le National jr de Montréal.

SAISON	CLUB	PJ	B	A	PTS	MEP
1950-51	Canadiens de Montréal	18	8	6	14	9
1951-52	Canadiens de Montréal	67	30	54	54	66
1952-53	Canadiens de Montréal	65	22	17	39	37
1953-54	Canadiens de Montréal	54	29	25	54	87
1954-55	Canadiens de Montréal	70	38	37	75	57
1955-56	Canadiens de Montréal	59	29	33	62	66
1956-57	Canadiens de Montréal	41	19	21	40	18
1957-58	Canadiens de Montréal	42	27	23	50	51
1958-59	Canadiens de Montréal	59	22	44	66	30
1959-60	Canadiens de Montréal	59	30	41	71	36
1960-61	Canadiens de Montréal	64	50	45	95	29
1961-62	Canadiens de Montréal	62	23	36	59	36
1962-63	Canadiens de Montréal	51	23	18	41	73
1963-64	Canadiens de Montréal	55	21	18	39	41
	TOTAUX	766	371	388	759	636

ELIMINATOIRES		PJ	B	A	PTS	MEP
1950-51	Canadiens de Montréal	11	1	1	2	6
1951-52	Canadiens de Montréal	11	3	1	4	6
1952-53	Canadiens de Montréal	12	6	4	10	12
1953-54	Canadiens de Montréal	11	6	5	11	18
1954-55	Canadiens de Montréal	12	8	5	13	8
1955-56	Canadiens de Montréal	10	5	9	14	6
1956-57	Canadiens de Montréal	10	11	7	18	2
1957-58	Canadiens de Montréal	10	6	5	11	2
1958-59	Canadiens de Montréal	11	5	8	13	10
1959-60	Canadiens de Montréal	8	2	10	12	4
1960-61	Canadiens de Montréal	4	2	1	3	0
1961-62	Canadiens de Montréal	5	0	1	1	6
1962-63	Canadiens de Montréal	5	0	1	1	4
1963-64	Canadiens de Montréal	7	1	1	2	4
	TOTAUX	127	56	59	115	88

PARTIES D'ETOILES		B	A	PTS
1952	Etoiles de la LNH	1	0	0	0
1953	Canadiens de Montréal	1	0	0	0
1954	Etoiles de la LNH	1	0	0	0
1955	Canadiens de Montréal	1	0	0	0
1956	Canadiens de Montréal	1	0	0	0
1958	Canadiens de Montréal	1	1	0	1
1959	Canadiens de Montréal	1	0	1	1
1960	Canadiens de Montréal	1	0	0	0
1961	Etoiles de la LNH	1	0	0	0
1962	Etoiles de la LNH	1	0	0	0
1963	Etoiles de la LNH	1	0	1	1
	TOTAUX	11	1	2	3

A fait partie de l'équipe qui a remporté le trophée
Prince de Galles en 1955-56, 1957-58, 1958-59, 1959-60,
1960-61, 1961-62, 1963-64.

A fait partie de l'équipe qui a remporté la coupe Stanley
en 1952-53, 1956-57, 1957-58, 1958-59, 1959-60.
A remporté le trophée Calder en 1951-52.
A remporté le trophée Art Ross en 1954-55, 1960-61.
A remporté le trophée Hart en 1960-61.
Membre de la deuxième équipe d'étoiles en 1954-55,
1959-60.
Membre de la première équipe d'étoiles en 1960-61.
Nommé assistant-capitaine des Canadiens en 1958.
A été réclamé par les Rangers de New York en juin
1966.
Gendre de Howie Morenz.
Beau-père d'Hartland Monahan des Capitals de
Washington.
Membre du Temple de la Renommée en juin 1972.
Instructeur du Canadien en 1979-80 (jusqu'au 12
décembre 1979).
Père de Danny Geoffrion du Canadien.

GETLIFFE, Raymond (Ray)

Né à Galt, Ontario, le 3 avril 1914.
Centre, ailier gauche, lance de la gauche.
5'11", 175 lbs
Dernier club amateur: les Seniors de St. John.

SAISON	CLUB	PJ	B	A	PTS	MEP
1939-40	Canadiens de Montréal	46	11	12	23	29
1940-41	Canadiens de Montréal	39	15	10	25	25
1941-42	Canadiens de Montréal	45	11	15	26	35
1942-43	Canadiens de Montréal	50	18	28	46	26
1943-44	Canadiens de Montréal	44	28	25	53	44
1944-45	Canadiens de Montréal	41	16	7	23	34
	TOTAUX	265	99	97	196	193

ELIMINATOIRES		PJ	B	A	PTS	MEP
1940-41	Canadiens de Montréal	3	1	1	2	0
1941-42	Canadiens de Montréal	3	0	1	1	0
1942-43	Canadiens de Montréal	5	0	1	1	8
1943-44	Canadiens de Montréal	9	5	4	9	16
1944-45	Canadiens de Montréal	6	0	1	1	2
	TOTAUX	26	6	7	13	26

Obtenu des Bruins de Boston avec Charlie Sands contre
Herb Cain et Desse Smith en 1939.
A fait partie de l'équipe qui a remporté le trophée
Prince de Galles en 1943-44, 1944-45.
A fait partie de l'équipe qui a remporté la coupe Stanley
en 1943-44.

GINGRAS, Gaston

Né à Témiscamingue, Québec, le 13 février 1959.
Défenseur, lance de la gauche.
6'1", 195 lbs
Dernier club amateur: Hamilton jr (OHA).

SAISON	CLUB	PJ	B	A	PTS	MEP
1979-80	Canadiens de Montréal	34	3	7	10	18
1980-81	Canadiens de Montréal	55	5	16	21	22
1981-82	Canadiens de Montréal	34	6	18	24	28
1982-83	Canadiens de Montréal	22	1	8	9	8
1985-86	Canadiens de Montréal	34	8	18	26	12
	TOTAUX	179	23	67	90	88

ELIMINATOIRES		PJ	B	A	PTS	MEP
1979-80	Canadiens de Montréal	10	1	6	7	8
1980-81	Canadiens de Montréal	1	1	0	1	0
1981-82	Canadiens de Montréal	5	0	1	1	0
1985-86	Canadiens de Montréal	11	2	3	5	4
	TOTAUX	27	4	10	14	12

Échangé avec Dan Daoust à Toronto pour considérations
futures, le 17 décembre 1982.
Échangé par Toronto à Montréal pour compléter la
transaction de Larry Landon, le 14 février 1985.

GIROUX, Arthur Joseph (Art)

Né à Strathmore, Alberta, le 6 juin 1907.
Ailier droit, lance de la droite.
5'10", 165 lbs

SAISON	CLUB	PJ	B	A	PTS	MEP
1932-33	Canadiens de Montréal	40	5	2	7	14
	TOTAUX	40	5	2	7	14

ELIMINATOIRES		PJ	B	A	PTS	MEP
1932-33	Canadiens de Montréal	2	0	0	0	0
	TOTAUX	2	0	0	0	0

GLASS, Frank (Pud)

Né en 1884.

SAISON	CLUB	PJ	B	A	PTS	MEP
1911-12	Canadiens de Montréal	16	7	—	7	—
	TOTAUX	16	7	—	7	—

Retourne aux Red Band Wanderers de Montréal en 1910.
Décédé le 2 mars 1965.

GLOVER, Howard Edward (Howie)

Né à Toronto, Ontario, le 14 février 1935.
Ailier droit, lance de la droite.
5'11", 175 lbs
Dernier club amateur: les Trappers srs de North Bay.

SAISON	CLUB	PJ	B	A	PTS	MEP
1968-69	Canadiens de Montréal	1	0	0	0	0
	TOTAUX	1	0	0	0	0

A fait partie de l'équipe qui a remporté le trophée
Prince de Galles en 1968-69.

GODIN, Samuel (Sam)

Né à Rockland, Ontario, le 20 septembre 1909.
Ailier droit, lance de la droite.
5'10", 156 lbs
Dernier club amateur: le Frontenac de Hull.

SAISON	CLUB	PJ	B	A	PTS	MEP
1933-34	Canadiens de Montréal	36	2	2	4	15
	TOTAUX	36	2	2	4	15

GOLDSWORTHY, Leroy D.

Né à Two Harbors, Minnesota, le 18 octobre 1908.
Défenseur, ailier droit, lance de la droite.
6', 165 lbs
Dernier club amateur: les Eskimos jrs d'Edmonton.

SAISON	CLUB	PJ	B	A	PTS	MEP
*1934-35	Black Hawks de Chicago/ Canadiens de Montréal	40	20	9	29	15
1935-36	Canadiens de Montréal	47	15	11	26	8
	TOTAUX	87	35	20	55	23

ELIMINATOIRES		PJ	B	A	PTS	MEP
1934-35	Canadiens de Montréal	2	1	0	1	0
	TOTAUX	2	1	0	1	0

Obtenu des Black Hawks de Chicago avec Roger Jenkins
et Lionel Conacher contre Howie Morenz, Martin Burke
et Lorne Chabot (1934-35).
Échangé aux Black Hawks de Chicago (1934-35) puis
obtenu à nouveau.
Échangé aux Bruins de Boston pour Albert "Babe"
Seibert en 1936.

GOLDUP, Glenn Michael

Né à St. Catharines, Ontario, le 26 avril 1953.
Ailier gauche, ailier droit, lance de la gauche.
6', 187 lbs
Dernier club amateur: les Marlboros jrs de Toronto.

SAISON	CLUB	PJ	B	A	PTS	MEP
1973-74	Canadiens de Montréal	6	0	0	0	0
1974-75	Canadiens de Montréal	9	0	1	1	2
1975-76	Canadiens de Montréal	3	0	0	0	2
	TOTAUX	18	0	1	1	4

A fait partie de l'équipe qui a remporté le trophée
Prince de Galles en 1975-76.
Vendu à Los Angeles le 11 juin 1976 en échange du
premier choix au repêchage.
Fils d'Henry "Hank" Goldup.

GOUPILLE, Clifford (Cliff, Red)

Né à Trois-Rivières, Québec, le 2 septembre 1915.
Défenseur, lance de la gauche.
6', 190 lbs
Dernier club amateur: Plessisville, Québec.

SAISON	CLUB	PJ	B	A	PTS	MEP
1935-36	Canadiens de Montréal	4	0	0	0	0
1936-37	Canadiens de Montréal	4	0	0	0	0
1937-38	Canadiens de Montréal	47	4	5	9	44
1938-39	Canadiens de Montréal	18	0	2	2	24
1939-40	Canadiens de Montréal	48	2	10	12	48
1940-41	Canadiens de Montréal	48	3	6	9	81
1941-42	Canadiens de Montréal	47	1	5	6	51
1942-43	Canadiens de Montréal	6	2	0	2	8
	TOTAUX	222	12	28	40	256

ELIMINATOIRES		PJ	B	A	PTS	MEP
1937-38	Canadiens de Montréal	3	2	0	2	4
1940-41	Canadiens de Montréal	2	0	0	0	0
1941-42	Canadiens de Montréal	3	0	0	0	2
	TOTAUX	8	2	0	2	6

GOYETTE, Philippe (Phil)

Né à Lachine, Québec, le 31 octobre 1933.
Centre, lance de la gauche.
5'11", 165 lbs
Dernier club amateur: les Mohawks srs de Cincinnati.

SAISON	CLUB	PJ	B	A	PTS	MEP
1956-57	Canadiens de Montréal	14	3	4	7	0
1957-58	Canadiens de Montréal	70	9	37	46	8
1958-59	Canadiens de Montréal	63	10	18	28	8
1959-60	Canadiens de Montréal	65	21	22	43	4
1960-61	Canadiens de Montréal	62	7	4	11	4
1961-62	Canadiens de Montréal	69	7	27	34	18
1962-63	Canadiens de Montréal	32	5	8	13	2
	TOTAUX	375	62	120	182	44

ELIMINATOIRES		PJ	B	A	PTS	MEP
1956-57	Canadiens de Montréal	10	2	1	3	4
1957-58	Canadiens de Montréal	10	4	1	5	4
1958-59	Canadiens de Montréal	10	0	4	4	0
1959-60	Canadiens de Montréal	8	2	1	3	4
1960-61	Canadiens de Montréal	6	3	3	6	0
1961-62	Canadiens de Montréal	6	1	4	5	2
1962-63	Canadiens de Montréal	2	0	0	0	0
	TOTAUX	52	12	14	26	14

PARTIES D'ETOILES		PJ	B	A	PTS
1957	Canadiens de Montréal	1	0	0	0
1958	Canadiens de Montréal	1	0	0	0
1959	Canadiens de Montréal	1	0	0	0
	TOTAUX	3	0	0	0

A fait partie de l'équipe qui a remporté le trophée
Prince de Galles en 1957-58, 1958-59, 1959-60, 1960-61,
1961-62.
A fait partie de l'équipe qui a remporté la coupe Stanley
en 1956-57, 1957-58, 1958-59, 1959-60.
Échangé aux Rangers de New York avec Don Marshall
et Jacques Plante pour Lorne Worsley, Dave Balon,
Léon Rochefort et Len Ronson le 4 juin 1963.
Membre de la célèbre "Kid Line" complétée par Claude
Provost à l'aile droite et André Pronovost à l'aile
gauche.

GRABOSKI, Anthony Rudel (Tony)

Né à Timmins, Ontario, le 9 mai 1916.
Défenseur, avant, lance de la gauche.
5'10", 170 lbs
Dernier club amateur: les Millionnaires de Sydney.

SAISON	CLUB	PJ	B	A	PTS	MEP
1940-41	Canadiens de Montréal	34	4	3	7	12
1941-42	Canadiens de Montréal	23	2	5	7	8
1942-43	Canadiens de Montréal	9	0	2	2	4
	TOTAUX	66	6	10	16	24

ELIMINATOIRES		PJ	B	A	PTS	MEP
1940-41	Canadiens de Montréal	3	0	0	0	6
	TOTAUX	3	0	0	0	6

GRACIE, Robert J. (Bob)

Né à North Bay, Ontario, le 8 novembre 1910.
Centre, ailier gauche, lance de la gauche.
5'9", 155 lbs
Dernier club amateur: les Marlboros de Toronto.

SAISON	CLUB	PJ	B	A	PTS	MEP
*1938-39	Canadiens de Montréal/ Black Hawks de Chicago	38	4	7	11	31
	TOTAUX	38	4	7	11	31

Repêché des Maroons de Montréal en 1938.
Échangé aux Black Hawks de Chicago en 1938-39.
Décédé le 10 août 1963.

GRANT, Daniel Frederick (Danny)

Né à Fredericton, Nouveau-Brunswick, le 21 février 1946.
Ailier gauche, lance de la gauche.
5'10", 192 lbs
Dernier club amateur: les Petes jrs de Peterborough.

SAISON	CLUB	PJ	B	A	PTS	MEP
1965-66	Canadiens de Montréal	1	0	0	0	0
1967-68	Canadiens de Montréal	22	3	4	7	10
	TOTAUX	23	3	4	7	10

ELIMINATOIRES		PJ	B	A	PTS	MEP
1967-68	Canadiens de Montréal	10	0	3	3	5
	TOTAUX	10	0	3	3	5

A fait partie de l'équipe qui a remporté le trophée Prince de Galles en 1965-66, 1967-68.
A fait partie de l'équipe qui a remporté la coupe Stanley en 1967-68.
Échangé aux North Stars du Minnesota avec Claude Larose pour le premier choix amateur de 1972 (Dave Gardner), un joueur nommé plus tard (Marshall Johnston) et un certain montant d'argent le 10 juin 1968.

GRAVELLE, Joseph Gérard Léo (La Gazelle)

Né à Aylmer, Québec, le 10 juin 1925.
Ailier droit, lance de la droite.
5'9", 158 lbs
Dernier club amateur: les Royal srs de Montréal.

SAISON	CLUB	PJ	B	A	PTS	MEP
1946-47	Canadiens de Montréal	53	16	14	30	12
1947-48	Canadiens de Montréal	15	0	0	0	0
1948-49	Canadiens de Montréal	36	4	6	10	6
1949-50	Canadiens de Montréal	70	19	10	29	18
*1950-51	Canadiens de Montréal/ Red Wings de Detroit	49	5	4	9	6
	TOTAUX	223	44	34	78	42

ELIMINATOIRES		PJ	B	A	PTS	MEP
1946-47	Canadiens de Montréal	6	2	0	2	2
1948-49	Canadiens de Montréal	7	2	1	3	0
1949-50	Canadiens de Montréal	4	0	0	0	0
	TOTAUX	17	4	1	5	2

A fait partie de l'équipe qui a remporté le trophée Prince de Galles en 1946-47.
Échangé aux Red Wings de Detroit pour Bert Olmstead en 1951.

GRAY, Terrence Stanley (Terry)

Né à Montréal, Québec, le 21 mars 1938.
Ailier droit, lance de la droite.
6', 175 lbs
Dernier club amateur: les Canadiens jrs de Hull-Ottawa.

SAISON	CLUB	PJ	B	A	PTS	MEP
1963-64	Canadiens de Montréal	4	0	0	0	6
	TOTAUX	4	0	0	0	6

A fait partie de l'équipe qui a remporté le trophée Prince de Galles en 1963-64.

GREEN, Rick

Né à Belleville, Ontario, le 20 février 1956.
Défenseur gauche.
6'3", 200 lbs
Dernier club amateur: London jr.

SAISON	CLUB	PJ	B	A	PTS	MEP
1982-83	Canadiens de Montréal	66	2	24	26	58
1983-84	Canadiens de Montréal	7	0	1	1	7
1984-85	Canadiens de Montréal	77	1	18	19	30
1985-86	Canadiens de Montréal	46	3	2	5	20
	TOTAUX	196	6	45	51	115

ELIMINATOIRES		PJ	B	A	PTS	MEP
1982-83	Canadiens de Montréal	3	0	0	0	2
1983-84	Canadiens de Montréal	15	1	2	3	33
1984-85	Canadiens de Montréal	12	0	3	3	14
1985-86	Canadiens de Montréal	18	1	4	5	8
	TOTAUX	48	2	9	11	57

Échangé par Washington avec Ryan Walter pour Rod Langway, Brian Engblom, Doug Jarvis et Craig Laughlin, le 9 septembre 1982.

GRENIER, Lucien S. J.

Né à Malartic, Québec, le 3 novembre 1946.
Ailier gauche, ailier droit, lance de la gauche.
5'10", 163 lbs
Dernier club amateur: les Canadiens jrs de Montréal.

SAISON	CLUB	PJ	B	A	PTS	MEP
1969-70	Canadiens de Montréal	23	2	3	5	2
	TOTAUX	23	2	3	5	2

ELIMINATOIRES		PJ	B	A	PTS	MEP
1968-69	Canadiens de Montréal	2	0	0	0	0
	TOTAUX	2	0	0	0	0

A fait partie de l'équipe qui a remporté la coupe Stanley en 1968-69.
Échangé aux Kings de Los Angeles avec Larry Mickey et Jack Norris pour Léon Rochefort, Greg Boddy et Wayne Thomas le 22 mai 1970.

GROSVENOR, Léonard (Len)

Né à Ottawa, Ontario.

SAISON	CLUB	PJ	B	A	PTS	MEP
1932-33	Canadiens de Montréal	4	0	0	0	0
	TOTAUX	4	0	0	0	0

ELIMINATOIRES		PJ	B	A	PTS	MEP
1932-33	Canadiens de Montréal	2	0	0	0	0
	TOTAUX	2	0	0	0	0

Dernier club amateur: les "Senators" d'Ottawa.

GROULX, Ted (Teddy)

Gardien de but.

ELIMINATOIRES		PJ	BC	BL	MOY
1909-10	Canadiens de Montréal	9	77	0	8.55
	TOTAUX	9	77	0	8.55

FICHE OFFENSIVE		PJ	B	A	PTS	MEP
1909-10	Canadiens de Montréal	9	0	—	0	—
	TOTAUX	9	0	—	0	—

GUÈVREMONT, ?

SAISON	CLUB	PJ	B	A	PTS	MEP
1912-13	Canadiens de Montréal	2	0	—	0	—
	TOTAUX	2	0	—	0	—

HAGGERTY, James (Jim)

Né à Port Arthur, Ontario, le 14 avril 1914.
Ailier gauche.
5'11", 167 lbs

SAISON	CLUB	PJ	B	A	PTS	MEP
1941-42	Canadiens de Montréal	5	1	1	2	0
	TOTAUX	5	1	1	2	0

ELIMINATOIRES		PJ	B	A	PTS	MEP
1941-42	Canadiens de Montréal	3	2	1	3	2
	TOTAUX	3	2	1	3	2

HAINSWORTH, George

Né à Toronto, Ontario, le 26 juin 1898.
Gardien de but, lance de la gauche.
5'6", 150 lbs
Dernier club amateur: Kitchener.

SAISON	CLUB	PJ	BC	BL	MOY
1926-27	Canadiens de Montréal	44	67	14	1.52
1927-28	Canadiens de Montréal	44	48	13	1.09
1928-29	Canadiens de Montréal	44	43	22	0.98
1929-30	Canadiens de Montréal	42	108	4	2.57
1930-31	Canadiens de Montréal	44	89	8	2.02
1931-32	Canadiens de Montréal	48	111	6	2.31
1932-33	Canadiens de Montréal	48	115	7	2.40
*1936-37	Maple Leafs de Toronto/ Canadiens de Montréal	7	23	0	3.28
	TOTAUX	321	604	74	1.88

ELIMINATOIRES		PJ	BC	BL	MOY
1926-27	Canadiens de Montréal	4	6	1	1.50
1927-28	Canadiens de Montréal	2	3	0	1.50
1928-29	Canadiens de Montréal	3	5	0	1.67
1929-30	Canadiens de Montréal	6	6	3	1.00
1930-31	Canadiens de Montréal	10	21	2	2.10
1931-32	Canadiens de Montréal	4	13	0	3.25
1932-33	Canadiens de Montréal	2	8	0	4.00
	TOTAUX	31	62	6	2.00

FICHE OFFENSIVE		PJ	B	A	PTS	MEP
1926-27	Canadiens de Montréal	44	0	0	0	0
1927-28	Canadiens de Montréal	44	0	0	0	0
1928-29	Canadiens de Montréal	44	0	0	0	0
1929-30	Canadiens de Montréal	42	0	0	0	0
1930-31	Canadiens de Montréal	44	0	0	0	0
1931-32	Canadiens de Montréal	48	0	0	0	0
1932-33	Canadiens de Montréal	48	0	0	0	0
*1936-37	Maple Leafs de Toronto/ Canadiens de Montréal	7	0	0	0	0
	TOTAUX	321	0	0	0	0

ELIMINATOIRES		PJ	B	A	PTS	MEP
1926-27	Canadiens de Montréal	4	0	0	0	0
1927-28	Canadiens de Montréal	2	0	0	0	0
1928-29	Canadiens de Montréal	3	0	0	0	0
1929-30	Canadiens de Montréal	6	0	0	0	0
1930-31	Canadiens de Montréal	10	0	0	0	0
1931-32	Canadiens de Montréal	4	0	0	0	0
1932-33	Canadiens de Montréal	2	0	0	0	0
	TOTAUX	31	0	0	0	0

Acheté des Sheiks de Saskatoon en 1926.
A fait partie de l'équipe qui a remporté la coupe Stanley en 1929-30, 1930-31.
A remporté le trophée Georges Vézina en 1926-27, 1927-28, 1928-29.
Nommé capitaine des Canadiens en 1932-33.
Échangé aux Maple Leafs de Toronto pour Lorne Chabot en 1933.
Repêché des Maple Leafs de Toronto en 1936-37.
Membre du Temple de la Renommée du Hockey en juin 1961.
Décédé le 9 octobre 1950.

HALL, Joseph Henry (Joe)

Né à Stratfordshire, Angleterre, en 1882.
Défenseur, pointe, couvre-pointe.

SAISON	CLUB	PJ	B	A	PTS	MEP
1917-18	Canadiens de Montréal	20	8	—	8	—
1918-19	Canadiens de Montréal	17	7	1	8	85
	TOTAUX	37	15	1	16	85

ELIMINATOIRES		PJ	B	A	PTS	MEP
1917-18	Canadiens de Montréal	2	0	2	2	—
1918-19	Canadiens de Montréal	10	0	0	0	—
	TOTAUX	12	0	2	2	—

Repêché des Bulldogs de Québec en 1917.
Membre du Temple de la Renommée du Hockey en juin 1961.
Décédé après les séries de la coupe Stanley, le 5 avril 1919.

HAMEL, Jean

Né à Asbestos, Québec, le 6 juin 1952.
Défenseur gauche.
5'11", 195 lbs
Dernier club amateur: Drummondville jr.

SAISON	CLUB	PJ	B	A	PTS	MEP
1983-84	Canadiens de Montréal	79	1	12	13	92
	TOTAUX	79	1	12	13	92

ELIMINATOIRES		PJ	B	A	PTS	MEP
1983-84	Canadiens de Montréal	15	0	2	2	16
	TOTAUX	15	0	2	2	16

Repêché par Montréal au repêchage interligue en octobre 1983.
A pris sa retraite après le camp d'entraînement de 1984-85 à la suite d'une blessure à un oeil.

HAMILTON, Charles (Chuck)

Né à Kirkland Lake, Ontario, le 18 janvier 1939.
Ailier gauche, lance de la gauche.
5'11", 175 lbs
Dernier club amateur: les Petes jrs de Peterborough.

SAISON	CLUB	PJ	B	A	PTS	MEP
1961-62	Canadiens de Montréal	1	0	0	0	0
	TOTAUX	1	0	0	0	0

A fait partie de l'équipe qui a remporté le trophée Prince de Galles en 1961-62.

HANNA, John

Né à Sydney, Nouvelle-Ecosse, le 5 avril 1935.
Défenseur, lance de la droite.
5'10", 175 lbs
Dernier club amateur: les Flambeaux jrs de Trois-Rivières.

SAISON	CLUB	PJ	B	A	PTS	MEP
1963-64	Canadiens de Montréal	6	0	0	0	2
	TOTAUX	6	0	0	0	2

A fait partie de l'équipe qui a remporté le trophée Prince de Galles en 1963-64.

HARMON, David Glen

Né à Holland, Manitoba, le 2 janvier 1921.
Défenseur, lance de la gauche.
5'9", 160 lbs
Dernier club amateur: les Canadiens srs de Montréal.

SAISON	CLUB	PJ	B	A	PTS	MEP
1942-43	Canadiens de Montréal	27	5	9	14	25
1943-44	Canadiens de Montréal	43	5	16	21	36
1944-45	Canadiens de Montréal	42	5	8	13	41
1945-46	Canadiens de Montréal	49	7	10	17	28
1946-47	Canadiens de Montréal	57	5	9	14	53
1947-48	Canadiens de Montréal	56	10	4	14	52
1948-49	Canadiens de Montréal	59	8	12	20	44
1949-50	Canadiens de Montréal	62	3	16	19	28
1950-51	Canadiens de Montréal	57	2	12	14	27
	TOTAUX	452	50	96	146	334

ELIMINATOIRES		PJ	B	A	PTS	MEP
1942-43	Canadiens de Montréal	5	0	1	1	2
1943-44	Canadiens de Montréal	9	1	2	3	4
1944-45	Canadiens de Montréal	6	1	0	1	2
1945-46	Canadiens de Montréal	9	1	4	5	0
1946-47	Canadiens de Montréal	11	1	1	2	4
1948-49	Canadiens de Montréal	7	1	1	2	4
1949-50	Canadiens de Montréal	5	0	1	1	21
1950-51	Canadiens de Montréal	1	0	0	0	0
	TOTAUX	53	5	10	15	37

PARTIES D'ETOILES		PJ	B	A	PTS
1949	Etoiles de la LNH	1	0	0	0
1950	Etoiles de la LNH	1	0	0	0
	TOTAUX	2	0	0	0

A fait partie de l'équipe qui a remporté le trophée Prince de Galles en 1943-44, 1944-45, 1945-46, 1946-47.
A fait partie de l'équipe qui a remporté la coupe Stanley en 1943-44, 1945-46.
Membre de la deuxième équipe d'étoiles en 1944-45, 1948-49.
Nommé assistant-capitaine des Canadiens en 1948.

HARPER, Terrance Victor (Terry)

Né à Régina, Saskatchewan, le 27 janvier 1940.
Défenseur, lance de la droite.
6'1", 197 lbs
Dernier club amateur: les Pats jrs de Régina.

SAISON	CLUB	PJ	B	A	PTS	MEP
1962-63	Canadiens de Montréal	14	1	1	2	10
1963-64	Canadiens de Montréal	70	2	15	17	149
1964-65	Canadiens de Montréal	62	0	7	7	93
1965-66	Canadiens de Montréal	69	1	11	12	91
1966-67	Canadiens de Montréal	56	0	16	16	99
1967-68	Canadiens de Montréal	57	3	8	11	66
1968-69	Canadiens de Montréal	21	0	3	3	37
1969-70	Canadiens de Montréal	75	4	18	22	109
1970-71	Canadiens de Montréal	78	1	21	22	116
1971-72	Canadiens de Montréal	52	2	12	14	35
	TOTAUX	554	14	112	126	805

ELIMINATOIRES		PJ	B	A	PTS	MEP
1962-63	Canadiens de Montréal	5	1	0	1	8
1963-64	Canadiens de Montréal	7	0	0	0	6
1964-65	Canadiens de Montréal	13	0	0	0	19
1965-66	Canadiens de Montréal	10	2	3	5	18
1966-67	Canadiens de Montréal	10	0	1	1	15
1967-68	Canadiens de Montréal	13	0	1	1	8
1968-69	Canadiens de Montréal	11	0	0	0	8
1970-71	Canadiens de Montréal	20	0	6	6	28
1971-72	Canadiens de Montréal	5	1	1	2	6
	TOTAUX	94	4	12	16	116

PARTIES D'ETOILES		PJ	B	A	PTS
1965	Canadiens de Montréal	1	0	0	0
1967	Canadiens de Montréal	1	0	1	1
	TOTAUX	2	0	1	1

A fait partie de l'équipe qui a remporté le trophée Prince de Galles en 1963-64, 1965-66, 1967-68, 1968-69.
A fait partie de l'équipe qui a remporté la coupe Stanley en 1964-65, 1965-66, 1967-68, 1968-69, 1970-71.
Nommé assistant-capitaine des Canadiens en 1970.
Echangé aux Kings de Los Angeles le 22 août 1972 pour le deuxième choix amateur de 1974 (Gary MacGregor), le premier choix amateur de 1975 (Pierre Mondou), le troisième choix amateur de 1975 (Paul Woods) et le premier choix amateur de 1976 (Peter Lee).

HARRINGTON, Leland K. (Hago)

Né à Melrose, Massachusetts.
Ailier gauche.
5'8", 163 lbs
Dernier club amateur: les A.A.A. de Boston.

SAISON	CLUB	PJ	B	A	PTS	MEP
1932-33	Canadiens de Montréal	24	1	1	2	2
	TOTAUX	24	1	1	2	2

ELIMINATOIRES		PJ	B	A	PTS	MEP
1932-33	Canadiens de Montréal	2	1	0	1	2
	TOTAUX	2	1	0	1	2

HARRIS, Edward Alexander (Ted)

Né à Winnipeg, Manitoba, le 18 juillet 1936.
Défenseur, lance de la gauche.
6'2", 183 lbs
Dernier club amateur: les Ramblers de Philadelphie (EHL).

SAISON	CLUB	PJ	B	A	PTS	MEP
1963-64	Canadiens de Montréal	4	0	1	1	0
1964-65	Canadiens de Montréal	68	1	14	15	107
1965-66	Canadiens de Montréal	53	0	13	13	87
1966-67	Canadiens de Montréal	65	2	16	18	86
1967-68	Canadiens de Montréal	67	5	16	21	78
1968-69	Canadiens de Montréal	76	7	18	25	102
1969-70	Canadiens de Montréal	74	3	17	20	116
	TOTAUX	407	18	95	113	576

ELIMINATOIRES		PJ	B	A	PTS	MEP
1964-65	Canadiens de Montréal	13	0	5	5	45
1965-66	Canadiens de Montréal	10	0	0	0	38
1966-67	Canadiens de Montréal	10	0	1	1	19
1967-68	Canadiens de Montréal	13	0	4	4	22
1968-69	Canadiens de Montréal	14	1	2	3	34
	TOTAUX	60	1	12	13	158

PARTIES D'ETOILES		PJ	B	A	PTS
1965	Canadiens de Montréal	1	0	0	0
1967	Canadiens de Montréal	1	0	0	0
1969	Etoiles de la section est	1	0	1	1
	TOTAUX	3	0	1	1

A fait partie de l'équipe qui a remporté le trophée Prince de Galles en 1963-64, 1965-66, 1967-68, 1968-69.
A fait partie de l'équipe qui a remporté la coupe Stanley en 1964-65, 1965-66, 1967-68, 1968-69.
Membre de la deuxième équipe d'étoiles en 1968-69.
Repêché par les North Stars du Minnesota le 9 juin 1970.

HART, Wilfred Harold (Wilf, Gizzy)

Né à Weyburn, Saskatchewan, le 1er juin 1902.
Ailier gauche.
5'9", 171 lbs
Dernier club amateur: Weyburn.

SAISON	CLUB	PJ	B	A	PTS	MEP
1926-27	Canadiens de Montréal	38	3	3	6	8
1927-28	Canadiens de Montréal	44	3	2	5	4
1932-33	Canadiens de Montréal	18	0	3	3	0
	TOTAUX	100	6	8	14	12

ELIMINATOIRES		PJ	B	A	PTS	MEP
1926-27	Canadiens de Montréal	4	0	0	0	0
1927-28	Canadiens de Montréal	2	0	0	0	0
1932-33	Canadiens de Montréal	2	0	1	1	0
	TOTAUX	8	0	1	1	0

HARVEY, Douglas Norman (Doug)

Né à Montréal, Québec, le 19 décembre 1924.
Défenseur, lance de la gauche.
5'11", 180 lbs
Dernier club amateur: les Royal srs de Montréal.

SAISON	CLUB	PJ	B	A	PTS	MEP
1947-48	Canadiens de Montréal	35	4	4	8	32
1948-49	Canadiens de Montréal	55	3	13	16	87
1949-50	Canadiens de Montréal	70	4	20	24	76
1950-51	Canadiens de Montréal	70	5	24	29	93
1951-52	Canadiens de Montréal	68	6	23	29	82
1952-53	Canadiens de Montréal	69	4	30	34	67
1953-54	Canadiens de Montréal	68	8	29	37	110
1954-55	Canadiens de Montréal	70	6	43	49	58
1955-56	Canadiens de Montréal	62	5	39	44	60
1956-57	Canadiens de Montréal	70	6	44	50	92

SAISON	CLUB	PJ	B	A	PTS	MEP
1957-58	Canadiens de Montréal	68	9	32	41	131
1958-59	Canadiens de Montréal	61	4	16	20	61
1959-60	Canadiens de Montréal	66	6	21	27	45
1960-61	Canadiens de Montréal	58	6	33	39	48
	TOTAUX	890	76	371	447	1042

ELIMINATOIRES		PJ	B	A	PTS	MEP
1948-49	Canadiens de Montréal	7	0	1	1	10
1949-50	Canadiens de Montréal	5	0	2	2	10
1950-51	Canadiens de Montréal	11	0	5	5	12
1951-52	Canadiens de Montréal	11	0	3	3	8
1952-53	Canadiens de Montréal	12	0	5	5	8
1953-54	Canadiens de Montréal	10	0	2	2	12
1954-55	Canadiens de Montréal	12	0	8	8	6
1955-56	Canadiens de Montréal	10	2	5	7	10
1956-57	Canadiens de Montréal	10	0	7	7	10
1957-58	Canadiens de Montréal	10	2	9	11	16
1958-59	Canadiens de Montréal	11	1	11	12	22
1959-60	Canadiens de Montréal	8	3	0	3	6
1960-61	Canadiens de Montréal	6	0	1	1	8
	TOTAUX	123	8	59	67	138

PARTIES D'ETOILES		PJ	B	A	PTS
1951	Etoiles de la LNH	1	0	0	0
1952	Etoiles de la LNH	1	0	0	0
1953	Canadiens de Montréal	1	0	1	1
1954	Etoiles de la LNH	1	0	0	0
1955	Etoiles de la LNH	1	1	0	1
1956	Canadiens de Montréal	1	0	1	1
1957	Canadiens de Montréal	1	0	0	0
1958	Canadiens de Montréal	1	0	1	1
1959	Canadiens de Montréal	1	0	3	3
1960	Canadiens de Montréal	1	0	0	0
	TOTAUX	10	1	6	7

A fait partie de l'équipe qui a remporté le trophée Prince de Galles en 1955-56, 1957-58, 1958-59, 1959-60, 1960-61.
A fait partie de l'équipe qui a remporté la coupe Stanley en 1952-53, 1955-56, 1956-57, 1957-58, 1958-59, 1959-60.
A remporté le trophée James Norris en 1954-55, 1955-56, 1956-57, 1957-58, 1959-60, 1960-61.
Membre de la première équipe d'étoiles en 1951-52, 1952-53, 1953-54, 1954-55, 1955-56, 1956-57, 1957-58, 1959-60, 1960-61.
Nommé assistant-capitaine des Canadiens en 1951-52.
Membre de la deuxième équipe d'étoiles en 1958-59.
Nommé capitaine des Canadiens en 1960 (1960-61).
Vendu aux Rangers de New York en juin 1961.
Membre du Temple de la Renommée en juin 1973.

HAYNES, Paul

Né à Montréal, Québec, le 1er mars 1909.
Centre, lance de la gauche.
5'9", 160 lbs
Dernier club amateur: Windsor (LHI).

SAISON	CLUB	PJ	B	A	PTS	MEP
1935-36	Canadiens de Montréal	48	5	19	24	24
1936-37	Canadiens de Montréal	47	8	18	26	24
1937-38	Canadiens de Montréal	48	13	22	35	25
1938-39	Canadiens de Montréal	47	5	33	38	27
1939-40	Canadiens de Montréal	23	2	8	10	8
1940-41	Canadiens de Montréal	7	0	0	0	12
	TOTAUX	220	33	100	133	120

ELIMINATOIRES		PJ	B	A	PTS	MEP
1936-37	Canadiens de Montréal	5	2	3	5	0
1937-38	Canadiens de Montréal	3	0	4	4	5
1938-39	Canadiens de Montréal	3	0	0	0	4
	TOTAUX	11	2	7	9	9

HEADLEY, Fern James (Curley)

Né à Chrystle, North Dakota, le 2 mars 1901.
Défenseur.
5'11", 175 lbs

SAISON	CLUB	PJ	B	A	PTS	MEP
*1924-25	Canadiens de Montréal/ Bruins de Boston	27	1	1	2	6
	TOTAUX	27	1	1	2	6

ELIMINATOIRES		PJ	B	A	PTS	MEP
1924-25	Canadiens de Montréal	5	0	—	0	—
	TOTAUX	5	0	—	0	—

Obtenu avec Jean Matz des Sheiks de Saskatoon en 1924.
A fait partie de l'équipe qui a remporté le trophée Prince de Galles en 1924-25.
A été échangé aux Bruins de Boston en 1925.

HEFFERNAN, Gerald (Gerry, Jerry)

Né à Montréal, Québec, le 24 juillet 1916.
Ailier droit, lance de la droite.
5'9", 160 lbs
Dernier club amateur: les Royal srs de Montréal.

SAISON	CLUB	PJ	B	A	PTS	MEP
1941-42	Canadiens de Montréal	40	5	15	20	15
1943-44	Canadiens de Montréal	43	28	20	48	12
	TOTAUX	83	33	35	68	27

ELIMINATOIRES		PJ	B	A	PTS	MEP
1941-42	Canadiens de Montréal	2	2	1	3	0
1942-43	Canadiens de Montréal	2	0	0	0	0
1943-44	Canadiens de Montréal	7	1	2	3	8
	TOTAUX	11	3	3	6	8

A fait partie de l'équipe qui a remporté le trophée Prince de Galles en 1943-44.
A fait partie de l'équipe qui a remporté la coupe Stanley en 1943-44.
Membre de la célèbre ligne d'attaque "Razzle-Dazzle" complétée par "Buddy" O'Connor au centre et Pierre Morin à l'aile gauche.

HERON, Robert (Red)

Né à Toronto, Ontario, le 31 décembre 1917.
Ailier gauche, lance de la gauche.
5'10", 170 lbs
Dernier club amateur: les Goodyears jrs de Toronto.

SAISON	CLUB	PJ	B	A	PTS	MEP
*1941-42	Americans de New York/ Canadiens de Montréal	23	1	2	3	14
	TOTAUX	23	1	2	3	14

ELIMINATOIRES		PJ	B	A	PTS	MEP
1941-42	Canadiens de Montréal	3	0	0	0	0
	TOTAUX	3	0	0	0	0

HERRON, Denis

Né à Chambly, Québec, le 18 juin 1952.
Gardien de but, lance de la gauche.
5'11", 165 lbs
Dernier club amateur: Trois-Rivières (LHJMD).

SAISON	CLUB	PJ	BC	BL	MOY
1979-80	Canadiens de Montréal	34	80	0	2.35
1980-81	Canadiens de Montréal	25	67	1	3.50
1981-82	Canadiens de Montréal	27	68	3	2.64
	TOTAUX	86	215	4	2.50

ELIMINATOIRES		PJ	BC	BL	MOY
1979-80	Canadiens de Montréal	5	15	0	3.00
1980-81	Canadiens de Montréal	0	0	0	0.00
1981-82	Canadiens de Montréal	0	0	0	0.00
	TOTAUX	5	15	0	3.00

Échangé aux Canadiens en plus d'un choix de deuxième ronde des Pingouins en retour de Pat Hughes et du gardien Robert Holland en 1979.
A remporté le trophée Georges Vézina en 1980-81 (avec Michel Larocque et Richard Sévigny).
A remporté le trophée William Jennings en 1980-81 (avec Rick Wamsley).
Échangé le 15 septembre 1982 à Pittsburgh pour un troisième choix au repêchage de 1985.

HICKE, William Lawrence (Bill)

Né à Régina, Saskatchewan, le 31 mars 1938.
Ailier droit, lance de la gauche.

5'8", 165 lbs
Dernier club amateur: les Pats jrs de Régina.

SAISON	CLUB	PJ	B	A	PTS	MEP
1959-60	Canadiens de Montréal	43	3	10	13	17
1960-61	Canadiens de Montréal	70	18	27	45	31
1961-62	Canadiens de Montréal	70	20	31	51	42
1962-63	Canadiens de Montréal	70	17	22	39	39
1963-64	Canadiens de Montréal	48	11	9	20	41
1964-65	Canadiens de Montréal	17	0	1	1	6
	TOTAUX	318	69	100	169	176

ELIMINATOIRES		PJ	B	A	PTS	MEP
1958-59	Canadiens de Montréal	1	0	0	0	0
1959-60	Canadiens de Montréal	7	1	2	3	0
1960-61	Canadiens de Montréal	5	2	0	2	19
1961-62	Canadiens de Montréal	6	0	2	2	14
1962-63	Canadiens de Montréal	5	0	0	0	0
1963-64	Canadiens de Montréal	7	0	2	2	2
	TOTAUX	31	3	6	9	35

PARTIES D'ETOILES		PJ	B	A	PTS
1959	Canadiens de Montréal	1	0	2	2
1960	Canadiens de Montréal	1	0	0	0
	TOTAUX	2	0	2	2

A fait partie de l'équipe qui a remporté le trophée Prince de Galles en 1959-60, 1960-61, 1961-62, 1963-64.
A fait partie de l'équipe qui a remporté la coupe Stanley en 1958-59, 1959-60.
Échangé aux Rangers de New York pour Dick Duff le 22 décembre 1964.

HICKS, Wayne Wilson

Né à Aberdeen, Washington, le 9 avril 1937.
Ailier droit, lance de la droite.
5'10", 185 lbs
Dernier club amateur: les Millionnaires jrs de Melville.

SAISON	CLUB	PJ	B	A	PTS	MEP
1963-64	Canadiens de Montréal	2	0	0	0	0
	TOTAUX	2	0	0	0	0

A fait partie de l'équipe qui a remporté le trophée Prince de Galles en 1963-64.

HILLER, Wilbert Carl (Dutch)

Né à Kitchener, Ontario, le 11 mai 1915.
Ailier gauche, lance de la gauche.
5'8", 160 lbs
Dernier club amateur: les Rovers de New York.

SAISON	CLUB	PJ	B	A	PTS	MEP
*1942-43	Bruins de Boston/ Canadiens de Montréal	42	8	6	14	4
1944-45	Canadiens de Montréal	48	20	16	36	20
1945-46	Canadiens de Montréal	45	7	11	18	4
	TOTAUX	135	35	33	68	28

ELIMINATOIRES		PJ	B	A	PTS	MEP
1942-43	Canadiens de Montréal	5	1	0	1	4
1944-45	Canadiens de Montréal	6	1	1	2	4
1945-46	Canadiens de Montréal	9	4	2	6	2
	TOTAUX	20	6	3	9	10

Acheté des Bruins de Boston en 1943.
Échangé aux Rangers de New York avec Charlie Sands pour Phil Watson.
Obtenu des Rangers de New York avec Fernand Gauthier contre Phil Watson en 1944.
A fait partie de l'équipe qui a remporté le trophée Prince de Galles en 1944-45, 1945-46.
A fait partie de l'équipe qui a remporté la coupe Stanley en 1945-46.
Prêté aux Rangers de New York avec John Mahaffey et Fernand Gauthier et Antonio Demers contre Phil Watson.

HILLMAN, Larry Morley

Né à Kirkland Lake, Ontario, le 5 février 1937.
Défenseur, lance de la gauche.

6', 185 lbs
Dernier club amateur: les Tiger Cubs jrs de Hamilton.

SAISON	CLUB	PJ	B	A	PTS	MEP
1968-69	Canadiens de Montréal	25	0	5	5	17
	TOTAUX	25	0	5	5	17

ELIMINATOIRES		PJ	B	A	PTS	MEP
1968-69	Canadiens de Montréal	1	0	0	0	0
	TOTAUX	1	0	0	0	0

Obtenu des Pingouins de Pittsburgh contre Jean-Guy Lagacé et un certain montant d'argent le 22 novembre 1968.
A fait partie de l'équipe qui a remporté le trophée Prince de Galles en 1968-69.
A fait partie de l'équipe qui a remporté la coupe Stanley en 1968-69.
Repêché par les Flyers de Philadelphie le 11 juin 1969.

HIRSCHFELD, John Albert (Bert)

Né à Halifax, Nouvelle-Ecosse, le 1er mars 1929.
Ailier gauche, lance de la gauche.
5'10", 165 lbs
Dernier club amateur: les Royaux srs de Montréal.

SAISON	CLUB	PJ	B	A	PTS	MEP
1949-50	Canadiens de Montréal	13	1	2	3	2
1950-51	Canadiens de Montréal	20	0	2	2	0
	TOTAUX	33	1	4	5	2

Echangé aux Red Wings de Detroit pour Gérald Couture en juin 1951.

HODGE, Charles Edward (Charlie)

Né à Lachine, Québec, le 28 juillet 1933.
Gardien de but, lance de la gauche.
5'6", 150 lbs
Dernier club amateur: les Mohawks srs de Cincinnati.

SAISON	CLUB	PJ	BC	BL	MOY
1954-55	Canadiens de Montréal	14	31	1	2.27
1957-58	Canadiens de Montréal	12	31	1	2.58
1958-59	Canadiens de Montréal	2	6	0	3.00
1959-60	Canadiens de Montréal	1	3	0	3.00
1960-61	Canadiens de Montréal	30	76	4	2.53
1963-64	Canadiens de Montréal	62	140	8	2.26
1964-65	Canadiens de Montréal	52	135	3	2.60
1965-66	Canadiens de Montréal	26	56	1	2.58
1966-67	Canadiens de Montréal	37	88	3	2.60
	TOTAUX	236	566	21	2.40

ELIMINATOIRES		PJ	BC	BL	MOY
1954-55	Canadiens de Montréal	4	6	0	1.50
1963-64	Canadiens de Montréal	7	16	1	2.29
1964-65	Canadiens de Montréal	5	10	1	2.00
	TOTAUX	16	32	2	2.00

FICHE OFFENSIVE		PJ	B	A	PTS	MEP
1954-55	Canadiens de Montréal	14	0	0	0	0
1957-58	Canadiens de Montréal	12	0	0	0	0
1958-59	Canadiens de Montréal	2	0	0	0	0
1959-60	Canadiens de Montréal	1	0	0	0	0
1960-61	Canadiens de Montréal	30	0	0	0	2
1963-64	Canadiens de Montréal	62	0	0	0	0
1964-65	Canadiens de Montréal	52	0	0	0	2
1965-66	Canadiens de Montréal	26	0	0	0	0
1966-67	Canadiens de Montréal	37	0	0	0	2
	TOTAUX	236	0	0	0	6

ELIMINATOIRES		PJ	B	A	PTS	MEP
1954-55	Canadiens de Montréal	4	0	0	0	0
1963-64	Canadiens de Montréal	7	0	0	0	0
1964-65	Canadiens de Montréal	5	0	0	0	0
	TOTAUX	16	0	0	0	0

A fait partie de l'équipe qui a remporté le trophée Prince de Galles en 1957-58, 1958-59, 1959-60, 1960-61, 1963-64, 1965-66.
A fait partie de l'équipe qui a remporté la coupe Stanley en 1958-59, 1959-60, 1964-65, 1965-66.
A remporté le trophée Georges Vézina en 1963-64, 1965-66 (avec Lorne Worsley).

Membre de la deuxième équipe d'étoiles en 1963-64, 1964-65.
Repêché par les Seals d'Oakland lors de l'expansion de 1967, le 6 juin 1967.

HOEKSTRA, Cecil Thomas

Né à Winnipeg, Manitoba, le 2 avril 1935.
Ailier gauche, lance de la gauche.
6', 175 lbs
Dernier club amateur: les Tee Pees jrs de St. Catharines.

SAISON	CLUB	PJ	B	A	PTS	MEP
1959-60	Canadiens de Montréal	4	0	0	0	0
	TOTAUX	4	0	0	0	0

A fait partie de l'équipe qui a remporté le trophée Prince de Galles en 1959-60.
Frère d'Ed Hoekstra.

HOGANSON, Dale Gordon (Red)

Né à North Battleford, Saskatchewan, le 8 juillet 1949.
Défenseur, lance de la gauche.
5'10", 195 lbs
Dernier club amateur: les Bruins jrs d'Estevan.

SAISON	CLUB	PJ	B	A	PTS	MEP
1971-72	Canadiens de Montréal	21	0	0	0	2
1972-73	Canadiens de Montréal	25	0	2	2	2
	TOTAUX	46	0	2	2	4

Obtenu des Kings de Los Angeles avec Denis Dejordy, Noel Price et Doug Robinson contre Rogatien Vachon le 4 novembre 1971.
A fait partie de l'équipe qui a remporté le trophée Prince de Galles en 1972-73.
Echangé aux Flames d'Atlanta avec Charles Arnason et Bob Murray pour un joueur nommé plus tard et un futur choix amateur le 29 mai 1973.
Signe avec les Nordiques de Québec en mai 1973.

HOLDEN, Mark

Né à Weymouth, Massachusetts, le 12 juin 1957.
Gardien de but.
5'10", 165 lbs
Dernier club amateur: Brown University.

SAISON	CLUB	PJ	BC	BL	MOY	MEP
1981-82	Canadiens de Montréal	1	0	0	0	20
1982-83	Canadiens de Montréal	2	6	0	4.14	
1983-84	Canadiens de Montréal	1	4	0	4.62	
	TOTAUX	4	10	0	4.03	

Échangé à Winnipeg pour Doug Soetaert, en octobre 1984.

HOLMES, William (Bill)

Né à Weyburn, Saskatchewan, en 1899.

SAISON	CLUB	PJ	B	A	PTS	MEP
1925-26	Canadiens de Montréal	9	1	0	1	2
	TOTAUX	9	1	0	1	2

Décédé le 14 mars 1961.

HORVATH, Bronco Joseph

Né à Port Colborne, Ontario, le 12 mars 1930.
Centre, lance de la gauche.
5'11", 185 lbs
Dernier club amateur: les Black Hawks jrs de Galt.

SAISON	CLUB	PJ	B	A	PTS	MEP
1956-57	Canadiens de Montréal	1	0	0	0	0
	TOTAUX	1	0	0	0	0

Obtenu des Rangers de New York en novembre 1956.
Repêché par les Bruins de Boston en juin 1957.

HOULE, Réjean

Né à Rouyn, Québec, le 25 octobre 1949.
Ailier droit, ailier gauche, lance de la gauche.
5'11", 168 lbs
Dernier club amateur: les Canadiens jrs de Montréal.

SAISON	CLUB	PJ	B	A	PTS	MEP
1969-70	Canadiens de Montréal	9	0	1	1	0
1970-71	Canadiens de Montréal	66	10	9	19	28
1971-72	Canadiens de Montréal	77	11	17	28	21
1972-73	Canadiens de Montréal	72	13	35	48	36
1976-77	Canadiens de Montréal	65	22	30	52	24
1977-78	Canadiens de Montréal	76	30	28	58	50
1978-79	Canadiens de Montréal	66	17	34	51	48
1979-80	Canadiens de Montréal	60	18	27	45	68
1980-81	Canadiens de Montréal	77	27	31	58	83
1981-82	Canadiens de Montréal	51	11	32	43	34
1982-83	Canadiens de Montréal	16	2	3	5	8
	TOTAUX	635	161	247	408	400

ELIMINATOIRES		PJ	B	A	PTS	MEP
1970-71	Canadiens de Montréal	20	2	5	7	20
1971-72	Canadiens de Montréal	6	0	0	0	2
1972-73	Canadiens de Montréal	17	3	6	9	0
1976-77	Canadiens de Montréal	6	0	1	1	4
1977-78	Canadiens de Montréal	15	3	8	11	14
1978-79	Canadiens de Montréal	7	1	5	6	2
1979-80	Canadiens de Montréal	10	4	5	9	12
1980-81	Canadiens de Montréal	3	1	0	1	6
1981-82	Canadiens de Montréal	5	0	4	4	6
1982-83	Canadiens de Montréal	1	0	0	0	0
	TOTAUX	90	14	34	48	66

Premier choix amateur des Canadiens en 1969.
A fait partie de l'équipe qui a remporté le trophée Prince de Galles en 1972-73, 1976-77, 1977-78.
A fait partie de l'équipe qui a remporté la coupe Stanley en 1970-71, 1972-73, 1976-77, 1977-78, 1978-79.
Avec les Nordiques de Québec de 1973-74 à 1975-76.
A annoncé sa retraite à la fin de la saison 1982-83.

HUCK Anthony Francis (Fran)

Né à Régina, Saskatchewan, le 4 décembre 1945.
Centre, lance de la gauche.
5'7", 165 lbs
Dernier club amateur: l'Equipe Nationale du Canada.

SAISON	CLUB	PJ	B	A	PTS	MEP
1969-70	Canadiens de Montréal	2	0	0	0	0
1970-71	Canadiens de Montréal	5	1	2	3	0
	TOTAUX	7	1	2	3	0

Echangé aux Blues de St. Louis pour le deuxième choix amateur de 1971 (Michel Deguise) le 28 janvier 1971.

HUGHES, Pat

Né à Toronto, Ontario, le 25 mars 1955.
Ailier droit, lance de la droite.
6'1", 180 lbs
Dernier club amateur: Université du Michigan.

SAISON	CLUB	PJ	B	A	PTS	MEP
1977-78	Canadiens de Montréal	3	0	0	0	2
1978-79	Canadiens de Montréal	41	9	8	17	22
	TOTAUX	44	9	8	17	24

ELIMINATOIRES		PJ	B	A	PTS	MEP
1978-79	Canadiens de Montréal	8	1	2	3	4
	TOTAUX	8	1	2	3	4

A fait partie de l'équipe qui a remporté la coupe Stanley en 1978-79.
Echangé aux Pingouins de Pittsburgh avec Robert Holland en retour du gardien Denis Herron et d'un futur choix au repêchage.

HUNT, Bert

SAISON	CLUB	PJ	B	A	PTS	MEP
*1914-15	Shamrocks/ Ontarios/ Canadiens de Montréal	10	0	—	0	—
	TOTAUX	10	0	—	0	—

Obtenu du club Ontarios en 1914-15.

HUNTER, Mark

Né à Petrolia, Ontario, le 12 novembre 1962.
Ailier droit.
6'1", 200 lbs
Dernier club amateur: Brantford jr.

SAISON	CLUB	PJ	B	A	PTS	MEP
1981-82	Canadiens de Montréal	71	18	11	29	143
1982-83	Canadiens de Montréal	31	8	8	16	73
1983-84	Canadiens de Montréal	22	6	4	10	42
1984-85	Canadiens de Montréal	72	21	12	33	123
	TOTAUX	196	53	35	88	381

ELIMINATOIRES		PJ	B	A	PTS	MEP
1981-82	Canadiens de Montréal	5	0	0	0	20
1983-84	Canadiens de Montréal	14	2	1	3	69
1984-85	Canadiens de Montréal	11	0	3	3	13
	TOTAUX	30	2	4	6	102

Échangé le 15 juin 1985 à St. Louis pour les 1er, 2e, 4e, 5e,
6e choix de St. Louis.
En retour St. Louis obtient les 2e, 3e, 5e, 6e choix de
Montréal en 1985 et les droits sur Mike Dark.

IRWIN, Ivan Duane (The Terrible)

Né à Chicago, Illinois, le 13 mars 1927.
Défenseur, lance de la gauche.
6'2", 185 lbs
Dernier club amateur: les Saints srs de Sherbrooke.

SAISON	CLUB	PJ	B	A	PTS	MEP
1952-53	Canadiens de Montréal	4	0	1	1	0
	TOTAUX	4	0	1	1	0

JARVIS, Douglas (Doug)

Né à Brantford, Ontario, le 24 mars 1955.
Centre, lance de la gauche.
5'9", 165 lbs
Dernier club amateur: les Petes jrs de Peterborough.

SAISON	CLUB	PJ	B	A	PTS	MEP
1975-76	Canadiens de Montréal	80	5	30	35	16
1976-77	Canadiens de Montréal	80	16	22	38	14
1977-78	Canadiens de Montréal	80	11	28	39	23
1978-79	Canadiens de Montréal	80	10	13	23	16
1979-80	Canadiens de Montréal	80	13	11	24	28
1980-81	Canadiens de Montréal	80	16	22	38	34
1981-82	Canadiens de Montréal	80	20	28	48	20
	TOTAUX	560	91	154	245	151

ELIMINATOIRES		PJ	B	A	PTS	MEP
1975-76	Canadiens de Montréal	13	2	1	3	2
1976-77	Canadiens de Montréal	14	0	7	7	2
1977-78	Canadiens de Montréal	15	3	5	8	12
1978-79	Canadiens de Montréal	12	1	3	4	4
1979-80	Canadiens de Montréal	10	4	4	8	2
1980-81	Canadiens de Montréal	3	0	0	0	0
1981-82	Canadiens de Montréal	5	1	0	1	4
	TOTAUX	72	11	20	31	26

Obtenu des Maple Leafs de Toronto contre Greg Hubick le
26 juin 1975.
A fait partie de l'équipe qui a remporté le trophée Prince
de Galles en 1975-76, 1976-77, 1977-78.
A fait partie de l'équipe qui a remporté la coupe Stanley
en 1975-76, 1976-77, 1977-78, 1978-79.
Échangé à Washington avec Rod Langway, Brian Engblom
et Craig Laughlin pour Rick Green et Ryan Walter le 9
septembre 1982.

JENKINS, Roger Joseph

Né à Appleton, Wisconsin, le 18 novembre 1911.
Défenseur, lance de la droite.
5'11", 173 lbs
Dernier club amateur: les Imperials d'Edmonton.

SAISON	CLUB	PJ	B	A	PTS	MEP
1934-35	Canadiens de Montréal	45	4	6	10	63
*1936-37	Canadiens de Montréal/					
	Americans de New York/					
	Maroons de Montréal	37	1	4	5	14
	TOTAUX	82	5	10	15	77

ELIMINATOIRES		PJ	B	A	PTS	MEP
1934-35	Canadiens de Montréal	2	1	0	1	2
	TOTAUX	2	1	0	1	2

Obtenu des Black Hawks de Chicago avec Lionel
Conacher et Leroy Goldsworthy contre Lorne Chabot,
Howie Morenz et Martin Burke en 1934.
Vendu aux Bruins de Boston en 1935.

JETTE, Alphonse

Avant.

SAISON	CLUB	PJ	B	A	PTS	MEP
1911-12	Canadiens de Montréal	2	0	—	0	—
1912-13	Canadiens de Montréal	3	0	—	0	—
1913-14	Canadiens de Montréal	6	1	—	1	—
1914-15	Canadiens de Montréal	3	0	—	0	—
	TOTAUX	14	1	—	1	—

JOANETTE, Rosario (Kit, Kitoute)

Né à Valleyfield, Québec, le 27 août 1915.
Centre, lance de la droite.
5'10", 160 lbs
Dernier club amateur: les Braves srs de Valleyfield.

SAISON	CLUB	PJ	B	A	PTS	MEP
1944-45	Canadiens de Montréal	2	0	1	1	4
	TOTAUX	2	0	1	1	4

A fait partie de l'équipe qui a remporté le trophée
Prince de Galles en 1944-45.

JOHNS, Donald Ernest (Don)

Né à St. George, Ontario, le 13 décembre 1937.
Défenseur, lance de la gauche.
5'11", 178 lbs
Dernier club amateur: les Canadiens jrs de Fort
William Columbus.

SAISON	CLUB	PJ	B	A	PTS	MEP
1965-66	Canadiens de Montréal	1	0	0	0	0
	TOTAUX	1	0	0	0	0

Vendu aux North Stars du Minnesota en octobre 1967.
A fait partie de l'équipe qui a remporté le trophée
Prince de Galles en 1965-66.

JOHNSON, Allan Edmund (Al)

Né à Winnipeg, Manitoba, le 30 mars 1935.
Ailier droit, lance de la droite.
5'11", 185 lbs

Dernier club amateur: les Mohawks srs de Cincinnati.

SAISON	CLUB	PJ	B	A	PTS	MEP
1956-57	Canadiens de Montréal	2	0	1	1	2
	TOTAUX	2	0	1	1	2

JOHNSON, Thomas Christian (Tom)

Né à Baldur, Manitoba, le 18 février 1928.
Défenseur, lance de la gauche.
6', 180 lbs
Dernier club amateur: les Royal srs de Montréal.

SAISON	CLUB	PJ	B	A	PTS	MEP
1947-48	Canadiens de Montréal	1	0	0	0	0
1950-51	Canadiens de Montréal	70	2	8	10	128
1951-52	Canadiens de Montréal	67	0	7	7	76
1952-53	Canadiens de Montréal	70	3	8	11	63
1953-54	Canadiens de Montréal	70	7	11	18	85
1954-55	Canadiens de Montréal	70	6	19	25	74
1955-56	Canadiens de Montréal	64	3	10	13	75
1956-57	Canadiens de Montréal	70	4	11	15	59
1957-58	Canadiens de Montréal	66	3	18	21	75
1958-59	Canadiens de Montréal	70	10	29	39	76
1959-60	Canadiens de Montréal	64	4	25	29	59
1960-61	Canadiens de Montréal	70	1	15	16	54
1961-62	Canadiens de Montréal	62	1	17	18	45
1962-63	Canadiens de Montréal	43	3	5	8	28
	TOTAUX	857	47	183	230	897

ELIMINATOIRES		PJ	B	A	PTS	MEP
1949-50	Canadiens de Montréal	1	0	0	0	0
1950-51	Canadiens de Montréal	11	0	0	0	6
1951-52	Canadiens de Montréal	11	1	0	1	2
1952-53	Canadiens de Montréal	12	2	3	5	8
1953-54	Canadiens de Montréal	11	1	2	3	30
1954-55	Canadiens de Montréal	12	2	0	2	22
1955-56	Canadiens de Montréal	10	0	2	2	8
1956-57	Canadiens de Montréal	10	0	2	2	13
1957-58	Canadiens de Montréal	2	0	0	0	0
1958-59	Canadiens de Montréal	11	2	3	5	8
1959-60	Canadiens de Montréal	8	0	1	1	4
1960-61	Canadiens de Montréal	6	0	1	1	8
1961-62	Canadiens de Montréal	6	0	1	1	0
	TOTAUX	111	8	15	23	109

PARTIES D'ETOILES		PJ	B	A	PTS
1952	Etoiles de la LNH	1	0	0	0
1953	Canadiens de Montréal	1	0	0	0
1956	Canadiens de Montréal	1	0	0	0
1957	Canadiens de Montréal	1	0	1	1
1958	Canadiens de Montréal	1	0	0	0
1959	Canadiens de Montréal	1	0	1	1
1960	Canadiens de Montréal	1	0	0	0
	TOTAUX	7	0	2	2

Nommé assistant-capitaine des Canadiens en 1956.
A fait partie de l'équipe qui a remporté le trophée
Prince de Galles en 1955-56, 1957-58, 1958-59, 1959-60,
1960-61, 1961-62.
A fait partie de l'équipe qui a remporté la coupe Stanley
en 1952-53, 1955-56, 1956-57, 1957-58, 1958-59, 1959-60.
A remporté le trophée James Norris en 1958-59.
Membre de la deuxième équipe d'étoiles en 1955-56.
Membre de la première équipe d'étoiles en 1958-59.
Membre du Temple de la Renommée du Hockey en juin
1970.
Repêché par les Bruins de Boston le 4 juin 1963.

JOLIAT, Aurèle (Quett)

Né à Ottawa, Ontario, le 29 août 1901.
Ailier gauche, lance de la gauche.
5'7", 136 lbs
Dernier club amateur: Iroquois Falls.

SAISON	CLUB	PJ	B	A	PTS	MEP
1922-23	Canadiens de Montréal	24	13	9	22	31
1923-24	Canadiens de Montréal	24	15	5	20	19
1924-25	Canadiens de Montréal	24	29	11	40	85
1925-26	Canadiens de Montréal	25	17	9	26	52
1926-27	Canadiens de Montréal	43	14	4	18	79
1927-28	Canadiens de Montréal	44	28	11	39	105
1928-29	Canadiens de Montréal	44	12	5	17	59
1929-30	Canadiens de Montréal	42	19	12	31	40
1930-31	Canadiens de Montréal	43	13	22	35	73
1931-32	Canadiens de Montréal	48	15	24	39	46
1932-33	Canadiens de Montréal	48	18	21	39	53
1933-34	Canadiens de Montréal	48	22	15	37	27
1934-35	Canadiens de Montréal	48	17	12	29	18
1935-36	Canadiens de Montréal	48	15	8	23	16
1936-37	Canadiens de Montréal	47	17	15	32	30
1937-38	Canadiens de Montréal	44	6	7	13	24
	TOTAUX	644	270	190	460	757

ELIMINATOIRES		PJ	B	A	PTS	MEP
1922-23	Canadiens de Montréal	2	1	1	2	8
1923-24	Canadiens de Montréal	6	4	4	8	10
1924-25	Canadiens de Montréal	5	2	2	4	21
1926-27	Canadiens de Montréal	4	1	0	1	10
1927-28	Canadiens de Montréal	2	0	0	0	4
1928-29	Canadiens de Montréal	3	1	1	2	10
1929-30	Canadiens de Montréal	6	0	2	2	6
1930-31	Canadiens de Montréal	10	0	4	4	12
1931-32	Canadiens de Montréal	4	2	0	2	4
1932-33	Canadiens de Montréal	2	2	1	3	2
1933-34	Canadiens de Montréal	2	0	1	1	0
1934-35	Canadiens de Montréal	2	1	0	1	0
1936-37	Canadiens de Montréal	5	0	3	3	2
	TOTAUX	53	14	19	33	89

A fait partie de l'équipe qui a remporté le trophée
Prince de Galles en 1924-25.

A fait partie de l'équipe qui a remporté la coupe Stanley en 1923-24, 1929-30, 1930-31.
Membre de la première équipe d'étoiles en 1930-31.
Membre de la deuxième équipe d'étoiles en 1931-32, 1933-34, 1934-35.
Membre du Temple de la Renommée du Hockey en avril 1945.
Frère de René "Bobby" Joliat.

JOLIAT, René (Bobby, Bobbie)

SAISON	CLUB	PJ	B	A	PTS	MEP
1924-25	Canadiens de Montréal	1	0	0	0	0
	TOTAUX	1	0	0	0	0

A fait partie de l'équipe qui a remporté le trophée Prince de Galles en 1924-25.

JOLY, Yvan

Né à Hawksbury, Ontario, le 6 février 1960.
Ailier droit, lance de la droite.
5'8", 169 lbs
Dernier club amateur: OAH d'Ottawa.

ELIMINATOIRES	CLUB	PJ	B	A	PTS	MEP
1979-80	Canadiens de Montréal	1	0	0	0	0
1980-81	Canadiens de Montréal	1	0	0	0	0
1982-83	Canadiens de Montréal	1	0	0	0	0
	TOTAUX	3	0	0	0	0

Retranché par Montréal et embauché par les Mariners du Maine L.A.H. comme agent libre en octobre 1983.

KAISER, Vernon Charles (Vern)

Né à Preston, Ontario, le 28 septembre 1925.
Ailier gauche, lance de la gauche.
6', 180 lbs
Dernier club amateur: les Riversides jrs de Preston.

SAISON	CLUB	PJ	B	A	PTS	MEP
1950-51	Canadiens de Montréal	50	7	5	12	33
	TOTAUX	50	7	5	12	33

KARAKAS, Michael (Mike)

Né à Aurora, Minnesota, le 12 décembre 1911.
Gardien de but, lance de la gauche.
5'10", 161 lbs
Dernier club amateur: les Rangers d'Eveleth, Minnesota.

SAISON	CLUB	PJ	BC	BL	MOY
*1939-40	Black Hawks de Chicago/ Canadiens de Montréal	22	76	0	3.46
	TOTAUX	22	76	0	3.46

FICHE OFFENSIVE	CLUB	PJ	B	A	PTS	MEP
*1939-40	Black Hawks de Chicago/ Canadiens de Montréal	22	0	0	0	0
	TOTAUX	22	0	0	0	0

KING, Frank Edward

Né à Toronto, Ontario, le 7 mars 1929.
Centre, lance de la gauche.
5'11", 185 lbs
Dernier club amateur: les Wheat Kings jrs de Brandon.

SAISON	CLUB	PJ	B	A	PTS	MEP
1950-51	Canadiens de Montréal	10	1	0	1	2
	TOTAUX	10	1	0	1	2

KITCHEN, Bill

Né à Schomberg, Ontario, le 2 octobre 1960.
Défenseur, lance de la gauche.
6'1", 195 lbs
Dernier club amateur: Ottawa 67 jr.

SAISON	CLUB	PJ	B	A	PTS	MEP
1981-82	Canadiens de Montréal	1	0	0	0	7
1982-83	Canadiens de Montréal	8	0	0	0	4
1983-84	Canadiens de Montréal	3	0	0	0	2
	TOTAUX	12	0	0	0	13

ELIMINATOIRES	CLUB	PJ	B	A	PTS	MEP
1981-82	Canadiens de Montréal	3	0	1	1	0
	TOTAUX	3	0	1	1	0

Retranché par Montréal et embauché par les Maple Leafs de Toronto comme agent libre, le 16 août 1984.

KORDIC, John

Né à Edmonton, Alberta, le 22 mars 1965.
Défenseur droit.
6'1", 190 lbs
Dernier club amateur: Seattle jr.

SAISON	CLUB	PJ	B	A	PTS	MEP
1985-86	Canadiens de Montréal	5	0	1	1	12
	TOTAUX	5	0	1	1	12

ELIMINATOIRES	CLUB	PJ	B	A	PTS	MEP
1985-86	Canadiens de Montréal	18	0	0	0	53
	TOTAUX	18	0	0	0	53

KURVERS, Tom

Né à Minneapolis, Minnesota, le 14 septembre 1962.
Défenseur gauche.
6', 190 lbs
Dernier club amateur: Université Minnesota/Duluth.

SAISON	CLUB	PJ	B	A	PTS	MEP
1984-85	Canadiens de Montréal	75	10	35	45	30
1985-86	Canadiens de Montréal	62	7	23	30	36
	TOTAUX	137	17	58	75	66

ELIMINATOIRES	CLUB	PJ	B	A	PTS	MEP
1984-85	Canadiens de Montréal	12	0	6	6	6
1985-86	Canadiens de Montréal	0	0	0	0	0
	TOTAUX	12	0	6	6	6

LACH, Elmer James

Né à Nokomis, Saskatchewan, le 22 janvier 1918.
Centre, lance de la gauche.
5'10", 170 lbs
Dernier club amateur: les Millers jrs de Moose Jaw.

SAISON	CLUB	PJ	B	A	PTS	MEP
1940-41	Canadiens de Montréal	43	7	14	21	16
1941-42	Canadiens de Montréal	1	0	1	1	0
1942-43	Canadiens de Montréal	45	18	40	58	14
1943-44	Canadiens de Montréal	48	24	48	72	23
1944-45	Canadiens de Montréal	50	26	54	80	37
1945-46	Canadiens de Montréal	50	13	34	47	34
1946-47	Canadiens de Montréal	31	14	16	30	22
1947-48	Canadiens de Montréal	60	30	31	61	72
1948-49	Canadiens de Montréal	36	11	18	29	59
1949-50	Canadiens de Montréal	64	15	33	48	33
1950-51	Canadiens de Montréal	65	21	24	45	48
1951-52	Canadiens de Montréal	70	15	50	65	36
1952-53	Canadiens de Montréal	53	16	25	41	56
1953-54	Canadiens de Montréal	48	5	20	25	28
	TOTAUX	664	215	408	623	478

ELIMINATOIRES	CLUB	PJ	B	A	PTS	MEP
1940-41	Canadiens de Montréal	3	1	0	1	0
1942-43	Canadiens de Montréal	5	2	4	6	6
1943-44	Canadiens de Montréal	9	2	11	13	4
1944-45	Canadiens de Montréal	6	4	4	8	2
1945-46	Canadiens de Montréal	9	5	12	17	4
1948-49	Canadiens de Montréal	1	0	0	0	4
1949-50	Canadiens de Montréal	5	1	2	3	4
1950-51	Canadiens de Montréal	11	2	2	4	2
1951-52	Canadiens de Montréal	11	1	2	3	4
1952-53	Canadiens de Montréal	12	1	6	7	6
1953-54	Canadiens de Montréal	4	0	2	2	0
	TOTAUX	76	19	45	64	36

PARTIES D'ETOILES		PJ	B	A	PTS
1948	Etoiles de la LNH	1	0	1	1
1952	Etoiles de la LNH	1	0	0	0
1953	Canadiens de Montréal	1	0	0	0
	TOTAUX	3	0	1	1

A fait partie de l'équipe qui a remporté le trophée Prince de Galles en 1943-44, 1944-45, 1945-46, 1946-47.
A fait partie de l'équipe qui a remporté la coupe Stanley en 1943-44, 1945-46, 1952-53.
A remporté le trophée Hart en 1944-45.
A remporté le trophée Art Ross en 1944-45, 1947-48.
Membre de la première équipe d'étoiles en 1944-45, 1947-48, 1951-52.
Membre de la deuxième équipe d'étoiles en 1943-44, 1945-46.
Membre de la célèbre "Punch line" complétée par Maurice Richard à l'aile droite et "Toe" Blake à l'aile gauche.
Nommé assistant-capitaine des Canadiens en 1948.
Membre du Temple de la Renommée du Hockey en juin 1966.

LACHANCE, ?

Fiche incomplète: Présence confirmée par le Official Report of Match, Saison 1929-30, Bureau de la LNH.

LACROIX, Alphonse "Frenchy"

Gardien de but.

SAISON	CLUB	PJ	BC	BL	MOY
1925-26	Canadiens de Montréal	5	15	0	3.00
	TOTAUX	5	15	0	3.00

FICHE OFFENSIVE	CLUB	PJ	B	A	PTS	MEP
1925-26	Canadiens de Montréal	5	0	0	0	0
	TOTAUX	5	0	0	0	0

LAFLEUR, Guy Damien

Né à Thurso, Québec, le 20 septembre 1951.
Ailier droit, centre, lance de la droite.
6', 178 lbs
Dernier club amateur: les Remparts jrs de Québec.

SAISON	CLUB	PJ	B	A	PTS	MEP
1971-72	Canadiens de Montréal	73	29	35	64	48
1972-73	Canadiens de Montréal	69	28	27	55	51
1973-74	Canadiens de Montréal	73	21	35	56	29
1974-75	Canadiens de Montréal	70	53	66	119	37
1975-76	Canadiens de Montréal	80	56	69	125	36
1976-77	Canadiens de Montréal	80	56	80	136	20
1977-78	Canadiens de Montréal	78	60	72	132	26
1978-79	Canadiens de Montréal	80	52	77	129	28
1979-80	Canadiens de Montréal	74	50	75	125	12
1980-81	Canadiens de Montréal	51	27	43	70	29
1981-82	Canadiens de Montréal	66	27	57	84	24
1982-83	Canadiens de Montréal	68	27	49	76	12
1983-84	Canadiens de Montréal	80	30	40	70	19
1984-85	Canadiens de Montréal	19	2	3	5	10
	TOTAUX	961	518	728	1246	381

ELIMINATOIRES	CLUB	PJ	B	A	PTS	MEP
1971-72	Canadiens de Montréal	6	1	4	5	2
1972-73	Canadiens de Montréal	17	3	5	8	9
1973-74	Canadiens de Montréal	6	0	1	1	4
1974-75	Canadiens de Montréal	11	12	7	19	15
1975-76	Canadiens de Montréal	13	7	10	17	2
1976-77	Canadiens de Montréal	14	9	17	26	6
1977-78	Canadiens de Montréal	15	10	11	21	16
1978-79	Canadiens de Montréal	16	10	13	23	0
1979-80	Canadiens de Montréal	3	3	1	4	0
1980-81	Canadiens de Montréal	3	0	1	1	2
1981-82	Canadiens de Montréal	5	2	1	3	4
1982-83	Canadiens de Montréal	3	0	2	2	2
1983-84	Canadiens de Montréal	12	0	3	3	5
	TOTAUX	124	57	76	133	67

PARTIE D'ETOILES	CLUB	PJ	B	A	PTS
1975	Canadiens de Montréal	1	0	3	3
1976	Canadiens de Montréal	1	1	2	3
1977	Canadiens de Montréal	1	0	1	1

<table>
<tr><td>1978</td><td>Canadiens de Montréal</td><td>1</td><td>0</td><td>0</td><td>0</td></tr>
<tr><td>1980</td><td>Canadiens de Montréal</td><td>1</td><td>0</td><td>1</td><td>1</td></tr>
<tr><td></td><td>TOTAUX</td><td>5</td><td>1</td><td>7</td><td>8</td></tr>
</table>

A fait partie de l'équipe qui a remporté le trophée Prince de Galles en 1972-73, 1975-76, 1976-77, 1977-78.
A fait partie de l'équipe qui a remporté la coupe Stanley en 1972-73, 1975-76, 1976-77, 1977-78, 1978-79.
A remporté le trophée Art Ross en 1975-76, 1976-77, 1977-78.
Membre de la première équipe d'étoiles en 1974-75, 1975-76, 1976-77, 1977-78, 1978-79.
A remporté le trophée Lester B. Pearson en 1975-76.
Premier choix amateur des Canadiens en 1971.
A remporté le trophée «Seagram's Seven Crowns Sports Award» pour 1976.
A remporté le trophée Hart en 1976-77, 1977-78.
A remporté le trophée Conn Smythe en 1977-78.
A remporté la coupe Molson en 1974-75, 1975-76, 1976-77, 1977-78, 1978-79, 1979-80.
A annoncé sa retraite le 26 novembre 1984.

LAFLEUR, René

SAISON	CLUB	PJ	B	A	PTS	MEP
1924-25	Canadiens de Montréal	1	0	0	0	0
	TOTAUX	1	0	0	0	0

A fait partie de l'équipe qui a remporté le trophée Prince de Galles en 1924-25.

LAFORCE, Ernest (Ernie)

Né à Montréal, Québec, le 23 juin 1916.
Défenseur.
Dernier club amateur: les Royaux srs de Montréal.

SAISON	CLUB	PJ	B	A	PTS	MEP
1942-43	Canadiens de Montréal	1	0	0	0	0
	TOTAUX	1	0	0	0	0

LAFORGE, Claude Roger

Né à Sorel, Québec, le 1er juillet 1936.
Ailier gauche, lance de la gauche.
5'9", 160 lbs
Dernier club amateur: les Mohawks srs de Cincinnati.

SAISON	CLUB	PJ	B	A	PTS	MEP
1957-58	Canadiens de Montréal	5	0	0	0	0
	TOTAUX	5	0	0	0	0

A fait partie de l'équipe qui a remporté le trophée Prince de Galles en 1957-58.
Vendu aux Red Wings de Detroit en juin 1958.

LAFRANCE, Adélard

Né à Chapleau, Ontario, le 13 janvier 1912.

SAISON	CLUB	PJ	B	A	PTS	MEP
1933-34	Canadiens de Montréal	3	0	0	0	2
	TOTAUX	3	0	0	0	2

ELIMINATOIRES		PJ	B	A	PTS	MEP
1933-34	Canadiens de Montréal	2	0	0	0	0
	TOTAUX	2	0	0	0	0

LAFRANCE, Léo

SAISON	CLUB	PJ	B	A	PTS	MEP
1926-27	Canadiens de Montréal	4	0	0	0	0
*1927-28	Canadiens de Montréal/ Black Hawks de Chicago	29	0	2	2	6
	TOTAUX	33	0	2	2	6

LALONDE, Edouard Charles (Newsy)

Né à Cornwall, Ontario, le 31 octobre 1887.
Défenseur, ailier droit, centre, rover.

SAISON	CLUB	PJ	B	A	PTS	MEP
1909-10	Canadiens de Montréal	1	2	—	2	—
1910-11	Canadiens de Montréal	16	19	—	19	—
1912-13	Canadiens de Montréal	18	25	—	25	—
1913-14	Canadiens de Montréal	14	22	—	22	—
1914-15	Canadiens de Montréal	6	4	—	4	—
1915-16	Canadiens de Montréal	24	31	—	31	—
1916-17	Canadiens de Montréal	18	27	—	27	—
1917-18	Canadiens de Montréal	14	23	—	23	—
1918-19	Canadiens de Montréal	17	23	9	32	40
1919-20	Canadiens de Montréal	23	36	6	42	33
1920-21	Canadiens de Montréal	24	33	8	41	36
1921-22	Canadiens de Montréal	20	9	4	13	11
	TOTAUX	195	254	27	281	120

ELIMINATOIRES		PJ	B	A	PTS	MEP
*1909-10	Canadiens de Montréal/ Creamery Kings de Renfrew	11	38	—	38	—
1913-14	Canadiens de Montréal	2	0	—	0	—
1915-16	Canadiens de Montréal	4	3	—	3	—
1916-17	Canadiens de Montréal	6	2	—	2	—
1917-18	Canadiens de Montréal	2	4	—	4	—
1918-19	Canadiens de Montréal	10	17	—	18	—
	TOTAUX	35	64	—	65	—

Signe avec les Canadiens en 1909.
A fait partie de l'équipe qui a remporté la coupe Stanley en 1915-16.
Prêté aux Creamery Kings de Renfrew pour les séries éliminatoires de 1910.
Echangé au club Vancouver pour Ernest Dubeau en 1911. Il revient aux Canadiens par la suite; les Canadiens cèdent le contrat de Didier Pitre pour compléter la transaction en 1913.
Echangé aux Sheiks de Saskatoon pour Aurèle Joliat en 1922.
Nommé capitaine des Canadiens de 1917-18 à 1920-21.
Succède à Cecil Hart comme entraîneur des Canadiens en 1932 (1932-33 à 1933-34, 1934-35 avec Léo Dandurand).
Membre du Temple de la Renommée du Hockey en juin 1950.
Décédé le 21 novembre 1970.

LALOR, Mike

Né à Buffalo, New York, le 8 mars 1963.
Défenseur gauche.
6', 195 lbs
Dernier club amateur: Brantford jr.

SAISON	CLUB	PJ	B	A	PTS	MEP
1985-86	Canadiens de Montréal	62	3	5	8	56
	TOTAUX	62	3	5	8	56

ELIMINATOIRES		PJ	B	A	PTS	MEP
1985-86	Canadiens de Montréal	17	1	1	2	29
	TOTAUX	17	1	1	2	29

Signe avec Montréal comme agent libre en 1983.

LAMB, Joseph Gordon (Joe)

Né à Sussex, Nouveau-Brunswick, le 18 juin 1906.
Ailier droit, lance de la droite.
5'10", 170 lbs
Dernier club amateur: les Victorias de Montréal.

SAISON	CLUB	PJ	B	A	PTS	MEP
*1934-35	Canadiens de Montréal/ Eagles de St.Louis	38	14	14	28	23
	TOTAUX	38	14	14	28	23

LAMBERT, Yvon Pierre

Né à St-Germain-de-Grantham (Drummondville), Québec, le 20 mai 1950.
Ailier gauche, lance de la gauche.
6', 195 lbs
Dernier club amateur: les Drummondville jrs.

SAISON	CLUB	PJ	B	A	PTS	MEP
1972-73	Canadiens de Montréal	1	0	0	0	0
1973-74	Canadiens de Montréal	60	6	10	16	42
1974-75	Canadiens de Montréal	80	32	35	67	74
1975-76	Canadiens de Montréal	80	32	35	67	28
1976-77	Canadiens de Montréal	79	24	28	52	50
1977-78	Canadiens de Montréal	77	18	22	40	20
1978-79	Canadiens de Montréal	79	26	40	66	26
1979-80	Canadiens de Montréal	77	21	32	53	23
1980-81	Canadiens de Montréal	73	22	32	54	39
	TOTAUX	606	181	234	415	302

ELIMINATOIRES		PJ	B	A	PTS	MEP
1973-74	Canadiens de Montréal	5	0	0	0	7
1974-75	Canadiens de Montréal	11	4	2	6	0
1975-76	Canadiens de Montréal	12	2	3	5	18
1976-77	Canadiens de Montréal	14	3	3	6	12
1977-78	Canadiens de Montréal	15	2	4	6	6
1978-79	Canadiens de Montréal	16	5	6	11	16
1979-80	Canadiens de Montréal	10	8	4	12	4
1980-81	Canadiens de Montréal	3	0	0	0	2
	TOTAUX	86	24	22	46	65

A fait partie de l'équipe qui a remporté le trophée Prince de Galles en 1972-73, 1975-76, 1976-77, 1977-78.
A fait partie de l'équipe qui a remporté la coupe Stanley en 1975-76, 1976-77, 1977-78, 1978-79.
Repêché par Buffalo en octobre 1981 au repêchage interligue.

LAMIRANDE, Jean-Paul (J.P.)

Né à Shawinigan Falls, Québec, le 21 août 1923.
Défenseur, lance de la droite.
5'8", 170 lbs
Dernier club amateur: les Royal srs de Montréal.

SAISON	CLUB	PJ	B	A	PTS	MEP
1954-55	Canadiens de Montréal	1	0	0	0	0
	TOTAUX	1	0	0	0	0

Décédé le 30 janvier 1976.

LAMOUREUX, Léo Peter

Né à Espanola, Ontario, le 1er octobre 1916.
Défenseur, lance de la gauche.
5'11", 175 lbs
Dernier club amateur: les Tigers srs de Hamilton.

SAISON	CLUB	PJ	B	A	PTS	MEP
1942-43	Canadiens de Montréal	46	2	16	18	43
1943-44	Canadiens de Montréal	44	8	23	31	32
1944-45	Canadiens de Montréal	49	2	22	24	38
1945-46	Canadiens de Montréal	45	5	7	12	18
1946-47	Canadiens de Montréal	50	2	11	13	14
	TOTAUX	234	19	79	98	145

ELIMINATOIRES		PJ	B	A	PTS	MEP
1943-44	Canadiens de Montréal	9	0	3	3	8
1944-45	Canadiens de Montréal	6	1	1	2	2
1945-46	Canadiens de Montréal	9	0	2	2	2
1946-47	Canadiens de Montréal	4	0	0	0	4
	TOTAUX	28	1	6	7	16

A fait partie de l'équipe qui a remporté le trophée Prince de Galles en 1943-44, 1944-45, 1945-46, 1946-47.
A fait partie de l'équipe qui a remporté la coupe Stanley en 1943-44, 1945-46.
Décédé le 11 janvier 1961.

LANDON, Larry

Né à Niagara Falls, Ontario.
Ailier gauche.
6', 190 lbs
Dernier club amateur: Université R.P.I.

SAISON	CLUB	PJ	B	A	PTS	MEP
1983-84	Canadiens de Montréal	2	0	0	0	0
	TOTAUX	2	0	0	0	0

Échangé à Toronto pour Gaston Gingras le 14 février 1984.

LANGLOIS, Albert (Junior, Al)

Né à Magog, Québec, le 6 novembre 1934.
Défenseur, lance de la gauche.
6', 205 lbs
Dernier club amateur: les Frontenancs jrs de Québec.

SAISON	CLUB	PJ	B	A	PTS	MEP
1957-58	Canadiens de Montréal	1	0	0	0	0
1958-59	Canadiens de Montréal	48	0	3	3	26
1959-60	Canadiens de Montréal	67	1	14	15	48
1960-61	Canadiens de Montréal	61	1	12	13	56
	TOTAUX	177	2	29	31	130

ELIMINATOIRES		PJ	B	A	PTS	MEP
1957-58	Canadiens de Montréal	7	0	1	1	4
1958-59	Canadiens de Montréal	7	0	0	0	4
1959-60	Canadiens de Montréal	8	0	3	3	18
1960-61	Canadiens de Montréal	5	0	0	0	6
	TOTAUX	27	0	4	4	32

A fait partie de l'équipe qui a remporté le trophée
Prince de Galles en 1957-58, 1958-59, 1959-60, 1960-61.
A fait partie de l'équipe qui a remporté la coupe Stanley
en 1957-58, 1958-59, 1959-60.
Echangé aux Rangers de New York pour John Hanna en
juin 1961.

LANGLOIS, Charles (Charlie)

Né à Lotbinière, Québec, le 25 août 1894.
Défenseur.

SAISON	CLUB	PJ	B	A	PTS	MEP
*1927-28	Pirates de Pittsburgh/ Canadiens de Montréal	40	0	0	0	22
	TOTAUX	40	0	0	0	22

ELIMINATOIRES		PJ	B	A	PTS	MEP
1927-28	Canadiens de Montréal	2	0	0	0	0
	TOTAUX	2	0	0	0	0

Obtenu des Pirates de Pittsburgh contre Martin Burke
en 1927.

LANGWAY, Rod

Né à Taiwan, le 3 mai 1957.
Défenseur, lance de la gauche.
6'3", 215 lbs.
Dernier club amateur: Université du New Hampshire.

SAISON	CLUB	PJ	B	A	PTS	MEP
1978-79	Canadiens de Montréal	45	3	4	7	30
1979-80	Canadiens de Montréal	77	7	29	36	81
1980-81	Canadiens de Montréal	80	11	34	45	120
1981-82	Canadiens de Montréal	66	5	34	39	116
	TOTAUX	268	26	101	127	347

ELIMINATOIRES		PJ	B	A	PTS	MEP
1978-79	Canadiens de Montréal	8	0	0	0	16
1979-80	Canadiens de Montréal	10	3	3	6	2
1980-81	Canadiens de Montréal	3	0	0	0	6
1981-82	Canadiens de Montréal	5	0	3	3	18
	TOTAUX	26	3	6	9	42

A fait partie de l'équipe qui a remporté la coupe Stanley
en 1978-79.
Échangé avec Brian Engblom, Doug Jarvis et Craig
Laughlin pour Rick Green et Ryan Walter le 9 septembre
1982.

LAPERRIÈRE, Joseph Jacques Hughes (Lappy)

Né à Rouyn, Québec, le 22 novembre 1941.
Défenseur, lance de la gauche.
6'2", 190 lbs
Dernier club amateur: les Canadiens jrs de Montréal.

SAISON	CLUB	PJ	B	A	PTS	MEP
1962-63	Canadiens de Montréal	6	0	2	2	2
1963-64	Canadiens de Montréal	65	2	28	30	102
1964-65	Canadiens de Montréal	67	5	22	27	92
1965-66	Canadiens de Montréal	57	6	25	31	85
1966-67	Canadiens de Montréal	61	0	20	20	48
1967-68	Canadiens de Montréal	72	4	21	25	84
1968-69	Canadiens de Montréal	69	5	26	31	45
1969-70	Canadiens de Montréal	73	6	31	37	98
1970-71	Canadiens de Montréal	49	0	16	16	20
1971-72	Canadiens de Montréal	73	3	25	28	50
1972-73	Canadiens de Montréal	57	7	16	23	34
1973-74	Canadiens de Montréal	42	2	10	12	14
	TOTAUX	691	40	242	282	674

ELIMINATOIRES		PJ	B	A	PTS	MEP
1962-63	Canadiens de Montréal	5	0	1	1	4
1963-64	Canadiens de Montréal	7	1	1	2	8
1964-65	Canadiens de Montréal	6	1	1	2	16
1966-67	Canadiens de Montréal	9	0	1	1	9
1967-68	Canadiens de Montréal	13	1	3	4	20
1968-69	Canadiens de Montréal	14	1	3	4	28
1970-71	Canadiens de Montréal	20	4	9	13	12
1971-72	Canadiens de Montréal	4	0	0	0	2
1972-73	Canadiens de Montréal	10	1	3	4	2
	TOTAUX	88	9	22	31	101

PARTIES D'ETOILES		PJ	B	A	PTS	
1964	Etoiles de la LNH	1	0	1	1	
1965	Canadiens de Montréal	1	1	0	1	
1967	Canadiens de Montréal	1	0	0	0	
1968	Etoiles de la LNH	1	0	0	0	
1970	Etoiles de la LNH	1	1	0	1	
	TOTAUX	5	2	1	3	

A fait partie de l'équipe qui a remporté le trophée
Prince de Galles en 1963-64, 1965-66, 1967-68, 1968-69,
1972-73.
A fait partie de l'équipe qui a remporté la coupe Stanley
en 1964-65, 1967-68, 1968-69, 1970-71, 1972-73.
A remporté le trophée Calder en 1963-64.
A remporté le trophée James Norris en 1965-66.
Membre de la première équipe d'étoiles en 1964-65,1965-66.
Membre de la deuxième équipe d'étoiles en 1963-64,1969-70.
Nommé assistant-capitaine des Canadiens en 1972.

LAPOINTE, Guy Gérard

Né à Montréal, Québec, le 18 mars 1948.
Défenseur, lance de la gauche.
6', 204 lbs
Dernier club amateur: les Canadiens jrs de Montréal.

SAISON	CLUB	PJ	B	A	PTS	MEP
1968-69	Canadiens de Montréal	1	0	0	0	2
1969-70	Canadiens de Montréal	5	0	0	0	4
1970-71	Canadiens de Montréal	78	15	29	44	107
1971-72	Canadiens de Montréal	69	11	38	49	58
1972-73	Canadiens de Montréal	76	19	35	54	117
1973-74	Canadiens de Montréal	71	13	40	53	63
1974-75	Canadiens de Montréal	80	28	47	75	88
1975-76	Canadiens de Montréal	77	21	47	68	78
1976-77	Canadiens de Montréal	77	25	51	76	53
1977-78	Canadiens de Montréal	49	13	29	42	19
1978-79	Canadiens de Montréal	69	13	42	55	48
1979-80	Canadiens de Montréal	45	6	20	26	29
1980-81	Canadiens de Montréal	33	1	9	10	79
1981-82	Canadiens de Montréal	47	1	19	20	72
	TOTAUX	777	166	406	572	817

ELIMINATOIRES		PJ	B	A	PTS	MEP
1970-71	Canadiens de Montréal	20	4	5	9	34
1971-72	Canadiens de Montréal	6	0	1	1	0
1972-73	Canadiens de Montréal	17	6	7	13	20
1973-74	Canadiens de Montréal	6	0	2	2	4
1974-75	Canadiens de Montréal	11	6	4	10	4
1975-76	Canadiens de Montréal	13	3	3	6	12
1976-77	Canadiens de Montréal	12	3	9	12	4
1977-78	Canadiens de Montréal	14	1	6	7	16
1978-79	Canadiens de Montréal	10	2	6	8	10
1979-80	Canadiens de Montréal	2	0	0	0	0
1980-81	Canadiens de Montréal	1	0	0	0	17
	TOTAUX	112	25	43	68	121

PARTIE D'ETOILES		PJ	B	A	PTS	
1973	Étoiles de la section est	1	0	0	0	
1975	Étoiles de la section est	1	0	0	0	
1976	Étoiles de la section est	1	0	1	1	
1977	Étoiles de la section est	1	0	0	0	
	TOTAUX	4	0	1	1	

A fait partie de l'équipe qui a remporté le trophée Prince
de Galles en 1968-69, 1972-73, 1975-76, 1976-77, 1977-78.
A fait partie de l'équipe qui a remporté la coupe Stanley
en 1970-71, 1972-73, 1975-76, 1976-77, 1977-78, 1978-79.
Membre de la première équipe d'étoiles en 1972-73.
Membre de la deuxième équipe d'étoiles en 1974-75,
1975-76.
Nommé assistant-capitaine des Canadiens en 1974.
Échangé aux Blues de St. Louis pour un choix de
deuxième et de troisième ronde au repêchage de 1983.

LAROCHELLE, Wildor

Né à Sorel, Québec, le 23 septembre 1906.
Ailier droit, lance de la droite.
5'8", 158 lbs
Dernier club amateur: Sorel.

SAISON	CLUB	PJ	B	A	PTS	MEP
1925-26	Canadiens de Montréal	33	2	1	3	10
1926-27	Canadiens de Montréal	41	0	1	1	6
1927-28	Canadiens de Montréal	40	3	1	4	30
1928-29	Canadiens de Montréal	2	0	0	0	0
1929-30	Canadiens de Montréal	44	14	11	25	28
1930-31	Canadiens de Montréal	40	8	5	13	35
1931-32	Canadiens de Montréal	48	18	8	26	16
1932-33	Canadiens de Montréal	47	11	4	15	27
1933-34	Canadiens de Montréal	48	16	11	27	27
1934-35	Canadiens de Montréal	48	9	19	28	12
*1935-36	Canadiens de Montréal/ Black Hawks de Chicago	40	2	3	5	14
	TOTAUX	431	83	64	147	205

ELIMINATOIRES		PJ	B	A	PTS	MEP
1926-27	Canadiens de Montréal	4	0	0	0	0
1927-28	Canadiens de Montréal	2	0	0	0	0
1929-30	Canadiens de Montréal	6	1	0	1	12
1930-31	Canadiens de Montréal	10	1	2	3	8
1931-32	Canadiens de Montréal	4	2	1	3	4
1932-33	Canadiens de Montréal	2	1	0	1	0
1933-34	Canadiens de Montréal	2	1	1	2	0
1934-35	Canadiens de Montréal	2	0	0	0	0
	TOTAUX	32	6	4	10	24

A fait partie de l'équipe qui a remporté la coupe Stanley
en 1929-30, 1930-31.
Echangé aux Black Hawks de Chicago pour Rosario
Couture en 1935-36.
Décédé le 21 mars 1964.

LAROCQUE, Michel Raymond (Bunny)

Né à Hull, Québec, le 6 avril 1952.
Gardien de but, lance de la gauche.
5'10", 185 lbs
Dernier club amateur: les Ottawa 67 jrs.

SAISON	CLUB	PJ	BC	BL	MOY
1973-74	Canadiens de Montréal	27	69	0	2.89
1974-75	Canadiens de Montréal	25	74	3	3.00
1975-76	Canadiens de Montréal	22	50	2	2.46
1976-77	Canadiens de Montréal	26	53	4	2.09
1977-78	Canadiens de Montréal	30	77	1	2.67
1978-79	Canadiens de Montréal	34	94	3	2.84
1979-80	Canadiens de Montréal	39	125	3	3.32
1980-81	Canadiens de Montréal	28	82	1	3.03
	TOTAUX	231	624	17	2.78

ELIMINATOIRES		PJ	BC	BL	MOY
1973-74	Canadiens de Montréal	6	18	0	2.97
1976-77	Canadiens de Montréal	—	—	—	—
1978-79	Canadiens de Montréal	1	0	0	0.00
1979-80	Canadiens de Montréal	5	11	1	2.20
1980-81	Canadiens de Montréal	0	0	0	0.00
	TOTAUX	12	29	1	2.42

FICHE OFFENSIVE		PJ	BC	A	PTS	MEP
1973-74	Canadiens de Montréal	27	0	2	2	0
1974-75	Canadiens de Montréal	25	0	1	1	2
1975-76	Canadiens de Montréal	22	0	2	2	4
1976-77	Canadiens de Montréal	26	0	0	0	0
1977-78	Canadiens de Montréal	30	0	4	4	0
1978-79	Canadiens de Montréal	34	0	3	3	2
	TOTAUX	164	0	12	12	8

ELIMINATOIRES		PJ	B	A	PTS	MEP
1973-74	Canadiens de Montréal	6	0	2	2	0
1978-79	Canadiens de Montréal	1	0	0	0	0
1979-80	Canadiens de Montréal	5	0	0	0	0
	TOTAUX	12	0	2	2	0

Deuxième choix amateur des Canadiens en 1972.
A fait partie de l'équipe qui a remporté le trophée Prince de Galles en 1975-76, 1976-77, 1977-78.
A fait partie de l'équipe qui a remporté la coupe Stanley en 1975-76, 1976-77, 1977-78, 1978-79.
A remporté le trophée Georges Vézina en 1976-77, 1977-78, 1978-79 (avec Ken Dryden).
A remporté le trophée Georges Vézina (avec Richard Sévigny et Denis Herron) en 1980-81.
Échangé à Toronto pour Robert Picard et un choix de huitième ronde en mars 1981.

LAROSE, Claude David

Né à Hearst, Ontario, le 2 mars 1942.
Ailier droit, lance de la droite.
6', 170 lbs
Dernier club amateur: les Petes jrs de Peterborough.

SAISON	CLUB	PJ	B	A	PTS	MEP
1962-63	Canadiens de Montréal	4	0	0	0	0
1963-64	Canadiens de Montréal	21	1	1	2	43
1964-65	Canadiens de Montréal	68	21	16	37	82
1965-66	Canadiens de Montréal	64	15	18	33	67
1966-67	Canadiens de Montréal	69	19	16	35	82
1967-68	Canadiens de Montréal	42	2	9	11	28
1970-71	Canadiens de Montréal	64	10	13	23	90
1971-72	Canadiens de Montréal	77	20	18	38	64
1972-73	Canadiens de Montréal	73	11	23	34	30
1973-74	Canadiens de Montréal	39	17	7	24	30
1974-75	Canadiens de Montréal	8	1	2	3	6
	TOTAUX	529	117	123	240	522

ELIMINATOIRES		PJ	B	A	PTS	MEP
1963-64	Canadiens de Montréal	2	1	0	1	0
1964-65	Canadiens de Montréal	13	0	1	1	14
1965-66	Canadiens de Montréal	6	0	1	1	31
1966-67	Canadiens de Montréal	10	1	5	6	15
1967-68	Canadiens de Montréal	12	3	2	5	8
1970-71	Canadiens de Montréal	11	1	0	1	10
1971-72	Canadiens de Montréal	6	2	1	3	23
1972-73	Canadiens de Montréal	17	3	4	7	6
1973-74	Canadiens de Montréal	5	0	2	2	11
	TOTAUX	82	11	16	27	118

PARTIES D'ETOILES		PJ	B	A	PTS
1965	Canadiens de Montréal	1	0	1	1
1967	Canadiens de Montréal	1	0	1	1
	TOTAUX	2	0	2	2

A fait partie de l'équipe qui a remporté le trophée Prince de Galles en 1963-64, 1965-66, 1967-68, 1972-73.
A fait partie de l'équipe qui a remporté la coupe Stanley en 1964-65, 1965-66, 1967-68, 1970-71, 1972-73.
Échangé aux North Stars du Minnesota avec Dan Grant pour le premier choix amateur de 1972 (Dave Gardner), pour Marshall Johnston et un certain montant d'argent, le 10 juin 1968.
Obtenu des North Stars du Minnesota contre Robert Rousseau le 10 juin 1970.
Vendu aux Blues de St. Louis le 5 décembre 1974.
Nommé assistant-capitaine pour la saison 1974-75.

LAROUCHE, Pierre

Né à Taschereau, Québec, le 16 novembre 1955.
Centre, lance de la droite.
5'11", 175 lbs
Dernier club amateur: Sorel.

SAISON	CLUB	PJ	B	A	PTS	MEP
1977-78	Canadiens de Montréal	44	17	32	49	11
1978-79	Canadiens de Montréal	36	9	13	22	4
1979-80	Canadiens de Montréal	73	50	41	91	16
1980-81	Canadiens de Montréal	61	25	28	53	28
1981-82	Canadiens de Montréal	22	9	12	21	0
	TOTAUX	236	110	126	236	59

ELIMINATOIRES		PJ	B	A	PTS	MEP
1977-78	Canadiens de Montréal	5	2	1	3	4
1978-79	Canadiens de Montréal	6	1	3	4	0

1979-80	Canadiens de Montréal	9	1	7	8	2
1980-81	Canadiens de Montréal	2	0	2	2	0
	TOTAUX	22	4	13	17	6

Obtenu des Pingouins de Pittsburgh avec un joueur qui serait nommé plus tard (Peter Marsh, le 15 décembre 1977) contre Peter Mahovlich et Peter Lee, le 29 novembre 1977.
A fait partie de l'équipe qui a remporté le trophée Prince de Galles en 1977-78.
A fait partie de l'équipe qui a remporté la coupe Stanley en 1977-78, 1978-79.
Échangé en décembre 1981 à Hartford avec un choix de première ronde en 1984 et un de troisième ronde en 1985 pour un premier choix en 1984 et un de troisième ronde en 1985.

LAUGHLIN, Craig

Né à Toronto, Ontario, le 19 septembre 1957.
Ailier droit.
5'11", 198 lbs
Dernier club amateur: Clarkson College.

SAISON	CLUB	PJ	B	A	PTS	MEP
1981-82	Canadiens de Montréal	36	12	11	23	33
	TOTAUX	36	12	11	23	33

ELIMINATOIRES		PJ	B	A	PTS	MEP
1981-82	Canadiens de Montréal	3	0	1	1	0
	TOTAUX	3	0	1	1	0

Échangé à Washington avec Rod Langway, Brian Engblom et Doug Jarvis pour Ryan Walter et Rick Green le 9 septembre 1982.

LAVIOLETTE, Jean-Baptiste (Jack)

Né à Belleville, Ontario, le 27 juillet 1879.
Défenseur, ailier gauche.

SAISON	CLUB	PJ	B	A	PTS	MEP
1909-10	Canadiens de Montréal	1	1	—	1	—
1910-11	Canadiens de Montréal	16	0	—	0	—
1911-12	Canadiens de Montréal	18	7	—	7	—
1912-13	Canadiens de Montréal	20	8	0	8	—
1913-14	Canadiens de Montréal	20	7	—	7	—
1914-15	Canadiens de Montréal	18	6	—	6	—
1915-16	Canadiens de Montréal	18	7	—	7	—
1916-17	Canadiens de Montréal	18	7	—	7	—
1917-18	Canadiens de Montréal	18	2	—	2	—
	TOTAUX	147	45	—	45	—

ELIMINATOIRES		PJ	B	A	PTS	MEP
1909-10	Canadiens de Montréal	11	3	—	3	—
1913-14	Canadiens de Montréal	2	0	—	0	—
1915-16	Canadiens de Montréal	4	0	—	0	—
	TOTAUX	17	3	—	3	—

A fait partie de l'équipe qui a remporté la coupe Stanley en 1915-16.
Membre du Temple de la Renommée du Hockey en août 1962.

LAYCOE, Harold Richardson (Hal)

Né à Sutherland, Saskatchewan, le 23 juin 1922.
Défenseur, lance de la gauche.
6'1", 175 lbs
Dernier club amateur: les Rovers srs de New York.

SAISON	CLUB	PJ	B	A	PTS	MEP
1947-48	Canadiens de Montréal	14	1	2	3	4
1948-49	Canadiens de Montréal	51	3	5	8	31
1949-50	Canadiens de Montréal	30	0	2	2	21
*1950-51	Canadiens de Montréal/ Bruins de Boston	44	1	3	4	29
	TOTAUX	139	5	12	17	85

ELIMINATOIRES		PJ	B	A	PTS	MEP
1948-49	Canadiens de Montréal	7	0	1	1	13
1949-50	Canadiens de Montréal	2	0	0	0	0
	TOTAUX	9	0	1	1	13

Obtenu des Rangers de New York avec Joe Bell et George Robertson contre "Buddy" O'Connor et Frank Eddolls en 1947.

Echangé aux Bruins de Boston pour Ross Lowe en 1949-50.

LECLAIR, Jean-Louis (Jackie)

Né à Québec, Québec, le 30 mai 1929.
Centre, lance de la gauche.
5'10", 175 lbs
Dernier club amateur: les Senators d'Ottawa.

SAISON	CLUB	PJ	B	A	PTS	MEP
1954-55	Canadiens de Montréal	59	11	22	33	12
1955-56	Canadiens de Montréal	54	6	8	14	30
1956-57	Canadiens de Montréal	47	3	10	13	14
	TOTAUX	160	20	40	60	56

ELIMINATOIRES		PJ	B	A	PTS	MEP
1954-55	Canadiens de Montréal	12	5	0	5	2
1955-56	Canadiens de Montréal	8	1	1	2	4
	TOTAUX	20	6	1	7	6

PARTIES D'ETOILES		PJ	B	A	PTS
1956	Canadiens de Montréal	1	0	0	0
	TOTAUX	1	0	0	0

A fait partie de l'équipe qui a remporté le trophée Prince de Galles en 1955-56.
A fait partie de l'équipe qui a remporté la coupe Stanley en 1955-56.

LEDUC, Albert (Battleship)

Né à Valleyfield, Québec, le 22 novembre 1902.
Défenseur, lance de la droite.
5'9", 180 lbs

SAISON	CLUB	PJ	B	A	PTS	MEP
1925-26	Canadiens de Montréal	32	10	3	13	62
1926-27	Canadiens de Montréal	43	5	2	7	62
1927-28	Canadiens de Montréal	42	8	5	13	73
1928-29	Canadiens de Montréal	43	9	2	11	79
1929-30	Canadiens de Montréal	44	6	8	14	90
1930-31	Canadiens de Montréal	44	8	6	14	82
1931-32	Canadiens de Montréal	41	5	3	8	60
1932-33	Canadiens de Montréal	48	5	3	8	62
1934-35	Canadiens de Montréal	4	0	0	0	4
	TOTAUX	341	56	32	88	574

ELIMINATOIRES		PJ	B	A	PTS	MEP
1926-27	Canadiens de Montréal	4	0	0	0	2
1927-28	Canadiens de Montréal	2	1	0	1	5
1928-29	Canadiens de Montréal	3	1	0	1	4
1929-30	Canadiens de Montréal	6	1	3	4	8
1930-31	Canadiens de Montréal	7	0	2	2	9
1931-32	Canadiens de Montréal	4	1	1	2	2
1932-33	Canadiens de Montréal	2	1	0	1	2
	TOTAUX	28	5	6	11	32

A fait partie de l'équipe qui a remporté la coupe Stanley en 1929-30, 1930-31.
Echangé aux Senators d'Ottawa pour Martin Burke (1933-34).

LEDUC, R. Edgar

SAISON	CLUB	PJ	B	A	PTS	MEP
1911-12	Canadiens de Montréal	3	0	—	0	—
	TOTAUX	3	0	—	0	—

ELIMINATOIRES		PJ	B	A	PTS	MEP
1909-10	Canadiens de Montréal	3	3	—	3	—
	TOTAUX	3	3	—	3	—

LEE, R.

Fiche incomplète: Présence confirmée par le Official Report of Match, Saison 1942-43, Bureau de la LNH.

LEFLEY, Charles Thomas (Chuck)

Né à Winnipeg, Manitoba, le 20 janvier 1950.
Ailier gauche, lance de la gauche.
6'1", 185 lbs
Dernier club amateur: l'Equipe Nationale du Canada.

SAISON	CLUB	PJ	B	A	PTS	MEP
1971-72	Canadiens de Montréal	16	0	2	2	0
1972-73	Canadiens de Montréal	65	21	25	46	22
1973-74	Canadiens de Montréal	74	23	31	54	22
1974-75	Canadiens de Montréal	19	1	2	3	4
	TOTAUX	174	45	60	105	60

ELIMINATOIRES		PJ	B	A	PTS	MEP
1970-71	Canadiens de Montréal	1	0	0	0	0
1972-73	Canadiens de Montréal	17	3	5	8	6
1973-74	Canadiens de Montréal	6	0	1	1	0
	TOTAUX	24	3	6	9	6

A fait partie de l'équipe qui a remporté le trophée Prince de Galles en 1972-73.
A fait partie de l'équipe qui a remporté la coupe Stanley en 1970-71, 1972-73.
Echangé aux Blues de St. Louis pour Don Awrey le 28 novembre 1974.
Frère de Bryan Lefley.

LEGER, Roger

Né à l'Annonciation, Québec, le 26 mars 1919.
Défenseur, lance de la droite.
5'11", 210 lbs
Dernier club amateur: les Braves de Valleyfield.

SAISON	CLUB	PJ	B	A	PTS	MEP
1946-47	Canadiens de Montréal	49	4	18	22	12
1947-48	Canadiens de Montréal	48	4	14	18	26
1948-49	Canadiens de Montréal	28	6	7	13	10
1949-50	Canadiens de Montréal	55	3	12	15	21
	TOTAUX	180	17	51	68	69

ELIMINATOIRES		PJ	B	A	PTS	MEP
1946-47	Canadiens de Montréal	11	0	6	6	10
1948-49	Canadiens de Montréal	5	0	1	1	2
1949-50	Canadiens de Montréal	4	0	0	0	2
	TOTAUX	20	0	7	7	14

A fait partie de l'équipe qui a remporté le trophée Prince de Galles en 1946-47.

LEMAIRE, Jacques Gérard

Né à Ville Lasalle, Québec, le 7 septembre 1945.
Centre, ailier gauche, lance de la gauche.
5'10", 180 lbs
Dernier club amateur: les Canadiens jrs de Montréal.

SAISON	CLUB	PJ	B	A	PTS	MEP
1967-68	Canadiens de Montréal	69	22	20	42	16
1968-69	Canadiens de Montréal	75	29	34	63	29
1969-70	Canadiens de Montréal	69	32	28	60	16
1970-71	Canadiens de Montréal	78	28	28	56	18
1971-72	Canadiens de Montréal	77	32	49	81	26
1972-73	Canadiens de Montréal	77	44	51	95	16
1973-74	Canadiens de Montréal	66	29	38	67	10
1974-75	Canadiens de Montréal	80	36	56	92	20
1975-76	Canadiens de Montréal	61	20	32	52	20
1976-77	Canadiens de Montréal	75	34	41	75	22
1977-78	Canadiens de Montréal	76	36	61	97	14
1978-79	Canadiens de Montréal	50	24	31	55	10
	TOTAUX	853	366	469	835	217

ELIMINATOIRES		PJ	B	A	PTS	MEP
1967-68	Canadiens de Montréal	13	7	6	13	6
1968-69	Canadiens de Montréal	14	4	2	6	6
1970-71	Canadiens de Montréal	20	9	10	19	17
1971-72	Canadiens de Montréal	6	2	1	3	2
1972-73	Canadiens de Montréal	17	7	13	20	2
1973-74	Canadiens de Montréal	6	0	4	4	2
1974-75	Canadiens de Montréal	11	5	7	12	4
1975-76	Canadiens de Montréal	13	3	3	6	2
1976-77	Canadiens de Montréal	14	7	12	19	6
1977-78	Canadiens de Montréal	15	6	8	14	10
1978-79	Canadiens de Montréal	16	11	12	23	6
	TOTAUX	145	61	78	139	63

PARTIES D'ETOILES		PJ	B	A	PTS	
1970	Etoiles de la section est	1	0	1	1	
1973	Etoiles de la section est	1	1	0	1	
	TOTAUX	2	1	1	2	

A fait partie de l'équipe qui a remporté le trophée Prince de Galles en 1967-68, 1968-69, 1972-73, 1975-76, 1976-77, 1977-78.
A fait partie de l'équipe qui a remporté la coupe Stanley en 1967-68, 1968-69, 1970-71, 1972-73, 1975-76, 1976-77, 1977-78, 1978-79.
Nommé assistant-capitaine des Canadiens en 1974.
Accepta un poste d'instructeur en Suisse en juin 1979.

LEMIEUX, Claude

Né à Buckingham, Québec, le 16 juillet 1965.
Ailier droit.
6'1", 215 lbs
Dernier club amateur: les Canadiens jrs de Verdun.

SAISON	CLUB	PJ	B	A	PTS	MEP
1983-84	Canadiens de Montréal	8	1	1	2	12
1984-85	Canadiens de Montréal	1	0	1	1	7
1985-86	Canadiens de Montréal	10	1	2	3	22
	TOTAUX	19	2	4	6	41

ELIMINATOIRES		PJ	B	A	PTS	MEP
1985-86	Canadiens de Montréal	20	10	6	16	68
	TOTAUX	20	10	6	16	68

LÉPINE, Alfred (Pit)

Né à Ste-Anne-de-Bellevue, Québec, le 30 juillet 1901.
Centre, lance de la gauche.
6', 168 lbs
Dernier club amateur: les Yellow Jackets de Pittsburgh.

SAISON	CLUB	PJ	B	A	PTS	MEP
1925-26	Canadiens de Montréal	27	9	1	10	18
1926-27	Canadiens de Montréal	44	16	1	17	20
1927-28	Canadiens de Montréal	20	4	1	5	6
1928-29	Canadiens de Montréal	44	6	1	7	48
1929-30	Canadiens de Montréal	44	24	9	33	47
1930-31	Canadiens de Montréal	44	17	7	24	63
1931-32	Canadiens de Montréal	48	19	11	30	42
1932-33	Canadiens de Montréal	46	8	8	16	45
1933-34	Canadiens de Montréal	48	10	8	18	44
1934-35	Canadiens de Montréal	48	12	19	31	16
1935-36	Canadiens de Montréal	32	6	10	16	4
1936-37	Canadiens de Montréal	34	7	8	15	15
1937-38	Canadiens de Montréal	47	5	14	19	24
	TOTAUX	526	143	98	241	392

ELIMINATOIRES		PJ	B	A	PTS	MEP
1926-27	Canadiens de Montréal	4	0	0	0	2
1927-28	Canadiens de Montréal	1	0	0	0	0
1928-29	Canadiens de Montréal	3	0	0	0	2
1929-30	Canadiens de Montréal	6	2	2	4	6
1930-31	Canadiens de Montréal	10	4	2	6	6
1931-32	Canadiens de Montréal	3	1	0	1	4
1932-33	Canadiens de Montréal	2	0	0	0	0
1933-34	Canadiens de Montréal	2	0	0	0	0
1934-35	Canadiens de Montréal	2	0	0	0	2
1936-37	Canadiens de Montréal	5	0	1	1	0
1937-38	Canadiens de Montréal	3	0	0	0	0
	TOTAUX	41	7	5	12	22

A fait partie de l'équipe qui a remporté la coupe Stanley en 1929-30, 1930-31.
Succède à "Babe" Seibert comme entraîneur des Canadiens en 1939 (1939-40).
Décédé le 2 août 1955.

LÉPINE, Hector

SAISON	CLUB	PJ	B	A	PTS	MEP
1925-26	Canadiens de Montréal	33	5	2	7	2
	TOTAUX	33	5	2	7	2

LEROUX, G.

SAISON	CLUB	PJ	B	A	PTS	MEP
1935-36	Canadiens de Montréal	2	0	0	0	0
	TOTAUX	2	0	0	0	0

LESIEUR, Arthur (Art)

Né à Fall River, Massachusetts, le 13 septembre 1907.
Défenseur, lance de la droite.
5'11", 190 lbs
Dernier club amateur: les Juniors de St-Césaire.

SAISON	CLUB	PJ	B	A	PTS	MEP
*1928-29	Black Hawks de Chicago/ Canadiens de Montréal	17	0	0	0	0
1930-31	Canadiens de Montréal	21	2	0	2	14
1931-32	Canadiens de Montréal	24	1	2	3	12
1935-36	Canadiens de Montréal	38	1	0	1	24
	TOTAUX	100	4	2	6	50

ELIMINATOIRES		PJ	B	A	PTS	MEP
1930-31	Canadiens de Montréal	10	0	0	0	4
1931-32	Canadiens de Montréal	4	0	0	0	0
	TOTAUX	14	0	0	0	4

Obtenu des Black Hawks de Chicago contre Herb Gardiner en 1928-29.
A fait partie de l'équipe qui a remporté la coupe Stanley en 1930-31.

LEWIS, Douglas (Doug)

Né à Winnipeg, Manitoba, le 3 mars 1921.
Ailier gauche, lance de la gauche.
5'8", 155 lbs
Dernier club amateur: les A.C. jrs d'Edmonton.

SAISON	CLUB	PJ	B	A	PTS	MEP
1946-47	Canadiens de Montréal	3	0	0	0	0
	TOTAUX	3	0	0	0	0

A fait partie de l'équipe qui a remporté le trophée Prince de Galles en 1946-47.

LITZENBERGER, Edward C.J. (Eddie, Litz)

Né à Neudorf, Saskatchewan, le 15 juillet 1932.
Ailier droit, centre, lance de la droite.
6'3", 194 lbs
Dernier club amateur: les Royal srs de Montréal.

SAISON	CLUB	PJ	B	A	PTS	MEP
1952-53	Canadiens de Montréal	2	1	0	1	2
1953-54	Canadiens de Montréal	3	0	0	0	0
1954-55	Canadiens de Montréal	29	7	4	11	12
	TOTAUX	34	8	4	12	14

Vendu à Chicago en décembre 1954.

LOCAS, Jacques

Né à Montréal, Québec, le 12 février 1926.
Ailier droit, lance de la droite.
5'11", 175 lbs
Dernier club amateur: les Saints de Sherbrooke.

SAISON	CLUB	PJ	B	A	PTS	MEP
1947-48	Canadiens de Montréal	56	7	8	15	66
1948-49	Canadiens de Montréal	3	0	0	0	0
	TOTAUX	59	7	8	15	66

LONG, Stanley Gordon (Stan)

Né à Owen Sound, Ontario, le 6 novembre 1929.
Défenseur, lance de la gauche.
5'11", 190 lbs
Dernier club amateur: les Royal srs de Montréal.

ELIMINATOIRES		PJ	B	A	PTS	MEP
1951-52	Canadiens de Montréal	3	0	0	0	0
	TOTAUX	3	0	0	0	0

LORRAIN, Rodrigue (Rod)

Né à Buckingham, Québec, juillet 1915.
Ailier droit, lance de la droite.
5'5", 156 lbs
Dernier club amateur: les Senators srs d'Ottawa.

SAISON	CLUB	PJ	B	A	PTS	MEP
1935-36	Canadiens de Montréal	1	0	0	0	2
1936-37	Canadiens de Montréal	47	3	6	9	8
1937-38	Canadiens de Montréal	48	13	19	32	14
1938-39	Canadiens de Montréal	38	10	9	19	0
1939-40	Canadiens de Montréal	41	1	5	6	6
1941-42	Canadiens de Montréal	4	1	0	1	0
	TOTAUX	179	28	39	67	30

ELIMINATOIRES		PJ	B	A	PTS	MEP
1936-37	Canadiens de Montréal	5	0	0	0	0
1937-38	Canadiens de Montréal	3	0	0	0	0
1938-39	Canadiens de Montréal	3	0	3	3	0
	TOTAUX	11	0	3	3	0

Décédé le 22 octobre 1980.

LOWE, Ross Robert

Né à Oshawa, Ontario, le 21 septembre 1928.
Défenseur, lance de la droite.
6'1", 180 lbs
Dernier club amateur: les Generals jrs d'Oshawa.

SAISON	CLUB	PJ	B	A	PTS	MEP
1951-52	Canadiens de Montréal	31	1	5	6	42
	TOTAUX	31	1	5	6	42

ELIMINATOIRES		PJ	B	A	PTS	MEP
1950-51	Canadiens de Montréal	2	0	0	0	0
	TOTAUX	2	0	0	0	0

Obtenu des Bruins de Boston contre Hal Laycoe en 1951.

LOWREY, Ed (Eddie)

Né en 1894.
Avant.

SAISON	CLUB	PJ	B	A	PTS	MEP
*1914-15	Canadiens de Montréal/ Senators d'Ottawa	5	2	—	2	—
	TOTAUX	2	5	—	2	—

LUDWIG, Craig

Né à Rhinelander, Wisconsin, le 15 mars 1961.
Défenseur gauche.
6'2", 205 lbs
Dernier club amateur: Université du North Dakota.

SAISON	CLUB	PJ	B	A	PTS	MEP
1982-83	Canadiens de Montréal	80	0	25	25	59
1983-84	Canadiens de Montréal	80	7	18	25	52
1984-85	Canadiens de Montréal	72	5	14	19	90
1985-86	Canadiens de Montréal	69	2	4	6	63
	TOTAUX	301	14	61	75	264

ELIMINATOIRES		PJ	B	A	PTS	MEP
1982-83	Canadiens de Montréal	3	0	0	0	2
1983-84	Canadiens de Montréal	15	0	3	3	23
1984-85	Canadiens de Montréal	12	0	1	1	6
1985-86	Canadiens de Montréal	20	0	1	1	48
	TOTAUX	50	0	5	5	79

LUMLEY, David

Né à Toronto, Ontario, le 1er septembre 1954.
Centre, ailier droit, lance de la droite.
6', 185 lbs
Dernier club amateur: Université du New Hampshire.

SAISON	CLUB	PJ	B	A	PTS	MEP
1978-79	Canadiens de Montréal	3	0	0	0	0
	TOTAUX	3	0	0	0	0

Echangé aux Oilers d'Edmonton avec Dan Newman pour des considérations futures.

LUPIEN, Gilles

Né à Lachute, Québec, le 20 avril 1954.
Défenseur, lance de la gauche.
6'6", 210 lb.
Dernier club amateur: les Juniors de Montréal.

SAISON	CLUB	PJ	B	A	PTS	MEP
1977-78	Canadiens de Montréal	46	1	3	4	108
1978-79	Canadiens de Montréal	72	1	9	10	124
1979-80	Canadiens de Montréal	56	1	7	8	109
	TOTAUX	174	3	19	22	341

ELIMINATOIRES		PJ	B	A	PTS	MEP
1977-78	Canadiens de Montréal	8	0	0	0	17
1978-79	Canadiens de Montréal	13	0	0	0	2
1979-80	Canadiens de Montréal	4	0	0	0	2
	TOTAUX	25	0	0	0	21

A fait partie de l'équipe qui a remporté le trophée Prince de Galles en 1977-78.
A fait partie de l'équipe qui a remporté la coupe Stanley en 1977-78, 1978-79.

LYNN, Victor Ivan (Vic)

Né à Saskatoon, Saskatchewan, le 26 janvier 1925.
Défenseur, lance de la gauche.
5'9", 185 lbs
Dernier club amateur: les Rovers srs de New York.

SAISON	CLUB	PJ	B	A	PTS	MEP
1945-46	Canadiens de Montréal	2	0	0	0	0
	TOTAUX	2	0	0	0	0

A fait partie de l'équipe qui a remporté le trophée Prince de Galles en 1945-46.

McAVOY, George

Né à Edmonton, Alberta, le 21 juin 1931.
Défenseur, lance de la gauche.
5'11", 165 lbs
Dernier club amateur: les V srs de Penticton.

SAISON	CLUB	PJ	B	A	PTS	MEP
1954-55	Canadiens de Montréal	4	0	0	0	0
	TOTAUX	4	0	0	0	0

McCAFFREY, Albert (Bert)

Né à Listowel, Ontario.
Défenseur.

SAISON	CLUB	PJ	B	A	PTS	MEP
*1929-30	Pirates de Pittsburgh/ Canadiens de Montréal	43	4	7	11	38
1930-31	Canadiens de Montréal	22	2	1	3	10
	TOTAUX	65	6	8	14	48

ELIMINATOIRES		PJ	B	A	PTS	MEP
1929-30	Canadiens de Montréal	6	1	1	2	6
	TOTAUX	6	1	1	2	6

A fait partie de l'équipe qui a remporté la coupe Stanley en 1929-30.

McCARTNEY, R. Walter Herbert

Né à Régina, Saskatchewan, le 26 avril 1911.
Ailier gauche, lance de la gauche.
5'10", 160 lbs

SAISON	CLUB	PJ	B	A	PTS	MEP
1932-33	Canadiens de Montréal	2	0	0	0	0
	TOTAUX	2	0	0	0	0

McCORMACK, John Ronald (Goose)

Né à Edmonton, Alberta, le 2 août 1925.
Centre, lance de la gauche.
6', 185 lbs
Dernier club amateur: les St. Michaels College jrs.

SAISON	CLUB	PJ	B	A	PTS	MEP
1951-52	Canadiens de Montréal	54	2	10	12	4
1952-53	Canadiens de Montréal	59	1	9	10	9
1953-54	Canadiens de Montréal	51	5	10	15	12
	TOTAUX	164	8	29	37	25

ELIMINATOIRES		PJ	B	A	PTS	MEP
1952-53	Canadiens de Montréal	9	0	0	0	0
1953-54	Canadiens de Montréal	7	0	1	1	0
	TOTAUX	16	0	1	1	0

A fait partie de l'équipe qui a remporté la coupe Stanley en 1952-53.

McCREARY, Vernon Keith

Né à Sundridge, Ontario, le 19 juin 1940.
Ailier gauche, lance de la gauche.
5'10", 175 lbs
Dernier club amateur: les Canadiens jrs de Hull-Ottawa.

SAISON	CLUB	PJ	B	A	PTS	MEP
1964-65	Canadiens de Montréal	9	0	3	3	4
	TOTAUX	9	0	3	3	4

ELIMINATOIRES		PJ	B	A	PTS	MEP
1961-62	Canadiens de Montréal	1	0	0	0	0
	TOTAUX	1	0	0	0	0

Frère de Bill McCreary.
Repêché par les Pingouins de Pittsburgh lors de l'expansion de 1967, le 6 juin 1967.

McCREARY, William Edward (Bill)

Né à Sundridge, Ontario, le 2 décembre 1934.
Ailier gauche, lance de la gauche.
5'10", 172 lbs
Dernier club amateur: les Biltmores jrs de Guelph.

SAISON	CLUB	PJ	B	A	PTS	MEP
1962-63	Canadiens de Montréal	14	2	3	5	0
	TOTAUX	14	2	3	5	0

Frère de Vernon McCreary.
Echangé aux Blues de St. Louis pour Claude Cardin et Phil Obendorf en juin 1967.

McCULLY, Bob

SAISON	CLUB	PJ	B	A	PTS	MEP
1934-35	Canadiens de Montréal	1	0	0	0	0
	TOTAUX	1	0	0	0	0

McDONALD, Alvin Brian (Ab)

Né à Winnipeg, Manitoba, le 18 février 1936.
Ailier gauche, lance de la gauche.
6'2", 194 lbs
Dernier club amateur: les Tee Pees jrs de St. Catharines.

SAISON	CLUB	PJ	B	A	PTS	MEP
1958-59	Canadiens de Montréal	69	13	23	36	35
1959-60	Canadiens de Montréal	68	9	13	22	26
	TOTAUX	137	22	36	58	61

ELIMINATOIRES		PJ	B	A	PTS	MEP
1957-58	Canadiens de Montréal	2	0	0	0	2
1958-59	Canadiens de Montréal	11	1	1	2	6
	TOTAUX	13	1	1	2	8

PARTIES D'ETOILES		PJ	B	A	PTS
1958	Canadiens de Montréal	1	1	0	1
1959	Canadiens de Montréal	1	1	0	1
	TOTAUX	2	2	0	2

A fait partie de l'équipe qui a remporté le trophée Prince de Galles en 1958-59, 1959-60.

A fait partie de l'équipe qui a remporté la coupe Stanley en 1957-58, 1958-59.
Vendu aux Black Hawks de Chicago en juin 1960.

McDONALD, Jack

Ailier gauche, centre, rover.

SAISON	CLUB	PJ	B	A	PTS	MEP
*1917-18	Wanderers de Montréal/					
	Canadiens de Montréal	12	12	—	12	—
1918-19	Canadiens de Montréal	18	8	4	12	9
*1920-21	Canadiens de Montréal/					
	St. Patricks de Toronto	17	0	1	1	0
1921-22	Canadiens de Montréal	2	0	0	0	0
	TOTAUX	49	20	5	25	9

ELIMINATOIRES		PJ	B	A	PTS	MEP
1917-18	Canadiens de Montréal	2	1	0	1	—
1918-19	Canadiens de Montréal	10	1	0	1	—
	TOTAUX	12	2	0	2	—

Echangé aux Bulldogs de Québec en 1919.
Décédé le 24 janvier 1958.

McGIBBON, Irving John

SAISON	CLUB	PJ	B	A	PTS	MEP
1942-43	Canadiens de Montréal	1	0	0	0	2
	TOTAUX	1	0	0	0	2

McGILL, John George (Jack)

Né à Ottawa, Ontario, le 3 novembre 1910.
Lance de la gauche.
5'10", 150 lbs
Dernier club amateur: Université McGill.

SAISON	CLUB	PJ	B	A	PTS	MEP
1934-35	Canadiens de Montréal	44	9	1	10	34
1935-36	Canadiens de Montréal	46	13	7	20	28
1936-37	Canadiens de Montréal	44	5	2	7	9
	TOTAUX	134	27	10	37	71

ELIMINATOIRES		PJ	B	A	PTS	MEP
1934-35	Canadiens de Montréal	2	2	0	2	0
1936-37	Canadiens de Montréal	1	0	0	0	0
	TOTAUX	3	2	0	2	0

MacKAY, Calum (Baldy)

Né à Toronto, Ontario, le 1er janvier 1927.
Ailier gauche, lance de la gauche.
5'9", 185 lbs
Dernier club amateur: les Generals jrs d'Oshawa.

SAISON	CLUB	PJ	B	A	PTS	MEP
1949-50	Canadiens de Montréal	52	8	10	18	44
1950-51	Canadiens de Montréal	70	18	10	28	69
1951-52	Canadiens de Montréal	12	0	1	1	8
1953-54	Canadiens de Montréal	47	10	13	23	54
1954-55	Canadiens de Montréal	50	14	21	35	39
	TOTAUX	231	50	55	105	214

ELIMINATOIRES		PJ	B	A	PTS	MEP
1949-50	Canadiens de Montréal	5	0	1	1	2
1950-51	Canadiens de Montréal	11	1	0	1	0
1952-53	Canadiens de Montréal	7	1	3	4	10
1953-54	Canadiens de Montréal	3	0	1	1	0
1954-55	Canadiens de Montréal	12	3	8	11	8
	TOTAUX	38	5	13	18	20

PARTIES D'ETOILES		PJ	B	A	PTS
1949-50	Canadiens de Montréal	1	0	0	0
	TOTAUX	1	0	0	0

Obtenu des Red Wings de Detroit contre Joe Carveth.
A fait partie de l'équipe qui a remporté la coupe Stanley en 1952-53.

MacKAY, Murdo John

Né à Fort William, Ontario, le 8 août 1917.
Centre, lance de la droite.
6', 175 lbs
Dernier club amateur: les Rovers de New York.

SAISON	CLUB	PJ	B	A	PTS	MEP
1945-46	Canadiens de Montréal	5	0	1	1	0
1947-48	Canadiens de Montréal	14	0	2	2	0
	TOTAUX	19	0	3	3	0

ELIMINATOIRES		PJ	B	A	PTS	MEP
1946-47	Canadiens de Montréal	9	0	1	1	0
1948-49	Canadiens de Montréal	6	1	1	2	0
	TOTAUX	15	1	2	3	0

A fait partie de l'équipe qui a remporté le trophée Prince de Galles en 1945-46.

MacKENZIE, William Kenneth (Bill)

Né à Winnipeg, Manitoba, le 12 décembre 1911.
Défenseur, lance de la droite.
5'11", 175 lbs
Dernier club amateur: les Royaux srs de Montréal.

SAISON	CLUB	PJ	B	A	PTS	MEP
*1936-37	Maroons de Montréal/					
	Canadiens de Montréal	49	4	4	8	28
*1937-38	Canadiens de Montréal/					
	Black Hawks de Chicago	46	1	2	3	24
	TOTAUX	95	5	6	11	52

ELIMINATOIRES		PJ	B	A	PTS	MEP
1936-37	Canadiens de Montréal	5	1	0	1	0
	TOTAUX	5	1	0	1	0

Obtenu des Maroons de Montréal contre Paul Runge (1936-37).
Echangé aux Black Hawks de Chicago pour Martin Burke (1937-38).

McKINNON, John Douglas

Né à Guysborough, Nouvelle-Ecosse, le 15 juillet 1902.
Défenseur, ailier droit, lance de la droite.
5'8", 170 lbs

SAISON	CLUB	PJ	B	A	PTS	MEP
1925-26	Canadiens de Montréal	2	0	0	0	0
	TOTAUX	2	0	0	0	0

McMAHON, Michael Clarence (Mike)

Né à Brockville, Ontario, le 1er février 1917.
Défenseur, lance de la gauche.
5'8", 215 lbs
Dernier club amateur: les As srs de Québec.

SAISON	CLUB	PJ	B	A	PTS	MEP
1943-44	Canadiens de Montréal	42	7	17	24	98
*1945-46	Canadiens de Montréal/					
	Bruins de Boston	15	0	1	1	4
	TOTAUX	57	7	18	25	102

ELIMINATOIRES		PJ	B	A	PTS	MEP
1942-43	Canadiens de Montréal	5	0	0	0	14
1943-44	Canadiens de Montréal	8	1	2	3	16
	TOTAUX	13	1	2	3	30

A fait partie de l'équipe qui a remporté le trophée Prince de Galles en 1943-44, 1945-46.
A fait partie de l'équipe qui a remporté la coupe Stanley en 1943-44.
Prêté aux Bruins de Boston avec option de le rappeler en 1945-46.
Père de Mike McMahon jr.

McNABNEY, Sidney (Sid, Syd)

Né à Toronto, Ontario, le 15 janvier 1929.
Centre, lance de la gauche.
5'7", 158 lbs
Dernier club amateur: les Flyers jrs de Barrie.

SAISON	CLUB	PJ	B	A	PTS	MEP
1950-51	Canadiens de Montréal	5	0	1	1	2
	TOTAUX	5	0	1	1	2

McNAMARA, Harold (Hal)

Défenseur.

SAISON	CLUB	PJ	B	A	PTS	MEP
1916-17	Canadiens de Montréal	1	0	—	0	—
	TOTAUX	1	0	—	0	—

McNAMARA, Howard

Défenseur, couvre-pointe.
240 lbs

SAISON	CLUB	PJ	B	A	PTS	MEP
1915-16	Canadiens de Montréal	24	10	—	10	—
1919-20	Canadiens de Montréal	11	1	0	1	2
	TOTAUX	35	11	0	11	2

ELIMINATOIRES		PJ	B	A	PTS	MEP
1915-16	Canadiens de Montréal	5	0	—	0	—
	TOTAUX	5	0	—	0	—

A fait partie de l'équipe qui a remporté la coupe Stanley en 1915-16.

MacNEIL, Allister Wences (Al)

Né à Sydney, Nouvelle-Ecosse, le 27 septembre 1935.
Défenseur, lance de la gauche.
5'10", 185 lbs
Dernier club amateur: les Marlboros jrs de Toronto.

SAISON	CLUB	PJ	B	A	PTS	MEP
1961-62	Canadiens de Montréal	61	1	7	8	74
	TOTAUX	61	1	7	8	74

ELIMINATOIRES		PJ	B	A	PTS	MEP
1961-62	Canadiens de Montréal	5	0	0	0	2
	TOTAUX	5	0	0	0	2

Obtenu des Maple Leafs de Toronto contre Stan Smrke en juin 1960.
A fait partie de l'équipe qui a remporté le trophée Prince de Galles en 1961-62.
Echangé aux Black Hawks de Chicago pour Wayne Hicks en 1962.
Obtenu des Black Hawks de Chicago puis repêché par les Rangers de New York en juin 1966.
Succède à Claude Ruel comme entraîneur des Canadiens en 1970 (1970-71).

McNEIL, Gerard George (Gerry)

Né à Québec, Québec, le 17 avril 1926.
Gardien de but, lance de la gauche.
5'7", 155 lbs
Dernier club amateur: les Royal srs de Montréal.

SAISON	CLUB	PJ	BC	BL	MOY
1947-48	Canadiens de Montréal	2	7	0	3.50
1949-50	Canadiens de Montréal	6	9	1	1.50
1950-51	Canadiens de Montréal	70	184	6	2.63
1951-52	Canadiens de Montréal	70	164	5	2.34
1952-53	Canadiens de Montréal	66	140	10	2.12
1953-54	Canadiens de Montréal	53	114	6	2.15
1956-57	Canadiens de Montréal	9	32	0	3.55
	TOTAUX	276	650	28	2.36

ELIMINATOIRES		PJ	BC	BL	MOY
1949-50	Canadiens de Montréal	2	5	0	2.50
1950-51	Canadiens de Montréal	11	25	1	2.27
1951-52	Canadiens de Montréal	11	23	1	2.09
1952-53	Canadiens de Montréal	8	16	2	2.00
1953-54	Canadiens de Montréal	3	3	1	1.00
	TOTAUX	35	72	5	2.05

FICHE OFFENSIVE		PJ	B	A	PTS	MEP
1947-48	Canadiens de Montréal	2	0	0	0	0
1949-50	Canadiens de Montréal	6	0	0	0	0
1950-51	Canadiens de Montréal	70	0	0	0	0
1951-52	Canadiens de Montréal	70	0	0	0	0
1952-53	Canadiens de Montréal	66	0	0	0	0
1953-54	Canadiens de Montréal	53	0	0	0	0
1956-57	Canadiens de Montréal	9	0	0	0	2
	TOTAUX	276	0	0	0	2

ELIMINATOIRES		PJ	B	A	PTS	MEP
1949-50	Canadiens de Montréal	2	0	0	0	0
1950-51	Canadiens de Montréal	11	0	0	0	0
1951-52	Canadiens de Montréal	11	0	0	0	0
1952-53	Canadiens de Montréal	8	0	0	0	0
1953-54	Canadiens de Montréal	3	0	0	0	0
	TOTAUX	35	0	0	0	0

PARTIES D'ETOILES		PJ	BC	BL	MOY
1951	Etoiles de la LNH	1	1	0	0.67
1952	Etoiles de la LNH	1	1	0	0.67
1953	Canadiens de Montréal	1	3	0	3.00
	TOTAUX	3	5	0	0.83

A fait partie de l'équipe qui a remporté la coupe Stanley en 1952-53.
Membre de la deuxième équipe d'étoiles en 1952-53.

McPHEE, Mike

Né à Rivière Bourgeois, N.-E., le 14 juillet 1960.
Ailier gauche.
6'1", 205 lbs
Dernier club amateur: Université R.P.I.

SAISON	CLUB	PJ	B	A	PTS	MEP
1983-84	Canadiens de Montréal	14	5	2	7	41
1984-85	Canadiens de Montréal	70	17	22	39	120
1985-86	Canadiens de Montréal	70	19	21	40	69
	TOTAUX	154	41	45	86	230

ELIMINATOIRES		PJ	B	A	PTS	MEP
1983-84	Canadiens de Montréal	15	1	0	1	31
1984-85	Canadiens de Montréal	12	4	1	5	32
1985-86	Canadiens de Montréal	20	3	4	7	45
	TOTAUX	47	8	5	13	108

MacPHERSON, James Albert (Bud)

Né à Edmonton, Alberta, le 21 mars 1927.
Défenseur, lance de la gauche.
6'3", 205 lbs
Dernier club amateur: les Flyers srs d'Edmonton.

SAISON	CLUB	PJ	B	A	PTS	MEP
1948-49	Canadiens de Montréal	3	0	0	0	2
1950-51	Canadiens de Montréal	62	0	16	16	40
1951-52	Canadiens de Montréal	54	2	1	3	24
1952-53	Canadiens de Montréal	59	2	3	5	67
1953-54	Canadiens de Montréal	41	0	5	5	41
1954-55	Canadiens de Montréal	30	1	8	9	55
1956-57	Canadiens de Montréal	10	0	0	0	4
	TOTAUX	259	5	33	38	233

ELIMINATOIRES		PJ	B	A	PTS	MEP
1950-51	Canadiens de Montréal	11	0	2	2	8
1951-52	Canadiens de Montréal	11	0	0	0	0
1952-53	Canadiens de Montréal	4	0	1	1	9
1953-54	Canadiens de Montréal	3	0	0	0	4
	TOTAUX	29	0	3	3	21

PARTIES D'ETOILES		PJ	B	A	PTS
1953	Canadiens de Montréal	1	0	0	0
	TOTAUX	1	0	0	0

A fait partie de l'équipe qui a remporté la coupe Stanley en 1952-53.

MACEY, Hubert (Hub)

Né à Big River, Saskatchewan, le 13 avril 1921.
Centre, ailier gauche, lance de la gauche.
5'8", 178 lbs
Dernier club amateur: les Rovers de New York.

SAISON	CLUB	PJ	B	A	PTS	MEP
1946-47	Canadiens de Montréal	12	0	1	1	0
	TOTAUX	12	0	1	1	0

ELIMINATOIRES		PJ	B	A	PTS	MEP
1946-47	Canadiens de Montréal	7	0	0	0	0
	TOTAUX	7	0	0	0	0

A fait partie de l'équipe qui a remporté le trophée Prince de Galles en 1946-47.

MAHAFFEY, John

Né à Montréal, Québec, le 18 juillet 1919.
Centre, lance de la gauche.
5'7", 165 lbs
Dernier club amateur: les Royal srs de Montréal.

SAISON	CLUB	PJ	B	A	PTS	MEP
1942-43	Canadiens de Montréal	9	2	5	7	4
	TOTAUX	9	2	5	7	4

ELIMINATOIRES		PJ	B	A	PTS	MEP
1944-45	Canadiens de Montréal	1	0	1	1	0
	TOTAUX	1	0	1	1	0

Echangé aux Rangers de New York en 1943.

MAHOVLICH, Francis William (Frank, The Big M)

Né à Timmins, Ontario, le 10 janvier 1938.
Ailier gauche, lance de la gauche.
6', 205 lbs
Dernier club amateur: les St. Michaels College jrs.

SAISON	CLUB	PJ	B	A	PTS	MEP
1970-71	Canadiens de Montréal	38	17	24	41	11
1971-72	Canadiens de Montréal	76	43	53	96	36
1972-73	Canadiens de Montréal	78	38	55	93	51
1973-74	Canadiens de Montréal	71	31	49	80	47
	TOTAUX	263	129	181	310	145

ELIMINATOIRES		PJ	B	A	PTS	MEP
1970-71	Canadiens de Montréal	20	14	13	27	18
1971-72	Canadiens de Montréal	6	3	2	5	2
1972-73	Canadiens de Montréal	17	9	14	23	6
1973-74	Canadiens de Montréal	6	1	2	3	0
	TOTAUX	49	27	31	58	26

PARTIES D'ETOILES		PJ	B	A	PTS
1970	Etoiles de la section est	1	0	0	0
1971	Etoiles de la section est	1	0	0	0
1972	Etoiles de la section est	1	0	0	0
1973	Etoiles de la section est	1	1	1	2
1974	Etoiles de la section est	1	1	0	1
	TOTAUX	5	2	1	3

Obtenu des Red Wings de Detroit contre Mickey Redmond, Bill Collins et Guy Charron le 13 janvier 1971.
A fait partie de l'équipe qui a remporté le trophée Prince de Galles en 1972-73.
A fait partie de l'équipe qui a remporté la coupe Stanley en 1970-71, 1972-73.
Nommé assistant-capitaine des Canadiens en 1971.
Membre de la première équipe d'étoiles en 1972-73.
Frère de Peter Mahovlich.
A signé avec les Toros de Toronto en juin 1974.

MAHOVLICH, Peter Joseph (Pete)

Né à Timmins, Ontario, le 10 octobre 1946.
Centre, ailier gauche, lance de la gauche.
6'5", 215 lbs
Dernier club amateur: les Red Wings jrs de Hamilton.

SAISON	CLUB	PJ	B	A	PTS	MEP
1969-70	Canadiens de Montréal	36	9	8	17	51
1970-71	Canadiens de Montréal	78	35	26	61	181
1971-72	Canadiens de Montréal	75	35	32	67	103
1972-73	Canadiens de Montréal	61	21	38	59	49
1973-74	Canadiens de Montréal	78	36	37	73	122
1974-75	Canadiens de Montréal	80	35	82	117	64
1975-76	Canadiens de Montréal	80	34	71	105	76
1976-77	Canadiens de Montréal	76	15	47	62	45
1977-78	Canadiens de Montréal	17	3	5	8	4
	TOTAUX	581	223	346	569	695

ELIMINATOIRES		PJ	B	A	PTS	MEP
1970-71	Canadiens de Montréal	20	10	6	16	43
1971-72	Canadiens de Montréal	6	0	2	2	12
1972-73	Canadiens de Montréal	17	4	9	13	22
1973-74	Canadiens de Montréal	6	2	1	3	4
1974-75	Canadiens de Montréal	11	6	10	16	10
1975-76	Canadiens de Montréal	13	4	8	12	24
1976-77	Canadiens de Montréal	13	4	5	9	19
	TOTAUX	86	30	41	71	134

PARTIES D'ETOILES		PJ	BC	BL	MOY
1971	Étoiles de la section est	1	0	0	0
1976	Étoiles de la section Prince de Galles	1	1	3	4
	TOTAUX	2	1	3	4

Obtenu des Red Wings de Detroit avec Bart Crashley contre Garry Monahan et Doug Piper le 6 juin 1969.
A fait partie de l'équipe qui a remporté le trophée Prince de Galles en 1972-73, 1975-76, 1976-77.
A fait partie de l'équipe qui a remporté la coupe Stanley en 1970-71, 1972-73, 1975-76, 1976-77.
Nommé assistant-capitaine des Canadiens en 1973.
Frère de Frank Mahovlich.
Echangé aux Pingouins avec Peter Lee en retour de Pierre Larouche et des droits sur Peter Marsh du Cincinnati dans l'AMH.

MAILLEY, Frank

SAISON	CLUB	PJ	B	A	PTS	MEP
1942-43	Canadiens de Montréal	1	0	0	0	0
	TOTAUX	1	0	0	0	0

MAJEAU, Fernand (Fern)

Né à Verdun, Québec, le 3 mai 1916.
Centre, ailier gauche, lance de la gauche.
5'9", 155 lbs
Dernier club amateur: Verdun, Québec.

SAISON	CLUB	PJ	B	A	PTS	MEP
1943-44	Canadiens de Montréal	44	20	18	38	39
1944-45	Canadiens de Montréal	12	2	6	8	4
	TOTAUX	56	22	24	46	43

ELIMINATOIRES		PJ	B	A	PTS	MEP
1943-44	Canadiens de Montréal	1	0	0	0	0
	TOTAUX	1	0	0	0	0

A fait partie de l'équipe qui a remporté le trophée Prince de Galles en 1943-44, 1944-45.
A fait partie de l'équipe qui a remporté la coupe Stanley en 1943-44.
Décédé le 21 juin 1966.

MAJOR ?

SAISON	CLUB	PJ	B	A	PTS	MEP
1916-17	Canadiens de Montréal	2	0	—	0	—
	TOTAUX	2	0	—	0	—

MALEY, David

Né à Beaver Dam, Wisconsin, le 24 avril 1963.

Ailier gauche.
6'2", 210 lbs
Dernier club amateur: Université du Wisconsin.

SAISON	CLUB	PJ	B	A	PTS	MEP
1985-86	Canadiens de Montréal	3	0	0	0	0
	TOTAUX	3	0	0	0	0

ELIMINATOIRES		PJ	B	A	PTS	MEP
1985-86	Canadiens de Montréal	7	1	3	4	.2
	TOTAUX	7	1	3	4	2

MALONE, Clifford (Cliff)

Né à Québec, Québec, le 4 septembre 1925.
Ailier droit, lance de la droite.
5'10", 155 lbs
Dernier club amateur: les Royaux srs de Montréal.

SAISON	CLUB	PJ	B	A	PTS	MEP
1951-52	Canadiens de Montréal	3	0	0	0	0
	TOTAUX	3	0	0	0	0

MALONE, Maurice Joseph (Joe)

Né à Sillery, Québec, le 28 février 1890.
Centre, ailier gauche.
Dernier club amateur: les Seniors de Québec.

SAISON	CLUB	PJ	B	A	PTS	MEP
1917-18	Canadiens de Montréal	20	44	—	44	—
1918-19	Canadiens de Montréal	8	7	1	8	3
1922-23	Canadiens de Montréal	9	1	0	1	2
1923-24	Canadiens de Montréal	9	0	0	0	0
	TOTAUX	46	52	1	53	5

ELIMINATOIRES		PJ	B	A	PTS	MEP
1917-18	Canadiens de Montréal	2	1	—	1	—
1918-19	Canadiens de Montréal	5	6	1	7	—
1922-23	Canadiens de Montréal	2	0	0	0	0
	TOTAUX	9	7	1	8	0

Repêché des Bulldogs de Québec en 1917.
Retourne avec les Bulldogs de Québec en 1919.
Obtenu des Tigers de Hamilton contre Albert Corbeau
et Edmond Bouchard, en 1922.
Membre du Temple de la Renommée en juin 1950.
Décédé le 15 mai 1969.

MALONE, Sarsfield

SAISON	CLUB	PJ	B	A	PTS	MEP
1913-14	Canadiens de Montréal	1	0	—	0	—
1916-17	Canadiens de Montréal	8	1	—	1	—
	TOTAUX	9	1	—	1	—

ELIMINATOIRES		PJ	B	A	PTS	MEP
1916-17	Canadiens de Montréal	1	0	—	0	—
	TOTAUX	1	0	—	0	—

MALTAIS, ?

SAISON	CLUB	PJ	B	A	PTS	MEP
1916-17	Canadiens de Montréal	1	0	—	0	—
	TOTAUX	1	0	—	0	—

MANASTERSKY, Timothy (Tom, Tony)

Né à Montréal, Québec, le 7 mars 1929.
Défenseur, lance de la droite.
5'9", 185 lbs
Dernier club amateur: les Royaux srs de Montréal.

SAISON	CLUB	PJ	B	A	PTS	MEP
1950-51	Canadiens de Montréal	6	0	0	0	11
	TOTAUX	6	0	0	0	11

MANCUSO, Felix (Gus)

Né à Niagara Falls, Ontario, le 11 avril 1914.
Ailier droit.
5'7", 160 lbs

SAISON	CLUB	PJ	B	A	PTS	MEP
1937-38	Canadiens de Montréal	17	1	1	2	4
1938-39	Canadiens de Montréal	2	0	0	0	0
1939-40	Canadiens de Montréal	2	0	0	0	0
	TOTAUX	21	1	1	2	4

MANIAGO, Cesare

Né à Trail, Colombie-Britannique, le 13 janvier 1939.
Gardien de but, lance de la gauche.
6'3", 195 lbs
Dernier club amateur: les Maroons srs de Chatham.

SAISON	CLUB	PJ	BC	BL	MOY
1962-63	Canadiens de Montréal	14	42	0	3.00
	TOTAUX	14	42	0	3.00

FICHE OFFENSIVE		PJ	B	A	PTS	MEP
1962-63	Canadiens de Montréal	14	0	0	0	2
	TOTAUX	14	0	0	0	2

Repêché des Maple Leafs de Toronto le 13 juin 1961.
Echangé aux Rangers de New York avec Garry Peters
pour Earl Ingarfield, Noel Price, Gord Labossière et
Dave McComb le 8 juin 1965.

MANTHA, Georges Léon

Né à Lachine, Québec, le 29 novembre 1908.
Ailier gauche, lance de la gauche.
5'8", 162 lbs
Dernier club amateur: Bell Téléphone.

SAISON	CLUB	PJ	B	A	PTS	MEP
1928-29	Canadiens de Montréal	21	0	0	0	8
1929-30	Canadiens de Montréal	44	5	2	7	16
1930-31	Canadiens de Montréal	44	11	6	17	25
1931-32	Canadiens de Montréal	48	1	7	8	8
1932-33	Canadiens de Montréal	43	3	6	9	10
1933-34	Canadiens de Montréal	44	6	9	15	12
1934-35	Canadiens de Montréal	42	12	10	22	14
1935-36	Canadiens de Montréal	35	1	12	13	14
1936-37	Canadiens de Montréal	47	13	14	27	17
1937-38	Canadiens de Montréal	47	23	19	42	12
1938-39	Canadiens de Montréal	25	5	5	10	6
1939-40	Canadiens de Montréal	42	9	11	20	6
1940-41	Canadiens de Montréal	6	0	1	1	0
	TOTAUX	488	89	102	191	148

ELIMINATOIRES		PJ	B	A	PTS	MEP
1928-29	Canadiens de Montréal	3	0	0	0	0
1929-30	Canadiens de Montréal	6	0	0	0	8
1930-31	Canadiens de Montréal	10	5	1	6	4
1931-32	Canadiens de Montréal	4	0	0	0	2
1934-35	Canadiens de Montréal	2	0	0	0	4
1936-37	Canadiens de Montréal	5	0	0	0	0
1937-38	Canadiens de Montréal	3	1	0	1	0
1938-39	Canadiens de Montréal	3	0	0	0	0
	TOTAUX	36	6	1	7	18

A fait partie de l'équipe qui a remporté la coupe Stanley
en 1929-30, 1930-31.
Frère de Sylvio Mantha.

MANTHA, Sylvio

Né à Montréal, Québec, le 14 avril 1902.
Défenseur, lance de la droite.
5'10", 173 lbs
Dernier club amateur: le National srs de Montréal.

SAISON	CLUB	PJ	B	A	PTS	MEP
1923-24	Canadiens de Montréal	24	1	0	1	9
1924-25	Canadiens de Montréal	30	2	0	2	16
1925-26	Canadiens de Montréal	34	2	1	3	66
1926-27	Canadiens de Montréal	43	10	5	15	77
1927-28	Canadiens de Montréal	43	4	11	15	61
1928-29	Canadiens de Montréal	44	9	4	13	56
1929-30	Canadiens de Montréal	44	13	11	24	108
1930-31	Canadiens de Montréal	44	4	7	11	75
1931-32	Canadiens de Montréal	47	5	5	10	62
1932-33	Canadiens de Montréal	48	4	7	11	50
1933-34	Canadiens de Montréal	48	4	6	10	24
1934-35	Canadiens de Montréal	47	3	11	14	36
1935-36	Canadiens de Montréal	42	2	4	6	25
	TOTAUX	538	63	72	135	665

ELIMINATOIRES		PJ	B	A	PTS	MEP
1923-24	Canadiens de Montréal	5	0	—	0	—
1924-25	Canadiens de Montréal	6	0	0	0	2
1926-27	Canadiens de Montréal	4	1	0	1	0
1927-28	Canadiens de Montréal	2	0	0	0	6
1928-29	Canadiens de Montréal	3	0	0	0	0
1929-30	Canadiens de Montréal	6	2	1	3	18
1930-31	Canadiens de Montréal	10	2	1	3	26
1931-32	Canadiens de Montréal	4	0	1	1	8
1932-33	Canadiens de Montréal	2	1	1	2	2
1933-34	Canadiens de Montréal	2	0	0	0	2
1934-35	Canadiens de Montréal	2	0	0	0	2
	TOTAUX	46	5	4	9	66

A fait partie de l'équipe qui a remporté le trophée
Prince de Galles en 1924-25.
A fait partie de l'équipe qui a remporté la coupe Stanley
en 1923-24, 1929-30, 1930-31.
Membre de la deuxième équipe d'étoiles en 1930-31,
1931-32.
Signe avec les Bruins de Boston en 1936.
Nommé capitaine des Canadiens de 1926-27 à 1935-36.
Succède à Léo Dandurand comme entraîneur des
Canadiens.
Membre du Temple de la Renommée du Hockey en
septembre 1960.
Frère de Georges Mantha.
Décédé le 7 août 1974.

MARCHAND, ?

Fiche incomplète: Présence confirmée par le Official
Report of Match, saison 1922-23, Bureau de la LNH.

MARSHALL, Donald Robert (Don)

Né à Verdun, Québec, le 23 mars 1932.
Ailier gauche, lance de la gauche.
5'10", 165 lbs
Dernier club amateur: les Mohawks srs de Cincinnati.

SAISON	CLUB	PJ	B	A	PTS	MEP
1951-52	Canadiens de Montréal	1	0	0	0	0
1954-55	Canadiens de Montréal	39	5	3	8	9
1955-56	Canadiens de Montréal	66	4	1	5	10
1956-57	Canadiens de Montréal	70	12	8	20	6
1957-58	Canadiens de Montréal	68	22	19	41	14
1958-59	Canadiens de Montréal	70	10	22	32	12
1959-60	Canadiens de Montréal	70	16	22	38	4
1960-61	Canadiens de Montréal	70	14	17	31	8
1961-62	Canadiens de Montréal	66	18	28	46	12
1962-63	Canadiens de Montréal	65	13	20	33	6
	TOTAUX	585	114	140	254	81

ELIMINATOIRES		PJ	B	A	PTS	MEP
1954-55	Canadiens de Montréal	12	1	1	2	2
1955-56	Canadiens de Montréal	10	1	0	1	0
1956-57	Canadiens de Montréal	10	1	3	4	2
1957-58	Canadiens de Montréal	10	0	2	2	4
1958-59	Canadiens de Montréal	11	0	2	2	2
1959-60	Canadiens de Montréal	8	2	2	4	0
1960-61	Canadiens de Montréal	6	0	2	2	0
1961-62	Canadiens de Montréal	6	0	1	1	2
1962-63	Canadiens de Montréal	5	0	0	0	0
	TOTAUX	78	5	13	18	12

PARTIES D'ETOILES		PJ	B	A	PTS
1956	Canadiens de Montréal	1	0	0	0
1957	Canadiens de Montréal	1	0	0	0
1958	Canadiens de Montréal	1	1	1	2
1959	Canadiens de Montréal	1	0	0	0
1960	Canadiens de Montréal	1	0	0	0
1961	Etoiles de la LNH	1	0	0	0
	TOTAUX	6	1	1	2

A fait partie de l'équipe qui a remporté le trophée
Prince de Galles en 1955-56, 1957-58, 1958-59, 1959-60,
1960-61, 1961-62.
A fait partie de l'équipe qui a remporté la coupe Stanley
en 1955-56, 1956-57, 1957-58, 1958-59, 1959-60.
Echangé aux Rangers de New York avec Philippe
Goyette et Jacques Plante pour Lorne Worsley, Dave
Balon, Léon Rochefort et Len Ronson le 4 juin 1963.

MASNICK, Paul Andrew

Né à Régina, Saskatchewan, le 14 avril 1931.
Centre, lance de la droite.
5'9", 165 lbs
Dernier club amateur: les Pats jrs de Régina.

SAISON	CLUB	PJ	B	A	PTS	MEP
1950-51	Canadiens de Montréal	43	4	1	5	14
1951-52	Canadiens de Montréal	15	1	2	3	2
1952-53	Canadiens de Montréal	53	5	7	12	44
1953-54	Canadiens de Montréal	50	5	21	26	57
*1954-55	Black Hawks de Chicago/					
	Canadiens de Montréal	30	1	1	2	8
	TOTAUX	191	16	32	48	125

ELIMINATOIRES		PJ	B	A	PTS	MEP
1950-51	Canadiens de Montréal	11	2	1	3	4
1951-52	Canadiens de Montréal	6	1	0	1	12
1952-53	Canadiens de Montréal	6	1	0	1	7
1953-54	Canadiens de Montréal	10	0	4	4	4
	TOTAUX	33	4	5	9	27

A fait partie de l'équipe qui a remporté la coupe Stanley
en 1952-53.

MATTE, Joseph (Joe)

Né le 14 avril 1893.
Défenseur.

SAISON	CLUB	PJ	B	A	PTS	MEP
*1925-26	Bruins de Boston/					
	Canadiens de Montréal	9	0	0	0	0
	TOTAUX	9	0	0	0	0

Décédé le 13 juin 1961.

MATZ, Jean (John)

SAISON	CLUB	PJ	B	A	PTS	MEP
1924-25	Canadiens de Montréal	30	3	2	5	0
	TOTAUX	30	3	2	5	0

ELIMINATOIRES		PJ	B	A	PTS	MEP
1924-25	Canadiens de Montréal	5	0	0	0	2
	TOTAUX	5	0	0	0	2

A fait partie de l'équipe qui a remporté le trophée
Prince de Galles en 1924-25.
A été obtenu des Sheiks de Saskatoon avec Fern
Headley en 1924.

MAZUR, Edward Joseph (Spider)

Né à Winnipeg, Manitoba, le 25 juillet 1929.
Ailier gauche, lance de la gauche.
6'2", 186 lbs
Dernier club amateur: les Monarchs jrs de Winnipeg.

SAISON	CLUB	PJ	B	A	PTS	MEP
1953-54	Canadiens de Montréal	67	7	14	21	95
1954-55	Canadiens de Montréal	25	1	5	6	21
	TOTAUX	92	8	19	27	116

ELIMINATOIRES		PJ	B	A	PTS	MEP
1950-51	Canadiens de Montréal	2	0	0	0	0
1951-52	Canadiens de Montréal	5	2	0	2	4
1952-53	Canadiens de Montréal	7	2	2	4	11
1953-54	Canadiens de Montréal	11	0	3	3	7
	TOTAUX	25	4	5	9	22

PARTIES D'ETOILES		PJ	B	A	PTS	
1953	Canadiens de Montréal	1	0	0	0	
	TOTAUX	1	0	0	0	

A fait partie de l'équipe qui a remporté la coupe Stanley
en 1952-53.

MEAGHER, Rick

Né à Belleville, Ontario, le 4 novembre 1953.
Centre, lance de la droite.
5'10", 175 lbs
Dernier club amateur: la LHA de Nouvelle-Ecosse.

SAISON	CLUB	PJ	B	A	PTS	MEP
1979-80	Canadiens de Montréal	2	0	0	0	0
	TOTAUX	2	0	0	0	0

MEGER, Paul Carl

Né à Watrous, Saskatchewan, le 17 février 1929.
Ailier gauche, lance de la gauche.
5'7", 160 lbs
Dernier club amateur: les Flyers jrs de Barrie.

SAISON	CLUB	PJ	B	A	PTS	MEP
1950-51	Canadiens de Montréal	17	2	4	6	6
1951-52	Canadiens de Montréal	69	24	18	42	44
1952-53	Canadiens de Montréal	69	9	17	26	38
1953-54	Canadiens de Montréal	44	4	9	13	24
1954-55	Canadiens de Montréal	13	0	4	4	6
	TOTAUX	212	39	52	91	118

ELIMINATOIRES		PJ	B	A	PTS	MEP
1949-50	Canadiens de Montréal	2	0	0	0	2
1950-51	Canadiens de Montréal	11	1	3	4	4
1951-52	Canadiens de Montréal	11	0	3	3	2
1952-53	Canadiens de Montréal	5	1	2	3	4
1953-54	Canadiens de Montréal	6	1	0	1	4
	TOTAUX	35	3	8	11	16

A fait partie de l'équipe qui a remporté la coupe Stanley
en 1952-53.

MERONEK, William (Will, Smiley)

Né à Stony Mountain, Manitoba, le 5 avril 1917.
Dernier club amateur: les Canadiens srs de Montréal.

SAISON	CLUB	PJ	B	A	PTS	MEP
1939-40	Canadiens de Montréal	7	2	2	4	0
1942-43	Canadiens de Montréal	12	3	6	9	0
	TOTAUX	19	5	8	13	0

ELIMINATOIRES		PJ	B	A	PTS	MEP
1942-43	Canadiens de Montréal	1	0	0	0	0
	TOTAUX	1	0	0	0	0

MICKEY, Robert Larry

Né à Lacombe, Alberta, le 21 octobre 1943.
Ailier droit, lance de la droite.
5'11", 180 lbs
Dernier club amateur: les Black Hawks de
St. Catharines.

SAISON	CLUB	PJ	B	A	PTS	MEP
1969-70	Canadiens de Montréal	21	4	4	8	4
	TOTAUX	21	4	4	8	4

Repêché des Maple Leafs de Toronto le 11 juin 1969.
Echangé aux Kings de Los Angeles avec Lucien Grenier
et Jack Norris pour Léon Rochefort, Wayne Thomas et
Greg Boddy le 22 mai 1970.

MILLAIRE, Edouard (Ed)

ELIMINATOIRES		PJ	B	A	PTS	MEP
1909-10	Canadiens de Montréal	1	0	—	0	—
	TOTAUX	1	0	—	0	—

MILLER, William (Bill)

Né à Campbellton, Nouveau-Brunswick, le 1er août
1911.
6', 160 lbs
Dernier club amateur: les Hawks de Moncton.

SAISON	CLUB	PJ	B	A	PTS	MEP
*1935-36	Maroons de Montréal/					
	Canadiens de Montréal	25	1	2	3	2
1936-37	Canadiens de Montréal	48	3	1	4	12
	TOTAUX	73	4	3	7	14

ELIMINATOIRES		PJ	B	A	PTS	MEP
1936-37	Canadiens de Montréal	5	0	0	0	0
	TOTAUX	5	0	0	0	0

MOMESSO, Sergio

Né à Montréal, Québec, le 4 septembre 1965.
Ailier gauche.
6'3", 205 lbs
Dernier club amateur: Shawinigan jr.

SAISON	CLUB	PJ	B	A	PTS	MEP
1983-84	Canadiens de Montréal	1	0	0	0	0
1985-86	Canadiens de Montréal	24	8	7	15	46
	TOTAUX	25	8	7	15	46

ELIMINATOIRES		PJ	B	A	PTS	MEP
1985-86	Canadiens de Montréal	0	0	0	0	0
	TOTAUX	0	0	0	0	0

MONAHAN, Garry Michael

Né à Barrie, Ontario, le 20 octobre 1946.
Centre, lance de la gauche.
6', 185 lbs
Dernier club amateur: les Petes jrs de Peterborough.

SAISON	CLUB	PJ	B	A	PTS	MEP
1967-68	Canadiens de Montréal	11	0	0	0	8
1968-69	Canadiens de Montréal	3	0	0	0	0
	TOTAUX	14	0	0	0	8

A fait partie de l'équipe qui a remporté le trophée
Prince de Galles en 1967-68, 1968-69.
Echangé aux Red Wings de Detroit avec Doug Piper
pour Peter Mahovlich et Bart Crashley le 6 juin 1969.

MONDOU, Armand

Né à Yamaska, Québec, le 27 juin 1905.
Ailier gauche, lance de la gauche.
5'10", 175 lbs
Dernier club amateur: St-François-Xavier.

SAISON	CLUB	PJ	B	A	PTS	MEP
1928-29	Canadiens de Montréal	32	3	4	7	6
1929-30	Canadiens de Montréal	44	3	5	8	24
1930-31	Canadiens de Montréal	40	5	4	9	10
1931-32	Canadiens de Montréal	47	6	12	18	22
1932-33	Canadiens de Montréal	24	1	3	4	15
1933-34	Canadiens de Montréal	48	5	3	8	4
1934-35	Canadiens de Montréal	46	9	15	24	6
1935-36	Canadiens de Montréal	36	7	11	18	10
1936-37	Canadiens de Montréal	7	1	1	2	0
1937-38	Canadiens de Montréal	7	2	4	6	0
1938-39	Canadiens de Montréal	34	3	7	10	2
1939-40	Canadiens de Montréal	21	2	2	4	0
	TOTAUX	386	47	71	118	99

ELIMINATOIRES		PJ	B	A	PTS	MEP
1928-29	Canadiens de Montréal	3	0	0	0	2
1929-30	Canadiens de Montréal	6	1	1	2	6
1930-31	Canadiens de Montréal	8	0	0	0	0
1931-32	Canadiens de Montréal	4	1	2	3	2
1933-34	Canadiens de Montréal	1	0	1	1	0
1934-35	Canadiens de Montréal	2	0	1	1	0
1936-37	Canadiens de Montréal	5	0	0	0	0
1938-39	Canadiens de Montréal	3	1	0	1	2
	TOTAUX	32	3	5	8	12

A fait partie de l'équipe qui a remporté la coupe Stanley
en 1929-30, 1930-31.
Décédé le 13 septembre 1976.

MONDOU, Pierre

Né à Sorel, Québec, le 27 novembre 1955.
Centre, lance de la droite.
5'11", 175 lbs
Dernier club amateur: les Canadiens jrs de Montréal.

SAISON	CLUB	PJ	B	A	PTS	MEP
1977-78	Canadiens de Montréal	71	19	30	49	8
1978-79	Canadiens de Montréal	77	31	41	72	26
1979-80	Canadiens de Montréal	75	30	36	66	12
1980-81	Canadiens de Montréal	57	17	24	41	16
1981-82	Canadiens de Montréal	73	35	33	68	57
1982-83	Canadiens de Montréal	76	29	37	66	31
1983-84	Canadiens de Montréal	52	15	22	37	8
1984-85	Canadiens de Montréal	67	18	39	57	21
	TOTAUX	548	194	262	456	179

ELIMINATOIRES		PJ	B	A	PTS	MEP
1976-77	Canadiens de Montréal	4	0	0	0	0
1977-78	Canadiens de Montréal	15	3	7	10	4
1978-79	Canadiens de Montréal	16	3	6	9	4
1979-80	Canadiens de Montréal	4	1	4	5	4
1980-81	Canadiens de Montréal	3	0	1	1	0
1981-82	Canadiens de Montréal	5	2	5	7	8
1982-83	Canadiens de Montréal	3	0	1	1	2
1983-84	Canadiens de Montréal	14	6	3	9	2
1984-85	Canadiens de Montréal	5	2	1	3	2
	TOTAUX	69	17	28	45	26

A fait partie de l'équipe qui a remporté le trophée Prince de Galles en 1977-78.
A fait partie de l'équipe qui a remporté la coupe Stanley en 1976-77, 1977-78, 1978-79.
A pris sa retraite en octobre 1985.

MOORE, Richard Winston (Dickie)

Né à Montréal, Québec, le 6 janvier 1931.
Ailier gauche, lance de la gauche.
5'11", 178 lbs
Dernier club amateur: les Canadiens jrs de Montréal.

SAISON	CLUB	PJ	B	A	PTS	MEP
1951-52	Canadiens de Montréal	33	18	15	33	44
1952-53	Canadiens de Montréal	18	2	6	8	19
1953-54	Canadiens de Montréal	13	1	4	5	12
1954-55	Canadiens de Montréal	67	16	20	36	32
1955-56	Canadiens de Montréal	70	11	39	50	55
1956-57	Canadiens de Montréal	70	29	29	58	56
1957-58	Canadiens de Montréal	70	36	48	84	65
1958-59	Canadiens de Montréal	70	41	55	96	61
1959-60	Canadiens de Montréal	62	22	42	64	54
1960-61	Canadiens de Montréal	57	35	34	69	62
1961-62	Canadiens de Montréal	57	19	22	41	54
1962-63	Canadiens de Montréal	67	24	26	50	61
	TOTAUX	654	254	340	594	575

ELIMINATOIRES		PJ	B	A	PTS	MEP
1951-52	Canadiens de Montréal	11	1	1	2	12
1952-53	Canadiens de Montréal	12	3	2	5	13
1953-54	Canadiens de Montréal	11	5	8	13	8
1954-55	Canadiens de Montréal	12	1	5	6	22
1955-56	Canadiens de Montréal	10	3	6	9	12
1956-57	Canadiens de Montréal	10	3	7	10	4
1957-58	Canadiens de Montréal	10	4	7	11	4
1958-59	Canadiens de Montréal	11	5	12	17	8
1959-60	Canadiens de Montréal	8	6	4	10	4
1960-61	Canadiens de Montréal	6	3	1	4	4
1961-62	Canadiens de Montréal	6	4	2	6	8
1962-63	Canadiens de Montréal	5	0	1	1	2
	TOTAUX	112	38	56	94	101

PARTIES D'ETOILES		PJ	B	A	PTS
1953	Canadiens de Montréal	1	0	0	0
1956	Canadiens de Montréal	1	0	0	0
1957	Canadiens de Montréal	1	0	1	1
1958	Canadiens de Montréal	1	0	3	3
1959	Canadiens de Montréal	1	1	1	2
1960	Canadiens de Montréal	1	0	0	0
1961	Etoiles de la LNH	1	0	0	0
	TOTAUX	7	1	5	6

A fait partie de l'équipe qui a remporté le trophée Prince de Galles en 1955-56, 1957-58, 1958-59, 1959-60, 1960-61, 1961-62.
A fait partie de l'équipe qui a remporté la coupe Stanley en 1952-53, 1955-56, 1956-57, 1957-58, 1958-59, 1959-60.
A remporté le trophée Art Ross en 1957-58, 1958-59.
Membre de la première équipe d'étoiles en 1957-58, 1958-59.
Nommé assistant-capitaine des Canadiens en 1960.
Membre de la deuxième équipe d'étoiles en 1960-61.
Repêché par les Maple Leafs de Toronto en juin 1964.
Membre du Temple de la Renommée du Hockey en juin 1974.

MORAN, Ambrose Jason (Amby)

Défenseur.

SAISON	CLUB	PJ	B	A	PTS	MEP
1926-27	Canadiens de Montréal	12	0	0	0	10
	TOTAUX	12	0	0	0	10

MORENZ, Howarth William Howard (Howie)

Né à Mitchell, Ontario, le 21 septembre 1902.
Centre, lance de la gauche.
5'9", 165 lbs
Dernier club amateur: les Juniors de Stratford.

SAISON	CLUB	PJ	B	A	PTS	MEP
1923-24	Canadiens de Montréal	24	13	3	16	20
1924-25	Canadiens de Montréal	30	27	7	34	31
1925-26	Canadiens de Montréal	31	23	3	26	39
1926-27	Canadiens de Montréal	44	25	7	32	49
1927-28	Canadiens de Montréal	43	33	18	51	66
1928-29	Canadiens de Montréal	42	17	10	27	47
1929-30	Canadiens de Montréal	44	40	10	50	72
1930-31	Canadiens de Montréal	39	28	23	51	49
1931-32	Canadiens de Montréal	48	24	25	49	46
1932-33	Canadiens de Montréal	46	14	21	35	32
1933-34	Canadiens de Montréal	39	8	13	21	21
1936-37	Canadiens de Montréal	30	4	16	20	12
	TOTAUX	460	256	156	412	484

ELIMINATOIRES		PJ	B	A	PTS	MEP
1923-24	Canadiens de Montréal	6	7	2	9	10
1924-25	Canadiens de Montréal	6	7	1	8	10
1926-27	Canadiens de Montréal	4	1	0	1	4
1927-28	Canadiens de Montréal	2	0	0	0	12
1928-29	Canadiens de Montréal	3	0	0	0	6
1929-30	Canadiens de Montréal	6	3	0	3	10
1930-31	Canadiens de Montréal	10	1	4	5	10
1931-32	Canadiens de Montréal	4	1	0	1	4
1932-33	Canadiens de Montréal	2	0	3	3	2
1933-34	Canadiens de Montréal	2	1	1	2	0
	TOTAUX	45	21	11	32	68

A fait partie de l'équipe qui a remporté le trophée Prince de Galles en 1924-25.
A fait partie de l'équipe qui a remporté la coupe Stanley en 1923-24, 1929-30, 1930-31.
Membre de la première équipe d'étoiles en 1930-31, 1931-32.
Membre de la deuxième équipe d'étoiles en 1932-33.
Echangé aux Black Hawks de Chicago avec Martin Burke et Lorne Chabot pour Lionel Conacher, Roger Jenkins et Leroy Goldsworthy en 1934.
Obtenu des Rangers de New York en 1936.
Beau-père de Bernard Geoffrion.
Grand-père de Linda Geoffrion, épouse d'Hartland Monahan.
Membre du Temple de la Renommée du Hockey en avril 1945.
Décédé le 8 mars 1937 (à la suite d'une blessure qu'il s'était faite durant une joute contre Chicago, le 28 janvier 1937, au Forum).

MORIN, Pierre (Pete, Pit)

Né à Lachine, Québec, le 8 décembre 1915.
Ailier gauche, lance de la gauche.
5'6", 150 lbs
Dernier club amateur: les Royaux srs de Montréal.

SAISON	CLUB	PJ	B	A	PTS	MEP
1941-42	Canadiens de Montréal	31	10	12	22	7
	TOTAUX	31	10	12	22	7

ELIMINATOIRES		PJ	B	A	PTS	MEP
1941-42	Canadiens de Montréal	1	0	0	0	0
	TOTAUX	1	0	0	0	0

Membre de la célèbre ligne d'attaque "Razzle-Dazzle" complétée par "Buddy" O'Connor au centre et Gerry Heffernan à l'aile droite.

MORISSETTE, Jean-Guy

Né à Causapscal, Québec, le 16 décembre 1937.
Gardien de but, lance de la gauche.
5'6", 140 lbs
Dernier club amateur: les Seniors de Moncton.

SAISON	CLUB	PJ	BC	BL	MOY
1963-64	Canadiens de Montréal	1	4	0	6.00
	TOTAUX	1	4	0	6.00

FICHE OFFENSIVE		PJ	B	A	PTS	MEP
1963-64	Canadiens de Montréal	1	0	0	0	0
	TOTAUX	1	0	0	0	0

A fait partie de l'équipe qui a remporté le trophée Prince de Galles en 1963-64.

MOSDELL, Kenneth (Ken)

Né à Montréal, Québec, le 13 juillet 1922.
Centre, lance de la gauche.
6'1", 170 lbs
Dernier club amateur: les Royaux srs de Montréal.

SAISON	CLUB	PJ	B	A	PTS	MEP
1944-45	Canadiens de Montréal	31	12	6	18	16
1945-46	Canadiens de Montréal	13	2	1	3	8
1946-47	Canadiens de Montréal	54	5	10	15	50
1947-48	Canadiens de Montréal	23	1	0	1	19
1948-49	Canadiens de Montréal	60	17	9	26	50
1949-50	Canadiens de Montréal	67	15	12	27	42
1950-51	Canadiens de Montréal	66	13	18	31	24
1951-52	Canadiens de Montréal	44	5	11	16	19
1952-53	Canadiens de Montréal	63	5	14	19	27
1953-54	Canadiens de Montréal	67	22	24	46	64
1954-55	Canadiens de Montréal	70	22	32	54	82
1955-56	Canadiens de Montréal	67	13	17	30	48
1957-58	Canadiens de Montréal	2	0	1	1	0
	TOTAUX	627	132	155	287	449

ELIMINATOIRES		PJ	B	A	PTS	MEP
1945-46	Canadiens de Montréal	9	4	1	5	6
1946-47	Canadiens de Montréal	4	2	0	2	4
1948-49	Canadiens de Montréal	7	1	1	2	4
1949-50	Canadiens de Montréal	5	0	0	0	12
1950-51	Canadiens de Montréal	11	1	1	2	4
1951-52	Canadiens de Montréal	2	1	0	1	0
1952-53	Canadiens de Montréal	7	3	2	5	4
1953-54	Canadiens de Montréal	11	1	0	1	4
1954-55	Canadiens de Montréal	12	2	7	9	8
1955-56	Canadiens de Montréal	9	1	1	2	2
1958-59	Canadiens de Montréal	2	0	0	0	0
	TOTAUX	79	16	13	29	48

PARTIES D'ETOILES		PJ	B	A	PTS
1951	Etoiles de la LNH	1	1	0	1
1952	Etoiles de la LNH	1	0	0	0
1953	Canadiens de Montréal	1	0	0	0
1954	Etoiles de la LNH	1	0	0	0
1955	Etoiles de la LNH	1	0	0	0
	TOTAUX	5	1	0	1

Acheté des Americans de New York en 1944.
A fait partie de l'équipe qui a remporté le trophée Prince de Galles en 1944-45, 1945-46, 1946-47, 1955-56, 1957-58.
A fait partie de l'équipe qui a remporté la coupe Stanley en 1945-46, 1952-53, 1955-56, 1958-59.
Nommé assistant-capitaine des Canadiens en 1951.

Membre de la première équipe d'étoiles en 1953-54.
Membre de la deuxième équipe d'étoiles en 1954-55.

MUMMERY, Harry

Défenseur, pointe, couvre-pointe.
245 lbs

SAISON	CLUB	PJ	B	A	PTS	MEP
1916-17	Canadiens de Montréal	20	4	—	4	—
1920-21	Canadiens de Montréal	24	15	5	20	68
	TOTAUX	44	19	5	24	68

ELIMINATOIRES		PJ	B	A	PTS	MEP
1916-17	Canadiens de Montréal	6	0	—	0	—
	TOTAUX	6	0	—	0	—

Repêché des Bulldogs de Québec en 1916.

MUNRO, Duncan B. (Dunc)

Né à Toronto, Ontario.

SAISON	CLUB	PJ	B	A	PTS	MEP
1931-32	Canadiens de Montréal	48	1	1	2	14
	TOTAUX	48	1	1	2	14

ELIMINATOIRES		PJ	B	A	PTS	MEP
1931-32	Canadiens de Montréal	2	0	0	0	2
	TOTAUX	2	0	0	0	2

Repêché des Maroons (1931-32).
Décédé en 1958.

MURDOCH, Robert John (Bob)

Né à Kirkland Lake, Ontario, le 20 novembre 1946.
Défenseur, lance de la droite.
6', 190 lbs
Dernier club amateur: l'Equipe Nationale du Canada.

SAISON	CLUB	PJ	B	A	PTS	MEP
1970-71	Canadiens de Montréal	1	0	2	2	2
1971-72	Canadiens de Montréal	11	1	1	2	8
1972-73	Canadiens de Montréal	69	2	22	24	55
	TOTAUX	81	3	25	28	65

ELIMINATOIRES		PJ	B	A	PTS	MEP
1970-71	Canadiens de Montréal	2	0	0	0	0
1971-72	Canadiens de Montréal	1	0	0	0	0
1972-73	Canadiens de Montréal	13	0	3	3	10
	TOTAUX	16	0	3	3	10

A fait partie de l'équipe qui a remporté le trophée Prince de Galles en 1972-73.
A fait partie de l'équipe qui a remporté la coupe Stanley en 1970-71, 1972-73.
Echangé aux Kings de Los Angeles avec Randy Rota pour le premier choix amateur de 1974 (Mario Tremblay) et un certain montant d'argent, le 29 mai 1973.

MURPHY, Harold (Hal)

Né à Montréal, Québec, le 6 juillet 1927.
Gardien de but, lance de la droite.
Dernier club amateur: les Royals srs de Montréal.

SAISON	CLUB	PJ	BC	BL	MOY
1952-53	Canadiens de Montréal	1	4	0	4.00
	TOTAUX	1	4	0	4.00

FICHE OFFENSIVE		PJ	B	A	PTS	MEP
1952-53	Canadiens de Montréal	1	0	0	0	0
	TOTAUX	1	0	0	0	0

MURRAY, Leo

Né à Portage-la-Prairie, Manitoba, le 15 février 1902.

SAISON	CLUB	PJ	B	A	PTS	MEP
1932-33	Canadiens de Montréal	6	0	0	0	2
	TOTAUX	6	0	0	0	2

MURRAY, Thomas (Tom, Mickey)

Gardien de but.

SAISON	CLUB	PJ	BC	BL	MOY
1929-30	Canadiens de Montréal	1	4	0	4.00
	TOTAUX	1	4	0	4.00

FICHE OFFENSIVE		PJ	B	A	PTS	MEP
1929-30	Canadiens de Montréal	1	0	0	0	0
	TOTAUX	1	0	0	0	0

MYRE, Louis Philippe (Phil)

Né à Ste-Anne-de-Bellevue, Québec, le 1er novembre 1948.
Gardien de but, lance de la gauche.
6'1", 180 lbs
Dernier club amateur: les Flyers jrs de Niagara Falls.

SAISON	CLUB	PJ	BC	BL	MOY
1969-70	Canadiens de Montréal	10	19	0	2.15
1970-71	Canadiens de Montréal	30	87	1	3.11
1971-72	Canadiens de Montréal	9	32	0	3.63
	TOTAUX	49	138	1	2.81

FICHE OFFENSIVE		PJ	B	A	PTS	MEP
1969-70	Canadiens de Montréal	10	0	0	0	2
1970-71	Canadiens de Montréal	30	0	1	1	17
1971-72	Canadiens de Montréal	9	0	0	0	4
	TOTAUX	49	0	1	1	23

Repêché par les Flames d'Atlanta le 6 juin 1972.

NAPIER, Mark

Né à Toronto, Ontario, le 28 janvier 1957.
Ailier droit, lance de la gauche.
5'10", 185 lbs
Dernier club amateur: les Marlboros jrs de Toronto.

SAISON	CLUB	PJ	B	A	PTS	MEP
1978-79	Canadiens de Montréal	54	11	20	31	11
1979-80	Canadiens de Montréal	76	16	33	49	7
1980-81	Canadiens de Montréal	79	35	36	71	24
1981-82	Canadiens de Montréal	80	40	41	81	14
1982-83	Canadiens de Montréal	73	40	27	67	6
1983-84	Canadiens de Montréal	5	3	2	5	0
	TOTAUX	367	145	159	304	62

ELIMINATOIRES		PJ	B	A	PTS	MEP
1978-79	Canadiens de Montréal	12	3	2	5	2
1979-80	Canadiens de Montréal	10	2	6	8	0
1980-81	Canadiens de Montréal	3	0	0	0	2
1981-82	Canadiens de Montréal	5	3	2	5	0
1982-83	Canadiens de Montréal	3	0	0	0	0
	TOTAUX	33	8	10	18	4

A fait partie de l'équipe qui a remporté la coupe Stanley en 1978-79.
Échangé avec Keith Acton en octobre 1983 et pour un choix de troisième ronde à Minnesota (Bobby Smith) en 1984.

NASLUND, Mats

Né à Kiruna, Suède, le 31 octobre 1959.
Ailier droit.
5'7", 158 lbs
Dernier club amateur: Brynas I.F.

SAISON	CLUB	PJ	B	A	PTS	MEP
1982-83	Canadiens de Montréal	74	26	45	71	10
1983-84	Canadiens de Montréal	77	29	35	64	4
1984-85	Canadiens de Montréal	80	42	37	79	14
1985-86	Canadiens de Montréal	80	43	67	110	16
	TOTAUX	311	140	184	324	44

ELIMINATOIRES		PJ	B	A	PTS	MEP
1982-83	Canadiens de Montréal	3	1	0	1	0

	1983-84	Canadiens de Montréal	15	6	8	14	4
	1984-85	Canadiens de Montréal	12	7	4	11	6
	1985-86	Canadiens de Montréal	20	8	11	19	4
		TOTAUX	50	22	23	45	14

A fait partie de la deuxième équipe d'étoiles en 1985-86.

NATTRESS, Ric

Né à Hamilton, Ontario, le 25 mai 1962.
Défenseur droit.
6'2", 208 lbs
Dernier club amateur: Brantford jr.

SAISON	CLUB	PJ	B	A	PTS	MEP
1982-83	Canadiens de Montréal	40	1	3	4	19
1983-84	Canadiens de Montréal	34	0	12	12	15
1984-85	Canadiens de Montréal	5	0	1	1	2
	TOTAUX	79	1	16	17	36

ELIMINATOIRES		PJ	B	A	PTS	MEP
1982-83	Canadiens de Montréal	3	0	0	0	10
1984-85	Canadiens de Montréal	2	0	0	0	2
	TOTAUX	5	0	0	0	12

Échangé à St. Louis le 7 octobre 1985.

NEWBERRY, John

Né à Port Alberni, C.-B., le 8 avril 1962.
Centre.
6'1", 185 lbs
Dernier club amateur: Université du Wisconsin.

SAISON	CLUB	PJ	B	A	PTS	MEP
1983-84	Canadiens de Montréal	3	0	0	0	0
1984-85	Canadiens de Montréal	16	0	4	4	6
	TOTAUX	19	0	4	4	6

ELIMINATOIRES		PJ	B	A	PTS	MEP
1982-83	Canadiens de Montréal	2	0	0	0	0
	TOTAUX	2	0	0	0	0

Signe avec Hartford comme agent libre le 19 septembre 1985.

NEWMAN, Daniel Kenneth (Dan)

Né à Windsor, Ontario, le 26 janvier 1952.
Ailier gauche, lance de la gauche.
6'1", 195 lbs
Dernier club amateur: Le collège St. Clair.

SAISON	CLUB	PJ	B	A	PTS	MEP
1978-79	Canadiens de Montréal	16	0	2	2	4
	TOTAUX	16	0	2	2	4

Echangé aux Oilers d'Edmonton avec Dave Lumley en retour de considérations futures.

NILAN, Chris

Né à Boston, Massachusetts, le 9 février 1958.
Avant, lance de la droite.
6', 200 lbs
Dernier club amateur: Université North Eastern.

SAISON	CLUB	PJ	B	A	PTS	MEP
1979-80	Canadiens de Montréal	15	0	2	2	50
1980-81	Canadiens de Montréal	57	7	8	15	262
1981-82	Canadiens de Montréal	49	7	4	11	204
1982-83	Canadiens de Montréal	66	6	8	14	213
1983-84	Canadiens de Montréal	76	16	10	26	338
1984-85	Canadiens de Montréal	77	21	16	37	358
1985-86	Canadiens de Montréal	72	19	15	34	274
	TOTAUX	412	76	63	139	1699

ELIMINATOIRES		PJ	B	A	PTS	MEP
1979-80	Canadiens de Montréal	5	0	0	0	2
1980-81	Canadiens de Montréal	2	0	0	0	0
1981-82	Canadiens de Montréal	5	1	1	2	22
1982-83	Canadiens de Montréal	3	0	0	0	5
1983-84	Canadiens de Montréal	15	1	0	1	81
1984-85	Canadiens de Montréal	12	2	1	3	81
1985-86	Canadiens de Montréal	18	1	2	3	141
	TOTAUX	60	5	4	9	332

NOBLE, Edward Reginald (Reg)

Né à Collingwood, Ontario, le 23 juin 1896.
Ailier gauche, centre, défenseur, lance de la gauche.
5'8", 180 lbs
Dernier club amateur: les Seniors de Riverside.

SAISON	CLUB	PJ	B	A	PTS	MEP
*1916-17	Toronto Arenas/ Canadiens de Montréal	19	13	—	13	—
	TOTAUX	19	13	—	13	—

ELIMINATOIRES		PJ	B	A	PTS	MEP
1916-17	Canadiens de Montréal	2	0	—	0	—
	TOTAUX	2	0	—	0	—

Obtenu des Arenas de Toronto en 1916-17.
Membre du Temple de la Renommée du Hockey en juin 1962.
Décédé le 20 juin 1962.

NYROP, William (Bill)

Né à Washington, D.C., le 23 juillet 1952.
Défenseur, lance de la gauche.
6'2", 209 lbs
Dernier club amateur: Université Notre-Dame.

SAISON	CLUB	PJ	B	A	PTS	MEP
1975-76	Canadiens de Montréal	19	0	3	3	8
1976-77	Canadiens de Montréal	74	3	19	22	21
1977-78	Canadiens de Montréal	72	5	21	26	37
1978-79	Canadiens de Montréal	—	—	—	—	—
	TOTAUX	165	8	43	51	66

ELIMINATOIRES		PJ	B	A	PTS	MEP
1975-76	Canadiens de Montréal	13	0	3	3	12
1976-77	Canadiens de Montréal	8	1	0	1	4
1977-78	Canadiens de Montréal	12	0	4	4	6
1978-79	Canadiens de Montréal	—	—	—	—	—
	TOTAUX	33	1	7	8	22

A fait partie de l'équipe qui a remporté le trophée Prince de Galles en 1975-76, 1976-77, 1977-78.
A fait partie de l'équipe qui a remporté la coupe Stanley en 1975-76, 1976-77, 1977-78.
Septième choix amateur des Canadiens en 1972.
A pris une année sabbatique en 1978-79.
Echangé aux North Stars du Minnesota pour un choix de deuxième ronde au repêchage (Gaston Gingras) en 1979.

O'CONNOR, Herbert William (Buddy, Bud)

Né à Montréal, Québec, le 21 juin 1916.
Centre, ailier gauche.
5'7", 145 lbs
Dernier club amateur: les Royal srs de Montréal.

SAISON	CLUB	PJ	B	A	PTS	MEP
1941-42	Canadiens de Montréal	36	9	16	25	4
1942-43	Canadiens de Montréal	50	15	43	58	2
1943-44	Canadiens de Montréal	44	12	42	54	6
1944-45	Canadiens de Montréal	50	21	23	44	2
1945-46	Canadiens de Montréal	45	11	11	22	2
1946-47	Canadiens de Montréal	46	10	20	30	6
	TOTAUX	271	78	155	233	22

ELIMINATOIRES		PJ	B	A	PTS	MEP
1941-42	Canadiens de Montréal	3	0	1	1	0
1942-43	Canadiens de Montréal	5	4	5	9	0
1943-44	Canadiens de Montréal	8	1	2	3	2
1944-45	Canadiens de Montréal	2	0	0	0	0
1945-46	Canadiens de Montréal	9	2	3	5	0
1946-47	Canadiens de Montréal	8	3	4	7	0
	TOTAUX	35	10	15	25	2

A fait partie de l'équipe qui a remporté le trophée Prince de Galles en 1943-44, 1944-45, 1945-46, 1946-47.
A fait partie de l'équipe qui a remporté la coupe Stanley en 1943-44, 1945-46.
Membre de la célèbre ligne d'attaque "Razzle-Dazzle" complétée par Gerry Heffernan à l'aile droite et Pierre Morin à l'aile gauche.

OLMSTEAD, Murray Bert

Né à Scepter, Saskatchewan, le 4 septembre 1926.
Ailier gauche, lance de la gauche.
6'2", 183 lbs
Dernier club amateur: les Canucks jrs de Moose Jaw.

SAISON	CLUB	PJ	B	A	PTS	MEP
*1950-51	Black Hawks de Chicago/ Canadiens de Montréal	54	18	23	41	50
1951-52	Canadiens de Montréal	69	7	28	35	49
1952-53	Canadiens de Montréal	69	17	28	45	83
1953-54	Canadiens de Montréal	70	15	37	52	85
1954-55	Canadiens de Montréal	70	10	48	58	103
1955-56	Canadiens de Montréal	70	14	56	70	94
1956-57	Canadiens de Montréal	64	15	33	48	74
1957-58	Canadiens de Montréal	57	9	28	37	71
	TOTAUX	507	105	281	386	609

ELIMINATOIRES		PJ	B	A	PTS	MEP
1950-51	Canadiens de Montréal	11	2	3	5	9
1951-52	Canadiens de Montréal	11	0	1	1	4
1952-53	Canadiens de Montréal	12	2	2	4	4
1953-54	Canadiens de Montréal	11	0	1	1	19
1954-55	Canadiens de Montréal	12	0	4	4	21
1955-56	Canadiens de Montréal	10	4	10	14	8
1956-57	Canadiens de Montréal	10	0	9	9	13
1957-58	Canadiens de Montréal	9	0	3	3	0
	TOTAUX	86	8	33	41	78

PARTIES D'ETOILES		PJ	B	A	PTS
1953	Canadiens de Montréal	1	0	0	0
1956	Canadiens de Montréal	1	0	1	1
1957	Canadiens de Montréal	1	1	0	1
1959	Canadiens de Montréal	1	0	0	0
	TOTAUX	4	1	1	2

Obtenu des Black Hawks de Chicago contre Léo Gravelle en décembre 1950.
Repêché par les Maple Leafs de Toronto en juin 1958.
A fait partie de l'équipe qui a remporté le trophée Prince de Galles en 1955-56, 1957-58.
A fait partie de l'équipe qui a remporté la coupe Stanley en 1952-53, 1955-56, 1956-57, 1957-58.
Membre de la deuxième équipe d'étoiles en 1952-53, 1955-56.
Nommé assistant-capitaine des Canadiens en 1954.

O'NEILL, James Beaton (Peggy)

Né à Semans, Saskatchewan, le 3 avril 1913.
Centre, ailier droit, lance de la droite.
5'8", 160 lbs
Dernier club amateur: les Wesleys jrs de Saskatoon.

SAISON	CLUB	PJ	B	A	PTS	MEP
1940-41	Canadiens de Montréal	12	0	3	3	0
1941-42	Canadiens de Montréal	4	0	1	1	4
	TOTAUX	16	0	4	4	4

ELIMINATOIRES		PJ	B	A	PTS	MEP
1940-41	Canadiens de Montréal	3	0	0	0	0
	TOTAUX	3	0	0	0	0

ORLESKI, Dave

Né à Edmonton, Alberta, le 26 décembre 1959.
Défenseur, lance de la gauche.
6'3", 210 lbs
Dernier club amateur: New Westminster Bruins.

SAISON	CLUB	PJ	B	A	PTS	MEP
1980-81	Canadiens de Montréal	1	0	0	0	0
1981-82	Canadiens de Montréal	1	0	0	0	0
	TOTAUX	2	0	0	0	0

A pris sa retraite en 1985.

PALANGIO, Peter Albert (Pete)

Né à North Bay, Ontario, le 10 septembre 1908.
Ailier gauche, lance de la gauche.
5'11", 175 lbs
Dernier club amateur: les Trappers srs de North Bay.

SAISON	CLUB	PJ	B	A	PTS	MEP
1926-27	Canadiens de Montréal	6	0	0	0	0
1928-29	Canadiens de Montréal	2	0	0	0	0
	TOTAUX	8	0	0	0	0

ELIMINATOIRES		PJ	B	A	PTS	MEP
1926-27	Canadiens de Montréal	4	0	0	0	0
	TOTAUX	4	0	0	0	0

PARGETER, George William

Né à Calgary, Alberta, le 24 février 1923.
Ailier gauche, lance de la gauche.
5'7", 168 lbs
Dernier club amateur: les Wheelers de Red Deer.

SAISON	CLUB	PJ	B	A	PTS	MEP
1946-47	Canadiens de Montréal	4	0	0	0	0
	TOTAUX	4	0	0	0	0

A fait partie de l'équipe qui a remporté le trophée Prince de Galles en 1946-47.

PASLAWSKI, Gregory (Greg)

Né à Kindersley, Saskatchewan, le 25 août 1961.
Ailier droit.
5'11", 195 lbs
Dernier club amateur: Prince Albert jr.

SAISON	CLUB	PJ	B	A	PTS	MEP
1983-84	Canadiens de Montréal	26	1	4	5	4
	TOTAUX	26	1	4	5	4

Signe avec Montréal comme agent libre le 15 octobre 1981.
Échangé avec Doug Wickenheiser et Gilbert Delorme à St. Louis pour Perry Turnbull le 21 décembre 1983.

PATTERSON, George (Pat)

Né à Kingston, Ontario, le 22 mai 1906.
Ailier droit.
6'1", 176 lbs
Dernier club amateur: les Juniors de Kingston.

SAISON	CLUB	PJ	B	A	PTS	MEP
*1927-28	Canadiens de Montréal/ Maple Leafs de Toronto	28	4	2	6	17
1928-29	Canadiens de Montréal	44	4	5	9	34
	TOTAUX	72	8	7	15	51

ELIMINATOIRES		PJ	B	A	PTS	MEP
1928-29	Canadiens de Montréal	3	0	0	0	2
	TOTAUX	3	0	0	0	2

Echangé aux Americans de New York en 1929.

PAULHUS, Roland

Défenseur.

SAISON	CLUB	PJ	B	A	PTS	MEP
1925-26	Canadiens de Montréal	33	0	0	0	0
	TOTAUX	33	0	0	0	0

PAYAN, Eugène (Pete, Pit)

SAISON	CLUB	PJ	B	A	PTS	MEP
1910-11	Canadiens de Montréal	16	12	—	12	—
1911-12	Canadiens de Montréal	17	9	—	9	—
1912-13	Canadiens de Montréal	6	3	—	3	—
1913-14	Canadiens de Montréal	17	5	—	5	—
	TOTAUX	56	29	—	29	—

ELIMINATOIRES		PJ	B	A	PTS	MEP
1913-14	Canadiens de Montréal	2	0	—	0	—
	TOTAUX	2	0	—	0	—

PAYER, Evariste P.

Avant.

SAISON	CLUB	PJ	B	A	PTS	MEP
1910-11	Canadiens de Montréal	5	0	—	0	—
1911-12	Canadiens de Montréal	3	0	—	0	—
1917-18	Canadiens de Montréal	1	0	—	0	—
	TOTAUX	9	0	—	0	—

PENNEY, Steve

Né à Sainte-Foy, Québec, le 2 février 1961.
Gardien de but.
6'1", 190 lbs
Dernier club amateur: Shawinigan jr.

SAISON	CLUB	PJ	BC	BL	MOY	MEP
1983-84	Canadiens de Montréal	4	19	0	4.75	
1984-85	Canadiens de Montréal	54	167	1	3.08	
				(1 assist./10 min pun.)		
1985-86	Canadiens de Montréal	18	72	0	4.36	
	TOTAUX	76	258	1	3.45	

ELIMINATOIRES		PJ	BC	BL	MOY	MEP
1983-84	Canadiens de Montréal	15	32	3	2.20	
				(2 assist./2 min pun.)		
1984-85	Canadiens de Montréal	12	40	1	3.27	
1985-86	Canadiens de Montréal	0	0	0	0.00	
	TOTAUX	27	72	4	2.69	

Meilleur gardien des séries éliminatoires en 1983-84.
Échangé à Winnipeg avec les droits sur Ian Ingman en retour de Brian Hayward, le 15 août 1986.

PENNINGTON, Clifford (Cliff)

Né à Winnipeg, Manitoba, le 18 avril 1940.
Centre, lance de la droite.
6', 170 lbs
Dernier club amateur: les Canadiens jrs de St-Boniface.

SAISON	CLUB	PJ	B	A	PTS	MEP
1960-61	Canadiens de Montréal	4	1	0	1	0
	TOTAUX	4	1	0	1	0

A fait partie de l'équipe qui a remporté le trophée Prince de Galles en 1960-61.

PERREAULT, Robert (Bob, Miche)

Né à Trois-Rivières, Québec, le 28 janvier 1931.
Gardien de but, lance de la gauche.
5'8", 170 lbs
Dernier club amateur: les Reds jrs de Trois-Rivières.

SAISON	CLUB	PJ	BC	BL	MOY
1955-56	Canadiens de Montréal	6	12	1	2.00
	TOTAUX	6	12	1	2.00

FICHE OFFENSIVE		PJ	B	A	PTS	MEP
1955-56	Canadiens de Montréal	6	0	0	0	0
	TOTAUX	6	0	0	0	0

A fait partie de l'équipe qui a remporté le trophée Prince de Galles en 1955-56.

PETERS, Garry Lorne

Né à Régina, Saskatchewan, le 9 octobre 1942.
Centre, lance de la gauche.
5'10", 170 lbs
Dernier club amateur: les Pats jrs de Régina.

SAISON	CLUB	PJ	B	A	PTS	MEP
1964-65	Canadiens de Montréal	13	0	2	2	6
1966-67	Canadiens de Montréal	4	0	1	1	2
	TOTAUX	17	0	3	3	8

Echangé aux Rangers de New York avec Cesare Maniago pour Earl Ingarfield, Gord Labossière, Noel Price et Dave McComb le 8 juin 1965.
Obtenu des Rangers de New York avec Ted Taylor for contre Gord Berenson le 13 juin 1966.
Repêché par les Flyers de Philadelphie lors de l'expansion de 1967, le 6 juin 1967.

PETERS, James Meldrum (Jim)

Né à Verdun, Québec, le 2 octobre 1922.
Ailier droit, lance de la droite.
5'11", 165 lbs
Dernier club amateur: Le club de l'armée canadienne, Kingston, Ontario.

SAISON	CLUB	PJ	B	A	PTS	MEP
1945-46	Canadiens de Montréal	47	11	19	30	10
1946-47	Canadiens de Montréal	60	11	13	24	27
*1947-48	Canadiens de Montréal/ Bruins de Boston	59	13	18	31	44
	TOTAUX	166	35	50	85	81

ELIMINATOIRES		PJ	B	A	PTS	MEP
1945-46	Canadiens de Montréal	9	3	1	4	6
1946-47	Canadiens de Montréal	11	1	2	3	10
	TOTAUX	20	4	3	7	16

A fait partie de l'équipe qui a remporté le trophée Prince de Galles en 1945-46, 1946-47.
A fait partie de l'équipe qui a remporté la coupe Stanley en 1945-46.
Echangé aux Bruins de Boston avec John Quilty pour Joe Carveth.
Père de Jim Peters jr.

PHILLIPS, Charles (Charlie)

Né à Toronto, Ontario, le 19 mai 1917.
Défenseur.

SAISON	CLUB	PJ	B	A	PTS	MEP
1942-43	Canadiens de Montréal	17	0	0	0	6
	TOTAUX	17	0	0	0	6

PICARD, Jean-Noël (Noël)

Né à Montréal, Québec, le 25 décembre 1938.
Défenseur, lance de la droite.
6'1", 185 lbs
Dernier club amateur: les Olympiques srs de Montréal.

SAISON	CLUB	PJ	B	A	PTS	MEP
1964-65	Canadiens de Montréal	16	0	7	7	33
	TOTAUX	16	0	7	7	33

ELIMINATOIRES		PJ	B	A	PTS	MEP
1964-65	Canadiens de Montréal	3	0	1	1	0
	TOTAUX	3	0	1	1	0

A fait partie de l'équipe qui a remporté la coupe Stanley en 1964-65.
Repêché par les Blues de St. Louis lors de l'expansion de 1967, en juin 1967.
Frère de Roger Picard.

PICARD, Robert

Né à Montréal, Québec, le 25 mai 1957.
Défenseur, lance de la gauche.
6'2", 203 lbs
Dernier club amateur: Montréal jr.

SAISON	CLUB	PJ	B	A	PTS	MEP
1980-81	Canadiens de Montréal	8	2	2	4	6
1981-82	Canadiens de Montréal	62	2	26	28	106
1982-83	Canadiens de Montréal	64	7	31	38	60
1983-84	Canadiens de Montréal	7	0	2	2	0
	TOTAUX	141	11	61	72	172

ELIMINATOIRES		PJ	B	A	PTS	MEP
1980-81	Canadiens de Montréal	1	0	0	0	0
1981-82	Canadiens de Montréal	5	1	1	2	7
1982-83	Canadiens de Montréal	3	0	0	0	0
	TOTAUX	9	1	1	2	7

Échangé en mars 1981 par Toronto pour Michel Larocque et un huitième choix au repêchage.
Échangé à Winnipeg en novembre 1983 pour un troisième choix au repêchage de 1984 (Patrick Roy).

PITRE, Didier (Pit, Cannonball)

Né à Sault-Ste-Marie, Ontario, en 1884.
Ailier droit, défenseur, rover.
200 lbs

SAISON	CLUB	PJ	B	A	PTS	MEP
1909-10	Canadiens de Montréal	1	0	—	0	—
1910-11	Canadiens de Montréal	16	19	—	19	—
1911-12	Canadiens de Montréal	18	28	—	28	—
1912-13	Canadiens de Montréal	17	24	—	24	—
1914-15	Canadiens de Montréal	20	30	—	30	—
1915-16	Canadiens de Montréal	24	23	—	23	—
1916-17	Canadiens de Montréal	20	22	—	22	—
1917-18	Canadiens de Montréal	19	17	—	17	—
1918-19	Canadiens de Montréal	17	14	4	18	9
1919-20	Canadiens de Montréal	22	15	7	22	6
1920-21	Canadiens de Montréal	23	15	1	16	23
1921-22	Canadiens de Montréal	23	2	3	5	12
1922-23	Canadiens de Montréal	23	1	2	3	0
	TOTAUX	243	210	17	227	50

ELIMINATOIRES		PJ	B	A	PTS	MEP
1909-10	Canadiens de Montréal	12	11	—	11	—
1915-16	Canadiens de Montréal	5	4	—	4	—
1916-17	Canadiens de Montréal	6	7	—	7	—
1917-18	Canadiens de Montréal	2	0	0	0	0
1918-19	Canadiens de Montréal	10	2	2	4	—
1922-23	Canadiens de Montréal	2	0	—	—	—
	TOTAUX	37	24	2	26	—

A fait partie de l'équipe qui a remporté la coupe Stanley en 1915-16.
Signe avec les Canadiens en 1909.
Echangé au club Vancouver pour "Newsy" Lalonde en 1913.
Membre du Temple de la Renommée en août 1962.
Décédé, le 29 juillet 1934.

PLAMONDON, Gérard Roger (Gerry, Eagle Eye)

Né à Sherbrooke, Québec, le 5 janvier 1925.
Ailier gauche, lance de la gauche.
5'8", 170 lbs
Dernier club amateur: les Royal srs de Montréal.

SAISON	CLUB	PJ	B	A	PTS	MEP
1945-46	Canadiens de Montréal	6	0	2	2	2
1947-48	Canadiens de Montréal	3	1	1	2	0
1948-49	Canadiens de Montréal	27	5	5	10	8
1949-50	Canadiens de Montréal	37	1	5	6	0
1950-51	Canadiens de Montréal	1	0	0	0	0
	TOTAUX	74	7	13	20	10

ELIMINATOIRES		PJ	B	A	PTS	MEP
1945-46	Canadiens de Montréal	1	0	0	0	0
1948-49	Canadiens de Montréal	7	5	1	6	0
1949-50	Canadiens de Montréal	3	0	1	1	2
	TOTAUX	11	5	2	7	2

A fait partie de l'équipe qui a remporté le trophée Prince de Galles en 1945-46.
A fait partie de l'équipe qui a remporté la coupe Stanley en 1945-46.

PLANTE, Joseph Jacques Omer (The Snake)

Né à Mont-Carmel, Québec, le 17 janvier 1929.
Gardien de but, lance de la gauche.
6', 175 lbs
Dernier club amateur: les Royal srs de Montréal.

SAISON	CLUB	PJ	BC	BL	MOY
1952-53	Canadiens de Montréal	3	4	0	1.33
1953-54	Canadiens de Montréal	17	27	5	1.59
1954-55	Canadiens de Montréal	52	110	5	2.11
1955-56	Canadiens de Montréal	64	119	7	1.86
1956-57	Canadiens de Montréal	61	123	9	2.02
1957-58	Canadiens de Montréal	57	119	9	2.09
1958-59	Canadiens de Montréal	67	144	9	2.15
1959-60	Canadiens de Montréal	69	175	3	2.54
1960-61	Canadiens de Montréal	40	112	2	2.80

		PJ	BC	BL	MOY
1961-62	Canadiens de Montréal	70	166	4	2.37
1962-63	Canadiens de Montréal	56	138	5	2.46
	TOTAUX	556	1237	58	2.22

ELIMINATOIRES		PJ	BC	BL	MOY
1952-53	Canadiens de Montréal	4	7	1	1.75
1953-54	Canadiens de Montréal	8	15	2	1.87
1954-55	Canadiens de Montréal	12	30	0	2.50
1955-56	Canadiens de Montréal	10	18	2	1.80
1956-57	Canadiens de Montréal	10	18	1	1.80
1957-58	Canadiens de Montréal	10	20	1	2.00
1958-59	Canadiens de Montréal	11	28	0	2.54
1959-60	Canadiens de Montréal	8	11	3	1.37
1960-61	Canadiens de Montréal	6	16	0	2.67
1961-62	Canadiens de Montréal	6	19	0	3.17
1962-63	Canadiens de Montréal	5	14	0	2.80
	TOTAUX	90	196	10	2.13

FICHE OFFENSIVE		PJ	B	A	PTS	MEP
1952-53	Canadiens de Montréal	3	0	0	0	0
1953-54	Canadiens de Montréal	17	0	0	0	0
1954-55	Canadiens de Montréal	52	0	0	0	2
1955-56	Canadiens de Montréal	64	0	0	0	10
1956-57	Canadiens de Montréal	61	0	0	0	16
1957-58	Canadiens de Montréal	57	0	0	0	13
1958-59	Canadiens de Montréal	67	0	1	1	11
1959-60	Canadiens de Montréal	69	0	0	0	2
1960-61	Canadiens de Montréal	40	0	0	0	2
1961-62	Canadiens de Montréal	70	0	0	0	14
1962-63	Canadiens de Montréal	56	0	1	1	2
	TOTAUX	556	0	2	2	72

PARTIES D'ETOILES		PJ	BC	BL	MOY
1956	Canadiens de Montréal	1	1	0	0.33
1957	Canadiens de Montréal	1	5	0	1.67
1958	Canadiens de Montréal	1	3	0	1.00
1959	Canadiens de Montréal	1	1	0	0.33
1960	Canadiens de Montréal	1	2	0	0.67
1962	Etoiles de la LNH	1	4	0	4.00
	TOTAUX	6	16	0	2.66

A fait partie de l'équipe qui a remporté le trophée Prince de Galles en 1955-56, 1957-58, 1958-59, 1959-60, 1960-61, 1961-62.
A fait partie de l'équipe qui a remporté la coupe Stanley en 1952-53, 1955-56, 1956-57, 1957-58, 1958-59, 1959-60.
A remporté le trophée Georges Vézina en 1955-56, 1956-57, 1957-58, 1958-59, 1959-60, 1961-62.
A remporté le trophée Hart en 1961-62.
Membre de la première équipe d'étoiles en 1955-56, 1958-59, 1961-62.
Membre de la deuxième équipe d'étoiles en 1956-57, 1957-58, 1959-60.
Décédé d'un cancer le 27 février 1986.

PLASSE, Michel Pierre

Né à Montréal, Québec, le 1er juin 1948.
Gardien de but, lance de la gauche.
5'11", 161 lbs
Dernier club amateur: les Rockets srs de Jacksonville.

SAISON	CLUB	PJ	BC	BL	MOY
1972-73	Canadiens de Montréal	17	40	0	2.58
1973-74	Canadiens de Montréal	15	57	0	4.08
	TOTAUX	32	97	0	3.03

FICHE OFFENSIVE		PJ	B	A	PTS	MEP
1972-73	Canadiens de Montréal	17	0	0	0	4
1973-74	Canadiens de Montréal	15	0	0	0	0
	TOTAUX	32	0	0	0	4

A fait partie de l'équipe qui a remporté le trophée Prince de Galles en 1972-73.
A fait partie de l'équipe qui a remporté la coupe Stanley en 1972-73.
Repêché par les Scouts de Kansas City le 12 juin 1974.

PLEAU, Laurence Winslow (Larry)

Né à Lynn, Massachusetts, le 29 janvier 1947.
Centre, lance de la gauche.
6'7", 190 lbs
Dernier club amateur: les Devils du New Jersey (LIH).

SAISON	CLUB	PJ	B	A	PTS	MEP
1969-70	Canadiens de Montréal	20	1	0	1	0
1970-71	Canadiens de Montréal	19	1	5	6	8
1971-72	Canadiens de Montréal	55	7	10	17	19
	TOTAUX	94	9	15	24	27

ELIMINATOIRES		PJ	B	A	PTS	MEP
1971-72	Canadiens de Montréal	4	0	0	0	0
	TOTAUX	4	0	0	0	0

Sélectionné par les Whalers de la Nouvelle-Angleterre lors du repêchage de l'Association Mondiale en février 1972.
Repêché par les Maple Leafs de Toronto en juin 1972.

POIRIER, Gordon C. (Gord)

Né à Maple Creek, Saskatchewan, le 27 octobre 1913.

SAISON	CLUB	PJ	B	A	PTS	MEP
1939-40	Canadiens de Montréal	10	0	0	0	0
	TOTAUX	10	0	0	0	0

POLICK, Mike

Né à Hibbing, Minnesota, le 19 décembre 1952.
Centre, ailier gauche, lance de la gauche.
5'8", 170 lbs
Dernier club amateur: Université du Minnesota.

SAISON	CLUB	PJ	B	A	PTS	MEP
1976-77	Canadiens de Montréal	0	0	0	0	0
1977-78	Canadiens de Montréal	1	0	0	0	0
	TOTAUX	1	0	0	0	0

ELIMINATOIRES		PJ	B	A	PTS	MEP
1976-77	Canadiens de Montréal	5	0	0	0	0
	TOTAUX	5	0	0	0	0

A fait partie de l'équipe qui a remporté le trophée Prince de Galles en 1977-78.
A fait partie de l'équipe qui a remporté la coupe Stanley en 1977-78.
Signé par le Minnesota comme agent libre le 6 sept 1978.
En compensation, Montréal a reçu Jerry Engell.

PORTLAND, John Frederick (Jack)

Né à Waubaushene, Ontario, le 30 juillet 1912.
Défenseur, lance de la gauche.
6'2", 185 lbs
Dernier club amateur: les Juniors de Collingwood.

SAISON	CLUB	PJ	B	A	PTS	MEP
1933-34	Canadiens de Montréal	31	0	2	2	10
*1934-35	Canadiens de Montréal/ Bruins de Boston	20	1	1	2	4
*1940-41	Black Hawks de Chicago/					
1941-42	Canadiens de Montréal	47	2	7	9	38
1942-43	Canadiens de Montréal	46	2	9	11	53
		49	3	14	17	52
	TOTAUX	193	8	33	41	157

ELIMINATOIRES		PJ	B	A	PTS	MEP
1933-34	Canadiens de Montréal	2	0	0	0	0
1940-41	Canadiens de Montréal	3	0	1	1	2
1941-42	Canadiens de Montréal	3	0	0	0	0
1942-43	Canadiens de Montréal	5	1	2	3	2
	TOTAUX	13	1	3	4	4

Obtenu des Black Hawks de Chicago en 1940-41.

POULIN, George (Skinner)

Avant.

SAISON	CLUB	PJ	B	A	PTS	MEP
1909-10	Canadiens de Montréal	1	2	—	2	—
1910-11	Canadiens de Montréal	13	3	—	3	—
1915-16	Canadiens de Montréal	16	5	—	5	—
*1916-17	Canadiens de Montréal/ Wanderers de Montréal	10	3	—	3	—
	TOTAUX	40	13	—	13	—

ELIMINATOIRES		PJ	B	A	PTS	MEP
1909-10	Canadiens de Montréal	12	7	—	7	—
1915-16	Canadiens de Montréal	3	1	—	1	—
	TOTAUX	15	8	—	8	—

A fait partie de l'équipe qui a remporté la coupe Stanley en 1915-16.
Echangé aux Red Band Wanderers de Montréal en 1916-17.

POVEY, Fred

Né à Sherbrooke, Québec, le 1er mars 1884.
Avant.

SAISON	CLUB	PJ	B	A	PTS	MEP
1912-13	Canadiens de Montréal	4	0	—	0	—
	TOTAUX	4	0	—	0	—

POWER, "Rocket"

Défenseur.

SAISON	CLUB	PJ	B	A	PTS	MEP
*1910-11	Canadiens de Montréal/ Bulldogs de Québec	14	3	—	3	—
	TOTAUX	14	3	—	3	—

Frère de Charles et de Joe Power.

PRICE, Garry Noel

Né à Brockville, Ontario, le 9 décembre 1935.
Défenseur, lance de la gauche.
6', 185 lbs
Dernier club amateur: le St. Michaels College jrs.

SAISON	CLUB	PJ	B	A	PTS	MEP
1965-66	Canadiens de Montréal	15	0	6	6	8
1966-67	Canadiens de Montréal	24	0	3	3	8
	TOTAUX	39	0	9	9	16

ELIMINATOIRES		PJ	B	A	PTS	MEP
1965-66	Canadiens de Montréal	3	0	1	1	0
	TOTAUX	3	0	1	1	0

Obtenu des Rangers de New York avec Earl Ingarfield, Gord Labossière et Dave McComb contre Garry Peters et Cesare Maniago le 8 juin 1965.
A fait partie de l'équipe qui a remporté le trophée Prince de Galles en 1965-66.
A fait partie de l'équipe qui a remporté la coupe Stanley en 1965-66.
Repêché par les Pingouins de Pittsburgh lors de l'expansion de 1967, le 6 juin 1967.
Obtenu des Kings de Los Angeles avec Denis Dejordy, Dale Hoganson et Doug Robinson contre Rogatien Vachon le 4 novembre 1971.
Vendu aux Flames d'Atlanta le 14 août 1972.

PRODGERS, George (Goldie)

Né en 1892.
Défenseur.

SAISON	CLUB	PJ	B	A	PTS	MEP
1915-16	Canadiens de Montréal	24	8	—	8	—
	TOTAUX	24	8	—	8	—

ELIMINATOIRES		PJ	B	A	PTS	MEP
1915-16	Canadiens de Montréal	4	3	—	3	—
	TOTAUX	4	3	—	3	—

A fait partie de l'équipe qui a remporté la coupe Stanley en 1915-16.

PRONOVOST, André Joseph Armand

Né à Shawinigan Falls, Québec, le 9 juillet 1936.
Ailier gauche, lance de la gauche.
5'9", 165 lbs
Dernier club amateur: les Canadiens jrs de Montréal.

SAISON	CLUB	PJ	B	A	PTS	MEP
1956-57	Canadiens de Montréal	64	10	11	21	58
1957-58	Canadiens de Montréal	66	16	12	28	55
1958-59	Canadiens de Montréal	70	9	14	23	48
1959-60	Canadiens de Montréal	69	12	19	31	61
1960-61	Canadiens de Montréal	21	1	5	6	4
	TOTAUX	290	48	61	109	226

ELIMINATOIRES		PJ	B	A	PTS	MEP
1956-57	Canadiens de Montréal	8	1	0	1	4
1957-58	Canadiens de Montréal	10	2	0	2	16
1958-59	Canadiens de Montréal	11	2	1	3	6
1959-60	Canadiens de Montréal	8	1	2	3	0
	TOTAUX	37	6	3	9	26

PARTIES D'ETOILES		PJ	BC	BL	MOY
1957	Canadiens de Montréal	1	0	0	0
1958	Canadiens de Montréal	1	0	0	0
1959	Canadiens de Montréal	1	1	0	1
1960	Canadiens de Montréal	1	0	1	1
	TOTAUX	4	1	1	2

A fait partie de l'équipe qui a remporté le trophée
Prince de Galles en 1957-58, 1958-59, 1959-60, 1960-61.
A fait partie de l'équipe qui a remporté la coupe Stanley
en 1955-56, 1957-58, 1958-59, 1959-60.
Echangé aux Bruins de Boston pour Jean-Guy Gendron
en novembre 1960.
Membre de la célèbre "Kid Line" complétée par Philippe
Goyette au centre et Claude Provost à l'aile droite.

PRONOVOST, Claude (Suitcase)

Né à Shawinigan Falls, Québec, le 22 juillet 1935.
Gardien de but, lance de la gauche.
5'9"
Dernier club amateur: les Canadiens jrs de Montréal.

SAISON	CLUB	PJ	BC	BL	MOY
1958-59	Canadiens de Montréal	2	7	0	3.50
	TOTAUX	2	7	0	3.50

FICHE OFFENSIVE		PJ	B	A	PTS	MEP
1958-59	Canadiens de Montréal	2	0	0	0	0
	TOTAUX	2	0	0	0	0

A fait partie de l'équipe qui a remporté le trophée
Prince de Galles en 1958-59.

PROVOST, Joseph Antoine Claude (Jos)

Né à Montréal, Québec, le 17 septembre 1933.
Ailier droit, lance de la droite.
5'9", 175 lbs
Dernier club amateur: les Canadiens jrs de Montréal.

SAISON	CLUB	PJ	B	A	PTS	MEP
1955-56	Canadiens de Montréal	60	13	16	29	30
1956-57	Canadiens de Montréal	67	16	14	30	24
1957-58	Canadiens de Montréal	70	19	32	51	71
1958-59	Canadiens de Montréal	69	16	22	38	37
1959-60	Canadiens de Montréal	70	17	29	46	42
1960-61	Canadiens de Montréal	49	14	15	32	
1961-62	Canadiens de Montréal	70	33	29	62	22
1962-63	Canadiens de Montréal	67	20	30	50	26
1963-64	Canadiens de Montréal	68	15	17	32	37
1964-65	Canadiens de Montréal	70	27	37	64	28
1965-66	Canadiens de Montréal	70	19	36	55	38
1966-67	Canadiens de Montréal	64	11	13	24	16
1967-68	Canadiens de Montréal	73	14	30	44	26
1968-69	Canadiens de Montréal	73	13	15	28	18
1969-70	Canadiens de Montréal	65	10	11	21	22
	TOTAUX	1005	254	335	589	469

ELIMINATOIRES		PJ	B	A	PTS	MEP
1955-56	Canadiens de Montréal	10	3	3	6	12
1956-57	Canadiens de Montréal	10	0	1	1	8
1957-58	Canadiens de Montréal	10	1	3	4	8
1958-59	Canadiens de Montréal	11	6	2	8	2
1959-60	Canadiens de Montréal	8	1	1	2	0
1960-61	Canadiens de Montréal	6	1	3	4	4
1961-62	Canadiens de Montréal	6	2	2	4	2
1962-63	Canadiens de Montréal	5	0	1	1	2
1963-64	Canadiens de Montréal	7	2	2	4	22

SAISON	CLUB	PJ	B	A	PTS	MEP
1964-65	Canadiens de Montréal	13	2	6	8	12
1965-66	Canadiens de Montréal	10	2	3	5	2
1966-67	Canadiens de Montréal	7	1	1	2	0
1967-68	Canadiens de Montréal	13	2	8	10	10
1968-69	Canadiens de Montréal	10	2	2	4	2
	TOTAUX	126	25	38	63	86

PARTIES D'ETOILES		PJ	B	A	PTS
1956	Canadiens de Montréal	1	0	0	0
1957	Canadiens de Montréal	1	0	0	0
1958	Canadiens de Montréal	1	0	2	2
1959	Canadiens de Montréal	1	0	0	0
1960	Canadiens de Montréal	1	1	0	1
1961	Etoiles de la LNH	1	0	0	0
1963	Etoiles de la LNH	1	0	0	0
1964	Etoiles de la LNH	1	0	0	0
1965	Canadiens de Montréal	1	0	0	0
1967	Canadiens de Montréal	1	0	0	0
	TOTAUX	10	1	2	3

A fait partie de l'équipe qui a remporté le trophée
Prince de Galles en 1955-56, 1957-58, 1958-59, 1959-60,
1960-61, 1961-62, 1963-64, 1965-66, 1967-68, 1968-69.
A fait partie de l'équipe qui a remporté la coupe Stanley
en 1955-56, 1956-57, 1957-58, 1958-59, 1959-60, 1964-65,
1965-66, 1967-68, 1968-69.
A remporté le trophée Bill Masterton en 1967-68.
Membre de la première équipe d'étoiles en 1964-65.
Vendu aux Kings de Los Angeles en juin 1971.
Membre de la célèbre "Kid Line" complétée par Philippe
Goyette au centre et André Pronovost à l'aile gauche.
Nommé assistant-capitaine des Canadiens en 1967.
Décédé d'une crise cardiaque le 17 avril 1984.

PUSIE, Jean Baptiste (Jean)

Né à Montréal, Québec, le 15 octobre 1910.
Défenseur, lance de la gauche.
6', 205 lbs
Dernier club amateur: Verdun.

SAISON	CLUB	PJ	B	A	PTS	MEP
1930-31	Canadiens de Montréal	6	0	0	0	0
1931-32	Canadiens de Montréal	1	0	0	0	0
1935-36	Canadiens de Montréal	31	0	2	2	11
	TOTAUX	38	0	2	2	11

ELIMINATOIRES		PJ	B	A	PTS	MEP
1930-31	Canadiens de Montréal	3	0	0	0	0
	TOTAUX	3	0	0	0	0

Décédé le 21 avril 1956.

QUILTY, John Francis

Né à Ottawa, Ontario, le 21 janvier 1921.
Centre, lance de la gauche.
6', 180 lbs
Dernier club amateur: les Juniors de Glebe Collegiate.

SAISON	CLUB	PJ	B	A	PTS	MEP
1940-41	Canadiens de Montréal	48	18	16	34	31
1941-42	Canadiens de Montréal	48	12	12	24	44
1946-47	Canadiens de Montréal	3	1	1	2	0
*1947-48	Canadiens de Montréal/ Bruins de Boston	26	5	5	10	6
	TOTAUX	125	36	34	70	81

ELIMINATOIRES		PJ	B	A	PTS	MEP
1940-41	Canadiens de Montréal	3	0	2	2	0
1941-42	Canadiens de Montréal	3	0	1	1	0
1946-47	Canadiens de Montréal	7	3	2	5	9
	TOTAUX	13	3	5	8	9

A remporté le trophée Calder en 1940-41.
A fait partie de l'équipe qui a remporté le trophée
Prince de Galles en 1946-47.
Décédé le 12 septembre 1969.

RAYMOND, Armand

Né à Mechanicsville, New York, le 12 janvier 1913.
Défenseur.

SAISON	CLUB	PJ	B	A	PTS	MEP
1937-38	Canadiens de Montréal	11	0	1	1	10
	TOTAUX	11	0	1	1	10

RAYMOND, Paul-Marcel

Né à Montréal, Québec, le 27 février 1913.
Ailier droit, lance de la droite.
5'8", 138 lbs
Dernier club amateur: les Seniors du Canadian Pacific
Railways.

SAISON	CLUB	PJ	B	A	PTS	MEP
1932-33	Canadiens de Montréal	16	0	0	0	0
1933-34	Canadiens de Montréal	29	1	0	1	2
1934-35	Canadiens de Montréal	20	1	1	2	0
1937-38	Canadiens de Montréal	11	0	2	2	4
	TOTAUX	76	2	3	5	6

ELIMINATOIRES		PJ	B	A	PTS	MEP
1933-34	Canadiens de Montréal	2	0	0	0	0
1937-38	Canadiens de Montréal	3	0	0	0	2
	TOTAUX	5	0	0	0	2

REARDON, Kenneth Joseph (Ken)

Né à Winnipeg, Manitoba, le 1er avril 1921.
Défenseur, lance de la gauche.
5'11", 180 lbs
Dernier club amateur: les Commandos srs d'Ottawa.

SAISON	CLUB	PJ	B	A	PTS	MEP
1940-41	Canadiens de Montréal	46	2	8	10	41
1941-42	Canadiens de Montréal	41	3	12	15	83
1945-46	Canadiens de Montréal	43	5	4	9	45
1946-47	Canadiens de Montréal	52	5	17	22	84
1947-48	Canadiens de Montréal	58	7	15	22	129
1948-49	Canadiens de Montréal	46	3	13	16	103
1949-50	Canadiens de Montréal	67	1	27	28	109
	TOTAUX	353	26	96	122	594

ELIMINATOIRES		PJ	B	A	PTS	MEP
1940-41	Canadiens de Montréal	2	0	0	0	4
1941-42	Canadiens de Montréal	3	0	0	0	4
1945-46	Canadiens de Montréal	9	1	1	2	4
1946-47	Canadiens de Montréal	7	1	2	3	20
1948-49	Canadiens de Montréal	7	0	0	0	18
1949-50	Canadiens de Montréal	2	0	2	2	12
	TOTAUX	30	2	5	7	62

A fait partie de l'équipe qui a remporté le trophée
Prince de Galles en 1945-46, 1946-47.
A fait partie de l'équipe qui a remporté la coupe Stanley
en 1945-46.
Membre de la première équipe d'étoiles en 1946-47,
1949-50.
Membre de la deuxième équipe d'étoiles en 1945-46,
1947-48, 1948-49.
Nommé assistant-capitaine des Canadiens en 1949.
Membre du Temple de la Renommée du Hockey en juin
1966.
Frère de Terry Reardon.

REARDON, Terrance George (Terry)

Né à Winnipeg, Manitoba, le 6 avril 1919.
Défenseur droit, ailier droit.
5'10". 170 lbs
Dernier club amateur: les Wheat Kings jrs de Brandon.

SAISON	CLUB	PJ	B	A	PTS	MEP
1941-42	Canadiens de Montréal	33	17	17	34	24
1942-43	Canadiens de Montréal	13	6	6	12	2
	TOTAUX	46	23	23	46	26

ELIMINATOIRES		PJ	B	A	PTS	MEP
1941-42	Canadiens de Montréal	3	2	2	4	2
	TOTAUX	3	2	2	4	2

Obtenu des Bruins de Boston contre Paul Gauthier.
Frère de Ken Reardon.

REAUME, Marc Avellin

Né à Lasalle, Ontario, le 7 février 1934.
Défenseur, lance de la gauche.
6'1", 185 lbs
Dernier club amateur: les St. Michaels College jrs.

SAISON	CLUB	PJ	B	A	PTS	MEP
1963-64	Canadiens de Montréal	3	0	0	0	2
	TOTAUX	3	0	0	0	2

A fait partie de l'équipe qui a remporté le trophée
Prince de Galles en 1963-64.

REAY, William (Bill)

Né à Winnipeg, Manitoba, le 21 août 1918.
Centre, lance de la gauche.
5'7", 155 lbs
Dernier club amateur: les As srs de Québec.

SAISON	CLUB	PJ	B	A	PTS	MEP
1945-46	Canadiens de Montréal	44	17	12	29	10
1946-47	Canadiens de Montréal	59	22	20	42	17
1947-48	Canadiens de Montréal	60	6	14	20	24
1948-49	Canadiens de Montréal	60	22	23	45	33
1949-50	Canadiens de Montréal	68	19	26	45	48
1950-51	Canadiens de Montréal	60	6	18	24	24
1951-52	Canadiens de Montréal	68	7	34	41	20
1952-53	Canadiens de Montréal	56	4	15	19	26
	TOTAUX	475	103	162	265	202

ELIMINATOIRES		PJ	B	A	PTS	MEP
1945-46	Canadiens de Montréal	9	1	2	3	4
1946-47	Canadiens de Montréal	11	6	1	7	14
1948-49	Canadiens de Montréal	7	1	5	6	4
1949-50	Canadiens de Montréal	4	0	1	1	0
1950-51	Canadiens de Montréal	11	3	3	6	10
1951-52	Canadiens de Montréal	10	2	2	4	7
1952-53	Canadiens de Montréal	11	0	2	2	4
	TOTAUX	63	13	16	29	43

PARTIES D'ETOILES		PJ	B	A	PTS
1952	Etoiles de la LNH	1	0	0	0
	TOTAUX	1	0	0	0

A fait partie de l'équipe qui a remporté le trophée
Prince de Galles en 1945-46, 1946-47.
A fait partie de l'équipe qui a remporté la coupe Stanley
en 1945-46, 1952-53.
Nommé assistant-capitaine des Canadiens en 1948.

REDMOND, Michael Edward (Mickey)

Né à Kirkland Lake, Ontario, le 27 décembre 1947.
Ailier droit, lance de la droite.
5'11", 185 lbs
Dernier club amateur: les Petes jrs de Peterborough.

SAISON	CLUB	PJ	B	A	PTS	MEP
1967-68	Canadiens de Montréal	41	6	5	11	4
1968-69	Canadiens de Montréal	65	9	15	24	12
1969-70	Canadiens de Montréal	75	27	27	54	61
1970-71	Canadiens de Montréal	40	14	16	30	35
	TOTAUX	221	56	63	119	112

ELIMINATOIRES		PJ	B	A	PTS	MEP
1967-68	Canadiens de Montréal	2	0	0	0	0
1968-69	Canadiens de Montréal	14	2	3	5	2
	TOTAUX	16	2	3	5	2

A fait partie de l'équipe qui a remporté le trophée
Prince de Galles en 1967-68, 1968-69.
A fait partie de l'équipe qui a remporté la coupe Stanley
en 1967-68, 1968-69.
Echangé aux Red Wings de Detroit avec Guy Charron
et Bill Collins pour Frank Mahovlich le 13 janvier 1971.
Frère de Dick Redmond des Black Hawks de Chicago.

RHEAUME, Herbert (Herb)

Gardien de but.

SAISON	CLUB	PJ	BC	BL	MOY
1925-26	Canadiens de Montréal	30	92	0	3.07
	TOTAUX	30	92	0	3.07

FICHE OFFENSIVE		PJ	B	A	PTS	MEP
1925-26	Canadiens de Montréal	30	0	0	0	0
	TOTAUX	30	0	0	0	0

RICHARD, Joseph Henri (Pocket Rocket)

Né à Montréal, Québec, le 29 février 1936.
Centre, lance de la droite.
5'7", 160 lbs
Dernier club amateur: les Canadiens jrs de Montréal.

SAISON	CLUB	PJ	B	A	PTS	MEP
1955-56	Canadiens de Montréal	64	19	21	40	46
1956-57	Canadiens de Montréal	63	18	36	54	71
1957-58	Canadiens de Montréal	67	28	52	80	56
1958-59	Canadiens de Montréal	63	21	30	51	33
1959-60	Canadiens de Montréal	70	30	43	73	66
1960-61	Canadiens de Montréal	70	24	44	68	91
1961-62	Canadiens de Montréal	54	21	29	50	48
1962-63	Canadiens de Montréal	67	23	50	73	57
1963-64	Canadiens de Montréal	66	14	39	53	73
1964-65	Canadiens de Montréal	53	23	29	52	43
1965-66	Canadiens de Montréal	62	22	39	61	47
1966-67	Canadiens de Montréal	65	21	34	55	28
1967-68	Canadiens de Montréal	54	9	19	28	16
1968-69	Canadiens de Montréal	64	15	37	52	45
1969-70	Canadiens de Montréal	62	16	36	52	61
1970-71	Canadiens de Montréal	75	12	37	49	46
1971-72	Canadiens de Montréal	75	12	32	44	48
1972-73	Canadiens de Montréal	71	8	35	43	21
1973-74	Canadiens de Montréal	75	19	36	55	28
1974-75	Canadiens de Montréal	16	3	10	13	4
	TOTAUX	1256	358	688	1046	928

ELIMINATOIRES		PJ	B	A	PTS	MEP
1955-56	Canadiens de Montréal	10	4	4	8	21
1956-57	Canadiens de Montréal	10	2	6	8	10
1957-58	Canadiens de Montréal	10	1	7	8	11
1958-59	Canadiens de Montréal	11	3	8	11	13
1959-60	Canadiens de Montréal	8	3	9	12	9
1960-61	Canadiens de Montréal	6	2	4	6	22
1962-63	Canadiens de Montréal	5	1	1	2	2
1963-64	Canadiens de Montréal	7	1	1	2	9
1964-65	Canadiens de Montréal	13	7	4	11	24
1965-66	Canadiens de Montréal	8	1	4	5	2
1966-67	Canadiens de Montréal	10	4	6	10	2
1967-68	Canadiens de Montréal	13	4	4	8	4
1968-69	Canadiens de Montréal	14	2	4	6	8
1970-71	Canadiens de Montréal	20	5	7	12	20
1971-72	Canadiens de Montréal	6	0	3	3	4
1972-73	Canadiens de Montréal	17	6	4	10	14
1973-74	Canadiens de Montréal	6	2	2	4	2
1974-75	Canadiens de Montréal	6	1	2	3	4
	TOTAUX	180	49	80	129	181

PARTIES D'ETOILES		PJ	B	A	PTS
1956	Canadiens de Montréal	1	0	0	0
1957	Canadiens de Montréal	1	0	1	1
1958	Canadiens de Montréal	1	1	2	3
1959	Canadiens de Montréal	1	1	1	2
1960	Canadiens de Montréal	1	0	0	0
1961	Etoiles de la LNH	1	0	0	0
1963	Etoiles de la LNH	1	1	0	1
1965	Canadiens de Montréal	1	0	0	0
1967	Canadiens de Montréal	1	1	1	2
	TOTAUX	9	4	5	9

A fait partie de l'équipe qui a remporté le trophée
Prince de Galles en 1955-56, 1957-58, 1958-59, 1959-60,
1960-61, 1961-62, 1963-64, 1965-66, 1967-68, 1968-69,
1972-73.
A fait partie de l'équipe qui a remporté la coupe Stanley
en 1955-56, 1956-57, 1957-58, 1958-59, 1959-60, 1964-65,
1965-66, 1967-68, 1968-69, 1970-71, 1972-73.
A remporté le trophée Bill Masterton en 1973-74.
Membre de la première équipe d'étoiles en 1957-58.
Membre de la deuxième équipe d'étoiles en 1958-59,
1960-61, 1962-63.
Nommé assistant-capitaine en 1963.

Nommé capitaine des Canadiens en 1971 (1971-72 à
1974-75).
Frère de Maurice Richard.

RICHARD, Joseph Henri Maurice (Rocket)

Né à Montréal, Québec, le 4 août 1921.
Ailier droit, lance de la gauche.
5'10", 195 lbs
Dernier club amateur: les Canadiens srs de Montréal.

SAISON	CLUB	PJ	B	A	PTS	MEP
1942-43	Canadiens de Montréal	16	5	6	11	4
1943-44	Canadiens de Montréal	46	32	22	54	45
1944-45	Canadiens de Montréal	50	50	23	73	46
1945-46	Canadiens de Montréal	50	27	21	48	50
1946-47	Canadiens de Montréal	60	45	26	71	69
1947-48	Canadiens de Montréal	53	28	25	53	89
1948-49	Canadiens de Montréal	59	20	18	38	110
1949-50	Canadiens de Montréal	70	43	22	65	114
1950-51	Canadiens de Montréal	65	42	24	66	97
1951-52	Canadiens de Montréal	48	27	17	44	44
1952-53	Canadiens de Montréal	70	28	33	61	112
1953-54	Canadiens de Montréal	70	37	30	67	112
1954-55	Canadiens de Montréal	67	38	36	74	125
1955-56	Canadiens de Montréal	70	38	33	71	89
1956-57	Canadiens de Montréal	63	33	29	62	74
1957-58	Canadiens de Montréal	28	15	19	34	28
1958-59	Canadiens de Montréal	42	17	21	38	27
1959-60	Canadiens de Montréal	51	19	16	35	50
	TOTAUX	978	544	421	965	1285

ELIMINATOIRES		PJ	B	A	PTS	MEP
1943-44	Canadiens de Montréal	9	12	5	17	10
1944-45	Canadiens de Montréal	6	6	2	8	10
1945-46	Canadiens de Montréal	9	7	4	11	15
1946-47	Canadiens de Montréal	10	6	5	11	44
1948-49	Canadiens de Montréal	7	2	1	3	14
1949-50	Canadiens de Montréal	5	1	1	2	6
1950-51	Canadiens de Montréal	11	9	4	13	13
1951-52	Canadiens de Montréal	11	4	2	6	6
1952-53	Canadiens de Montréal	12	7	1	8	2
1953-54	Canadiens de Montréal	11	3	0	3	22
1955-56	Canadiens de Montréal	10	5	9	14	24
1956-57	Canadiens de Montréal	10	8	3	11	8
1957-58	Canadiens de Montréal	10	11	4	15	10
1958-59	Canadiens de Montréal	4	0	0	0	2
1959-60	Canadiens de Montréal	8	1	3	4	2
	TOTAUX	133	82	44	126	188

PARTIES D'ETOILES		PJ	B	A	PTS
1947	Etoiles de la LNH	1	1	1	2
1948	Etoiles de la LNH	1	0	1	1
1949	Etoiles de la LNH	1	0	0	0
1950	Etoiles de la LNH	1	0	0	0
1951	Etoiles de la LNH	1	0	0	0
1952	Etoiles de la LNH	1	1	0	1
1953	Canadiens de Montréal	1	1	0	1
1954	Etoiles de la LNH	1	0	0	0
1955	Etoiles de la LNH	1	0	0	0
1956	Canadiens de Montréal	1	1	0	1
1957	Canadiens de Montréal	1	1	0	1
1958	Canadiens de Montréal	1	2	0	2
1959	Canadiens de Montréal	1	0	0	0
	TOTAUX	13	7	2	9

A fait partie de l'équipe qui a remporté le trophée
Prince de Galles en 1943-44, 1944-45, 1945-46, 1946-47,
1955-56, 1957-58, 1958-59, 1959-60.
A fait partie de l'équipe qui a remporté la coupe Stanley
en 1943-44, 1945-46, 1952-53, 1955-56, 1956-57, 1957-58,
1958-59, 1959-60.
Membre de la première équipe d'étoiles en 1944-45,
1945-46, 1946-47, 1947-48, 1948-49, 1949-50, 1954-55,
1955-56.
Membre de la deuxième équipe d'étoiles en 1943-44,
1950-51, 1951-52, 1952-53, 1953-54, 1956-57.
A remporté le trophée Hart en 1946-47.
Membre du Temple de la Renommée du Hockey en juin
1961.
Membre de la célèbre "Punch Line", complétée par
Elmer Lach au centre et "Toe" Blake à gauche.
Nommé assistant-capitaine des Canadiens en 1952-53.
Nommé capitaine des Canadiens en 1956 (1956-57 à
1959-60).
Frère d'Henri Richard.

RICHER, Stéphane

Né à Buckingham, Québec, le 7 juin 1966.
Centre.
6', 190 lbs
Dernier club amateur: Chicoutimi jr.

SAISON	CLUB	PJ	B	A	PTS	MEP
1984-85	Canadiens de Montréal	1	0	0	0	0
1985-86	Canadiens de Montréal	65	21	16	37	50
	TOTAUX	66	21	16	37	50

ELIMINATOIRES		PJ	B	A	PTS	MEP
1985-86	Canadiens de Montréal	16	4	1	5	23
	TOTAUX	16	4	1	5	23

RILEY, John (Jack)

Né à Berckenia, Irlande, le 29 décembre 1910.
Centre, lance de la gauche.
5'11", 160 lbs
Dernier club amateur: les King George jrs de Vancouver.

SAISON	CLUB	PJ	B	A	PTS	MEP
1933-34	Canadiens de Montréal	48	6	11	17	4
1934-35	Canadiens de Montréal	47	4	11	15	4
	TOTAUX	95	10	22	32	8

ELIMINATOIRES		PJ	B	A	PTS	MEP
1933-34	Canadiens de Montréal	2	0	1	1	0
1934-35	Canadiens de Montréal	2	0	2	2	0
	TOTAUX	4	0	3	3	0

RIOPELLE, Howard Joseph (Howie, Rip)

Né à Ottawa, Ontario, le 30 janvier 1922.
Ailier gauche, lance de la gauche.
5'11", 165 lbs
Dernier club amateur: les Royaux srs de Montréal.

SAISON	CLUB	PJ	B	A	PTS	MEP
1947-48	Canadiens de Montréal	55	5	2	7	12
1948-49	Canadiens de Montréal	48	10	6	16	34
1949-50	Canadiens de Montréal	66	12	8	20	27
	TOTAUX	169	27	16	43	73

ELIMINATOIRES		PJ	B	A	PTS	MEP
1948-49	Canadiens de Montréal	7	1	1	2	2
1949-50	Canadiens de Montréal	1	0	0	0	0
	TOTAUX	8	1	1	2	2

RISEBROUGH, Douglas (Doug)

Né à Guelph, Ontario, le 29 janvier 1954.
Centre, lance de la gauche.
5'11", 180 lbs
Dernier club amateur: les Rangers jrs de Kitchener.

SAISON	CLUB	PJ	B	A	PTS	MEP
1974-75	Canadiens de Montréal	64	15	32	47	198
1975-76	Canadiens de Montréal	80	16	28	44	180
1976-77	Canadiens de Montréal	78	22	38	60	132
1977-78	Canadiens de Montréal	72	18	23	41	97
1978-79	Canadiens de Montréal	48	10	15	25	62
1979-80	Canadiens de Montréal	44	8	10	18	81
1980-81	Canadiens de Montréal	48	13	21	34	93
1981-82	Canadiens de Montréal	59	15	18	33	116
	TOTAUX	493	117	185	302	959

ELIMINATOIRES		PJ	B	A	PTS	MEP
1974-75	Canadiens de Montréal	11	3	5	8	37
1975-76	Canadiens de Montréal	13	0	3	3	30
1976-77	Canadiens de Montréal	12	2	3	5	16
1977-78	Canadiens de Montréal	15	2	2	4	17
1979-80	Canadiens de Montréal	15	1	6	7	32
1980-81	Canadiens de Montréal	3	1	0	1	0
1981-82	Canadiens de Montréal	5	2	1	3	11
	TOTAUX	74	11	20	31	143

Deuxième choix amateur des Canadiens en 1974.
A fait partie de l'équipe qui a remporté le trophée Prince de Galles en 1975-76, 1976-77, 1977-78.
A fait partie de l'équipe qui a remporté la coupe Stanley en 1975-76, 1976-77, 1977-78, 1978-79.

Échangé en septembre 1982 à Calgary pour un échange de choix de deuxième ronde en 1983 et l'option de changer de choix de troisième ronde en 1984.

RITCHIE, David (Dave)

Défenseur.

SAISON	CLUB	PJ	B	A	PTS	MEP
1920-21	Canadiens de Montréal	5	0	0	0	—
1924-25	Canadiens de Montréal	5	0	0	0	0
1925-26	Canadiens de Montréal	2	0	0	0	0
	TOTAUX	12	0	0	0	0

ELIMINATOIRES		PJ	B	A	PTS	MEP
1924-25	Canadiens de Montréal	1	0	—	0	—
	TOTAUX	1	0	—	0	—

A fait partie de l'équipe qui a remporté le trophée Prince de Galles en 1924-25.

RIVERS, George (Gus)

Né à Winnipeg, Manitoba, le 19 novembre 1909.
5'11", 160 lbs
Dernier club amateur: les Juniors de Winnipeg.

SAISON	CLUB	PJ	B	A	PTS	MEP
1929-30	Canadiens de Montréal	19	1	0	1	2
1930-31	Canadiens de Montréal	44	2	5	7	6
1931-32	Canadiens de Montréal	25	1	0	1	4
	TOTAUX	88	4	5	9	12

ELIMINATOIRES		PJ	B	A	PTS	MEP
1929-30	Canadiens de Montréal	6	1	0	1	2
1930-31	Canadiens de Montréal	10	1	0	1	0
	TOTAUX	16	2	0	2	2

A fait partie de l'équipe qui a remporté la coupe Stanley en 1930-31.

ROBERT, Claude

Né à Montréal, Québec, le 10 août 1928.
Ailier gauche, centre, lance de la gauche.
5'11", 175 lbs
Dernier club amateur: les Saguenéens de Chicoutimi.

SAISON	CLUB	PJ	B	A	PTS	MEP
1950-51	Canadiens de Montréal	23	1	0	1	9
	TOTAUX	23	1	0	1	9

ROBERTO, Phillip Joseph (Phil)

Né à Niagara Falls, Ontario, le 1er janvier 1949.
Ailier droit, lance de la droite.
6'1", 190 lbs
Dernier club amateur: les Flyers jrs de Niagara Falls.

SAISON	CLUB	PJ	B	A	PTS	MEP
1969-70	Canadiens de Montréal	8	0	1	1	8
1970-71	Canadiens de Montréal	39	14	7	21	21
1971-72	Canadiens de Montréal	27	3	2	5	22
	TOTAUX	74	17	10	27	51

ELIMINATOIRES		PJ	B	A	PTS	MEP
1970-71	Canadiens de Montréal	15	0	1	1	36
	TOTAUX	15	0	1	1	36

A fait partie de l'équipe qui a remporté la coupe Stanley en 1970-71.
Échangé aux Blues de St. Louis pour Jim Roberts le 13 décembre 1971.

ROBERTS, James Wilfred (Jim)

Né à Toronto, Ontario, le 9 avril 1940.
Défenseur, ailier droit, lance de la droite.
5'10", 185 lbs
Dernier club amateur: les Petes jrs de Peterborough.

SAISON	CLUB	PJ	B	A	PTS	MEP
1963-64	Canadiens de Montréal	15	0	1	1	2
1964-65	Canadiens de Montréal	70	3	10	13	40
1965-66	Canadiens de Montréal	70	5	5	10	20
1966-67	Canadiens de Montréal	63	3	0	3	16
1971-72	Canadiens de Montréal	51	7	15	22	49
1972-73	Canadiens de Montréal	77	14	18	32	28
1973-74	Canadiens de Montréal	67	8	16	24	39
1974-75	Canadiens de Montréal	79	5	13	18	52
1975-76	Canadiens de Montréal	74	13	8	21	35
1976-77	Canadiens de Montréal	45	5	14	19	18
	TOTAUX	611	63	100	163	299

ELIMINATOIRES		PJ	B	A	PTS	MEP
1963-64	Canadiens de Montréal	7	0	1	1	14
1964-65	Canadiens de Montréal	13	0	0	0	30
1965-66	Canadiens de Montréal	10	1	1	2	10
1966-67	Canadiens de Montréal	4	1	0	1	0
1971-72	Canadiens de Montréal	6	1	0	1	0
1972-73	Canadiens de Montréal	17	0	2	2	22
1973-74	Canadiens de Montréal	6	0	0	0	4
1974-75	Canadiens de Montréal	11	2	2	4	2
1975-76	Canadiens de Montréal	13	3	1	4	2
1976-77	Canadiens de Montréal	14	3	0	3	6
	TOTAUX	101	11	7	18	90

A fait partie de l'équipe qui a remporté le trophée Prince de Galles en 1964-65, 1965-66, 1972-73, 1975-76, 1976-77.
A fait partie de l'équipe qui a remporté la coupe Stanley en 1964-65, 1965-66, 1972-73, 1975-76, 1976-77.
Repêché par les Blues de St. Louis lors de l'expansion du 6 juin 1967.
Obtenu des Blues de St. Louis contre Phil Roberto le 13 décembre 1971.
Échangé aux Blues de St. Louis pour le troisième choix amateur de 1979, le 18 août 1977.

ROBERTSON, George Thomas

Né à Winnipeg, Manitoba, le 11 mai 1928.
Centre, lance de la gauche.
6'1", 172 lbs
Dernier club amateur: les Royal srs de Montréal.

SAISON	CLUB	PJ	B	A	PTS	MEP
1947-48	Canadiens de Montréal	1	0	0	0	0
1948-49	Canadiens de Montréal	30	2	5	7	6
	TOTAUX	31	2	5	7	6

ROBINSON, Earl Henry (Earle)

Né à Montréal, Québec, le 11 mars 1907.
Ailier droit, lance de la droite.
5'10", 160 lbs
Dernier club amateur: les Victorias srs de Montréal.

SAISON	CLUB	PJ	B	A	PTS	MEP
1939-40	Canadiens de Montréal	11	1	4	5	4
	TOTAUX	11	1	4	5	4

Décédé le 8 septembre 1986.

ROBINSON, Larry Clark

Né à Winchester, Ontario, le 2 juin 1951.
Défenseur, lance de la gauche.
6'3", 210 lbs
Dernier club amateur: les Rangers jrs de Kitchener.

SAISON	CLUB	PJ	B	A	PTS	MEP
1972-73	Canadiens de Montréal	36	2	4	6	20
1973-74	Canadiens de Montréal	78	6	20	26	66
1974-75	Canadiens de Montréal	80	14	47	61	76
1975-76	Canadiens de Montréal	80	10	30	40	59
1976-77	Canadiens de Montréal	77	19	66	85	45
1977-78	Canadiens de Montréal	80	13	52	65	39
1978-79	Canadiens de Montréal	67	16	45	61	33
1979-80	Canadiens de Montréal	72	14	61	75	39
1980-81	Canadiens de Montréal	65	12	38	50	37
1981-82	Canadiens de Montréal	71	12	47	59	41
1982-83	Canadiens de Montréal	71	14	49	63	33
1983-84	Canadiens de Montréal	74	9	34	43	39
1984-85	Canadiens de Montréal	76	14	33	47	44
1985-86	Canadiens de Montréal	78	19	63	82	39
	TOTAUX	1005	174	589	763	610

ELIMINATOIRES		PJ	B	A	PTS	MEP
1972-73	Canadiens de Montréal	11	1	4	5	9
1973-74	Canadiens de Montréal	6	0	1	1	26

SAISON	CLUB	PJ	B	A	PTS	MEP
1974-75	Canadiens de Montréal	11	0	4	4	27
1975-76	Canadiens de Montréal	13	3	3	6	10
1976-77	Canadiens de Montréal	14	2	10	12	12
1977-78	Canadiens de Montréal	15	4	17	21	6
1978-79	Canadiens de Montréal	16	6	9	15	8
1979-80	Canadiens de Montréal	10	.0	4	4	2
1980-81	Canadiens de Montréal	3	0	1	1	2
1981-82	Canadiens de Montréal	5	0	1	1	8
1982-83	Canadiens de Montréal	3	0	0	0	2
1983-84	Canadiens de Montréal	15	0	5	5	22
1984-85	Canadiens de Montréal	12	3	8	11	8
1985-86	Canadiens de Montréal	20	0	13	13	22
	TOTAUX	154	19	80	99	164

A fait partie de l'équipe qui a remporté le trophée Prince de Galles en 1972-73, 1975-76, 1976-77, 1977-78.
A fait partie de l'équipe qui a remporté la coupe Stanley en 1972-73, 1975-76, 1976-77, 1977-78, 1978-79.
Quatrième choix amateur des Canadiens en 1971.
A remporté le trophée James Norris en 1976-77.
Membre de la première équipe d'étoiles en 1976-77, 1978-79.
Membre de la deuxième équipe d'étoiles en 1977-78.
A remporté le trophée Conn Smythe en 1977-78.
Membre de la deuxième équipe d'étoiles en 1985-86.

ROBINSON, Morris (Moe)

Né à Winchester, Ontario, le 29 mai 1957.
Défenseur, lance de la droite.
6'3", 190 lbs
Dernier club amateur: la LHA de Nouvelle-Ecosse

SAISON	CLUB	PJ	B	A	PTS	MEP
1979-80	Canadiens de Montréal	1	0	0	0	0
	TOTAUX	1	0	0	0	0

ROCHE, Ernest Charles (Ernie)

Né à Montréal, Québec, le 4 février 1930.
Défenseur, lance de la gauche.
6'1", 170 lbs
Dernier club amateur: les Canadiens jrs de Montréal.

SAISON	CLUB	PJ	B	A	PTS	MEP
1950-51	Canadiens de Montréal	4	0	0	0	2
	TOTAUX	4	0	0	0	2

ROCHE, Michael Patrick Desmond (Des)

Né à Kemptville, Ontario, le 1er février 1909.
Ailier droit, lance de la droite.
5'7", 188 lbs
Dernier club amateur: les Seniors de la M.A.A.A.

SAISON	CLUB	PJ	B	A	PTS	MEP
*1934-35	Red Wings de Detroit/ Eagles de St.Louis/ Canadiens de Montréal	27	3	1	4	10
	TOTAUX	27	3	1	4	10

ROCHEFORT, Léon Joseph Fernand

Né au Cap-de-la-Madeleine, Québec, le 4 mai 1939.
Ailier droit, lance de la droite.
6', 185 lbs
Dernier club amateur: les Biltmores jrs de Guelph.

SAISON	CLUB	PJ	B	A	PTS	MEP
1963-64	Canadiens de Montréal	3	0	0	0	0
1964-65	Canadiens de Montréal	9	2	0	2	0
1965-66	Canadiens de Montréal	1	0	1	1	0
1966-67	Canadiens de Montréal	27	9	7	16	6
1970-71	Canadiens de Montréal	57	5	10	15	4
	TOTAUX	97	16	18	34	10

ELIMINATOIRES		PJ	B	A	PTS	MEP
1965-66	Canadiens de Montréal	4	1	1	2	4
1966-67	Canadiens de Montréal	10	1	1	2	4
1970-71	Canadiens de Montréal	10	0	0	0	6
	TOTAUX	24	2	2	4	14

Obtenu des Rangers de New York avec Dave Balon, Len Ronson et Lorne Worsley contre Philippe Goyette, Jacques Plante et Don Marshall le 4 juin 1963.
A fait partie de l'équipe qui a remporté le trophée Prince de Galles en 1963-64, 1965-66.

A fait partie de l'équipe qui a remporté la coupe Stanley en 1965-66, 1970-71.
Repêché par les Flyers de Philadelphie lors de l'expansion de 1967, le 6 juin 1967.
Obtenu des Kings de Los Angeles avec Wayne Thomas et Greg Boddy contre Larry Mickey, Lucien Grenier et Jack Norris le 22 mai 1970.
Echangé aux Red Wings de Detroit pour Kerry Ketter et un certain montant d'argent le 25 mai 1971.

ROCHON, J.

SAISON	CLUB	PJ	B	A	PTS	MEP
1916-17	Canadiens de Montréal	1	0	—	0	—
	TOTAUX	1	0	—	0	—

RONAN, Erskine (Skene, Skein)

Avant.

SAISON	CLUB	PJ	B	A	PTS	MEP
*1915-16	Maple Leafs de Toronto/ Canadiens de Montréal	17	6	—	6	—
	TOTAUX	17	6	—	6	—

ELIMINATOIRES		PJ	B	A	PTS	MEP
1915-16	Canadiens de Montréal	2	1	—	1	—
	TOTAUX	2	1	—	1	—

A fait partie de l'équipe qui a remporté la coupe Stanley en 1915-16.

RONTY, Paul

Né à Toronto, Ontario, le 12 juin 1928.
Centre, lance de la gauche.
6', 160 lbs
Dernier club amateur: les Olympics srs de Boston.

SAISON	CLUB	PJ	B	A	PTS	MEP
*1954-55	Rangers de New York/ Canadiens de Montréal	59	4	11	15	10
	TOTAUX	59	4	11	15	10

ELIMINATOIRES		PJ	B	A	PTS	MEP
1954-55	Canadiens de Montréal	5	0	0	0	2
	TOTAUX	5	0	0	0	2

PARTIES D'ETOILES		PJ	B	A	PTS
1954	Etoiles de la LNH	1	0	0	0
	TOTAUX	1	0	0	0

ROONEY, Steve

Né à Canton, Massachusetts, le 28 juin 1962.
Ailier gauche.
6'2", 195 lbs
Dernier club amateur: Providence College.

SAISON	CLUB	PJ	B	A	PTS	MEP
1984-85	Canadiens de Montréal	3	1	0	1	7
1985-86	Canadiens de Montréal	38	2	3	5	114
	TOTAUX	41	3	3	6	121

ELIMINATOIRES		PJ	B	A	PTS	MEP
1984-85	Canadiens de Montréal	11	2	2	4	19
1985-86	Canadiens de Montréal	1	0	0	0	0
	TOTAUX	12	2	2	4	19

ROOT, Bill

Né à Toronto, Ontario, le 6 septembre 1959.
Défenseur droit.
6', 197 lbs
Dernier club amateur: Niagara Falls jr.

SAISON	CLUB	PJ	B	A	PTS	MEP
1982-83	Canadiens de Montréal	46	2	3	5	24
1983-84	Canadiens de Montréal	72	4	13	17	45
	TOTAUX	118	6	16	22	69

Signe avec Montréal comme agent libre en 1979.
Échangé à Toronto pour des considérations futures en août 1984.

ROSSIGNOL, Roland

Né à Edmundston, Nouveau-Brunswick, le 18 octobre 1921.
Ailier droit, lance de la droite.
5'9", 165 lbs
Dernier club amateur: les As de Québec.

SAISON	CLUB	PJ	B	A	PTS	MEP
1944-45	Canadiens de Montréal	5	2	2	4	2
	TOTAUX	5	2	2	4	2

ELIMINATOIRES		PJ	B	A	PTS	MEP
1944-45	Canadiens de Montréal	1	0	0	0	2
	TOTAUX	1	0	0	0	2

A fait partie de l'équipe qui a remporté le trophée Prince de Galles en 1944-45.

ROTA, Randy Frank

Né à Creston, Colombie-Britannique, le 16 août 1950.
Ailier gauche, lance de la gauche.
5'8", 170 lbs
Dernier club amateur: les Centennials jrs de Calgary.

SAISON	CLUB	PJ	B	A	PTS	MEP
1972-73	Canadiens de Montréal	2	1	1	2	0
	TOTAUX	2	1	1	2	0

A fait partie de l'équipe qui a remporté le trophée Prince de Galles en 1972-73.
Echangé aux Kings de Los Angeles avec Bob Murdoch pour le premier choix amateur 1974 (Mario Tremblay) et un certain montant d'argent, le 29 mai 1973.
Cousin de Darcy Rota, joueur des Black Hawks de Chicago.

ROUSSEAU, Guy

Né à Montréal, Québec, le 21 décembre 1934.
Ailier gauche, lance de la gauche.
5'6", 140 lbs
Dernier club amateur: le Frontenac jr de Québec.

SAISON	CLUB	PJ	B	A	PTS	MEP
1954-55	Canadiens de Montréal	2	0	1	1	0
1956-57	Canadiens de Montréal	2	0	0	0	2
	TOTAUX	4	0	1	1	2

ROUSSEAU, Joseph Jean-Paul Robert (Bobby)

Né à Montréal, Québec, le 26 juillet 1940.
Ailier droit, lance de la droite.
5'10", 178 lbs
Dernier club amateur: les Canadiens jrs de Montréal.

SAISON	CLUB	PJ	B	A	PTS	MEP
1960-61	Canadiens de Montréal	15	1	2	3	4
1961-62	Canadiens de Montréal	70	21	24	45	26
1962-63	Canadiens de Montréal	62	19	18	37	15
1963-64	Canadiens de Montréal	70	25	31	56	32
1964-65	Canadiens de Montréal	66	12	35	47	26
1965-66	Canadiens de Montréal	70	30	48	78	20
1966-67	Canadiens de Montréal	68	19	44	63	58
1967-68	Canadiens de Montréal	74	19	46	65	47
1968-69	Canadiens de Montréal	76	30	40	70	59
1969-70	Canadiens de Montréal	72	24	34	58	30
	TOTAUX	643	200	322	522	317

ELIMINATOIRES		PJ	B	A	PTS	MEP
1961-62	Canadiens de Montréal	6	0	2	2	0
1962-63	Canadiens de Montréal	5	0	1	1	2
1963-64	Canadiens de Montréal	7	1	1	2	2
1964-65	Canadiens de Montréal	13	5	8	13	24
1965-66	Canadiens de Montréal	10	4	4	8	6
1966-67	Canadiens de Montréal	10	1	7	8	4
1967-68	Canadiens de Montréal	13	2	4	6	8
1968-69	Canadiens de Montréal	14	3	2	5	8
	TOTAUX	78	16	29	45	54

PARTIES D'ETOILES		PJ	B	A	PTS
1965	Canadiens de Montréal	1	0	1	1
1967	Canadiens de Montréal	1	0	2	2
1969	Etoiles de la section est	1	0	1	1
	TOTAUX	3	0	4	4

A fait partie de l'équipe qui a remporté le trophée Prince de Galles en 1960-61, 1961-62, 1963-64, 1965-66, 1967-68, 1968-69.
A fait partie de l'équipe qui a remporté la coupe Stanley en 1964-65, 1965-66, 1967-68, 1968-69.
A remporté le trophée Calder en 1961-62.
Membre de la deuxième équipe d'étoiles en 1965-66.
Echangé aux North Stars du Minnesota pour Claude Larose le 10 juin 1970.

ROUSSEAU, Roland

Né à Montréal, Québec, le 1er décembre 1929.
Défenseur, lance de la gauche.
5'8", 160 lbs
Dernier club amateur: les Royal srs de Montréal.

SAISON	CLUB	PJ	B	A	PTS	MEP
1952-53	Canadiens de Montréal	2	0	0	0	0
	TOTAUX	2	0	0	0	0

ROY, ?

ELIMINATOIRES		PJ	B	A	PTS	MEP
1916-17	Canadiens de Montréal	1	0	—	0	—
	TOTAUX	1	0	—	0	—

ROY, Patrick

Né à Québec, Québec, le 5 octobre 1965.
Gardien de but.
6', 165 lbs
Dernier club amateur: Granby jr.

SAISON	CLUB	PJ	BC	BL	MOY
1984-85	Canadiens de Montréal	1	0	0	1.000
1985-86	Canadiens de Montréal	47	150	—	3.39
	TOTAUX	48	150	0	3.39

FICHE OFFENSIVE		PJ	B	A	PTS	MEP
1985-86	Canadiens de Montréal	47	0	3	3	4
	TOTAUX	47	0	3	3	4

ELIMINATOIRES		PJ	BC	BL	MOY
1985-86	Canadiens de Montréal	20	41	1	1.92

FICHE OFFENSIVE		PJ	B	A	PTS	MEP
1985-86	Canadiens de Montréal	20	0	0	0	10
	TOTAUX	20	0	0	0	10

Remporte le trophée Conn Smythe à titre de joueur le plus utile à son club dans les séries éliminatoires en 1985-86.
Il devient le plus jeune joueur à le remporter dans l'histoire de la ligue.

RUNDQVIST, Thomas

Né à Vemmerby, Suède, le 4 mai 1960.
Centre.
6'3", 194 lbs
Dernier club amateur: Farjestad IF.

SAISON	CLUB	PJ	B	A	PTS	MEP
1984-85	Canadiens de Montréal	2	0	1	1	0
	TOTAUX	2	0	1	1	0

RUNGE, Paul

Né à Edmonton, Alberta, le 10 septembre 1908.
Ailier gauche, lance de la gauche.
5'11", 167 lbs

SAISON	CLUB	PJ	B	A	PTS	MEP
1934-35	Canadiens de Montréal	3	0	0	0	2
*1935-36	Canadiens de Montréal/ Bruins de Boston	45	8	4	12	18
*1936-37	Canadiens de Montréal/ Maroons de Montréal	34	5	10	15	8
	TOTAUX	82	13	14	27	28

Echangé aux Maroons de Montréal pour Bill MacKenzie (1936-37).

ST. LAURENT, Dollard Hervé

Né à Verdun, Québec, le 12 mai 1929.
Défenseur, lance de la gauche.
5'11", 180 lbs
Dernier club amateur: les Royaux srs de Montréal.

SAISON	CLUB	PJ	B	A	PTS	MEP
1950-51	Canadiens de Montréal	3	0	0	0	0
1951-52	Canadiens de Montréal	40	3	10	13	30
1952-53	Canadiens de Montréal	54	2	6	8	34
1953-54	Canadiens de Montréal	53	3	12	15	43
1954-55	Canadiens de Montréal	58	3	14	17	24
1955-56	Canadiens de Montréal	46	4	9	13	58
1956-57	Canadiens de Montréal	64	1	11	12	49
1957-58	Canadiens de Montréal	65	3	20	23	68
	TOTAUX	383	19	82	101	306

ELIMINATOIRES		PJ	B	A	PTS	MEP
1951-52	Canadiens de Montréal	9	0	3	3	6
1952-53	Canadiens de Montréal	12	0	3	3	4
1953-54	Canadiens de Montréal	10	1	2	3	8
1954-55	Canadiens de Montréal	12	0	5	5	12
1955-56	Canadiens de Montréal	4	0	0	0	2
1956-57	Canadiens de Montréal	7	0	1	1	13
1957-58	Canadiens de Montréal	5	0	0	0	10
	TOTAUX	59	1	14	15	55

PARTIES D'ETOILES		PJ	B	A	PTS
1953	Canadiens de Montréal	1	0	0	0
1956	Canadiens de Montréal	1	0	0	0
1957	Canadiens de Montréal	1	0	0	0
1958	Canadiens de Montréal	1	0	0	0
	TOTAUX	4	0	0	0

Vendu aux Black Hawks de Chicago en juin 1958.
A fait partie de l'équipe qui a remporté le trophée Prince de Galles en 1955-56, 1957-58.
A fait partie de l'équipe qui a remporté la coupe Stanley en 1952-53, 1955-56, 1956-57, 1957-58.

SANDS, Charles Henry (Charlie)

Né à Fort William, Ontario, le 23 mars 1911.
Centre, ailier droit, lance de la droite.
5'9", 160 lbs

SAISON	CLUB	PJ	B	A	PTS	MEP
1939-40	Canadiens de Montréal	47	9	20	29	10
1940-41	Canadiens de Montréal	43	5	13	18	4
1941-42	Canadiens de Montréal	39	11	16	27	6
1942-43	Canadiens de Montréal	31	3	9	12	0
	TOTAUX	160	28	58	86	20

ELIMINATOIRES		PJ	B	A	PTS	MEP
1940-41	Canadiens de Montréal	2	1	0	1	0
1941-42	Canadiens de Montréal	3	0	1	1	2
1942-43	Canadiens de Montréal	2	0	0	0	0
	TOTAUX	7	1	1	2	2

FICHE OFFENSIVE		PJ	BC	BL	MOY
1939-40	Canadiens de Montréal	1	5	0	60.00
	TOTAUX	1	5	0	60.00

Obtenu des Bruins de Boston avec Ray Getliffe contre Herb Cain et Dessie Smith en 1939.
Remplaça Wilf Cude dans les 5 dernières minutes de la partie disputée le 22 février 1940 contre les Black Hawks de Chicago.
Echangé aux Rangers de New York pour Phil Watson en 1943. "Dutch" Hiller fut également obtenu dans cet échange.

SATHER, Glen Cameron (Slats)

Né à High River, Alberta, le 2 septembre 1943.
Ailier gauche, lance de la gauche.
5'11", 180 lbs
Dernier club amateur: les Oil Kings jrs d'Edmonton.

SAISON	CLUB	PJ	B	A	PTS	MEP
1974-75	Canadiens de Montréal	63	6	10	16	44
	TOTAUX	63	6	10	16	44

ELIMINATOIRES		PJ	B	A	PTS	MEP
1974-75	Canadiens de Montréal	11	1	1	2	4
	TOTAUX	11	1	1	2	4

Obtenu des Blues de St. Louis avec le quatrième choix amateur de 1974 (Barry Legge) contre Rick Wilson et le cinquième choix amateur de 1974 (Don Wheldon), le 27 mai 1974.
Echangé aux North Stars du Minnesota pour un certain montant d'argent et le troisième choix amateur de 1977, le 9 juillet 1975.

SAVAGE, Gordon (Tony)

Né à Calgary, Alberta, le 18 juillet 1906.
Défenseur, lance de la gauche.
5'11", 170 lbs
Dernier club amateur: les Canadiens jrs de Calgary.

SAISON	CLUB	PJ	B	A	PTS	MEP
*1934-35	Canadiens de Montréal/ Bruins de Boston	49	1	5	6	6
	TOTAUX	49	1	5	6	6

ELIMINATOIRES		PJ	B	A	PTS	MEP
1934-35	Canadiens de Montréal	2	0	0	0	0
	TOTAUX	2	0	0	0	0

Obtenu des Bruins de Boston contre Arthur Gagné en 1934.

SAVARD, Serge, A.

Né à Montréal, Québec, le 22 janvier 1946.
Défenseur, lance de la gauche.
6'2", 210 lbs
Dernier club amateur: les Canadiens jrs de Montréal.

SAISON	CLUB	PJ	B	A	PTS	MEP
1966-67	Canadiens de Montréal	2	0	0	0	0
1967-68	Canadiens de Montréal	67	2	13	15	34
1968-69	Canadiens de Montréal	74	8	23	31	73
1969-70	Canadiens de Montréal	64	12	19	31	38
1970-71	Canadiens de Montréal	37	5	10	15	30
1971-72	Canadiens de Montréal	23	1	8	9	16
1972-73	Canadiens de Montréal	74	7	32	39	58
1973-74	Canadiens de Montréal	67	4	14	18	49
1974-75	Canadiens de Montréal	80	20	40	60	64
1975-76	Canadiens de Montréal	71	8	39	47	38
1976-77	Canadiens de Montréal	78	9	33	42	35
1977-78	Canadiens de Montréal	77	8	34	42	24
1978-79	Canadiens de Montréal	80	7	26	33	30
1979-80	Canadiens de Montréal	46	5	13	18	18
1980-81	Canadiens de Montréal	77	4	13	17	30
	TOTAUX	917	100	312	412	537

ELIMINATOIRES		PJ	B	A	PTS	MEP
1967-68	Canadiens de Montréal	13	0	2	2	0
1968-69	Canadiens de Montréal	14	4	6	10	24
1971-72	Canadiens de Montréal	6	0	0	0	10
1972-73	Canadiens de Montréal	17	3	8	11	22
1973-74	Canadiens de Montréal	6	1	1	2	4
1974-75	Canadiens de Montréal	11	1	7	8	2
1975-76	Canadiens de Montréal	13	3	6	9	6
1976-77	Canadiens de Montréal	14	2	7	9	2
1977-78	Canadiens de Montréal	15	1	7	8	8
1978-79	Canadiens de Montréal	16	2	7	9	6
1979-80	Canadiens de Montréal	2	0	0	0	0
1980-81	Canadiens de Montréal	3	0	0	0	0
	TOTAUX	123	19	49	68	84

PARTIE D'ETOILES		PJ	B	A	PTS
1970	Etoiles de la section est	1	0	0	0
1973	Etoiles de la section est	1	0	1	1
	TOTAUX	2	0	1	1

A fait partie de l'équipe qui a remporté le trophée Prince de Galles en 1967-68, 1968-69, 1972-73, 1975-76, 1976-77, 1977-78.
A fait partie de l'équipe qui a remporté la coupe Stanley en 1967-68, 1968-69, 1972-73, 1975-76, 1976-77, 1977-78, 1978-79.

A remporté le trophée Conn Smythe en 1968-69.
Nommé assistant-capitaine des Canadiens en 1973.
Nommé capitaine par intérim en 1976-77.
A remporté le trophée Bill Masterton en 1978-79.
Membre de la deuxième équipe d'étoiles en 1978-79.
Nommé capitaine en octobre 1979 à la suite de la retraite d'Yvan Cournoyer.
Repêché par Winnipeg au repêchage interligue en octobre 1981.
Nommé directeur-gérant du club de hockey Canadien le 28 avril 1983.

SCHOFIELD, Dwight

Né à Lynn, Massachusetts, le 25 mars 1956.
Défenseur gauche.
6', 187 lbs
Dernier club amateur: London jr.

SAISON	CLUB	PJ	B	A	PTS	MEP
1982-83	Canadiens de Montréal	2	0	0	0	7
	TOTAUX	2	0	0	0	7

Signe avec Montréal comme agent libre le 20 septembre 1982.
Repêché par St. Louis au repêchage interligue en octobre 1983.

SCHUTT, Rodney (Rod)

Né à Bancroft, Ontario, le 13 octobre 1956.
Ailier gauche, lance de la gauche.
5'9", 185 lbs
Dernier club amateur: Sudbury (OHA).

SAISON	CLUB	PJ	B	A	PTS	MEP
1977-78	Canadiens de Montréal	2	0	0	0	0
	TOTAUX	2	0	0	0	0

A fait partie de l'équipe qui a remporté le trophée Prince de Galles en 1977-78.
Echangé aux Pingouins de Pittsburgh pour le premier choix au repêchage de 1981.

SCOTT, Harry

Ailier gauche.

SAISON	CLUB	PJ	B	A	PTS	MEP
*1913-14	Ontarios/ Canadiens de Montréal	15	13	—	13	—
1914-15	Canadiens de Montréal	15	8	—	8	—
	TOTAUX	30	21	—	21	—

ELIMINATOIRES		PJ	B	A	PTS	MEP
1913-14	Canadiens de Montréal	2	1	—	1	—
	TOTAUX	2	1	—	1	—

SEGUIN, Pat

ELIMINATOIRES		PJ	B	A	PTS	MEP
1909-10	Canadiens de Montréal	2	1	—	1	—
	TOTAUX	2	1	—	1	—

SEIBERT, Albert Charles (Babe)

Né à Plattsville, Ontario, le 14 janvier 1904.
Défenseur, ailier gauche, lance de la gauche.
5'10", 182 lbs
Dernier club amateur: les Seniors de Niagara Falls.

SAISON	CLUB	PJ	B	A	PTS	MEP
1936-37	Canadiens de Montréal	44	8	20	28	38
1937-38	Canadiens de Montréal	37	8	11	19	56
1938-39	Canadiens de Montréal	44	9	7	16	26
	TOTAUX	125	25	38	63	120

ELIMINATOIRES		PJ	B	A	PTS	MEP
1936-37	Canadiens de Montréal	5	1	2	3	2
1937-38	Canadiens de Montréal	3	1	1	2	0
1938-39	Canadiens de Montréal	3	0	0	0	0
	TOTAUX	11	2	3	5	2

Obtenu des Bruins de Boston contre Leroy Goldsworthy (1936-37).

Membre de la première équipe d'étoiles en 1936-37, 1937-38.
Nommé capitaine des Canadiens en 1937-38 à 1938-39.
Succède à Jules Dugal comme entraîneur des Canadiens (1939). Babe a été nommé entraîneur durant l'été mais la mort le frappa avant la saison 1939-40.
Membre du Temple de la Renommée du Hockey en juin 1964.
Décédé le 25 août 1939.

SEVIGNY, Richard

Né à Montréal, Québec, le 4 novembre 1957.
Gardien de but, lance de la gauche.
5'8", 178 lbs
Dernier club amateur: Nouvelle-Écosse (LHA).

SAISON	CLUB	PJ	BC	BL	MOY	MEP
1979-80	Canadiens de Montréal	11	31	0	2.94	
1980-81	Canadiens de Montréal	33	71	2	2.40	
1981-82	Canadiens de Montréal	19	53	0	3.10	
					(10 min pun.)	
1982-83	Canadiens de Montréal	38	122	1	3.44	
					(1 assist./8 min pun.)	
1983-84	Canadiens de Montréal	40	124	1	3.38	
					(12 min pun.)	
	TOTAUX	141	401	4	3.37	

ELIMINATOIRES		PJ	BC	BL	MOY	MEP
1980-81	Canadiens de Montréal	3	13	0	4.33	
					(1 assist.)	
1982-83	Canadiens de Montréal	1	0	0	0.00	
1983-84	Canadiens de Montréal	2	0	0	0.00	
					(32 min pun.)	
	TOTAUX	5	13		4.33	

FICHE OFFENSIVE		PJ	B	A	PTS	MEP
1979-80	Canadiens de Montréal	11	0	0	0	4
	TOTAUX	11	0	0	0	4

A remporté le trophée Georges Vézina en 1980-81 avec Michel Larocque et Denis Herron).
Signe avec Québec comme agent libre le 4 juillet 1984.

SHANAHAN, Sean Bryan

Né à Toronto, Ontario, le 8 février 1951.
Ailier gauche, lance de la gauche.
6'3", 205 lbs
Dernier club amateur: Providence College.

SAISON	CLUB	PJ	B	A	PTS	MEP
1975-76	Canadiens de Montréal	4	0	0	0	0
	TOTAUX	4	0	0	0	0

A fait partie de l'équipe qui a remporté le trophée Prince de Galles en 1975-76.

SHEEHAN, Robert Richard (Bob)

Né à Weymouth, Massachusetts, le 11 janvier 1949.
Centre, lance de la gauche.
5'7", 155 lbs
Dernier club amateur: les Black Hawks jrs de St. Catharines.

SAISON	CLUB	PJ	B	A	PTS	MEP
1969-70	Canadiens de Montréal	16	2	1	3	2
1970-71	Canadiens de Montréal	29	6	5	11	2
	TOTAUX	45	8	6	14	4

ELIMINATOIRES		PJ	B	A	PTS	MEP
1970-71	Canadiens de Montréal	6	0	0	0	0
	TOTAUX	6	0	0	0	0

Vendu aux Golden Seals de la Californie le 25 mai 1971.
A fait partie de l'équipe qui a remporté la coupe Stanley en 1970-71.

SHUTT, Stephen John (Steve)

Né à Toronto, Ontario, le 1er juillet 1952.
Ailier gauche, lance de la gauche.
5'11", 180 lbs
Dernier club amateur: les Marlboros jrs de Toronto.

SAISON	CLUB	PJ	B	A	PTS	MEP
1972-73	Canadiens de Montréal	50	8	8	16	24
1973-74	Canadiens de Montréal	70	15	20	35	17
1974-75	Canadiens de Montréal	77	30	35	65	40
1975-76	Canadiens de Montréal	80	45	34	79	47
1976-77	Canadiens de Montréal	80	60	45	105	28
1977-78	Canadiens de Montréal	80	49	37	86	24
1978-79	Canadiens de Montréal	72	37	40	77	31
1979-80	Canadiens de Montréal	77	47	42	89	34
1980-81	Canadiens de Montréal	77	35	38	73	51
1981-82	Canadiens de Montréal	57	31	24	55	40
1982-83	Canadiens de Montréal	78	35	22	57	26
1983-84	Canadiens de Montréal	63	14	23	37	29
	TOTAUX	861	406	368	774	391

ELIMINATOIRES		PJ	B	A	PTS	MEP
1972-73	Canadiens de Montréal	1	0	0	0	0
1973-74	Canadiens de Montréal	6	5	3	8	9
1974-75	Canadiens de Montréal	9	1	6	7	4
1975-76	Canadiens de Montréal	13	7	8	15	2
1976-77	Canadiens de Montréal	14	8	10	18	2
1977-78	Canadiens de Montréal	15	9	8	17	20
1978-79	Canadiens de Montréal	11	4	7	11	6
1979-80	Canadiens de Montréal	10	6	3	9	6
1980-81	Canadiens de Montréal	3	2	1	3	4
1982-83	Canadiens de Montréal	3	1	0	1	0
1983-84	Canadiens de Montréal	11	7	2	9	8
	TOTAUX	96	50	48	98	61

A fait partie de l'équipe qui a remporté le trophée Prince de Galles en 1972-73, 1975-76, 1976-77, 1977-78.
A fait partie de l'équipe qui a remporté la coupe Stanley en 1972-73, 1975-76, 1976-77, 1977-78, 1978-79.
Premier choix amateur des Canadiens en 1972.
Nouveau record pour le plus de buts comptés par un ailier gauche en 1976-77.
Membre de la première équipe d'étoiles en 1976-77.
Membre de la deuxième équipe d'étoiles en 1977-78.
Échangé sous conditions à Los Angeles pour considérations futures en novembre 1984.
Réclamé par Montréal de Los Angeles le 18 juin 1985.
A annoncé sa retraite en juin 1985.

SINGBUSH, Alexander E. (Alex)

Né à Winnipeg, Manitoba, 1915.
Défenseur.

SAISON	CLUB	PJ	B	A	PTS	MEP
1940-41	Canadiens de Montréal	32	0	5	5	15
	TOTAUX	32	0	5	5	15

ELIMINATOIRES		PJ	B	A	PTS	MEP
1940-41	Canadiens de Montréal	3	0	0	0	4
	TOTAUX	3	0	0	0	4

SKOV, Glen Frederick

Né à Wheatley, Ontario, le 26 janvier 1931.
Centre, lance de la gauche.
6'1", 185 lbs
Dernier club amateur: les Spitfires jrs de Windsor.

SAISON	CLUB	PJ	B	A	PTS	MEP
1960-61	Canadiens de Montréal	3	0	0	0	0
	TOTAUX	3	0	0	0	0

A fait partie de l'équipe qui a remporté le trophée Prince de Galles en 1960-61.

SKRUDLAND, Brian

Né à Peace River, Alberta, le 31 juillet 1963.
Centre.
6', 180 lbs
Dernier club amateur: Saskatoon jr.

SAISON	CLUB	PJ	B	A	PTS	MEP
1985-86	Canadiens de Montréal	65	9	13	22	57
	TOTAUX	65	9	13	22	57

ELIMINATOIRES		PJ	B	A	PTS	MEP
1985-86	Canadiens de Montréal	20	2	4	6	76
	TOTAUX	20	2	4	6	76

Signe avec Montréal comme agent libre le 13 septembre 1983.

SMART, Alexander (Alex)

Né à Brandon, Manitoba, le 29 mai 1918.

SAISON	CLUB	PJ	B	A	PTS	MEP
1942-43	Canadiens de Montréal	8	5	2	7	0
	TOTAUX	8	5	2	7	0

SMITH, Bobby

Né à North Sydney, N.-É., le 12 février 1958.
Centre.
6'4", 210 lbs
Dernier club amateur: Ottawa 67 jr.

SAISON	CLUB	PJ	B	A	PTS	MEP
1983-84	Canadiens de Montréal	70	26	37	63	62
1984-85	Canadiens de Montréal	65	16	40	56	59
1985-86	Canadiens de Montréal	79	31	55	86	55
	TOTAUX	214	73	132	205	176

ELIMINATOIRES		PJ	B	A	PTS	MEP
1983-84	Canadiens de Montréal	15	2	7	9	8
1984-85	Canadiens de Montréal	12	5	6	11	30
1985-86	Canadiens de Montréal	20	7	8	15	22
	TOTAUX	47	14	21	35	60

Échangé à Montréal par Minnesota pour Mark Napier et Keith Acton et un choix de troisième ronde en octobre 1983.

SMITH, Desmond Patrick (Dessie)

Né à Ottawa, Ontario, le 22 février 1914.
Défenseur, lance de la gauche.
6', 185 lbs
Dernier club amateur: les Lions de Wembley (Angleterre).

SAISON	CLUB	PJ	B	A	PTS	MEP
1938-39	Canadiens de Montréal	16	3	3	6	8
	TOTAUX	16	3	3	6	8

ELIMINATOIRES		PJ	B	A	PTS	MEP
1938-39	Canadiens de Montréal	3	0	0	0	4
	TOTAUX	3	0	0	0	4

Repêché des Maroons de Montréal en 1938.
Echangé aux Bruins de Boston avec Herb Cain pour Ray Getliffe et Charlie Sands en 1939.
Père de Gary et Brian Smith.

SMITH, Donald (Don)

Né en 1889.
Centre, ailier gauche.

SAISON	CLUB	PJ	B	A	PTS	MEP
1912-13	Canadiens de Montréal	20	19	—	19	—
1913-14	Canadiens de Montréal	20	18	—	18	—
*1914-15	Canadiens de Montréal/ Wanderers de Montréal	18	6	—	6	—

SAISON	CLUB	PJ	B	A	PTS	MEP
1919-20	Canadiens de Montréal	10	1	0	1	4
	TOTAUX	68	44	0	44	4

ELIMINATOIRES		PJ	B	A	PTS	MEP
1913-14	Canadiens de Montréal	2	1	—	1	—
	TOTAUX	2	1	—	1	—

Obtenu du club Victoria en 1912.

SMITH, Stuart Ernest (Stu)

SAISON	CLUB	PJ	B	A	PTS	MEP
1940-41	Canadiens de Montréal	3	2	1	3	0
1941-42	Canadiens de Montréal	1	0	1	1	0
	TOTAUX	4	2	2	4	0

ELIMINATOIRES		PJ	B	A	PTS	MEP
1940-41	Canadiens de Montréal	1	0	0	0	0
	TOTAUX	1	0	0	0	0

SMITH, Thomas James

Né en 1888.
Centre, ailier gauche, rover.

SAISON	CLUB	PJ	B	A	PTS	MEP
1916-17	Canadiens de Montréal	15	9	—	9	—
	TOTAUX	15	9	—	9	—

ELIMINATOIRES		PJ	B	A	PTS	MEP
1916-17	Canadiens de Montréal	6	4	—	4	—
	TOTAUX	6	4	—	4	—

Repêché des Bulldogs de Québec en 1916.
Membre du Temple de la Renommée du Hockey en juin 1973.
Décédé en août 1966.

SMRKE, Stanley (Stan)

Né à Belgrade, Yougoslavie, le 2 septembre 1928.
Ailier gauche, lance de la gauche.
5'11", 180 lbs
Dernier club amateur: les Saguenéens de Chicoutimi.

SAISON	CLUB	PJ	B	A	PTS	MEP
1956-57	Canadiens de Montréal	4	0	0	0	0
1957-58	Canadiens de Montréal	5	0	3	3	0
	TOTAUX	9	0	3	3	0

PARTIES D'ETOILES		PJ	B	A	PTS
1957	Canadiens de Montréal	1	1	0	1
	TOTAUX	1	1	0	1

A fait partie de l'équipe qui a remporté le trophée Prince de Galles en 1957-58.

SOETAERT, Doug

Né à Edmonton, Alberta, le 21 avril 1955.
Gardien de but.
6', 185 lbs
Dernier club amateur: Edmonton jr.

SAISON	CLUB	PJ	BC	BL	MOY	MEP
1984-85	Canadiens de Montréal	28	91	0	3.40	
1985-86	Canadiens de Montréal	23	54	0	2.67	
					(6 min)	
	TOTAUX	51	145	0	6.07	

ELIMINATOIRES		PJ	BC	BL	MOY
1984-85	Canadiens de Montréal	1	1	0	3.00
					(20 min)
1985-86	Canadiens de Montréal	0	0	0	0.00
	TOTAUX	1	1	0	3.00

Échangé par Winnipeg pour Mark Holden en octobre 1984. Signe avec les New York Rangers comme agent libre en juillet 1986.

STAHAN, Frank Ralph (Butch)

Né à Minnedosa, Manitoba, le 29 octobre 1915.
Défenseur, lance de la gauche.
6'1", 195 lbs
Dernier club amateur: les Senators d'Ottawa.

ELIMINATOIRES		PJ	B	A	PTS	MEP
1944-45	Canadiens de Montréal	3	0	1	1	2
	TOTAUX	3	0	1	1	2

STARR, Harold

Né à Ottawa, Ontario, le 6 juillet 1906.
Défenseur, lance de la gauche.
5'11", 176 lbs

SAISON	CLUB	PJ	B	A	PTS	MEP
*1932-33	Senators d'Ottawa/ Canadiens de Montréal	46	0	0	0	36
	TOTAUX	46	0	0	0	36

ELIMINATOIRES		PJ	B	A	PTS	MEP
1932-33	Canadiens de Montréal	2	0	0	0	2
	TOTAUX	2	0	0	0	2

Obtenu des Senators d'Ottawa en 1932-33.

STEPHENS, Philip (Phil)

Défenseur, centre.

SAISON	CLUB	PJ	B	A	PTS	MEP
1921-22	Canadiens de Montréal	4	0	0	0	0
	TOTAUX	4	0	0	0	0

STEWART, James Gaye

Né à Fort William, Ontario, le 28 juin 1923.
Ailier gauche, lance de la gauche.
5'11", 174 lbs
Dernier club amateur: les Marlboros jrs de Toronto.

SAISON	CLUB	PJ	B	A	PTS	MEP
*1952-53	Rangers de New York/ Canadiens de Montréal	23	1	3	4	8
	TOTAUX	23	1	3	4	8

ELIMINATOIRES		PJ	B	A	PTS	MEP
1953-54	Canadiens de Montréal	3	0	0	0	0
	TOTAUX	3	0	0	0	0

SUMMERHILL, William Arthur (Bill)

Né à Toronto, Ontario, le 9 juillet 1915.
Ailier droit, lance de la droite.
5'9", 170 lbs
Dernier club amateur: les Maple Leafs srs de Verdun.

SAISON	CLUB	PJ	B	A	PTS	MEP
1938-39	Canadiens de Montréal	43	6	10	16	28
1939-40	Canadiens de Montréal	13	3	2	5	24
	TOTAUX	56	9	12	21	52

ELIMINATOIRES		PJ	B	A	PTS	MEP
1938-39	Canadiens de Montréal	2	0	0	0	2
	TOTAUX	2	0	0	0	2

SUTHERLAND, William Fraser (Bill)

Né à Régina, Saskatchewan, le 10 novembre 1934.
Centre, lance de la gauche.
5'10", 160 lbs
Dernier club amateur: les Mohawks srs de Cincinnati.

ELIMINATOIRES		PJ	B	A	PTS	MEP
1962-63	Canadiens de Montréal	2	0	0	0	0
	TOTAUX	2	0	0	0	0

SVOBODA, Petr

Né à Most, Tchécoslovaquie, le 14 février 1966.
Défenseur gauche.
6'1", 160 lbs.
Dernier club amateur: Tchécoslovaquie jr.

SAISON	CLUB	PJ	B	A	PTS	MEP
1984-85	Canadiens de Montréal	73	4	27	31	65
1985-86	Canadiens de Montréal	73	1	18	19	93
	TOTAUX	146	5	45	50	158

ELIMINATOIRES		PJ	B	A	PTS	MEP
1984-85	Canadiens de Montréal	7	1	1	2	12
1985-86	Canadiens de Montréal	8	0	0	0	21
	TOTAUX	15	1	1	2	33

TALBOT, Jean-Guy

Né au Cap-de-la-Madeleine, Québec, le 11 juillet 1932.
Défenseur, lance de la gauche.
5'11", 170 lbs
Dernier club amateur: les As srs de Québec.

SAISON	CLUB	PJ	B	A	PTS	MEP
1954-55	Canadiens de Montréal	3	0	1	1	0
1955-56	Canadiens de Montréal	66	1	13	14	80
1956-57	Canadiens de Montréal	59	0	13	13	70
1957-58	Canadiens de Montréal	59	4	15	19	65
1958-59	Canadiens de Montréal	69	4	17	21	77
1959-60	Canadiens de Montréal	69	1	14	15	60

		PJ	B	A	PTS	MEP
1960-61	Canadiens de Montréal	70	5	26	31	143
1961-62	Canadiens de Montréal	70	5	42	47	90
1962-63	Canadiens de Montréal	70	3	22	25	51
1963-64	Canadiens de Montréal	66	1	13	14	83
1964-65	Canadiens de Montréal	67	8	14	22	64
1965-66	Canadiens de Montréal	59	1	14	15	50
1966-67	Canadiens de Montréal	68	3	5	8	51
	TOTAUX	791	36	209	245	884

ELIMINATOIRES		PJ	B	A	PTS	MEP
1955-56	Canadiens de Montréal	9	0	2	2	4
1956-57	Canadiens de Montréal	10	0	2	2	10
1957-58	Canadiens de Montréal	10	0	3	3	12
1958-59	Canadiens de Montréal	11	0	1	1	10
1959-60	Canadiens de Montréal	8	1	1	2	8
1960-61	Canadiens de Montréal	6	1	1	2	10
1961-62	Canadiens de Montréal	6	1	1	2	10
1962-63	Canadiens de Montréal	5	0	0	0	8
1963-64	Canadiens de Montréal	7	0	2	2	10
1964-65	Canadiens de Montréal	13	0	1	1	22
1965-66	Canadiens de Montréal	10	0	2	2	8
1966-67	Canadiens de Montréal	10	0	0	0	0
	TOTAUX	105	3	16	19	112

PARTIES D'ETOILES		PJ	B	A	PTS
1956	Canadiens de Montréal	1	0	0	0
1957	Canadiens de Montréal	1	0	0	0
1958	Canadiens de Montréal	1	0	1	1
1960	Canadiens de Montréal	1	0	0	0
1962	Etoiles de la LNH	1	0	0	0
1965	Canadiens de Montréal	1	0	0	0
1967	Canadiens de Montréal	1	0	0	0
	TOTAUX	7	0	1	1

A fait partie de l'équipe qui a remporté le trophée Prince de Galles en 1955-56, 1957-58, 1958-59, 1959-60, 1960-61, 1961-62, 1963-64, 1965-66.
A fait partie de l'équipe qui a remporté la coupe Stanley en 1955-56, 1956-57, 1957-58, 1958-59, 1959-60, 1964-65, 1965-66.
Membre de la première équipe d'étoiles en 1961-62.
Nommé assistant-capitaine des Canadiens en 1963.
Repêché par les North Stars du Minnesota lors de l'expansion de 1967, le 6 juin 1967.

TARDIF, Marc

Né à Granby, Québec, le 12 juin 1949.
Ailier gauche, lance de la gauche.
6', 180 lbs
Dernier club amateur: les Canadiens jrs de Montréal.

SAISON	CLUB	PJ	B	A	PTS	MEP
1969-70	Canadiens de Montréal	18	3	2	5	27
1970-71	Canadiens de Montréal	76	19	30	49	133
1971-72	Canadiens de Montréal	75	31	22	53	81
1972-73	Canadiens de Montréal	76	25	25	50	48
	TOTAUX	245	78	79	157	289

ELIMINATOIRES		PJ	B	A	PTS	MEP
1970-71	Canadiens de Montréal	20	3	1	4	40
1971-72	Canadiens de Montréal	6	2	3	5	9
1972-73	Canadiens de Montréal	14	6	6	12	6
	TOTAUX	40	11	10	21	55

A fait partie de l'équipe qui a remporté le trophée Prince de Galles en 1972-73.
A fait partie de l'équipe qui a remporté la coupe Stanley en 1970-71, 1972-73.
Signe avec les Sharks de Los Angeles de l'AMH en juin 1973.
Droits cédés aux Nordiques en retour de considérations futures en 1979.

TAUGHER, William (Bill)

Gardien de but.

SAISON	CLUB	PJ	BC	BL	MOY
1925-26	Canadiens de Montréal	1	3	0	3.00
	TOTAUX	1	3	0	3.00

FICHE OFFENSIVE		PJ	B	A	PTS	MEP
1925-26	Canadiens de Montréal	1	0	0	0	0
	TOTAUX	1	0	0	0	0

TEAL, Jeffrey

Né à Edina, Minnesota, le 30 mai 1960.
Ailier gauche.
6'3", 205 lbs
Dernier club amateur: Université du Minnesota.

SAISON	CLUB	PJ	B	A	PTS	MEP
1984-85	Canadiens de Montréal	6	0	1	1	0
	TOTAUX	6	0	1	1	0

TESSIER, Orval Ray

Né à Cornwall, Ontario, le 30 juin 1933.
Ailier droit, centre, lance de la droite.
5'8", 160 lbs
Dernier club amateur: les Flyers jrs de Barrie.

SAISON	CLUB	PJ	B	A	PTS	MEP
1954-55	Canadiens de Montréal	4	0	0	0	0
	TOTAUX	4	0	0	0	0

THIBEAULT, Lawrence Lorrain (Larry)

Né à Charletone, Ontario, le 2 octobre 1918.
Ailier gauche, lance de la gauche.
5'7", 180 lbs
Dernier club amateur: le Hull Volant.

SAISON	CLUB	PJ	B	A	PTS	MEP
1945-46	Canadiens de Montréal	1	0	0	0	0
	TOTAUX	1	0	0	0	0

A fait partie de l'équipe qui a remporté le trophée Prince de Galles en 1945-46.

THOMAS, Robert Wayne

Né à Ottawa, Ontario, le 9 octobre 1947.
Gardien de but, lance de la gauche.
6'2", 195 lbs
Dernier club amateur: Université du Wisconsin.

SAISON	CLUB	PJ	BC	BL	MOY
1972-73	Canadiens de Montréal	10	23	1	2.37
1973-74	Canadiens de Montréal	42	111	1	2.76
	TOTAUX	52	134	2	2.69

FICHE OFFENSIVE		PJ	B	A	PTS	MEP
1972-73	Canadiens de Montréal	10	0	1	1	2
1973-74	Canadiens de Montréal	42	0	2	2	6
	TOTAUX	52	0	3	3	8

Obtenu des Kings de Los Angeles avec Léon Rochefort et Greg Boddy contre Larry Mickey, Lucien Grenier et Jack Norris en mai 1970.
A fait partie de l'équipe qui a remporté le trophée Prince de Galles en 1972-73.
Echangé aux Maple Leafs de Toronto pour le premier choix amateur de 1976 (Peter Lee) le 17 juin 1975.

THOMSON, Rhys

Né à Toronto, Ontario, le 9 août 1918.
Défenseur.

SAISON	CLUB	PJ	B	A	PTS	MEP
1939-40	Canadiens de Montréal	7	0	0	0	16
	TOTAUX	7	0	0	0	16

TREMBLAY, Gilles

Né à Montmorency, Québec, le 17 décembre 1938.
Ailier gauche, lance de la gauche.
5'10", 170 lbs
Dernier club amateur: les Canadiens jrs de Hull-Ottawa.

SAISON	CLUB	PJ	B	A	PTS	MEP
1960-61	Canadiens de Montréal	45	7	11	18	4
1961-62	Canadiens de Montréal	70	32	22	54	28
1962-63	Canadiens de Montréal	60	25	24	49	42
1963-64	Canadiens de Montréal	61	22	15	37	21
1964-65	Canadiens de Montréal	26	9	7	16	16
1965-66	Canadiens de Montréal	70	27	21	48	24
1966-67	Canadiens de Montréal	62	13	19	32	16
1967-68	Canadiens de Montréal	71	23	28	51	8
1968-69	Canadiens de Montréal	44	10	15	25	2
	TOTAUX	509	168	162	330	161

ELIMINATOIRES		PJ	B	A	PTS	MEP
1960-61	Canadiens de Montréal	6	1	3	4	0
1961-62	Canadiens de Montréal	6	1	0	1	2
1962-63	Canadiens de Montréal	5	2	0	2	0
1963-64	Canadiens de Montréal	2	0	0	0	0
1965-66	Canadiens de Montréal	10	4	5	9	0
1966-67	Canadiens de Montréal	10	0	1	1	0
1967-68	Canadiens de Montréal	9	1	5	6	2
	TOTAUX	48	9	14	23	4

PARTIES D'ETOILES		PJ	B	A	PTS
1965	Canadiens de Montréal	1	0	0	0
1967	Canadiens de Montréal	1	0	0	0
	TOTAUX	2	0	0	0

A fait partie de l'équipe qui a remporté le trophée Prince de Galles en 1960-61, 1961-62, 1963-64, 1965-66, 1967-68, 1968-69.
A fait partie de l'équipe qui a remporté la coupe Stanley en 1965-66, 1967-68.

TREMBLAY, Jean-Claude (J.-C.)

Né à Bagotville, Québec, le 22 janvier 1939.
Défenseur, lance de la gauche.
5'11", 178 lbs
Dernier club amateur: les Canadiens jrs de Hull-Ottawa.

SAISON	CLUB	PJ	B	A	PTS	MEP
1959-60	Canadiens de Montréal	11	0	1	1	0
1960-61	Canadiens de Montréal	29	1	3	4	18
1961-62	Canadiens de Montréal	70	3	17	20	18
1962-63	Canadiens de Montréal	69	1	17	18	10
1963-64	Canadiens de Montréal	70	5	16	21	24
1964-65	Canadiens de Montréal	68	3	17	20	22
1965-66	Canadiens de Montréal	59	6	29	35	8
1966-67	Canadiens de Montréal	60	8	26	34	14
1967-68	Canadiens de Montréal	73	4	26	30	18
1968-69	Canadiens de Montréal	75	7	32	39	18
1969-70	Canadiens de Montréal	58	2	19	21	7
1970-71	Canadiens de Montréal	76	11	52	63	23
1971-72	Canadiens de Montréal	76	6	51	57	24
	TOTAUX	794	57	306	363	204

ELIMINATOIRES		PJ	B	A	PTS	MEP
1960-61	Canadiens de Montréal	5	0	0	0	2
1961-62	Canadiens de Montréal	6	0	2	2	2
1962-63	Canadiens de Montréal	5	0	0	0	0
1963-64	Canadiens de Montréal	7	2	1	3	9
1964-65	Canadiens de Montréal	13	1	9	10	18
1965-66	Canadiens de Montréal	10	2	9	11	2
1966-67	Canadiens de Montréal	10	2	4	6	2
1967-68	Canadiens de Montréal	13	3	6	9	2
1968-69	Canadiens de Montréal	13	1	4	5	6
1970-71	Canadiens de Montréal	20	3	14	17	15
1971-72	Canadiens de Montréal	6	0	2	2	0
	TOTAUX	108	14	51	65	58

PARTIES D'ETOILES		PJ	B	A	PTS
1959	Canadiens de Montréal	1	0	0	0
1965	Canadiens de Montréal	1	0	0	0
1967	Canadiens de Montréal	1	0	0	0
1968	Etoiles de la LNH	1	0	1	1
1969	Etoiles de la section est	1	0	0	0
1971	Etoiles de la section est	1	0	0	0
1972	Etoiles de la section est	1	0	1	1
	TOTAUX	7	0	2	2

Sélectionné par les Sharks de Los Angeles de l'AMH en février 1972.
Ses droits furent acquis par les Nordiques de Québec par la suite.

A fait partie de l'équipe qui a remporté le trophée Prince de Galles en 1959-60, 1960-61, 1961-62, 1963-64, 1965-66, 1967-68, 1968-69.
A fait partie de l'équipe qui a remporté la coupe Stanley en 1964-65, 1965-66, 1967-68, 1968-69, 1970-71.
Nommé assistant-capitaine des Canadiens en 1971.
Membre de la deuxième équipe d'étoiles en 1967-68.
Membre de la première équipe d'étoiles en 1970-71.

TREMBLAY, Louis Nils

Né à La Malbaie, Québec, le 26 juillet 1923.
Centre, lance de la gauche.
5'8", 158 lbs
Dernier club amateur: les Saints de Sherbrooke.

SAISON	CLUB	PJ	B	A	PTS	MEP
1944-45	Canadiens de Montréal	1	0	1	1	0
1945-46	Canadiens de Montréal	2	0	0	0	0
	TOTAUX	3	0	1	1	0

ELIMINATOIRES		PJ	B	A	PTS	MEP
1944-45	Canadiens de Montréal	2	0	0	0	0
	TOTAUX	2	0	0	0	0

A fait partie de l'équipe qui a remporté le trophée Prince de Galles en 1944-45, 1945-46.

TREMBLAY, Marcel

Né à Winnipeg, Manitoba, le 4 juillet 1915.

SAISON	CLUB	PJ	B	A	PTS	MEP
1938-39	Canadiens de Montréal	10	0	2	2	0
	TOTAUX	10	0	2	2	0

TREMBLAY, Mario

Né à Alma, Québec, le 2 septembre 1956.
Ailier droit, lance de la droite.
6', 185 lbs
Dernier club amateur: le Bleu Blanc Rouge jr de Montréal.

SAISON	CLUB	PJ	B	A	PTS	MEP
1974-75	Canadiens de Montréal	63	21	18	39	108
1975-76	Canadiens de Montréal	71	11	16	27	88
1976-77	Canadiens de Montréal	74	18	28	46	61
1977-78	Canadiens de Montréal	56	10	14	24	44
1978-79	Canadiens de Montréal	76	30	29	59	74
1979-80	Canadiens de Montréal	77	16	26	42	105
1980-81	Canadiens de Montréal	77	25	38	63	123
1981-82	Canadiens de Montréal	80	33	40	73	66
1982-83	Canadiens de Montréal	80	30	37	67	87
1983-84	Canadiens de Montréal	67	14	25	39	112
1984-85	Canadiens de Montréal	75	31	35	66	120
1985-86	Canadiens de Montréal	56	19	20	39	55
	TOTAUX	852	258	326	584	1043

ELIMINATOIRES		PJ	B	A	PTS	MEP
1974-75	Canadiens de Montréal	11	0	1	1	7
1975-76	Canadiens de Montréal	10	0	1	1	27
1976-77	Canadiens de Montréal	14	3	0	3	9
1977-78	Canadiens de Montréal	5	2	1	3	16
1978-79	Canadiens de Montréal	13	3	4	7	13
1979-80	Canadiens de Montréal	10	0	11	11	14
1980-81	Canadiens de Montréal	3	0	0	0	9
1981-82	Canadiens de Montréal	5	4	1	5	24
1982-83	Canadiens de Montréal	3	0	1	1	7
1983-84	Canadiens de Montréal	15	6	3	9	31
1984-85	Canadiens de Montréal	12	2	6	8	30
1985-86	Canadiens de Montréal	0	0	0	0	0
	TOTAUX	100	20	29	49	187

A fait partie de l'équipe qui a remporté le trophée Prince de Galles en 1975-76, 1976-77, 1977-78.
A fait partie de l'équipe qui a remporté la coupe Stanley en 1976-77, 1976-77, 1977-78, 1978-79.
Quatrième choix amateur des Canadiens en 1974.
À pris sa retraite le 22 septembre 1986.

TRUDEL, Louis Napoléon

Né à Salem, Massachusetts, le 21 juillet 1912.
Ailier gauche, lance de la gauche.

5'11", 165 lbs
Dernier club amateur: les Poslers d'Edmonton.

SAISON	CLUB	PJ	B	A	PTS	MEP
1938-39	Canadiens de Montréal	31	8	13	21	2
1939-40	Canadiens de Montréal	47	12	7	19	24
1940-41	Canadiens de Montréal	16	2	3	5	2
	TOTAUX	94	22	23	45	28

ELIMINATOIRES		PJ	B	A	PTS	MEP
1938-39	Canadiens de Montréal	3	1	0	1	0
	TOTAUX	3	1	0	1	0

Obtenu des Black Hawks de Chicago contre Joffre Désilets en 1938.

TUDIN, Cornell (Connie, Conny)

SAISON	CLUB	PJ	B	A	PTS	MEP
1941-42	Canadiens de Montréal	4	0	1	1	4
	TOTAUX	4	0	1	1	4

TURCOTTE, Alfie

Né à Gary, Indiana, le 5 juin 1965.
Centre.
5'10", 175 lbs
Dernier club amateur: Portland Winter Hawks jr.

SAISON	CLUB	PJ	B	A	PTS	MEP
1983-84	Canadiens de Montréal	30	7	7	14	10
1984-85	Canadiens de Montréal	53	8	16	24	35
1985-86	Canadiens de Montréal	2	0	0	0	2
	TOTAUX	85	15	23	38	47

ELIMINATOIRES		PJ	B	A	PTS	MEP
1984-85	Canadiens de Montréal	5	0	0	0	0
	TOTAUX	5	0	0	0	0

Échangé à Edmonton le 25 juin 1986.

TURNBULL, Perry

Né à Bentley, Alberta, le 9 mars 1959.
Ailier gauche.
6'2", 200 lbs
Dernier club amateur: Portland Winter Hawks jr.

SAISON	CLUB	PJ	B	A	PTS	MEP
1983-84	Canadiens de Montréal	40	6	7	13	59
	TOTAUX	40	6	7	13	59

ELIMINATOIRES		PJ	B	A	PTS	MEP
1983-84	Canadiens de Montréal	9	1	2	3	10
	TOTAUX	9	1	2	3	10

Changé par St. Louis pour Gilbert Delorme, Greg Paslawski et Doug Wickenheiser en décembre 1983.
Échangé à Winnipeg pour Lucien Deblois le 14 juin 1984.

TURNER, Robert George (Bob)

Né à Régina, Saskatchewan, le 31 janvier 1934.
Défenseur, lance de la gauche.
6', 178 lbs
Dernier club amateur: les Pats jrs de Régina.

SAISON	CLUB	PJ	B	A	PTS	MEP
1955-56	Canadiens de Montréal	33	1	4	5	35
1956-57	Canadiens de Montréal	58	1	4	5	48
1957-58	Canadiens de Montréal	66	0	3	3	30
1958-59	Canadiens de Montréal	68	4	24	28	66
1959-60	Canadiens de Montréal	54	0	9	9	40
1960-61	Canadiens de Montréal	60	2	2	4	16
	TOTAUX	339	8	46	54	235

ELIMINATOIRES		PJ	B	A	PTS	MEP
1955-56	Canadiens de Montréal	10	0	1	1	10
1956-57	Canadiens de Montréal	6	0	1	1	0
1957-58	Canadiens de Montréal	10	0	0	0	2
1958-59	Canadiens de Montréal	11	0	2	2	20
1959-60	Canadiens de Montréal	8	0	0	0	0

ELIMINATOIRES		PJ	B	A	PTS	MEP
1960-61	Canadiens de Montréal	5	0	0	0	0
	TOTAUX	50	0	4	4	32

PARTIES D'ETOILES		PJ	B	A	PTS	
1956	Canadiens de Montréal	1	0	0	0	
1957	Canadiens de Montréal	1	0	0	0	
1958	Canadiens de Montréal	1	0	0	0	
1959	Canadiens de Montréal	1	0	0	0	
1960	Canadiens de Montréal	1	0	0	0	
	TOTAUX	5	0	0	0	

A fait partie de l'équipe qui a remporté le trophée Prince de Galles en 1955-56, 1957-58, 1958-59, 1959-60, 1960-61.
A fait partie de l'équipe qui a remporté la coupe Stanley en 1955-56, 1956-57, 1957-58, 1958-59, 1959-60.
Echangé aux Black Hawks de Chicago pour Fred Hilts en juin 1961.

VACHON, Rogatien Rosaire (Roggy)

Né à Palmarolle, Québec, le 8 septembre 1945.
Gardien de but, lance de la gauche.
5'7", 165 lbs
Dernier club amateur: les Canadiens jrs de Thetford Mines.

SAISON	CLUB	PJ	BC	BL	MOY
1966-67	Canadiens de Montréal	19	47	1	2.48
1967-68	Canadiens de Montréal	39	92	4	2.48
1968-69	Canadiens de Montréal	36	98	2	2.87
1969-70	Canadiens de Montréal	64	162	4	2.63
1970-71	Canadiens de Montréal	47	118	2	2.64
1971-72	Canadiens de Montréal	1	2	0	12.00
	TOTAUX	206	521	13	2.53

ELIMINATOIRES		PJ	BC	BL	MOY
1966-67	Canadiens de Montréal	9	22	0	2.54
1967-68	Canadiens de Montréal	2	4	0	2.13
1968-69	Canadiens de Montréal	8	12	1	1.42
	TOTAUX	19	38	1	2.00

FICHE OFFENSIVE		PJ	B	A	PTS	MEP
1966-67	Canadiens de Montréal	19	0	1	1	0
1967-68	Canadiens de Montréal	39	0	0	0	2
1968-69	Canadiens de Montréal	36	0	0	0	2
1969-70	Canadiens de Montréal	64	0	0	0	0
1970-71	Canadiens de Montréal	47	0	0	0	0
1971-72	Canadiens de Montréal	1	0	0	0	0
	TOTAUX	206	0	1	1	4

ELIMINATOIRES		PJ	B	A	PTS	MEP
1966-67	Canadiens de Montréal	9	0	0	0	0
1967-68	Canadiens de Montréal	2	0	0	0	0
1968-69	Canadiens de Montréal	8	0	0	0	2
	TOTAUX	19	0	0	0	2

A remporté le trophée Georges Vézina avec Lorne Worsley en 1967-68.
Echangé aux Kings de Los Angeles pour Denis Dejordy, Noel Price, Dale Hoganson et Doug Robinson le 4 novembre 1971.

VADNAIS, Carol Marcel

Né à Montréal, Québec, le 25 septembre 1945.
Défenseur, lance de la gauche.
6'1", 212 lbs
Dernier club amateur: les Canadiens jrs de Montréal.

SAISON	CLUB	PJ	B	A	PTS	MEP
1966-67	Canadiens de Montréal	11	0	3	3	35
1967-68	Canadiens de Montréal	31	1	1	2	31
	TOTAUX	42	1	4	5	66

ELIMINATOIRES		PJ	B	A	PTS	MEP
1966-67	Canadiens de Montréal	1	0	0	0	2
1967-68	Canadiens de Montréal	1	0	0	0	0
	TOTAUX	2	0	0	0	2

Repêché par les Seals d'Oakland le 12 juin 1968.
A fait partie de l'équipe qui a remporté le trophée Prince de Galles en 1967-68.
A fait partie de l'équipe qui a remporté la coupe Stanley en 1967-68.

VAN BOXMEER, John Martin

Né à Petrolia, Ontario, le 9 septembre 1952.
Défenseur, ailier droit, lance de la droite.
6', 185 lbs
Dernier club amateur: les Royal jrs de Guelph.

SAISON	CLUB	PJ	B	A	PTS	MEP
1973-74	Canadiens de Montréal	20	1	4	5	18
1974-75	Canadiens de Montréal	9	0	2	2	0
1975-76	Canadiens de Montréal	46	6	11	17	31
1976-77	Canadiens de Montréal	4	0	1	1	0
	TOTAUX	79	7	18	25	49

ELIMINATOIRES		PJ	B	A	PTS	MEP
1973-74	Canadiens de Montréal	1	0	0	0	0
	TOTAUX	1	0	0	0	0

Quatrième choix amateur des Canadiens en 1972.
A fait partie de l'équipe qui a remporté le trophée Prince de Galles en 1975-76.
A fait partie de l'équipe qui a remporté la coupe Stanley en 1975-76, 1976-77.
Échangé aux Rockies du Colorado le 24 novembre 1976 pour un choix au repêchage en 1980.

VÉZINA, Georges (The Chicoutimi Cucumber)

Né à Chicoutimi, Québec, en janvier 1887.
Gardien de but.
Dernier club amateur: Chicoutimi.

SAISON	CLUB	PJ	BC	BL	MOY
1910-11	Canadiens de Montréal	16	62	0	3.26
1911-12	Canadiens de Montréal	18	66	0	3.66
1912-13	Canadiens de Montréal	20	81	1	4.50
1913-14	Canadiens de Montréal	20	65	1	3.25
1914-15	Canadiens de Montréal	20	81	0	4.50
1915-16	Canadiens de Montréal	24	76	0	3.15
1916-17	Canadiens de Montréal	20	80	0	4.00
1917-18	Canadiens de Montréal	21	84	1	4.00
1918-19	Canadiens de Montréal	18	78	1	4.33
1919-20	Canadiens de Montréal	24	113	0	4.71
1920-21	Canadiens de Montréal	24	99	1	4.13
1921-22	Canadiens de Montréal	24	94	0	3.91
1922-23	Canadiens de Montréal	24	61	2	2.58
1923-24	Canadiens de Montréal	24	48	3	2.00
1924-25	Canadiens de Montréal	30	56	5	1.87
1925-26	Canadiens de Montréal	1	1	0	1.00
	TOTAUX	328	1145	15	3.49

ELIMINATOIRES		PJ	BC	BL	MOY
1913-14	Canadiens de Montréal	2	6	1	3.00
1915-16	Canadiens de Montréal	5	13	0	2.60
1916-17	Canadiens de Montréal	6	29	0	4.83
1917-18	Canadiens de Montréal	2	10	0	5.00
1918-19	Canadiens de Montréal	9	37	1	3.70
1922-23	Canadiens de Montréal	2	3	0	1.50
1923-24	Canadiens de Montréal	6	6	2	1.00
1924-25	Canadiens de Montréal	6	18	1	3.00
	TOTAUX	38	122	5	3.21

FICHE OFFENSIVE		PJ	B	A	PTS	MEP
1910-11	Canadiens de Montréal	16	0	—	0	—
1911-12	Canadiens de Montréal	18	0	—	0	—
1912-13	Canadiens de Montréal	20	0	—	0	—
1913-14	Canadiens de Montréal	20	0	—	0	—
1914-15	Canadiens de Montréal	20	0	—	0	—
1915-16	Canadiens de Montréal	24	0	—	0	—
1916-17	Canadiens de Montréal	20	0	—	0	—
1917-18	Canadiens de Montréal	21	0	—	0	—
1918-19	Canadiens de Montréal	18	0	0	0	0
1919-20	Canadiens de Montréal	24	0	0	0	0
1920-21	Canadiens de Montréal	24	0	0	0	0
1921-22	Canadiens de Montréal	24	0	0	0	2
1922-23	Canadiens de Montréal	24	0	0	0	0
1923-24	Canadiens de Montréal	24	0	0	0	0
1924-25	Canadiens de Montréal	30	0	0	0	0
1925-26	Canadiens de Montréal	1	0	0	0	0
	TOTAUX	328	0	0	0	2

ELIMINATOIRES		PJ	B	A	PTS	MEP
1913-14	Canadiens de Montréal	2	0	—	0	—
1915-16	Canadiens de Montréal	5	0	—	0	—
1916-17	Canadiens de Montréal	6	0	—	0	—
1917-18	Canadiens de Montréal	2	0	—	0	0
1918-19	Canadiens de Montréal	9	0	0	0	0
1922-23	Canadiens de Montréal	2	0	0	0	0
1923-24	Canadiens de Montréal	6	0	0	0	0
1924-25	Canadiens de Montréal	6	0	0	0	0
	TOTAUX	38	0	0	0	0

A fait partie de l'équipe qui a remporté le trophée Prince de Galles en 1924-25.
A fait partie de l'équipe qui a remporté la coupe Stanley en 1915-16, 1923-24.
La LNH a donné son nom au trophée du meilleur gardien de la ligue.
Membre du Temple de la Renommée en avril 1945.
Décédé le 24 mars 1926.

WAKELY, Ernest Alfred Linton (Ernie)

Né à Flin Flon, Manitoba, le 27 novembre 1940.
Gardien de but, lance de la gauche.
5'11", 160 lbs
Dernier club amateur: les Braves jrs de Winnipeg.

SAISON	CLUB	PJ	BC	BL	MOY
1962-63	Canadiens de Montréal	1	3	0	3.00
1968-69	Canadiens de Montréal	1	4	0	4.00
	TOTAUX	2	7	0	3.50

FICHE OFFENSIVE		PJ	B	A	PTS	MEP
1962-63	Canadiens de Montréal	1	0	0	0	0
1968-69	Canadiens de Montréal	1	0	0	0	0
	TOTAUX	2	0	0	0	0

A fait partie de l'équipe qui a remporté le trophée Prince de Galles en 1968-69.
Echangé aux Blues de St. Louis pour Normand Beaudin et Bob Schmautz le 27 juin 1969.

WALTER, Ryan

Né à New Westminster, C.-B., le 23 avril 1958.
Ailier gauche.
6', 195 lbs
Dernier club amateur: Seattle Breakers.

SAISON	CLUB	PJ	B	A	PTS	MEP
1982-83	Canadiens de Montréal	80	29	46	75	40
1983-84	Canadiens de Montréal	73	20	29	49	83
1984-85	Canadiens de Montréal	72	19	19	38	59
1985-86	Canadiens de Montréal	69	15	34	49	45
	TOTAUX	294	83	128	211	227

ELIMINATOIRES		PJ	B	A	PTS	MEP
1982-83	Canadiens de Montréal	3	0	0	0	11
1983-84	Canadiens de Montréal	15	2	1	3	4
1984-85	Canadiens de Montréal	12	2	7	9	13
1985-86	Canadiens de Montréal	5	0	1	1	2
	TOTAUX	35	4	9	13	30

Échangé par Washington avec Rick Green pour Rod Langway, Brian Engblom, Doug Jarvis et Craig Laughlin (septembre 1982).

WALTON, Robert Charles (Bob)

Né à Ottawa, Ontario, le 5 août 1917.
Ailier droit, lance de la droite.
5'9", 165 lbs
Dernier club amateur: les Millionnaires de Sydney (N.-E.).

SAISON	CLUB	PJ	B	A	PTS	MEP
1943-44	Canadiens de Montréal	4	0	0	0	0
	TOTAUX	4	0	0	0	0

A fait partie de l'équipe qui a remporté le trophée Prince de Galles en 1943-44.

WAMSLEY, Rick

Né à Simcoe, Ontario, le 25 mai 1959.
Gardien de but.
5'11", 185 lbs
Dernier club amateur: Brantford jr.

SAISON	CLUB	PJ	BC	BL	MOY	MEP
1980-81	Canadiens de Montréal	5	8	1	1.90	
1981-82	Canadiens de Montréal	38	101	2	2.75	
	(2 assist./4 min pun.)					
1982-83	Canadiens de Montréal	46	151	0	3.51	
	(1 assist./4 min pun.)					
1983-84	Canadiens de Montréal	42	144	2	3.70	
	(3 assist./6 min pun.)					
	TOTAUX	131	404	5	3.53	

ELIMINATOIRES		PJ	BC	BL	MOY	MEP
1980-81	Canadiens de Montréal	0	0	0	0.00	
1981-82	Canadiens de Montréal	5	11	0	2.20	2
1982-83	Canadiens de Montréal	3	7	0	2.76	
1983-84	Canadiens de Montréal	1	0	0	0.00	

A remporté le trophée Bill Jennings en 1981-82 (avec Denis Herron) et a affiché la meilleure moyenne des éliminatoires avec 2.20.
Échangé à St. Louis le 9 juin 1984 avec un choix de deuxième et troisième ronde pour les premier choix (Shayne Corson) et deuxième choix (Stéphane Richer) de St. Louis.

WARD, James William (Jim, Jimmy)

Né à Fort William, Ontario, le 1er septembre 1906.
Ailier droit, lance de la droite.
5'11", 167 lbs
Dernier club amateur: Fort William.

SAISON	CLUB	PJ	B	A	PTS	MEP
1938-39	Canadiens de Montréal	36	4	3	7	0
	TOTAUX	36	4	3	7	0

ELIMINATOIRES		PJ	B	A	PTS	MEP
1938-39	Canadiens de Montréal	1	0	0	0	0
	TOTAUX	1	0	0	0	0

Repêché des Maroons de Montréal en 1938.
Père de Peter Ward, joueur de baseball.

WARWICK, Grant David (Knobby)

Né à Régina, Saskatchewan, le 11 octobre 1921.
Ailier droit, lance de la droite.
5'6", 165 lbs
Dernier club amateur: les Rangers srs de Régina.

SAISON	CLUB	PJ	B	A	PTS	MEP
1949-50	Canadiens de Montréal	30	2	6	8	19
	TOTAUX	30	2	6	8	19

Acheté des Bruins de Boston le 10 octobre 1949.

WASNIE, Nicholas (Nick)

Né à Winnipeg, Manitoba le 1er janvier 1904.
Ailier droit, lance de la droite.
5'10", 174 lbs
Dernier club amateur: les Tigers srs de Coleman.

SAISON	CLUB	PJ	B	A	PTS	MEP
1929-30	Canadiens de Montréal	44	12	11	23	64
1930-31	Canadiens de Montréal	44	9	2	11	26
1931-32	Canadiens de Montréal	48	10	2	12	16
	TOTAUX	136	31	15	46	106

ELIMINATOIRES		PJ	B	A	PTS	MEP
1929-30	Canadiens de Montréal	6	2	2	4	12
1930-31	Canadiens de Montréal	10	4	1	5	8
1931-32	Canadiens de Montréal	4	0	0	0	0
	TOTAUX	20	6	3	9	20

Obtenu de Chicago (1929-30).
A fait partie de l'équipe qui a remporté la coupe Stanley en 1929-30, 1930-31.
Échangé aux Americans de New York (1932-33).

WATSON, Bryan Joseph (Bugsy)

Né à Bancroft, Ontario, le 14 novembre 1942.
Défenseur, lance de la droite.
5'10", 175 lbs
Dernier club amateur: les Petes jrs de Peterborough.

SAISON	CLUB	PJ	B	A	PTS	MEP
1963-64	Canadiens de Montréal	39	0	2	2	18
1964-65	Canadiens de Montréal	5	0	1	1	7
1967-68	Canadiens de Montréal	12	0	1	1	9
	TOTAUX	56	0	4	4	34

ELIMINATOIRES		PJ	B	A	PTS	MEP
1963-64	Canadiens de Montréal	6	0	0	0	2
	TOTAUX	6	0	0	0	2

A fait partie de l'équipe qui a remporté le trophée
Prince de Galles en 1963-64, 1967-68.
Échangé aux Black Hawks de Chicago pour Don Johns
le 8 juin 1965.
Obtenu des North Stars du Minnesota contre Bill
Plager, Léo Thiffault et Barrie Meissner le 6 juin 1967.
Échangé aux Seals d'Oakland avec un certain montant
d'argent pour le premier choix amateur de 1972 (Steve
Shutt), le 10 juin 1968.

WATSON, Phillip Henri (Phil)

Né à Montréal, Québec, le 24 avril 1914.
Centre, lance de la droite.
5'11", 170 lbs
Dernier club amateur: les Royaux srs de Montréal.

SAISON	CLUB	PJ	B	A	PTS	MEP
1943-44	Canadiens de Montréal	44	17	32	49	61
	TOTAUX	44	17	32	49	61

ELIMINATOIRES		PJ	B	A	PTS	MEP
1943-44	Canadiens de Montréal	9	3	5	8	16
	TOTAUX	9	3	5	8	16

Obtenu des Rangers de New York contre Charlie Sands
et "Dutch" Hiller en 1943.
A fait partie de l'équipe qui a remporté le trophée
Prince de Galles en 1943-44.
A fait partie de l'équipe qui a remporté la coupe Stanley
en 1943-44.
Échangé aux Rangers de New York contre Fernand
Gauthier et "Dutch" Hiller en 1944.

WENTWORTH, Marvin (Cy)

Né à Grimsby, Ontario, le 24 janvier 1905.
Défenseur droite, lance de la droite.
5'10", 170 lbs
Dernier club amateur: Windsor.

SAISON	CLUB	PJ	B	A	PTS	MEP
1938-39	Canadiens de Montréal	45	0	3	3	12
1939-40	Canadiens de Montréal	32	1	3	4	6
	TOTAUX	77	1	6	7	18

ELIMINATOIRES		PJ	B	A	PTS	MEP
1938-39	Canadiens de Montréal	3	0	0	0	4
	TOTAUX	3	0	0	0	4

WHITE, Leonard Arthur (Moe)

Né à Verdun, Québec, le 28 juillet 1919.
Centre, lance de la gauche.
5'11", 180 lbs
Dernier club amateur: Le club de l'armée canadienne.

SAISON	CLUB	PJ	B	A	PTS	MEP
1945-46	Canadiens de Montréal	4	0	1	1	2
	TOTAUX	4	0	1	1	2

A fait partie de l'équipe qui a remporté le trophée
Prince de Galles en 1945-46.

WICKENHEISER, Doug

Né à Regina, Saskatchewan, le 30 mars 1961.
Centre.
6', 199 lbs
Dernier club amateur: Pats de Regina.

SAISON	CLUB	PJ	B	A	PTS	MEP
1980-81	Canadiens de Montréal	41	7	8	15	20
1981-82	Canadiens de Montréal	56	12	23	35	43
1982-83	Canadiens de Montréal	78	25	30	55	49
1983-84	Canadiens de Montréal	27	5	5	10	6
	TOTAUX	202	49	66	115	118

ELIMINATOIRES		PJ	B	A	PTS	MEP
	NIL					

Échangé avec Gilbert Delorme et Greg Paslawski à St.
Louis pour Perry Turnbull en décembre 1983.

WILLSON, Donald Arthur (Don)

Né à Chatham, Ontario, le 1er janvier 1914.

SAISON	CLUB	PJ	B	A	PTS	MEP
1937-38	Canadiens de Montréal	18	2	7	9	0
1938-39	Canadiens de Montréal	4	0	0	0	0
	TOTAUX	22	2	7	9	0

ELIMINATOIRES		PJ	B	A	PTS	MEP
1937-38	Canadiens de Montréal	3	0	0	0	0
	TOTAUX	3	0	0	0	0

WILSON, Carol (Cully)

Né en 1893.
Ailier droit.

SAISON	CLUB	PJ	B	A	PTS	MEP
*1920-21	St. Patricks de Toronto/ Canadiens de Montréal	17	8	2	10	16
	TOTAUX	17	8	2	10	16

Obtenu des St. Patricks de Toronto en 1920-21.
Échangé avec Harry Mummery et Amos Arbour pour
Sprague Cleghorn et Bill Couture en 1921.

WILSON, Gerald (Gerry)

Né à Edmonton, Alberta, le 10 avril 1937.
Centre, lance de la gauche.
6'2", 200 lbs

SAISON	CLUB	PJ	B	A	PTS	MEP
1956-57	Canadiens de Montréal	3	0	0	0	2
	TOTAUX	3	0	0	0	2

WILSON, Murray Charles

Né à Ottawa, Ontario, le 7 novembre 1951.
Ailier gauche, ailier droit, lance de la gauche.
6'1", 180 lbs
Dernier club amateur: les 67 jrs d'Ottawa.

SAISON	CLUB	PJ	B	A	PTS	MEP
1972-73	Canadiens de Montréal	52	18	9	27	16
1973-74	Canadiens de Montréal	72	17	14	31	26
1974-75	Canadiens de Montréal	73	24	18	42	44
1975-76	Canadiens de Montréal	59	11	24	35	36
1976-77	Canadiens de Montréal	60	13	14	27	26
1977-78	Canadiens de Montréal	12	0	1	1	0
	TOTAUX	328	83	80	163	148

ELIMINATOIRES		PJ	B	A	PTS	MEP
1972-73	Canadiens de Montréal	16	2	4	6	6
1973-74	Canadiens de Montréal	5	1	0	1	2
1974-75	Canadiens de Montréal	5	0	3	3	4
1975-76	Canadiens de Montréal	12	1	1	2	6
1976-77	Canadiens de Montréal	14	1	6	7	14
	TOTAUX	52	5	14	19	32

Troisième choix amateur des Canadiens en 1971.
A fait partie de l'équipe qui a remporté le trophée
Prince de Galles en 1972-73, 1975-76, 1976-77, 1977-78.
A fait partie de l'équipe qui a remporté la coupe Stanley
en 1972-73, 1975-76, 1976-77, 1977-78.
Échangé aux Kings de Los Angeles avec le premier
choix au repêchage des Canadiens en 1979 en retour du
premier choix des Kings en 1981.

WILSON, Richard Gordon (Rick)

Né à Prince Albert, Saskatchewan, le 10 août 1950.
Défenseur, lance de la gauche.
6'1", 195 lbs
Dernier club amateur: l'Université du North Dakota.

SAISON	CLUB	PJ	B	A	PTS	MEP
1973-74	Canadiens de Montréal	21	0	2	2	6
	TOTAUX	21	0	2	2	6

Échangé aux Blues de St. Louis avec le cinquième
choix amateur de 1974 (Don Wheldon) pour le quatrième
choix amateur de 1974 (Barry Legge) et Glen Sather, le 27 mai
1974.

WORSLEY, Lorne John (Gump, Gumper)

Né à Montréal, Québec, le 14 mai 1929.
Gardien de but, lance de la gauche.
5'7", 180 lbs
Dernier club amateur: les Rovers de New York.

SAISON	CLUB	PJ	BC	BL	MOY
1963-64	Canadiens de Montréal	8	22	1	2.97
1964-65	Canadiens de Montréal	18	50	1	2.94
1965-66	Canadiens de Montréal	51	114	2	2.36
1966-67	Canadiens de Montréal	18	47	1	3.18
1967-68	Canadiens de Montréal	40	73	6	1.98
1968-69	Canadiens de Montréal	30	64	5	2.26
1969-70	Canadiens de Montréal	6	14	0	2.33
	TOTAUX	171	384	16	2.25

ELIMINATOIRES		PJ	BC	BL	MOY
1964-65	Canadiens de Montréal	8	14	2	1.68
1965-66	Canadiens de Montréal	10	20	1	1.99
1966-67	Canadiens de Montréal	2	3	0	1.50
1967-68	Canadiens de Montréal	12	21	1	1.88
1968-69	Canadiens de Montréal	7	14	0	2.27
	TOTAUX	39	71	4	1.82

PARTIES D'ETOILES		PJ	BC	BL	MOY
1965	Canadiens de Montréal	1	1	0	0.67
	TOTAUX	1	1	0	0.67

FICHE OFFENSIVE		PJ	B	A	PTS	MEP
1963-64	Canadiens de Montréal	8	0	0	0	0
1964-65	Canadiens de Montréal	18	0	0	0	0
1965-66	Canadiens de Montréal	51	0	1	1	4
1966-67	Canadiens de Montréal	18	0	0	0	4
1967-68	Canadiens de Montréal	40	0	0	0	10
1968-69	Canadiens de Montréal	30	0	0	0	0
1969-70	Canadiens de Montréal	6	0	0	0	0
	TOTAUX	171	0	1	1	18

Obtenu des Rangers de New York avec Dave Balon,
Léon Rochefort et Len Ronson contre Jacques Plante,
Philippe Goyette et Don Marshall le 4 juin 1963.
A fait partie de l'équipe qui a remporté le trophée
Prince de Galles en 1963-64, 1965-66, 1967-68, 1968-69.
A fait partie de l'équipe qui a remporté la coupe Stanley
en 1964-65, 1965-66, 1967-68, 1968-69.
A remporté le trophée Georges Vézina en 1965-66 (avec
Charlie Hodge) et 1967-68 (avec Rogatien Vachon).
Membre de la deuxième équipe d'étoiles en 1965-66.
Membre de la première équipe d'étoiles en 1967-68.
Vendu aux North Stars du Minnesota le 27 février 1970.
Membre du Temple de la Renommée du Hockey en juin
1980.

WORTERS, Roy (Schrimp)

Né à Toronto, Ontario, le 19 octobre 1900.
Gardien de but, lance de la gauche.
5'3", 135 lbs
Dernier club amateur: les Yellow Jackets de
Pittsburgh.

SAISON	CLUB	PJ	BC	BL	MOY
*1929-30	Americans de New York/ Canadiens de Montréal	37	137	2	3.70
	TOTAUX	37	137	2	3.70

257

FICHE OFFENSIVE	PJ	B	A	PTS	MEP
*1929-30 Americans de New York/					
Canadiens de Montréal	37	0	0	0	0
TOTAUX	37	0	0	0	0

Prêté aux Americans de New York en 1930.
Membre du Temple de la Renommée du Hockey en juin 1969.
Décédé le 7 novembre 1957.

YOUNG, Douglas G. (Doug)

Né à Medicine Hat, Alberta, le 1er octobre 1908.
Défenseur, lance de la droite.
5'10", 190 lbs
Dernier club amateur: Kitchener.

SAISON	CLUB	PJ	B	A	PTS	MEP
1939-40	Canadiens de Montréal	47	3	9	12	22
1940-41	Canadiens de Montréal	3	0	0	0	4
	TOTAUX	50	3	9	12	26

Acheté des Red Wings de Detroit en 1939.

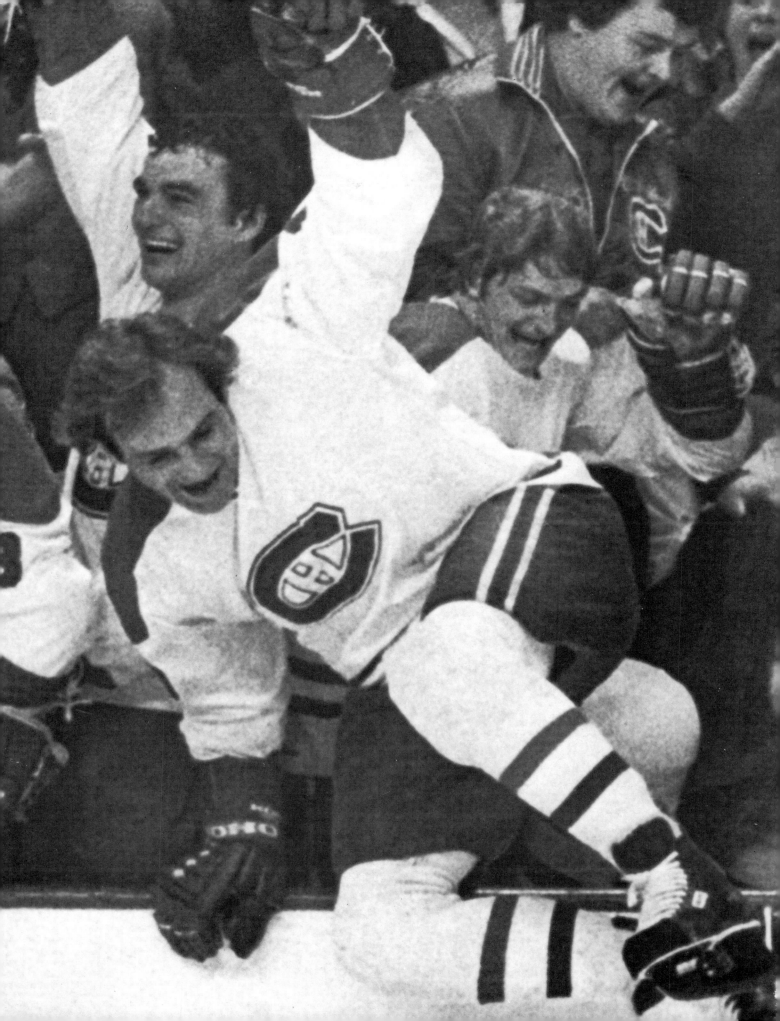

Achevé   Imprimerie
d'imprimer Gagné Ltée
au Canada   Louiseville